北仑年鉴

BEILUN YEARBOOK 2024

宁波市北仑区人民政府地方志办公室 编

方志出版社
Publishing House of Local Records

图书在版编目(CIP)数据

北仑年鉴. 2024 / 宁波市北仑区人民政府地方志办公室编. -- 北京 : 方志出版社, 2024. 12. -- ISBN 978-7-5144-6534-1

Ⅰ. Z525.54

中国国家版本馆 CIP 数据核字第 2024C8M931 号

责任编辑:李晓晓
责任校对:张玉霞
责任印制:梅中英
出 版 者:方志出版社
地　　址:北京市朝阳区潘家园东里 9 号(国家方志馆4层)
邮　　编:100021
网　　址:http://www.zgfzcb.cn
发　　行:方志出版社图书营销中心(010-67110500)
印　　刷:南京凯德印刷有限公司
开　　本:889毫米×1194毫米　1/16
印　　张:20.75
字　　数:895千字
版　　次:2024年12月第1版
印　　次:2024年12月第1次印刷
定　　价:300.00元

宁波市北仑区人民政府地方志办公室
《北仑年鉴（2024）》编辑部

编　　审　方义强

副 编 审　贺海波

主　　编　方义强

副 主 编　贺海波

责任编辑　郑春光　黄鲁斌

栏目编辑　周　斌　王无锋　张婷婷

特邀编审　高训贤

编辑说明

一、《北仑年鉴（2024）》以马克思列宁主义、毛泽东思想、邓小平理论、“三个代表”重要思想、科学发展观、习近平新时代中国特色社会主义思想为指导，坚持辩证唯物主义和历史唯物主义的立场、观点和方法，力求系统准确地反映区委、区政府的工作，如实反映2023年全区各领域事物变化状况，为全区的改革开放和经济建设服务，为领导决策提供依据，为中外人士了解和研究北仑提供资料，为历史留存史料。

二、《北仑年鉴》是在中共北仑区委、区人民政府领导下，由北仑区地方志（年鉴）编纂委员会主持编纂，宁波市北仑区人民政府地方志办公室负责具体编纂出版，系统记述北仑区域自然、政治、经济、文化、社会和生态等方面基本情况的年度资料性文献。

三、《北仑年鉴（2024）》采用条目体，分类编辑，分类目、分目、条目3个结构层次，条目为记述实体，以【 】为标识。

四、《北仑年鉴（2024）》根据行业分类和年度特点，在保持框架结构基本稳定的基础上，个别类目、分目略作调整，调整后内容记到相关类目中。

五、《北仑年鉴（2024）》记述时间为2023年1月1日至12月31日。为保证事物记述的完整性，部分内容适当上溯或下延。

六、《北仑年鉴（2024）》所用稿件均为区域内各部门、各单位专人提供，并经各部门、各单位负责人审定核实。书内所刊载的综合性数据均由区统计局提供，未收入统计资料的数据则由各部门、各单位提供。部分分项数据之和与总量数据不等的，是由于数值修约误差所致，本书未作机械调整。组织机构及其负责人名录经区委组织部及相关组织部门审核。

七、数字用法、标点符号用法分别采用国家标准《出版物上数字用法》（GB/ T 15835—2011）、《标点符号用法》（GB/ T 15834—2011），计量单位采用国家技术监督局 1993年12月发布的《量和单位》系列国家标准。

八、《北仑年鉴（2024）》前有总目录，后有索引。索引主要采用主题分析索引方法，按主题词首字汉语拼音字母顺序排列。

2023 年·北仑数览

陆域面积：614.57 平方千米

（含内陆水域面积）

户籍人口：452757 人

地区生产总值：2729.18 亿元

第一产业增加值：9.11 亿元

第二产业增加值：1232.58 亿元

第三产业增加值：1487.48 亿元

财政总收入：813.41 亿元

一般公共预算收入：413.48 亿元

一般公共预算支出：377.06 亿元

规模以上工业增加值：1110.70 亿元

规模以上工业总产值：5342.46 亿元

社会消费品零售总额：465.67 亿元

对外贸易总额：4501.62 亿元

进口：2571.12 亿元

出口：1930.50 亿元

合同利用外资：28.17 亿美元

实际利用外资：26.96 亿美元

金融机构本外币存款余额：2763.04 亿元

金融机构本外币贷款余额：2517.87 亿元

居民人均可支配收入：74642 元

城镇居民人均可支配收入：82322 元

农村居民人均可支配收入：50622 元

居民人均消费支出：45580 元

城镇居民人均生活消费支出：49458 元

农村居民人均生活消费支出：33451 元

居民人均期望寿命：81.76 岁

空气质量优良率：92.8%

/ 2023北仑要闻 /

① 11月16日，中共宁波市北仑区委九届五次全体（扩大）会议在区行政中心召开

② 2月12日，宁波市北仑区第十届人民代表大会第一次会议在北仑影剧院召开

① 2月11日，中国人民政治协商会议第十届宁波市北仑区委员会第一次会议在区行政中心召开

② 2月8日，中国共产党宁波市北仑区第九届纪律检查委员会第三次全体会议在区行政中心召开

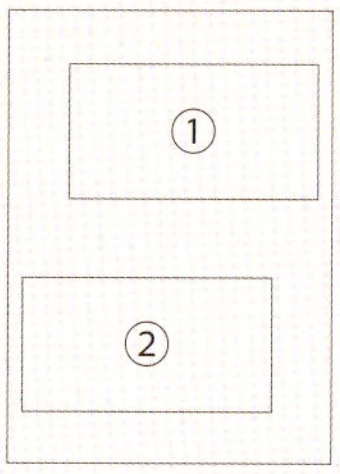

① 4月20日，商务部自贸区港司副司长马成芳（前排左四）、浙江省商务厅副厅长胡真舫（前排左三）来穿山港区调研

② 4月6日，重庆市长寿区委书记、长寿经济技术开发区党工委书记刘小强（前居中）率长寿区党政代表团到北仑考察

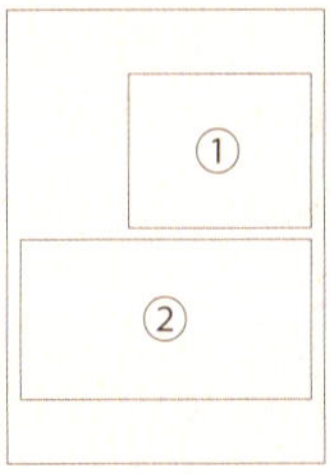

① 10月25日，市委常委、区委书记、宁波经济技术开发区党工委书记潘银浩（右一）会见越南西宁省政商联合考察团

② 5月8日，北仑区“勇挑大梁　勇立潮头”经济高质量发展大会召开

① 浙江吉利汽车有限公司梅山工厂生产车间

② 宁波东方电缆股份有限公司未来工厂生产车间

① 宁波旭升集团股份有限公司生产车间

② 10月26日，北仑区举行青创大厦开业庆典

① 1月18日，镇海中学甬江校区建设启动仪式

② 北仑港区三期码头

① 中海浙江LNG储罐一角

② 3月18日，2023北仑消费品展销会在华生国际家居广场启动

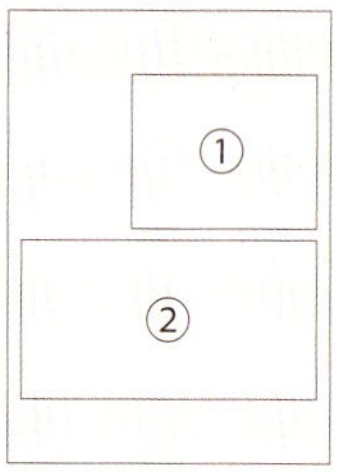

① 6月18日，大碶街道2023年“碶彩农耕”杨梅节开幕

② 白峰街道外峙岛盐田

① 10月1日，北仑区在行政广场举行升旗仪式

② 8月26日，北仑区举办第十三届“金莺歌手”大赛（青年组）决赛

2023年北仑东外南秀文化嘉年华
暨大榭街道第十七届社区文化月正式启动

MIKASA
POPOVIĆ
5
LOZO
22
OGNJENOVIĆ
10
Senoh
Senoh

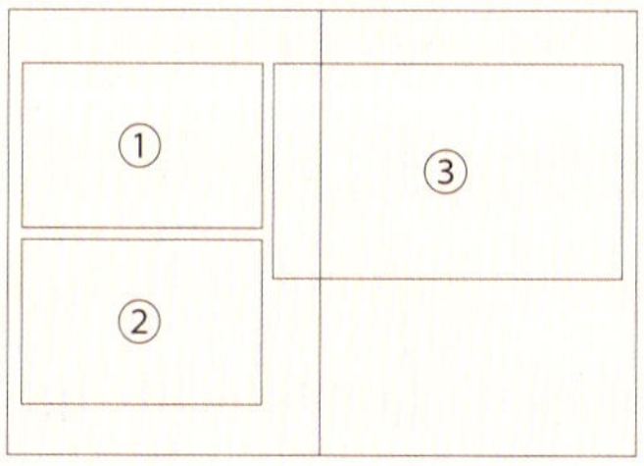

① 6月2日，大榭街道举办第十七届社区文化月活动

② 9月16—24日，2023年女排奥运资格赛宁波北仑站在北仑体艺中心举行

③ 6月22—24日，“甬者为王”超级摩托车嘉年华第二站比赛在宁波国际赛车场举行

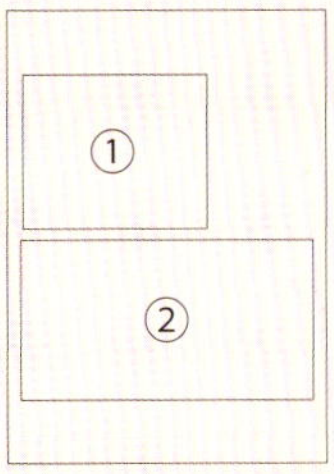

① 6月22日，“迎亚运　享健康”2023年宁波市全民龙舟联赛暨“情系两岸 风情泱江”第九届端午龙舟大赛在小峡江举行

② 北仑城区一景

（以上图片由区媒体中心提

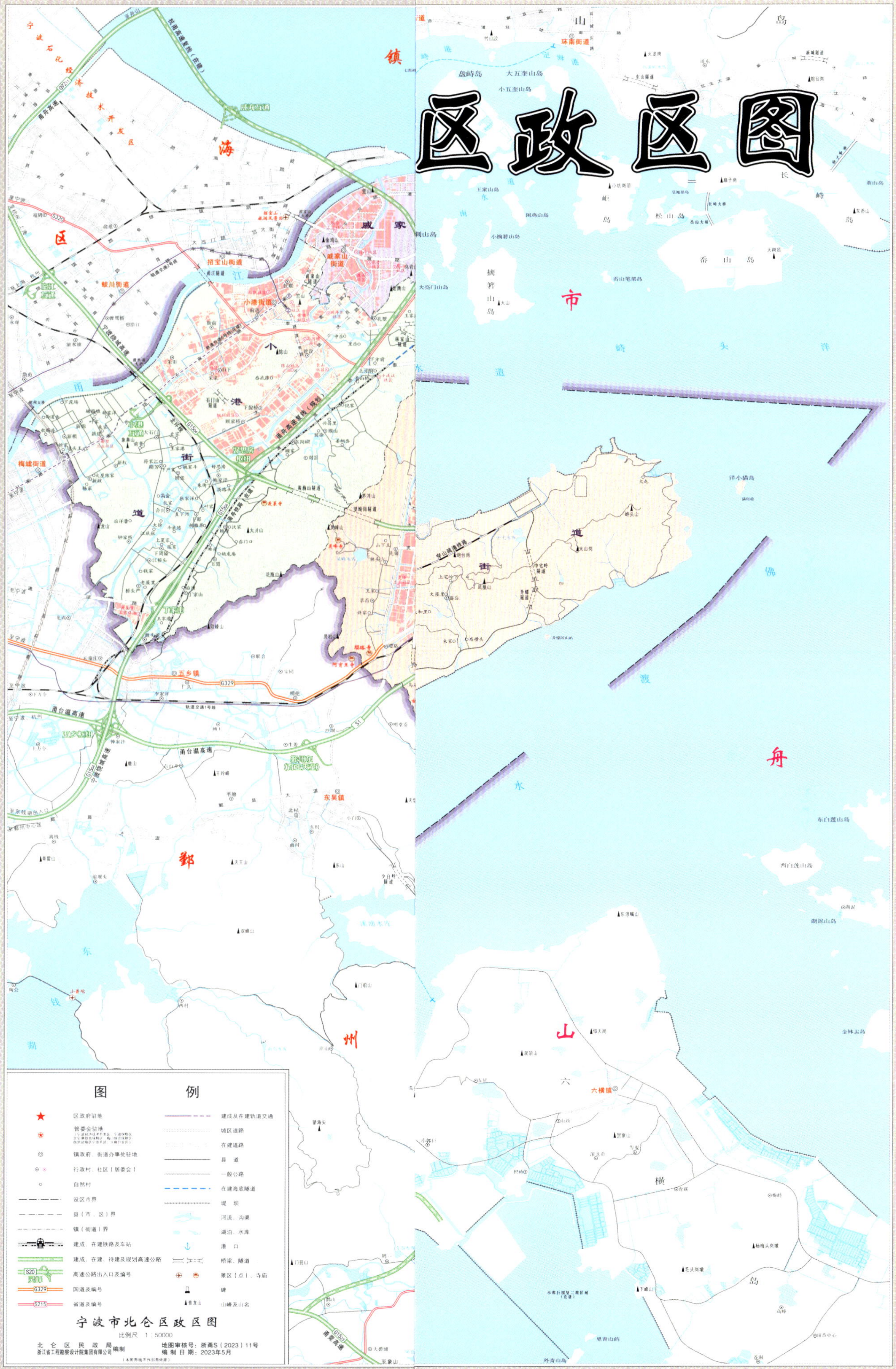

区政区图
宁波石化经济技术开发区
镇海区
市
舟山
鄞州
小港街道
大碶街道
柴桥街道
霞浦街道
戚家山街道
新碶街道
白峰街道
梅山街道
春晓街道
招宝山街道
蛟川街道
骆驼街道
梅墟街道
五乡镇
东吴镇
六横镇
金塘
大五奎山岛
小五奎山岛
摘箬山岛
洋小猫岛
东白莲山岛
西白莲山岛
湖泥山岛
佛渡
横水洋
螺头水道
崎头洋
甬台温高速
G329
S1
图例
区政府驻地
管委会驻地
镇政府、街道办事处驻地
行政村、社区（居委会）
自然村
设区市界
县（市、区）界
镇（街道）界
建成、在建铁路及车站
建成、在建、待建及规划高速公路
S20 灵峰
高速公路出入口及编号
G329
国道及编号
S215
省道及编号
建成及在建轨道交通
城区道路
在建道路
县道
一般公路
在建海底隧道
堤坝
河流、沟渠
湖泊、水库
港口
桥梁、隧道
景区（点）、寺庙
碑
青龙山
山峰及山名
宁波市北仑区政区图
比例尺 1：50000
北仑区民政局
浙江省工程勘察设计院集团有限公司 编制
地图审核号：浙甬S（2023）11号
编制日期：2023年5月
（本图界线不作划界依据）

目 录

特 载

专 记

大 事 记

北仑概况

中共宁波市北仑区委员会 中共宁波经济技术开发区工作委员会

北仑区人民代表大会

北仑区人民政府
宁波经济技术开发区管理委员会

政协北仑区委员会

中共北仑区纪律检查委员会
北仑区监察委员会
宁波经济技术开发区纪检监察工委

民主党派　工商联

群众团体

港口 口岸

军　事

法　治

农业　农村

水利 气象

工 业

外向型经济

特色园区

金融业

商贸　服务业

建筑业　房地产业

综合经济管理

财政　税务

城区建设与管理

生态环境保护

交通运输

行政管理

社会事务

科学技术

教　育

文化旅游

卫　生

体　育

街　道

人　物

荣　誉

附　录

索　引

特载

深入学习贯彻习近平总书记考察浙江重要讲话精神 在"勇当先行者谱写新篇章"征程中争一流作示范

——2023年11月16日在区委九届五次全体（扩大）会议上

中共宁波市北仑区委书记　潘银浩

一、关于区委九届三次全会以来的工作

今年以来，区委常委会团结带领全区上下牢记习近平总书记殷殷嘱托，深入贯彻党的二十大精神，创造性落实中央和省委、市委一系列重大决策部署，强力推进创新深化改革攻坚开放提升，深入实施三个"一号工程"，不断深化"六促六优"专项行动，攻坚克难求突破、勠力同心抓变革，推动经济社会各项事业顶压而上、逆势突围，以"双一流双示范"的建设成效有力服务大局、支撑全局，在特殊之年彰显了大区担当。重点抓了八方面工作：

（一）聚力"凝心铸魂"强党性，政治本色更加纯粹。始终把党的政治建设摆在首位，坚持学原著、读原文、悟原理，区委理论学习中心组、区委常委会分别开展集体学习27次和59次。深入开展党的二十大精神"六学六增六提升"学习实践活动，深刻领悟习近平总书记考察浙江重要讲话精神以及对"八八战略"实施20周年、"千万工程"等重要指示精神的特殊意蕴和丰富内涵，召开区委九届四次全会，坚定不移推动"八八战略"持续走深走实，引领全区党员干部筑牢坚定捍卫"两个确立"、坚决做到"两个维护"的思想政治根基。高质量开展学习贯彻习近平新时代中国特色社会主义思想主题教育，牢牢把握"学思想、强党性、重实践、建新功"总要求，扎实推进"循迹溯源学思想促践行"活动，举办"溯源新思想·加快构建新发展格局"理论研讨会，打造《在北仑感知活力中国》展陈馆，深入挖掘习近平总书记15次来仑考察宝贵财富，精心打造10个市级"循迹溯源"示范点，狠抓政绩观、作风等专项问题检视整改，大力开展"联镇街入村社、走企业访群众"活动，联动解决群众及企业急难愁盼问题1940个，以"看得见""摸得着"的成效，持续推动主题教育走深走实。

（二）聚力"稳进提质"拼经济，领先位次更加巩固。紧扣高质量发展主线，打好"扩投资、拓市场、促消费、强主体、防风险"组合拳，有效应对多周期叠加下纷繁复杂的发展形势，前三季度实现地区生产总值1974.4亿元、增长5%，10项总量指标继续保持全市第一，5项保持全省第一，经济发展呈现稳中向上良好态势。加强产业集群建设。深化功能片区产业发展规划研究，大力推进园区二次开发，促进产业协同集群发展，大榭化工园区跻身高质量发展化工园区全国前十，压铸模具产业集群获评国家中小企业特色产业集群，精细化工、新能源汽车及零部件、高端电子专用材料分别入选"浙江制造"省级特色产业集群核心区和协同区，夺得浙江省首批制造业领域最高荣誉"天工鼎"。加速项目招引落地。坚持招商引资、稳商扩资并重，加快推进优质项目落地和总部企业集聚，新签约落地百亿元项目2个、50亿元项目6个、20亿元项目9个，实施稳商扩资项目113个，1—9月完成投资347.6亿元、增长11%，11个列入省"千项万亿"工程项目完成年度投资的142.9%，发展后劲有效提升。聚焦破解"大港小产"问题，开展港航服务业"百日攻坚"行动，新招引航运服务企业123家，完成营收212亿元，港口附加值持续攀升。加大市场主体培育。深入实施"四上"行动，推进优质中小

企业梯度培育，获评省级制造业领航企业评定培育试点，前三季度新增各类市场主体1.4万家，累计实有市场主体近18万家、跃升全市第二，8家高新企业入选省创新能力百强、全市第一，新增国家级专精特新“小巨人”企业9家、上市过会企业3家。

（三）聚力“三大路径”提动能，变革活力更加充沛。锚定创新深化、改革攻坚、开放提升三大路径，着力破解动能不足、结构不优、效益不高等深层次问题，不断激发变量、催生增量，三季度“创改开”考核全市第一，“双创”工作获国务院督查激励。强化创新赋能。进一步理顺甬江科创区北仑片区建设体制机制，有序推进28项重点任务，签约落地极氪、东方、360等24个总部项目、研发平台。北大宁波海洋药物研究院开园，新入选省“鲲鹏行动”计划企业创新顶尖人才1名、全省唯一，新增国家级引才计划26人、同比翻番，企业人才入选数全市第一，规上工业企业研发投入、技术交易额、高新技术产业增加值均居全市第一，捧得全市首个“浙江科技创新鼎”。大力发展数字经济，谋划布局“22X”数字经济产业新体系，新引进粤浦科技、海尔卡奥斯等26个年营收超1亿元的数字项目，数字经济核心产业营收和增加值、互联网软件业营收保持全市第一。强化改革增效。以政务服务增值化改革推动营商环境全面优化，新增国家级改革试点3项、省级改革试点5个，跨境贸易投资高水平开放试点规模继续领跑全国，亚马逊海外购首个前置保税仓落地北仑，获批启运港退税试点，成为全球第5个具备液化天然气加注服务能力的枢纽港。成立全省首个企业合规指导中心和自贸区法治保障中心，无感监测营商指数全市第一。启动粮功区、城中村等九类空间整治，完成低效用地再开发1767亩。扎实推进“两场一仓一中心”建设，开工灰库、半山等新建项目，腾退堆场23处、停车场11处。强化开放提质。落实世界一流强港建设行动，“528”项目、甬舟铁路、六横公路大桥等工程扎实推进，象山湾疏港高速建成通车。锚定大宗商品资源配置枢纽、保税功能辐射、国际供应链创新中心枢纽、国际航运和物流枢纽、产城融合集成示范区五大方向，部署开展自贸片区创新发展示范引领十大专项行动，宁波片区获省考核优秀，北仑获评单项优秀最多，并保持全省10个区块所在区县（市）综合考评第一。实施“百团千企万人”等拓市场行动，外贸进出口占全国份额提升0.13个千分点，跨境电商进口连续六年居全国首位，前三季度实际利用外资20.3亿美元、约占全市的1/2，获评全省“十佳开放平台”和“十佳外贸强区（县）”。

（四）聚力“优质均衡”促共富，民生福祉更加殷实。扎实推进共同富裕基本单元试点，城乡收入倍差降至新低，连续两年获省共同富裕考核优秀，获市政府督查激励，“七优享”工程连续三季度荣获省五星评价。基本保障稳步提高。开展重点人群就业帮扶2万人次，前三季度新增就业人数3.6万人、全市第一，登记失业率1.97%，零就业家庭保持动态清零。新筹建保障性租赁住房6428套。实现长期护理保险参保全覆盖，户籍人口养老和基本医疗保险参保率分别达99.3%、99.6%，低保标准提高至每月1255元。高质量做好东西部协作、山海协作、对口支援工作。优质供给全面铺开。镇海中学甬江校区、人亚学校、临港经济示范区配套学校等项目扎实推进，高标准通过全国义务教育优质均衡发展区实地评估。医疗中心、人民医院感染楼等项目加快建设，基层医疗卫生机构标准化率达100%。“老有康养”工作居全省第4、“学有优教”全省第5，顺利通过省普惠托育试点验收，获评“儿童友好协同创新区”，儿童友好城市建设经验获全国推广。文化事业亮点纷呈。擦亮“海丝”“港口”“中国女排主场”“党章守护地”等城市文化标识，出台《北仑打造文化强区“1485”行动方案》，打造“15分钟品质文化生活圈”49个。成功举办女排奥运资格赛，全方位展现了潮涌东方看北仑的城市文化形象。常态化推进文明城市创建，广泛开展北仑好人评选，21人获省市好人、道德模范等荣誉，开展各类文明实践活动1万余场次，理论宣讲工作获市委主要领导批示肯定。

（五）聚力“全域大美”优环境，城乡品质更加精致。以港产城文融合为主线，坚持城乡一体、全域共美，全区整体风貌显著提升。加快城市有机更新。坚持“拆、治、规”结合，高质量编制国土空间总体规划，进一步深化完善“一区四片、两轴联动”空间发展格局，统筹推进沿海永丰、算山向家、庐南等大片区开发建设，建成凤凰公园二期，青年运动中心竣工交付。9个未来社区、2个城乡风貌样板区通过省级考核验收，“精特亮”创建工作连续两年位列全市第一档次。深化美丽乡村建设。以“农业强、农民富、农村美”为主攻方向，启动“千万工程”再深化三年行动，新增省美丽宜居示范村2个，获评全省幸福河湖建设试点优秀单位。建成“千亩方”都市农业示范区项目一期，完成粮食播种面积2.95万亩，获评全国“平安农机”示范区（县、市），顺利通过国家农产品安全县动态测评。加强生态环境保护。深入践行“两山”理念，持续打好蓝天、碧水、净土三大保卫战，完成34家石化企业60项整治提升工程，淘汰国三及以下排放柴油货车1010辆，空气质量优良率达93.3%。12个区控以上断面水质达标率保持100%，再夺省治水“大禹鼎”金鼎，成为全市获得“大禹鼎”系列荣誉最多的区（县、市），连续六年获得美丽浙江考核优秀。

（六）聚力“护航盛会”保平安，社会形势更加稳定。坚持底线思维、极限思维，全面参与护航亚运，精彩圆满承接承办亚运火炬传递，得到省主要领导的点赞肯定。“稳”的基础不断夯实。开展平安“护航亚运”百日攻坚行动，坚持全域发动、全链响应、全程决战，高质量完成应急响应期间重大安保任务，实现了“六个坚决防止，三个满意”的目标，刑事立案、治安受案、交通亡人数分别下降19.95%、63.1%、31.1%，荣获省委省政府“平安牌”。“防”的体系更加健全。组建化工产业安全生产管理服务中心，构建安全大统筹管理机制。扎实推进安全隐患大排查大整治专项行动，闭环整改隐患风险3.3万余个。精准帮扶化解企业“两链”风险，全区不良贷款率下降至0.49%，持续强化房地产、消防、食药、网络等领域风险防范。“治”的水平明显提升。坚持和发展新时代“枫桥经验”，完善“141”治理体系，迭代最小治理单元，深化矛盾纠纷大起底、大化解，完善区领导下访接访制度，正本清源做好信访积案化解，实现动态清零。“七张问题清单”问题管控力指数连续三个季度保持全市前三。

（七）聚力“团结奋进”筑同心，民主法治更加健全。坚持党的领导、人民当家作主、依法治国有机统一，支持人大及其常委会依法履职，不断丰富和发展全过程人民民主的“北仑实践”，“代表微网回音格”获市人大创新最高奖。坚持党的领导、统一战线、协商民主有机结合，支持政协充分发挥专门协商机构作用，扎实开展“平台品质提升年、履职能力提升年”活动，“请你来协商”、委员工作室、“民生议事堂”履职平台的品牌辨识度不断彰显。持续完善大统战工作格局，支持引导各民主党派、无党派人士参政履职，落实宗教工作主体责任，深化“同心共富”“同心同廉”行动，凝聚最广泛合力。坚持依法治区，“大综合一体化”行政执法改革扎实推进，深化诉源治理、诉调衔接，不断提升法院、检察院履职质效。国防动员新体制高效运行，军民共建、退役军人事务、民兵后备力量建设等工作取得新进展。扎实做好党的群团工作，共青团、文联、红十字会等顺利换届，党联系群众的桥梁和纽带更加牢固。

（八）聚力“从严从紧”固根基，党的建设更加有力。认真落实新时代党的建设总要求，坚定不移推进全面从严治党，为高质量发展提供有力保障。抓实干部队伍。深化“知事识人”体系建设，开展选人用人突出问题专项治理，全面重塑干部考核考察机制，完善公务员职级晋升原则，9名干部获评省市担当作为好干部。制定年轻干部队伍建设实施意见，新增17名“85后”区管干部，“90后”区管副职实现零的突破。积极推进开发区事业机构二次融合、国有企业改革，开发区2年整合提升任务提前1年完成。夯实基层基础。实施“红色根脉强基工程”，深化农村基层固本强基行动，11人获评省市担当作为好支书，2人获评省社区工作领军人才。大力推进现代社区建设，实现工业社区全域覆盖、超大社区基本“清零”，工业社区治理服务经验入选全省“八八战略”最佳实践案例和省共富最佳实践案例，大碶街道及11个村社获评省级“红色根脉”强基示范街道和示范村社，3个社区创成省级现代社区。压实廉政责任。坚持以严的基调正风肃纪反腐，开展征地拆迁、招投标、国企等重点领域专项治理，今年以来查处“四风”问题36起58人，查处群众身边腐败和作风问题48起52人，党纪政务处分152人，移送司法机关13人。推动以案促改促治，完善制度机制15项。省委巡视反馈问题全部高质量销号，完成两轮常规巡察及市区上下联动巡察3个提级管理街道及下辖村（社区），移交问题线索15件。今年共澄清正名14人，打击诬告陷害1人，容错免责、减责10人，充分调动保护党员干部积极性、主动性。

区委常委会高度重视自身建设，以更强担当、更实举措提高执政能力、推动事业发展，切实当好表率。带头加强思想政治建设，自觉接受主题教育淬炼，坚定不移当好“两个确立”忠诚拥护者、“两个维护”示范引领者；带头团结奋进创新实干，系统谋划贯彻总书记重要指示精神、推动“八八战略”走深走实思路举措，奋力开启新一轮的赶超跨越之路；带头牢固树立和践行正确政绩观，不盲目“摊大饼”“搞花架子”，带头领衔重点项目、破解突出问题、办好民生实事、调处信访事项，努力把工作做到群众心坎上；带头严守党规党纪，严格执行民主集中制，履行全面从严治党主体责任，引领带动全区党风政风民风持续向好。

同时，我们也清醒认识到工作中还存在一些短板和不足，特别是外部环境影响和内部结构矛盾日益突出，创新驱动引领高质量发展存在差距，亟需做好动能转换、结构优化大文章；民生优质供给依然存在薄弱环节，城乡协调发展还不够平衡，港产城文融合需要不断深入；安全隐患源头防治、系统施治、标本兼治还不够，系统安全、本质安全、全面安全的基础还需进一步夯实；党风廉政建设和反腐败斗争还面临不少顽固性、多发性问题，需要持续用力、常抓不懈。对此，我们要高度重视，切实加以解决。

二、深刻领会总书记考察浙江重要讲话精神，在“勇当先行者、谱写新篇章”征程中扛起北仑担当

习近平总书记亲临浙江考察并发表重要讲话，又一次在关键节点上指引浙江开启新征程、谱写新篇章，具有极强的政治感召力、理论穿透力、实践引领力和精神号召力。我们要步步深入学、层层递进悟，深刻把握总书记重要讲话的丰富内涵、精髓要义和实践要求，进一步放大格局视野、找准方位坐标，切实增强前列意识、加快前进步伐、抢占前沿阵地。

第一，深刻领悟习近平总书记对浙江精彩蝶变的指航引领，坚决扛起感恩奋进、笃行追随的政治担当。习近平总书记指出，“浙江之所以有成效，就是以‘八八战略’为统领，一张蓝图绘到底、一以贯之二十年”。习近平总书记的重要论述，深刻揭示了“八八战略”20年来，浙江始终走在前列、不断创造奇迹的必由之路、成功之道、制胜之法。浙江之所以能够取得巨大成就，根本在于“八八战略”的指路引航，“八八战略”既鲜明标注了“浙江为什么要担当”的使命定位，又系统诠释了“浙江为什么能担当”的基因密码，更深入回答了“浙江如何更大担当”的时代命题。我们要满怀对总书记的感恩之心、拥戴之情、捍卫之志，牢牢把握总书记对浙江发展定位的战略考量、对浙江发展规律的科学凝练，始终沿着总书记指引的道路奋勇前进，把“八八战略”这篇大文章续写得更加精彩、更加出色。

第二，深刻领悟习近平总书记对浙江发展定位的战略考量，坚决扛起服务大局、开创新局的使命担当。习近平总书记这次考察，对浙江明确了“中国式现代化的先行者”新定位、“奋力谱写中国式现代化浙江新篇章”新使命。“先行者”之“先”，蕴含着战略目标先达、体制机制先发、思路理念先导、改革创新先为、开放效应先显的更高定位；“新篇章”之“新”，蕴含着目标方位之新、思路理念之新、格局眼界之新、动力模式之新、担当作为之新的更大使命。新定位新使命，是站在国内与国际两个大局、发展与安全两件大事、当前与长远两个时期为浙江量身定制的战略擘画。区委提出“双一流双示范”建设，与总书记重要讲话蕴含的求新、求进、求变的重大内涵高度契合。我们要主动对标新定位新使命，勇于变革、勇闯新路，以急先锋、排头兵的姿态扛起“大区之责”、彰显“大区之为”。

第三，深刻领悟习近平总书记对浙江赶超突围的精准点题，坚决扛起聚力攻坚、抢先突破的示范担当。习近平总书记在4个方面对浙江提出“走在前列、先行示范、续写新篇、积极探索”的重要要求，深入解答了浙江高质量发展的根本出路如何打通、鲜明标识如何擦亮、推进动力如何激发、底蕴精髓如何彰显等事关长远和全局的大命题新课题，明确了当前和今后一个时期浙江工作的要义所在、重点所在、关键所在，为我们奋进新征程提供了“桥”和“路”。我们必须要主动顺应新赛道新要求，打破思维定式、摆脱路径依赖，强力推进创新深化改革攻坚开放提升，以谋划先人一步、创新快人一拍、拼搏胜人一分的胆识魄力，率先推进经济结构的战略性调整和增长方式的根本性转变，为浙江解决新的“成长烦恼”提供北仑经验。

第四，深刻领悟习近平总书记对浙江队伍建设的谆谆教诲，坚决扛起清正勤廉、敢闯善为的责任担当。习近平总书记在讲话中，充分肯定了浙江干部群众干事创业劲头很足，也反复强调，要推动工作示范引领，更要做到务实审慎，对纵深推进全面从严治党、加强干部教育培训和实践锻炼、持续深化主题教育等作出明确指示，语重心长告诫我们要做到“三个坚持、两个防止”。这些重大要求，蕴含着刀刃向内的警醒教诲，蕴含着检验政绩的重要标准，蕴含着真抓实干的千钧厚望，站在新起点上，我们必须要纵深推进新时代党的建设新的伟大工程，牢固树立和践行正确政绩观，保持务实之风、清廉之风，全面推进党的自我净化、自我完善、自我革新、自我提高，以“干就干极致、干就干最好”的坚强决心，把“促一方发展、护一方平安、造福一方群众”的工作干得更加出彩出众。

三、把学习习近平总书记重要讲话精神转化为团结奋进的实际行动，在中国式现代化浙江新篇章中争一流作示范

北仑作为改革前沿、开放高地，经过近40年的开发建设，积累了一定的先行基础、先发优势，但也率先遇到了新的“成长烦恼”。特别是习近平总书记精准指出浙江当前面临的“四大难题”，在北仑表现得尤为突出。站在新的历史起点，我们要更好领悟掌握总书记重要讲话蕴含的真理智慧，沿着总书记指引的方向和路径，坚持创新破难、改革破题、开放破局，闯出一条变“成长的烦恼”为“成长的法宝”的转化新路，奋力在“勇当先行者、谱写新篇章”征程中争一流作示范。

“争一流作示范”是对浙江“勇当先行者、谱写新篇章”和宁波“彰显样板担当”的发展目标在区域层面的承接和落实，既与宁波要求北仑“勇挑重担、做大贡献”的要求高度契合，又是北仑建设“双一流双示范”的一贯要求；既彰显了“一张蓝图绘到底”和“一往无前谱新篇”的坚定决心，又展现了“全员全域争一流”和“奋发奋进作示范”的大区担当。要实现这一目标，必须保持“胸怀大局才能发展破局”的清醒坚定，着眼全局找方位、围绕中心找方法，创造性贯彻落实上级决策部署，在自觉服从和服务大局中主动顺势而为、发现比较优势、找准破局之策。必须保持“一以贯之才能一往无前”的清醒坚定，锚定“八八战略”这一管方向、管长远、管全局的总纲领，坚持一张蓝图绘到底、一任接着一任干，绵绵用力、久久为功，一步一个脚印把美好蓝图变为美好现实。必须保持“直面问题才能破解难题”的清醒坚定，把变革理念、创新意识、底线思维贯穿于工作始终，率先推进空间布局、功能布局、生产力布局系统性重塑，抢先开辟新赛道、锻强新实力、塑造新优势。必须保持“心系民生才能赢得民心”的清醒坚定，创新群众工作方法，让受益者成为推动者，用获得感激发参与感，更好调动群众积极性、主动性、创造性，在共建共享中让群众有更多安全感和幸福感。必须保持“实干有为才能发展有位”的清醒坚定，牢固树立正确政绩观，把精力用在“善作”上，把目标定在“善成”上，合力干出先发先行、领先领跑、进位进阶的发展实绩。具体来讲，要在六个方面争一流作示范：

第一，学深悟透习近平新时代中国特色社会主义思想，在坚定捍卫“两个确立”、坚决做到“两个维护”上争一流作示范。把学习贯彻习近平总书记考察浙江重要讲话精神作为武装头脑、指导实践、推动工作的重要内容，与学习贯彻习近平新时代中国特色社会主义思想和总书记对浙江、对宁波、对北仑工作的系列重要指示精神结合起来，从党的创新理论中汲取奋进力量、坚定忠实信仰。一要加强党性修养，永葆忠诚之心。健全落实党的政治建设制度机制，深化“循迹溯源学思想促践行”活动，用心用情感悟总书记的关心关怀、殷殷嘱托、深切期望，深刻领悟“两个确立”的决定性意义，不断提高政治判断力、政治领悟力、政治执行力，始终在政治立场、政治方向、政治原则、政治道路上同以习近平同志为核心的党中央保持高度一致。二要加强理论修养，筑牢思想之魂。持续用习近平新时代中国特色社会主义思想凝心铸魂，用好干部教育培训主体班次和知行夜讲堂等载体，及时跟进学习习近平总书记最

新重要讲话和指示批示精神，推动党员干部真学真懂真信真用，不断增强对党的创新理论的政治认同、思想认同、理论认同、情感认同。三要加强政治修养，彰显担当之为。持续推动“八八战略”走深走实，深入研究思考在谱写中国式现代化浙江新篇章中，“北仑干什么、北仑怎么干”等重大命题，把国家所期、省市所需、北仑所能、群众所盼、未来所向有机结合起来，不折不扣落实党中央和省委、市委决策部署、指示要求，做到思想上对标对表、行动上紧跟紧随、执行上坚定坚决。

第二，加快构建现代产业体系，在以科技创新塑造发展新优势上争一流作示范。把科技创新作为引领发展的第一动力，围绕以“产业定位科技、科技索引人才、人才支撑产业”的逻辑闭环，加快转变发展方式，增强发展动能，提升发展能级。一要锻强科创主引擎。坚持平台牵引、项目带动、人才支撑，以甬江科创区建设为龙头，积极融入“科创甬江2035”计划，加大科创总部、创新型企业招引培育，联动推进科技创新、企业创新、产品创新、业态创新。强化企业主体地位，发挥中国科学院、北大、北航等强院强校强所作用，构建“产学研用金、才政介美云”十联动的创新创业生态，鼓励和支持龙头企业设立创新联合体、研发中心，突破一批“卡脖子”难题、掌握一批“撒手锏”技术，落地转化一批高价值、高成长、高爆发的科技成果，确保创新投入、创新平台、创新主体、创新生态有新的突破。扎实推进全国青年发展型县域试点，迭代升级“青年北仑”系列政策，深化“强港强区引才工程”，推动高层次人才、海外工程师、青年人才、技能型人才广泛集聚，打造群英荟萃之地和人才向往之城。二要锻强制造大集群。率先推进新型工业化，围绕“415X”“361”产业集群建设，坚持“高大上、链配群”导向，实施绿色石化、新能源汽车、高端装备等标志性产业链“链长制”，深化“一链一策”招商，推动产业上下游强链延链补链，不断提升产业链供应链韧性和安全水平。建强芯港小镇、凤凰城、临港经济示范区、灵峰总部产业集聚区、新材料产业园等平台，培育发展前沿新材料、集成电路、海洋产业、原创新药等战略性新兴产业，加快形成新质生产力。开展质量提升、品牌培育行动，推进企业“上规、上榜、上云、上市”，培育龙腾、单项冠军、专精特新、高新技术企业梯队。深入推进数字经济创新提质“一号发展工程”，实施“22X”数字经济产业链群培育行动，推进数实融合、数智强链，加快数字孪生运用，形成以产业大脑、工业互联网、未来工厂、人工智能等为代表的数字产业生态。坚持陆海统筹、全域联动，实施海洋经济倍增发展行动，打造经略海洋实践标杆区。三要锻强产业硬支撑。完善以创新为导向的产业政策体系，推动产业高端化、智能化、绿色化发展。深入实施服务业高质量发展“百千万”工程，大力招引港航物流、海事法律、金融保险等高端服务业，引进培育研发设计、检验检测等生产性服务业，不断优化服务业结构。深入推进全域国土空间综合整治，加快园区二次开发和亩均效益改革，促进“工业上楼”“退二优二”和地下空间开发利用，拓展产业发展空间。践行绿色发展理念，持续加强重点领域污染防治，积极争创国家减污降碳协同创新试点，完善绿色低碳循环发展产业体系，加快循环产业园建设，推广“区域环评+环境标准”和“绿岛”集成改革，推动绿电绿证交易，打造临港工业大区“两山”实践基地样板。

第三，坚定不移增进民生福祉，在推进共同富裕先行示范上争一流作示范。坚持量力而行、尽力而为，循序渐进、久久为功，找准重点、突破难点，持续巩固发挥北仑相对均衡发展优势，加快建设共同富裕基本单元试点，创造更多共同富裕“北仑解法”。一要着力缩小“三大差距”。进一步缩小城乡差距，聚焦区域承载能力提升和城乡有机更新，完善城乡融合发展体制机制，深化新时代“千万工程”，一体推进“精特亮”工程、城中村拆迁改造、粮功区整治，联动抓好未来社区、未来乡村建设，推动城乡全景塑形、整体跃升。进一步缩小区域差距，坚持“全域都市化、都市一体化”理念，加快庐南、凤凰等大片区联动改造，统筹产业功能布局、港口岸线功能布局、综合交通体系、公共服务设施建设，加强分区分类管控，不断优化港产城融合格局。进一步缩小收入差距，坚持“做大蛋糕”与“分好蛋糕”相统一，抓实“扩中”“提低”，抓好“就业”“增收”，用足用好两业融合、双创示范等国家级试点政策优势，加快形成橄榄型社会结构。二要着力增进民生福祉。健全“民呼我为”为民办实事长效机制，扎实推进公共服务“七优享”工程，精准做好“一老一小”、产业工人、集卡司机等群体服务保障，滚动实施一批教育、医疗、养老、托育等民生实事工程，以现代社区建设为牵引持续完善公共服务圈，加快构建全龄友好、全民共享、全域就近的公共服务体系，让群众对共同富裕更加可知可感可及。持续完善分层分类、城乡统筹的社会保障、社会救助、住房保障体系，探索建立政府救助与慈善帮扶有效衔接制度，确保共同富裕路上“一个都不落下”。三要着力夯实基层基础。健全党建统领、“四治”融合机制，迭代完善“141”治理体系，深化“红色根脉强基工程”，开展城乡社区分类治理，着力破解合并村、城镇化村、混合社区等特殊形态社区治理难题。牢固树立底线思维、极限思维，构建风险识别与闭环管控的大平安体系，常态化推进政治安全、生产安全、公共安全、社会安全、网络安全等领域隐患排查整治。坚持和发展新时代“枫桥经验”，深化践行“四下基层”工作制度，加强网格化管理、精准化服务、信息化支撑，善于运用法治化思维化解矛盾纠纷，以数智化为支撑打造和谐安宁、便利便捷的宜居家园。推进全过程人民民主的基层实践，充分发挥人民代表大会制度和政治协商制度优势、统一战线优势、群团组织创新、军民共建力量，进一步凝聚各方面智慧，激发基层治理活力。

第四，主动融入新发展格局，在深化改革、扩大开放续写新篇上争一流作示范。坚持向改革要动力、向开放要活力，带头先行先试、率先突破突围，努力为全国和省市发展大局探新路、出经验、做贡献。一要推进深层次改革。深化营商环境优化提升"一号改革工程"，全力推动政务服务增值化改革，迭代完善增值服务事项清单，全面推广应用"企业码"，打造具有北仑特色的"一类事"服务场景。始终坚持"两个毫不动摇""三个没有变"，落实好中央和省市关于鼓励、支持、引导民营经济发展的一系列政策、措施，持续构建亲清政商关系，营造公平竞争氛围，推动企业不断向一流迈进、向卓越攀升。稳妥有序推进新一轮机构改革，巩固提升开发园区事业机构融合改革成效，纵深推进"大综合一体化"改革。深化国企改革，提高国有企业自主经营能力和市场化投融资能力。二要扩大制度型开放。以"地瓜经济"提能升级"一号开放工程"为总抓手，深入实施自贸试验区提升战略，开工建设自贸产业发展大厦、自贸总部产业基地等项目，稳步扩大规则、规制、管理、标准等制度型开放。深化跨境贸易投资高水平开放集成改革，推进地下空间确权、保税液化天然气监管模式等全国首创性制度创新成果落地。聚焦要素市场化配置、数字经济治理、贸易投资自由化便利化等重点领域，加强系统谋划和前瞻布局，探索实施一批引领性、突破性、关键性的改革攻坚行动，努力形成更多具有北仑标识度的创新成果。三要打造双循环枢纽。聚焦一流强港建设，完善集疏运体系，优化"两场一仓一中心"布局，系统梳理提升岸线、码头、仓储资源，推进港航贸一体化发展，加快打造大宗商品资源配置枢纽。聚焦内外贸一体畅通，发挥中东欧示范区、综保区等平台优势，大力开拓"一带一路"沿线国家新兴市场，做强"两仓一站"及数字贸易服务平台，做大"保税+"新业态，大力发展跨境新零售，打造一批特色人气商圈。高质量发展数字贸易、服务贸易、离岸贸易等新型贸易，千方百计引进一批标志性外资制造业项目，不断提升双循环战略支点地位。主动对接融入长三角一体化发展和长江经济带高质量发展战略，拓宽杭甬"双城记"、甬舟一体化合作通道，加快提升东西部协作、对口支援、山海协作工作水平，推动形成联动发展、互利共赢的发展格局。

第五，传承港城文脉，在积极探索建设中华民族现代文明上争一流作示范。坚持以习近平文化思想为指导，推动港城文化大发展大繁荣，打造具有区域特色和蓬勃活力的文化强区。一要打造思想高地。大力弘扬伟大建党精神，持续擦亮"党章守护地"金名片，发挥浙江省习近平新时代中国特色社会主义思想研究中心调研基地作用，扎实开展铸魂溯源走心工程，打造"后浪·潮涌"理论宣讲基层点，不断推动党的创新理论飞入"千家万户"。二要打造文化高地。加快建设区文化中心、城市书房、"三河六岸"公共空间，推进公共文化服务标准化、均等化，打造更多"15分钟品质文化生活圈"。深入实施"文化+"战略，完善文化产业规划和政策供给，发挥海丝文化、港口文化、赛事文化优势，高标准引育本土文化领军企业和领军人才，释放文化产业数字化活力，打造一批文化产业"新势力"，推动文旅资源串珠成链、文旅业态丰富多元。三要打造文明高地。深入践行社会主义核心价值观，广泛开展时代楷模、道德模范、身边好人等典型选树，打响"一村一品、一人一艺"特色品牌，丰富人民群众精神文化生活，在潜移默化中提升群众思想觉悟和社会风尚。深化重大赛事、重要文化活动影响力，不断提高北仑知名度、美誉度、影响力，持续展现国际范、海洋味、年轻态的港城新形象。

第六，推进从严治党，在坚持和加强党的全面领导、加强和改进党的建设上争一流作示范。深刻把握新时代全面从严治党和党的自我革命总要求，高质量开展好主题教育，打造勤廉并重的新时代党建高地和清廉建设高地。一要践行正确政绩观。坚持立足实际、科学决策、干在实处、务求实效，既要做让人民群众看得见、摸得着、得实惠的实事，更要做为后人做铺垫、打基础、利长远的好事，引导广大党员干部正确处理"唱功"与"做功"、当前与长远、一域与全局的关系，切实解决好"政绩为谁而树、树什么样的政绩、靠什么树政绩"的重大问题，以昂扬的精神状态、务实的工作作风当好执行者、行动派、实干家。二要端正干部事业观。全面树牢"不抢先机就有危机、不在上游就是下游"的进取意识，加强干部教育培训和实践锻炼，持续提升专业素质和破难能力，依靠顽强斗争打开发展新天地。树牢正确选人用人导向，深化"两个担当"良性互动机制，全面落实"三个区分开来"，突出"考人"与"考事"相结合，打好容错纠错、能上能下、综合考核组合拳，全力营造"以实干作答、用实绩交卷、靠奋斗出彩"的争先氛围。三要树牢勤廉价值观。永葆赶考的清醒和坚定，锲而不舍落实中央八项规定精神，驰而不息纠"四风"树新风，常态化开展机关作风问题大检视大整治，严格执行"周半无会"制度，建立以解决问题、推动发展、群众满意为导向的考核评价机制，切实为基层减负松绑。坚持以严的基调强化正风肃纪，完善落实一体推进"三不腐"机制，紧盯重点领域、关键环节惩恶治贪，深化构建亲清统一的新型政商关系，大力营造风清气正的良好政治生态。

政府工作报告

——2024年1月11日在区人大十届三次会议上

宁波市北仑区人民政府区长　王　程

2023年工作回顾

2023年是全面贯彻党的二十大精神的开局之年，是"八八战略"实施20周年，也是三年新冠疫情防控转段后经济恢复发展的一年。一年来，我们以习近平新时代中国特色社会主义思想为指导，深刻领悟习近平总书记考察浙江重要讲话精神，持续推动"八八战略"走深走实，在市委、市政府和区委的坚强领导下，在区人大、区政协的监督支持下，锚定创新深化、改革攻坚、开放提升三大路径，凝心聚力、顶压奋进，一体推进三个"一号工程"，全面深化"六促六优"专项行动，有力有效应对各项超预期不确定因素冲击，经济社会保持平稳健康发展。2023年，全区预计实现地区生产总值2730亿元；完成财政总收入813.4亿元、一般公共预算收入413.5亿元；城乡居民人均可支配收入达到74289元，增长5%，城乡收入倍差降至历年最低，10项总量指标位居全市首位，5项总量指标保持全省第一，基本完成全年发展主要预期目标任务。

一、经济运行回稳向实

全面承接、顶格尽出稳经济一揽子政策举措，兑现惠企资金超65亿元，为市场主体减税降费172.5亿元，制造业中长期贷款、普惠小微贷款、民营企业贷款分别增长48.8%、37%、29.3%。产业集群提质壮大，芯港小镇、灵峰现代产业园、临港经济示范区等重大产业平台蓄势聚能，大榭化工园区跻身全国高质量发展化工园区十强，压铸模具产业集群获评国家中小企业特色产业集群，精细化工、高端新材料、新能源汽车及零部件入选"浙江制造"省级特色产业集群核心区和协同区，规上工业增加值连续六年全省第一，勇夺浙江省首批制造业领域最高荣誉"天工鼎"。数实融合加速推进，全面布局"22X"数字经济产业新体系①，新增省级未来工厂试点1家、省级工业互联网平台和产业数字化服务商3家，市级数字化车间（智能工厂）8家，数字经济核心制造业增加值、互联网软件业营收规模保持全市第一，成为全省制造业领航企业评定培育和首批DCMM贯标2试点区。服务业质效稳步提升，聚力推进港航服务业"百日攻坚"行动，撬动一批优质项目落地和总部企业招引，全区服务业增加值1380亿元、增长5%，成功入选浙江省首批数字贸易示范区。消费活力逐步释放，发放消费券7000万元，重点发力网红经济、夜间经济、首店经济等新型业态，带动实现社会消费品零售总额450亿元、增长9%。

二、开放创新引领向前

坚持以开放汇资源，向改革要动力，实现内外市场一体发展、资源要素为我所用。全力推进自贸试验片区建设，11项制度创新获评全省最佳案例，推动宁波舟山港获批启运港退税政策，落地全省首单国际航行船舶保税液化天然气加注业务，落户全省首家融资租赁SPV公司3，全国首创TradeGo数字提单系统和跨境电商出口前置仓"先查验后装运"监管新模式。梅山国际冷链基地海关指定监管场地获批。"千万箱级"梅山港区建成，北仑成为全球唯一拥有双"千万箱级"吞吐能力港区的区域。深化跨境贸易高水平试点，业务规模突破12万笔、530亿美元、领跑全国，获全省改革突破奖。建成全国首家中东欧跨境网购自提中心，落地亚马逊海外购首个前置保税仓，中东欧国家常年馆二期开业，跨境电商零售进口连续七年全国综试区单区第一。实现外贸进出口总额4563亿元，占全国比重提升至1.09%，全年实际利用外资26.7亿美元，总量全省第一，"一带一路"再获省政府督查激励，获评全省"十佳开放平台"和"十佳外贸强区"。提升土地要素配置能力，地下空间探索利用获得自然资源部支持，"7+X"4标准地出让、农村集体经营性建设用地入市、三产用地改造等改革有序推进，盘活存量土地2819亩，开发低效用地2600亩。完成国企六大板块重组整合，成立区产权交易中心，设立百亿创投母基金，国有资本参与产业科创、城乡建设等重大项目能力进一步提升。持续优化营商服务，成立全市首个合规指导中心，低风险小型项目审批时限平均缩短至5个工作日，"一网通办"率提高到99%，119个事项实现全国性无差别"跨省通办"，无感监测营商指数全市第一。

三、发展动能蓄势向新

全面重塑招商引资、项目管理体制机制，新签约落地20亿元以上项目15个、总投资897.2亿元，实施亿元以上重大项目199个，国能电厂节能减排等15个省市集中开工项目顺利启动，金发一体化、乘鹰新材料等10个重点产业项目按期竣工，全年固定资产投资487.6亿元、增长6%。争取专项债券32亿元、中央预算内投资1亿元，均创历史新高。加快提升区域创新能力，高新技术产业增加值、规上工业企业研发投入均居全市首位，捧获浙江省“科技创新鼎”。北大宁波海洋药物研究院开园，中科海西创新中心、北航宁波创新研究院双双获批国家级博士后工作站，同时入选市级新型研发机构十强。极氪、东方等研发总部成功落户甬江科创区北仑片区。新增国家企业技术中心2家、省级重点企业研究院2家，16个重大科技攻关项目获市级立项，数量全市第一。新增授权发明专利890件，质量和知识产权保护工作获市政府督查激励，省政府质量奖实现零的突破。主体活力竞相进发，实有市场主体增至18.2万家，规模跃升全市第二。索宝蛋白成功上市，上市及过会企业达25家。新增国家级专精特新“小巨人”企业9家、国家科技型中小企业600家，上榜省创新能力百强企业8家、市研发投入百强企业23家，“大优强”企业达22家、居全市首位。4个项目入选“创客中国”大赛500强、占全市三分之一，创新创业工作获国务院督查激励。

四、城乡建设提质向优

坚持港城融合、城乡一体，高起点编制1244功能片区规划体系，完善“一区四片、两轴联动”空间格局。深化全域国土空间整治试点，科学布局“两场一仓一中心”，加快推动宁波舟山港国家物流枢纽项目，开工灰库、半山两个物流基地，连片推进沿海、永丰、算山等13个城中村更新改造，14个项目地块拆迁清零，城市承载力有效拓展。杭甬高速复线三期、铁路北仑支线复线、轨道交通6号线开工建设，象山湾疏港高速建成通车，招宝山大桥北仑侧接线主线贯通，新改造提升市政道路9条，新增停车位2300个、特色公交5条、绿波带10公里，改造城区堵点10处，区域通达能力进一步增强。加快凤凰城、滨江新城、庐南等城市板块开发步伐，区文化中心破土动工，凤凰公园成为市民休闲热门打卡地。全域开展迎亚运城市三大提升行动，拆除违建165万平方米，改造积淹水点35处，更新综合管线18.6公里，2个老旧小区完成改造，7个未来社区通过省级验收，创建省级垃圾分类示范小区17个，打造省级城乡风貌样板区2个，“精特亮”创建工作连续两年位列全市第一档次。新路岙—城湾水库联调工程、王家洋泵站建设加力提速，建成海塘安澜工程4.5公里，入选全省幸福河湖建设优秀榜单。启动“千万工程”再深化三年行动，新增省美丽宜居示范村6个，新增永久基本农田集中连片建设6175亩，播种粮食面积2.95万亩，零整改通过国家农产品质量安全区监测评价，获评全国“平安农机”示范县。

五、生态环境逐绿向美

深入践行“两山”理念，协同推进降碳、减污、扩绿、增长，连续六年美丽浙江考核优秀，北仑作为全省唯一县市区代表参加联合国COP28主题边会并作典型发言。扎实开展清洁生产审核创新国家试点，33项重大节能项目投产，腾出用能空间6.8万吨标煤，新增光伏并网量22万千瓦，建成新能源充电桩300个，成功入选省级减污降碳协同试点。全省率先完成钢铁行业清洁运输超低排放改造，实施106家涉挥发性有机物企业源头替代和低效设施整治，淘汰国三非营运柴油货车1783辆，全区空气质量优良率达92.8%。累计建成雨污水管网1929公里，污水处理能力达52.3万吨/日，再生水年供应量突破2000万吨，区控以上断面水质优良率达100%，全市唯一两夺省治水“大禹鼎”金鼎。建成全市首个活性炭再生中心，危废填埋率降至8.5%，危废安全处置利用率和污染地块安全利用率保持100%，通过省三星级“无废城市”验收。完成第二轮中央生态环境保护督察和省委专项督察反馈问题整改销号。与生态环境部共建全国首个环保设施向公众开放标杆区，连续四年公众参与案例获评“美丽中国，我是行动者”全国十佳。完成2万多公里蓝碳生态系统基础调查，全区生物多样性本底调查记录物种达2840种，梅山湾建成省级美丽海湾，入选全国海洋生态保护典型案例，天蓝、地绿、水清、沙白成为北仑最动人的迷彩。

六、民生福祉增进向好

协力推进“七优享”工程，十大民生实事全面完成，连续两年共同富裕考核全省优秀。开展重点人群就业帮扶2万人次，发放创业类贷款3000万元，新增城镇就业4万人以上。产业合作推动对口帮扶走深走实。低保、特困供养、孤儿保障标准全线提高、保持全省前列。筹建保障性租赁住房6428套，超额完成年度任务。新增养老床位500张，爱心食堂扩至57家，长山社区入选全国示范性老年友好型社区。新增托育机构48家、社区婴幼儿照护点8个，新增托位1831个，顺利通过全省普惠托育试点验收，获评“儿童友好协同创新区”。新改扩建幼儿园、中小学13所，新增学位超4000个，通过全国义务教育优质均衡发展区实地评估。镇海中学甬江校区完成首届招生。医疗中心、人民医院应急医疗救治中心、中医院公共卫生楼等项目加快推进，人民医院获授国家级“创伤中心”，三甲创建扎实推进，“健康浙江”考核连续五年优秀。跨省就医联网结算全面覆盖区内所有定点医疗机构，长期护理保险全面覆盖区内77万名基本医保参保人员。精彩圆满完成杭州亚运会火炬宁波站传递。成功举办女排奥运资格赛、中国超级跑车锦标赛等高能级赛事。宁波中国港口博物馆获评省国际人文交流基地。新增“15分钟品质文化生活圈”49个、城市书房4家，新建基层体育场地设施13个。完善最小治理单元工作体系，红梅、凌霄、岩河社区入选全省首批现代社区。深化“平安北仑”建设，扎实推进安全隐患大排查大整治，刑事、治安警情实现双下降，获授省委省政府“平安牌”。

一年来，我们认真开展学习贯彻习近平新时代中国特色社会主义思想主题教育，深入推进“大走访大调研大服务大解题”活动，不断加强政府自身建设，切实提高行政效能。组织开展第五次全国经济普查，高质量完成“十四五”中期评估。积极推进依法行政，稳步实施“大综合一体化”行政执法改革。依法接受人大监督，自觉接受政协民主监督，认真办理人大代表建议155件、政协提案142件。深化廉洁政府建设，坚决整治形式主义、官僚主义。此外，工商联、残联、退役军人、双拥、民族、宗教、外事、对台事务、侨务、档案、地方志、供销等工作取得新成绩，工青妇、关心下一代、红十字、老龄、慈善、国防动员、军民共建、气象、保密等工作实现新进步。

各位代表，奋斗饱含艰辛，汗水凝结硕果！过去一年，严峻复杂的宏观形势对外向型经济的北仑造成较大冲击，取得这样的成绩来之不易。这是习近平新时代中国特色社会主义思想科学指引的结果，是市委、市政府和区委坚强领导的结果，是在区人大、区政协的监督支持下，全区人民团结奋斗、真抓实干的结果。在此，我谨代表区人民政府，向过去一年辛勤工作在各条战线上的全区干部群众，向全体人大代表、政协委员，向离退休老同志、各民主党派、工商联和无党派人士、各人民团体，向驻仑部队指战员、武警官兵、公安干警和消防救援队伍，向所有关心和支持北仑发展的海内外朋友，表示诚挚的感谢和崇高的敬意！

同时，我们也清醒看到，我区经济社会发展还面临着不少困难和挑战，主要表现在：外部环境不确定性加大，经济持续回升向好的基础还不够牢固，部分经济指标完成情况不及预期；科技创新能力不足，产业结构、投资结构、贸易结构有待优化，亩均产出仍需提升，民间投资和民营企业预期尚需改善，部分中小微企业和个体工商户生产经营困难；城乡精细化管理水平有待提高，绿色转型亟须努力，本质安全基础不够扎实，建设韧性城市任重道远；群众在教育、医疗、养老、托育等领域还有不少难题；政府效能与现代政府要求还有差距。对这些问题，我们正在采取措施努力解决，今后必须坚定不移加大工作力度。

2024年工作安排

2024年是中华人民共和国成立75周年，是攻坚“十四五”、奋进新征程的关键之年，也是北仑开发建设40周年，站在历史交汇的新起点上，做好政府各项工作，意义重大、责任重大。

今年政府工作的总体要求是：坚持以习近平新时代中国特色社会主义思想为指导，全面贯彻落实党的二十大和二十届二中全会精神，深入学习贯彻习近平总书记考察浙江重要讲话精神，按照省委省政府、市委市政府和区委部署，坚持稳中求进工作总基调，完整准确全面贯彻新发展理念，围绕推动高质量发展这一首要任务，统筹扩大内需和深化供给侧结构性改革，统筹新型城镇化和乡村全面振兴，统筹高质量发展和高水平安全，坚持一张蓝图绘到底，持续推动“八八战略”走深走实，强力推进创新深化改革攻坚开放提升，全力推进“双一流双示范”建设，着力深化“六促六优”专项行动，努力推动经济实现质的有效提升和量的合理增长，奋力开创现代化滨海大都市高能门户建设崭新局面，在“勇当先行者、谱写新篇章”征程中争一流作示范。

综合考虑各方面因素，建议2024年全区经济社会发展的主要预期目标为：地区生产总值增长6%以上；一般公共预算收入、城乡居民人均可支配收入与经济增长基本同步，城乡居民收入倍差继续缩小；固定资产投资增长10%以上；城镇登记失业率控制在3.5%以内；能源和环境指标完成上级下达任务。

围绕以上目标要求，我们将重点做好以下九方面工作。

（一）积极培育新质生产力，推动产业实力再攀新高

打开条块互促产业格局。聚焦打造“415X”⑤“361”⑥产业生态圈，加快产业平台提能升级，推动产业链式布局、集群发展。芯港小镇锚定集成电路全链条贯通，一体推进产业合作、科技创新、金融赋能、人才引育，力争全年新增产业投资20亿元。临港经济示范区主攻传统产业提质增效，加快力劲科技总部、申洲纺织研究院、科创数字产业园等项目落地建设。灵峰总部产业集聚区发力先进制造业聚链成势，推进一胜百创新总部、拓普新能源汽车研发生产基地、旭升中央研究院等优质产业项目签约落地。新材料产业板块统筹经开区化工集聚区和大榭化工集聚区两大平台联动发展，重点建设青峙绿色低碳循环示范产业园、光电有机新材料产业园、万华化工新材料产业园，合力打造世界一流石化新材料产业体系。

构建两业融合产业形态。推动数字经济向高攀升，持续做大“22X”数字产业集群，积极布局人工智能、元宇宙、智能装备等数字产业，推动虚拟现实与行业应用融合发展，实现数字经济核心产业增加值增长8%以上。促进数实融合走深向实，提速细分领域数智应用和场景赋能，建成10家以上省市级智能工厂、数字化车间和5G全连接工厂，新增工业机器人300台（套）以上，规上工业企业数字化改造覆盖率保持全省前十。加快现代服务业扩容提质，积极培育科创服务、产业金融、港航物流、人力资源等生产性服务业向专业化高端化延伸，大力发展平台经济、总部经济，推进先进制造业和现代服务业相融相长、耦合共生。

筑牢项目为王产业根基。把扩大有效益的投资摆在突出位置，力争项

目数量、质量、体量实现新突破。动态更新产业招商地图，广泛对接链主企业、平台机构、头部基金和拟上市企业，内外并重精准定向招商，引进百亿级项目1个、超50亿级项目3个、20亿级项目5个，新增实际利用外资20亿美元、内资300亿元。强化项目全流程、全要素管理，把最稀缺的资源配置给最优质的项目，确保环洋碳三等80个新项目如期开工，中石化成品油基地等63个项目竣工投产，力争专项债发行额度、入选重大项目数走在全市前列。

优化共生共荣产业生态。坚决落实“两个毫不动摇”，持续推动各类民营经济和民营企业优势互补、竞相发展。鼓励企业“四上”[7]发展，梯次培育一批链主企业、腰部企业、高成长性企业，新增国家级专精特新和单项冠军10家，巩固市级“大优强”企业培育规模龙头地位。引导金融“活水”精准滴灌实体经济，新增制造业中长期贷款50亿元、普惠小微贷款60亿元。推动科产融高效对接，促进政府母基金、产业基金和市场基金联动发展，新增上市及过会企业2家。释放国资国企改革实效，明晰功能方向，加大资源整合、股权重组、市场混改力度，推动国资国企向重要行业和关键领域集中，有效提高国资国企经营水平和经济效益。

（二）全面融入甬江科创区，推动科技创新再添动能

增强创新平台牵引力。聚焦“总部港”“未来城”功能定位，高标准建设甬江科创区北仑片区，支持高成长性企业和研发机构升级发展，推进中电光谷等科创平台招商，实质性推动360项目、甬江软件园项目落户运营，力争新增3家创新型企业总部。加快构建新型研发机构工作体系，推动院所经济做大做强，保障北航空天海洋装备综合检验检测中心、中国科学院上海有机所宁波新材料创制中心、北大海洋药物研究院等重大创新载体建设，驱动布局海洋装备、高性能新材料、海洋生物医药等细分领域，借智“最强大脑”打造新的增长极。加速产创融合平台提级增效，新增省市级孵化器和众创空间3家以上、企业研发载体25家以上，数字科技园争创国家级科技企业孵化器。

增强创新主体竞争力。突出企业创新主体地位，支持组建体系化、任务型创新联合体，加强关键核心技术攻关，实施国家及省市级重大专项20项以上，力争在芯片封装、高性能装备等重点领域实现技术突破。健全企业梯次发展矩阵，推动“高升规”“规进高”双向优化，新增高新技术企业100家。深化全省首批标准化创新发展暨城市标准化综合试点建设，全力争创全国质量品牌提升示范区，新增“品字标浙江制造”8家，力争高价值发明专利突破1500件。深入开展“两清零一提升”专项行动[8]，规上工业企业研发费用超100亿元，全社会研发投入占地区生产总值比重提高至2.8%左右。

增强创新生态集聚力。强化科技服务，健全科技成果转移转化全生命周期服务体系，建成宁波英国约克郡海外创新孵化中心。出台科技金融支持政策，加快探索投贷联动、知识产权质押等供给模式。擦亮“青年北仑”品牌，高水平建设全国青年发展型县域试点，实施更积极、更开放的区域人才新政，高质量办好青年科学家和工程师发展大会，用心用力解决人才安居、子女入学等关键小事，力争引育科技领军人才40名、高技能人才3000名、青年人才4万名。

（三）加速构建双循环枢纽，推动对外开放再创优势

坚持制度赋能。深入实施自贸区提升战略示范引领行动，加快打造油气资源、金属新材料、冷链肉类等大宗商品配置枢纽，力争大宗商品销售额达到1.7万亿元。争取开展岸基船用保税燃料油加注业务，推动国际航行船舶保税液化天然气常态化加注。争取“宁波舟山港”国际船舶登记船籍港资质，稳步实施进口“船边直提”[9]和出口“抵港直装”[10]等通关便利化模式。搭建梅山冷链“数智监管平台”，打造国际领先的肉类蛋白资源配置中心。争取集成电路供应链企业CCC产品认证[11]免办，开辟集成电路上下游产品保供“高速公路”。支持数字化平台企业对标DEPA[12]、CPTPP[13]等国际高标准经贸规则，争创大宗商品贸易数字化试点。

坚持经贸扩能。持续开展“百团千企”拓市场行动，培育内外贸一体化“领跑者”企业5家。支持和鼓励重点企业通过境外并购、建立海外生产基地等方式“走出去”，加快全球产业链和创新链布局。深化跨境贸易投资高水平试点，推动跨境融资租赁业务向船舶、海洋工程装备、医疗设备等领域拓展，探索数字人民币跨境结算新模式，“双Q”[14]试点规模突破5亿元。大力发展中间品贸易、服务贸易、数字贸易、绿色贸易，整合提升“一站两仓”[15]资源，推动服务贸易、数字贸易分别增长13%和10%，跨境电商销售额继续保持全国领先地位，进出口继续保持全国占比份额，更高水平助力北仑企业“买全球卖全球”。

坚持消费注能。大力支持银泰、富邦、博地等商圈数智化转型，加快推动首店经济、夜间经济、直播电商等业态培育，集聚一线品牌10个、潮流首店20家、星钻餐饮11家，推动线上线下消费双向提速。深化限上商贸企业培育，支持大型批发、零售企业设立独立法人。更加精准推进“双促双旺”[16]促消费活动，激发新能源汽车、家电、家居等大宗商品消费，实现社会消费品零售增长7%。丰富一批文旅消费供给，串联打造山海露营、文博非遗、研学康养等“文旅+”场景，吸引更多年轻流量变消费增量。

坚持片区提能。树牢“全区一盘棋”思想，推动各片区空间规划一体、资源要素互补、产业发展联动。保税区突出保税核心功能，深挖跨境新零售、跨境组套销售、保税融资租赁、保税维修等“保税+”业务，推动低效厂

仓腾笼换鸟，落地投产中科光学、比亚迪半导体等项目。梅山片突出蓝海蓝湾特色，开工建设生命健康产业园，大力引育区域贸易型总部和平台型总部，提标升级梅山湾省级旅游度假区。大榭岛突出绿色石化优势，加快穿鼻岛开发、榭西榭南片区转型升级，持续推进石化馏分油五期、中海油商业石油储备等10个重点项目建设。

坚持环境蓄能。强化政策统筹，加强政策取向一致性。不折不扣落实好结构性减税降费惠企政策，动态优化助企纾困各项措施。细化出地用地创新管理办法，推动集体土地地下空间分层确权登记。深化"亩均论英雄"改革，全年盘活存量建设用地2000亩，一律用于产业发展。深化政务服务增值化改革，上线"一站式"企业综合服务平台，全面推广"企业码"，迭代应用一批涉企"一类事"服务场景。进一步压缩投资项目审批时限，优化工业用地"拿地即开工"机制，推进远程异地评标，打造长三角综合成本洼地。全面深入做好第五次全国经济普查。

（四）加快建设现代化港城，推动城市面貌再展新颜

深化空间治理。绘好"一张蓝图"，科学编制主城片、甬江科创片、梅山湾片、白峰郭巨片等四大片区乡镇级规划，持续扩大重点片区控规覆盖面，有序推进"多规合一"实用性村庄规划编制，实现国土空间全域全要素管控。一体推进"九类空间"综合整治行动[17]，推动闲置岸线资源高效集约利用，保障重大港口基础设施建设，整治腾退港外低散乱集装箱堆场29处、集卡停车场11处，开工华峙集卡停车场、峙南物流基地，完成半山危化品堆场主体工程，清零拆迁地块17个，推进低效用地再开发1800亩，进一步缓解发展用地空间紧缺难题。

加快城市更新。推动中心城区扩容提质，高标准建设凤凰城东片、庐南等精品片区，全面开工自贸大厦、自贸公园、自贸总部基地等功能项目，匠心打造庐南历史文化街区，形成一批精致活力单元。推进人居环境整治提升，实施岩河、杜鹃社区连片街区改造，建成3个未来社区，创建1个美丽城镇省级样板、2个省级风貌样板区。完成4个老旧小区、12个城中村综合改造，加装既有住宅电梯15部、新能源汽车充电桩350个。扩面开展城市体检，推进宁波沿海公共管廊项目（北仑段）前期，提标改造一批老旧市政管网，治理易积易涝点7处，新开工海塘安澜工程5公里。新建220千伏变1座、110千伏变2座，建成投运220千伏江南变、110千伏城湾变。

构建现代交通。拓展城际外联通道，保障甬舟高速复线顺利开工，加快轨道交通6号线、杭甬高速复线三期、329国道改建二期、六横高速一期、甬舟铁路、铁路北仑支线复线和梅山支线建设。完善区际快速路网，推动象山湾疏港东延（昆亭—郭巨段）、环城南路东延、富春江快速路等项目前期，力争坝头路西延一期道路段竣工，恒山路全线贯通。深化交通"治堵""治乱"攻坚，迭代"智序港城"数字化平台，完善"轨道+公交"一体化出行体系，探索"灵活公交"模式，以数据算力优化交通运力，让群众出行更顺畅、更快捷。

完善城市管理。深化"最干净系列"行动，试行市政、环卫、绿化等一体化综合管养，持续推动生活垃圾分类提质，加强灯光小品等街巷点缀，推广"多杆合一"智慧灯杆，推动空中管线入廊入地，示范打造精品路3条、精细化治理街区2个，用绣花功夫管好城市时时处处。强化数智化执法监管，常态整治餐饮油烟、违章建筑、私搭乱建、乱停乱放、不文明饲养等乱象。全域覆盖完成24万户居民燃气金属软管更换。加快物业服务品质提升，深化红黑榜机制，鼓励开展市场化增值服务，加强无物业小区基础服务，持续压减物业管理服务类投诉。

（五）深化新时代"千万工程"，推动乡村振兴再拓内涵

保障粮食安全。落实最严格耕地保护制度，全面推行田长制，坚决遏制耕地"非农化""非粮化"，新改建高标准农田1900亩，完成永久基本农田集中连片建设4600亩，落实耕地功能恢复1.68万亩，确保粮食播种面积和产量分别稳定在3万亩和2100万斤以上。持续推进化肥农药减量增效，加强种业技术攻关，启动中心粮库二期扩建，全周期管护筑牢粮食安全底线。加强重要农副产品有效供给，恢复生猪产能1.1万头，保障果蔬产量5万吨、水产品产量1200吨，托稳市民"菜篮子""果盘子"。

发展现代农业。落实农业"双强"[18]行动，争创省级农业"机器换人"高质量发展先行区，全年农林牧渔总产值增长4.5%以上。推进新碶千亩方、小港小浃江等都市田园建设，推广"稻虾耳"复合种养"一地三收"新模式，引导传统花木产业转型升级，新培育农创客120名、示范性家庭农场10家。强化品牌兴农战略，打造"海濡农耕"区域品牌一马当先，"碶彩农耕""柴礼有颜"等镇域品牌多骏奔腾的"1+N"品牌矩阵，精心办好各类集市、各大节市农产品"嘉年华"，推动"土特产"全链条升级。

打造和美乡村。制定新一轮提升农村环境三年行动方案，高标准完成农村生活垃圾分类、农村生活污水治理、农村公厕创建任务。全面推进"百花香百村"行动，打造花卉特色村10个，争创市级艺术赋能村4个、省级未来乡村5个。新建"四好农村路"2条。建设全域美丽乡村风景带6条，全面实施135公里高速、国省道沿线植绿补绿，深入整治沿线30个田园片区，综合提升23个村庄形象，扎实推动山水林田路房"六度空间"整体改善。稳步优化农村经济合作社管理机制，规范农村停车管理，稳妥推动全市首个农村承包地到期延包。深化乡风文明建设，推进乡村"四治融合"[19]，力争清廉村居和省市级善治（示范）村占比超80%。

推动强村富民。深化村级集体经

济持续提升行动，建好“飞地抱团”示范项目，巩固集体经济“消薄”攻坚成效，经营性收入50万元以上的行政村达到90%以上。稳妥实施宅基地利用、闲置农房激活、集体经营性建设用地入市等制度改革，示范推动城乡土地、技术、资本等要素双向流动。鼓励有实力、有意愿的乡村能人返乡创业、兴办实业、带动就业，培育农业赋能共富工坊2个。扎实开展乡村旅游“五创”行动[20]，因地制宜打造稻香永久、山居岭下等一批有声有色、有滋有味的农旅目的地。

（六）打造“两山”理念示范区，推动生态文明再结硕果

构建节约集约生产空间。推进省级低（零）碳试点建设，加快绿色港口创建，打造10个以上减污降碳协同标杆项目，争创国家级减污降碳协同创新试点。推动碳排放权、排污权、用能权、用水权等环境要素资源市场化交易，鼓励企业扩大绿电绿证消费，积极参与全国碳市场建设。实施节能技改项目35个，新增光伏容量8万千瓦，加快推动新能源技术在物流领域更广泛应用。深化预防式执法监管服务体系建设，培育100家正面清单企业，创建“绿岛”集成改革市级标准。

构建可亲可近生活空间。推进“宁静小区”建设，加强建筑施工、社会生活等重点噪声控制，打造静音城市空间。系统推进三河六岸公共空间提质，科学实施城区绿化，新建口袋公园10个，新增绿道8公里，让更多市民出门入园、转角见绿。全域建设幸福河湖，持续巩固“生态河埠头”建设成效，适度开放水域空间和岸线，打造城乡亲水节点6个。倡导绿色生活，开展全省首批环境健康友好创新试点，推动环保设施全品类向公众开放，提高公众环境健康素养。

构建宜居宜业生态空间。大力开展大气绩效提级行动，加强细颗粒物和臭氧协同控制，推进石化等十大重点行业深度治理，淘汰老旧柴油货车和柴油叉车5000辆以上，氮氧化物提前完成“十四五”减排目标，空气质量优良率保持在93%以上。坚持陆海统筹、水岸同治，加强农业面源治理和水质常态化监测，新增污水处理能力20.5万吨/日，力争三夺省治水“大禹鼎”金鼎。推进一批生态修复工程，加强重点物种保护。落实林长制，加强森林保护。开工固废资源利用处置中心，建成飞灰综合利用项目，危废填埋率降至5%以下，争创省四星级“无废城市”。

（七）弘扬港城文脉新风尚，推动人文活力再发生机

提升港城文明素养。实施公民道德建设工程，持续开展各级各类“好人”“最美”系列评选活动，激励和引导更多人传播“真善美”、传递“正能量”。加强新时代文明实践中心建设，推行文明实践积分制，开展“浙风有礼·美仑美奂”市民文明素质养成行动，拓展各类志愿服务、慈善活动，打造群众可感的“文明实践圈”。开展“我们的”系列群众性精神文明创建活动，激发群众主体性和参与度，全域创建文明城市、文明村镇、文明单位、文明家庭、文明校园五大基层文明单元，共建“我们的”文明港城。

丰富港城文化供给。开展新中国成立75周年和北仑开发建设40周年系列主题活动，提炼“潮涌东方看北仑”精气神，擦亮“党章守护地”“海丝之路东方大港”文化名片，繁荣群众文艺，推出一批精品文艺力作，讲好北仑故事。高标准规划建设北仑观港景区，开放宁波潜艇研学园，全面提升港口博物馆文化展陈能级。探索开展海外艺术品保税展示交易。加快区文化中心建设，开工中河文化会客厅，改造提升中心公园，新增城市书房2家、乡村博物馆2家、微书房40家，打造20个“15分钟品质文化生活圈”。开展第四次全国文物普查，做好海防遗址等重点文物修缮。办好青年文化节、港口生活节等大型文化活动20场以上，持续送戏300场、送电影1000场、送书3万册，努力让优质文化浸润美好生活。

发展港城体育事业。积极引进承办中国汽车耐力锦标赛、中国家庭帆船赛等一批高水平赛事，持续扩大“赛事之城”影响力。改造升级国家综合体育训练基地，开工建设全民健身中心。发展户外运动产业，推动青年SPORT港精彩开业，丰富一批潮流运动业态。新建体育公园1个、社区多功能运动场2个、百姓健身房6个、“国球进社区”公园7个，人均体育场地面积提升至3平方米以上。办好全民运动会，推进国民体质监测，推广“一人一技”体育技能公益培训，促进全民健身蔚然成风。

（八）聚力共富示范先行区，推动民生事业再增福祉

坚持全民关怀、全龄友好，让生活更有保障。落实就业优先，抓实“扩中”“提低”，完善重点群体创业就业扶持政策，组织技能培训2.2万人次以上，促进灵活就业，保持零就业家庭动态清零。推进社保扩面提质，完善商业医疗保险和长护险制度。悉心关怀“一老一小”，加快建设北仑颐养中心、郭巨敬老院，新增认知障碍照护床位40个，新建托育机构6个、婴幼儿照护服务驿站5个，新增托位数300个，建成一批老幼融合型、社区嵌入式服务设施。保障在建商品房“品质交付”，新筹集保障性租赁住房2700套，发放青年公寓购房码1000个，尽最大努力帮助新市民、青年人在北仑安家落户。持续深化对口帮扶。加强国防动员基础建设，做好退役军人服务保障。搭建“善联北仑”多维救助平台，进一步完善助残、救孤、扶弱、济困服务体系。

坚持优先发展、优质均衡，让教育更有质量。完成镇海中学甬江校区（一期）新建、柴桥中学扩建等校舍工程5个，稳步推进东海实验学校庐南校区、北仑区外国语学校等项目建设，新增学位4700个，争创全国学前教育普及普惠区。巩固“双减”成效，加强学生劳动和心理健康教育，办好“校超联赛”，推动“五育融合”21，提升课堂教学质量和课后服务质量，创建全国学校家庭社会协同育人试验区。推广中小学食堂自助餐，加快午休“趴改躺”扩面，努力让孩子们“学得好、吃得好、睡得好”。推动中高职一体化办学，扩大五年制招生规模，打造产教深度融合的“产业学院”。

坚持提档升级、提质扩容，让医疗更有温度。全面开启区人民医院与浙大一院新一轮合作，建设更高水平医联体、医共体、专科联盟，坚实迈出五年创建“三甲”重要一步。实施“医学高峰”计划，加快推动浙大一院宁波国际医院落地北仑，建成投用区医疗中心，加快区二院迁建项目前期和区中医院扩建工程进度，引育高精尖缺卫健人才80名。拓展完善血透治疗中心和急救圈站点布局，兜住生命支持和应急救治基层网底。稳步提高社区医疗服务质量，实现慢性病一体化门诊全覆盖。大力推广中医药适宜技术，争创全国基层中医药工作示范区。扎实开展健康北仑专项行动和爱国卫生运动，有效遏制重大传染性疾病传播。

坚持常抓不懈、常态有效，让治理更有效能。坚持和发展新时代“枫桥经验”，健全社会矛盾多元化解机制，优化基层网格建设，促进矛盾纠纷就地高效化解。完善数字孪生社会底座，搭建区域人口结构态势感知应用，提升基层治理精细化、颗粒度。构建工业社区服务质量指标体系，发布国家行业标准。持续推进化工园区整治提升三年行动，确保全区所有化工园区稳定在较低风险等级。加快基层应急体系标准化建设，常态开展风险隐患大排查大整治，系统提升本质安全水平。建设省级气象防灾减灾标准化村35个。强化食品药品和特种设备安全监管。防范化解经济金融风险，坚决守牢不发生区域性系统性风险底线。推进“平安北仑”建设，严打黄赌毒、食药环、盗抢骗等违法犯罪，深化电信网络诈骗专项整治行动，进一步净化社会治安环境。

各位代表！民之所望，政之所向。2024年我们将继续滚动实施一批重点民生实事，从市民群众最关心的问题入手、最期盼的事情做起，在区人大全过程参与下，经过前期多渠道征集、对接、会商，筛选出12个民生实事候选项目提请各位代表审议和票决。我们将始终坚持尽力而为、量力而行，采取更多惠民生、暖民心举措，扎扎实实把民生实事办好，努力让市民群众过上更好的生活。

（九）加强政府自身建设，推动治理能力再上台阶

铸牢政治坚定的忠诚之魂。强化理论武装，全面巩固拓展主题教育成果，坚持不懈用习近平新时代中国特色社会主义思想凝心铸魂，不断提高政治判断力、政治领悟力、政治执行力，切实把拥护“两个确立”、做到“两个维护”贯彻落实到政府工作各方面、全过程，持续推动习近平总书记考察浙江重要讲话精神在北仑落地见效。

大兴调查研究的务实之风。坚持问需于民、施政为民，践行“四下基层”工作方法，全面掌握实际情况，真情感知急难愁盼，让调查研究成为作决策、体民情、察民意的核心渠道。坚持问题导向、闭环落实，通过调查研究找准改革难点、创新要点、突破重点，推动问题解决在一线，把调研成果转化为推动高质量发展的锦囊妙计。

锤炼创造执行的担当之能。树牢正确政绩观，力戒形式主义、官僚主义，发扬斗争精神，补齐能力短板，聚焦督查激励，敢于创新突破，推动干部在知重负重中练就狠抓落地的铁肩膀、真本事。强化“有解思维”，做到凡事多作“应不应该办”的价值判断，不能只作“可不可以办”的技术判断，用好正向激励机制，让创新者和担当者蓬勃成长。

夯实依法行政的法治之基。稳妥有序落实新一轮机构改革各项任务。坚持法治思维，强化法治政府建设，深化“大综合一体化”改革，推进严格规范公正文明执法。深化政务公开，推动行政复议新规落地，切实发挥解决行政争议主渠道作用。加快建设自贸区法治服务中心。依法接受人大及其常委会监督，自觉接受政协民主监督，主动接受社会监督、舆论监督，高质量办好人大代表建议和政协委员提案。

常扬廉洁自律的清正之气。扎实推进政府系统党风廉政建设，不断完善公共资源交易、国有资产管理等重点领域廉政风险防控机制。推动新时代审计工作高质量发展。坚持常态化过紧日子，优化财政支出结构，强化预算约束和绩效管理，增强财政可持续性。严格落实中央八项规定及其实施细则精神，构建亲清统一的新型政商关系，让干部清正、政府清廉成为北仑鲜明底色。

名词解释

1.“22X”数字经济产业新体系。第一个“2”为打造集成电路与电子信息材料、软件与互联网服务两大数字主导产业集群；第二个“2”为聚焦智能终端、数字贸易两大数字特色产业赛道；“X”为培育数字港航、数字金融、数字零售等若干数字经济融合业态，前瞻布局人工智能、元宇宙、区块链、数字海洋等数字经济未来产业。

2.DCMM贯标。DCMM为Data management Capability Maturity Model缩写，即数据管理能力成熟度评估模型，DCMM贯标是指将DCMM标准应用于企业数据管理，帮助企业提高数据管理水平的一种认证评估过程，旨在促进企业数据资产的整合优化，增强企业竞争力。

3.融资租赁SPV公司。SPV为Special Purpose Vehicle简称，即特殊目的单一项目公司。融资租赁SPV公司是指在从事特定融资租赁业务过程中，公司为实现风险隔离目的，在境内保税地区、自由贸易试验区、自由贸易港等区域设立的项目子公司，常见租赁标的

物包括飞机、船舶、海工设备等。

4. “7+X”。指标准地控制指标体系，“7”个主干指标包括固定资产投资强度、亩均税收、亩均增加值、单位能耗产出、单位排放产出、研发投入占比、容积率；“X”为可根据功能区化、产业准入和相关区域评估要求动态调整的控制指标。

5. “415X”。2023年，浙江省启动实施“415X”先进制造业集群培育工程，“4”是指重点发展新一代信息技术、高端装备、现代消费与健康、绿色石化与新材料4个万亿级世界级先进产业群；“15”是指重点培育智能电气、高端新材料等15个千亿级特色产业集群；“X”是指重点聚焦三大科创高地和人工智能、基因工程、区块链等前沿领域，培育一批成长性高的百亿级“新星”产业群。

6. “361”。2023年，宁波市开展打造“361”万千亿级产业集群行动，“3”是指数字产业、绿色石化、高端装备等3个万亿级产业集群；“6”是指新型功能材料、新能源、关键基础件、智能家电、时尚纺织服装、现代健康等6个千亿级产业集群；“1”是指前沿新材料、未来智能、元宇宙、未来能源、空天科技、未来海洋、量子科技、原创新药、未来诊疗等一批新兴和未来产业群。

7. “四上”。即上规、上市、上云、上榜。

8. “两清零一提升”专项行动。指营业收入5亿元以上的制造业企业无研发机构清零，营业收入1亿元以上制造业企业无研发活动清零，规上制造业企业R&D活动覆盖率提升到65%。

9.进口“船边直提”。指进境船舶充分利用货物在途运输时间办理通关手续，抵港后无需海关查验即可放行，并实现企业车辆从船边直接接卸、提货。

10.出口“抵港直装”。指出口货物提前向海关申报后，可在港口船舶截关前直接运抵码头放行并装船出口。

11.CCC产品认证。CCC为China Compulsory Certification缩写，全称为中国强制性产品认证，是为保护消费者人身安全和国家安全，加强产品质量管理，依照法律法规实施的一种产品合格评定制度。

12.DEPA。指《数字经济伙伴关系协定》。

13.CPTPP。指《全面与进步跨太平洋伙伴关系协定》。

14. “双Q”。即QFLP和QDLP，分别为合格境外有限合伙人和合格境内有限合伙人。前者指境外机构投资者在通过资格审批和其外汇资金的监管程序后，将境外资本兑换为人民币资金，投资于国内的PE（私募股权投资）以及VC（风险投资）市场。后者指在通过资格审批并获取额度后的试点基金管理企业可向境内合格投资者募集资金，设立试点基金投资于境外股权、证券等金融市场。

15. “一站两仓”。即品牌独立站、前置仓、海外仓，属于新型外贸基础设施，集成跨境电商、商贸物流、数据服务等综合功能。

16. “双促双旺”。2023年，宁波市为抢抓重启扩内需促消费、重启国际交流合作机遇，推出“市民促消费、企业促销售、城乡旺人气、生产旺市场”行动。

17. “九类空间”综合整治行动。指为盘活存量用地、整治低效用地，对产业园区、两场一仓一中心、城中村、粮功区用地、低效散乱污工业用地、村级三产用地、违建违法用地、闲置厂房用地和闲置公共空间、“批而未供、供而未用、用而未投”等九类空间开展的整治行动。

18.农业“双强”行动。是浙江省提出的科技强农、机械强农行动。

19.乡村“四治融合”。指自治、法治、德治、智治四种治理相结合的乡村治理体系。

20.乡村旅游“五创”行动。2023年，浙江省提出实施乡村旅游“五创”行动，打造乡村休闲旅游高质量发展先行示范省，具体包括产品创牌、环境创优、文化创新、运营创效、模式创造五大行动，目标到2026年，基本建成乡村旅游提质增效全国先行样板，成为富有鲜明浙江辨识度的中国乡村旅游胜地、国际知名乡村旅游目的地。

21. “五育融合”。即德、智、体、美、劳五个方面的教育要素联结成一个有机整体，促进学生全面发展。

宁波市北仑区人民代表大会常务委员会工作报告

——2024年1月12日在区人大十届三次会议上

宁波市北仑区人大常委会主任　贺威平

2023年工作回顾

2023年，是全面贯彻落实党的二十大精神的开局之年，是"八八战略"实施20周年，也是实施"十四五"规划承前启后的关键之年。一年来，区人大常委会在区委的坚强领导下，坚持以习近平新时代中国特色社会主义思想为引领，深入学习贯彻习近平总书记考察浙江重要讲话精神，全面落实省市区委全会部署要求，聚焦高质量发展目标、共同富裕美好期盼和全过程人民民主实践，惟实励新、奋勇争先，较好地发挥了地方国家权力机关的职能作用。全年共召开常委会会议10次、主任会议16次，听取和审议专项工作报告42项，作出决议决定18项，开展专题询问1次、执法检查7次、重点调研9项、视察8次，圆满完成了区十届人大二次会议确定的目标任务，为我区"双一流双示范"建设贡献了人大力量。

一、坚持擎旗铸魂，在践行根本政治制度新征程中把牢正确方向

常委会准确把握人大政治属性，在坚持党的全面领导上体现政治自觉，在践行党的创新理论上体现政治定力，在贯彻党的决策部署上体现政治担当，确保人大工作始终沿着正确政治方向前进。

贯彻党的领导坚定坚决。牢牢把握坚持党的领导这一最高政治原则，坚决维护党总揽全局、协调各方的领导核心地位，确保人大工作与党的中心工作同频共振、同向发力。区委高度重视和支持人大工作，区委主要领导出席常委会会议，走进人大代表联络站专题听取代表意见建议，多次就全区人大工作与时俱进发展作出批示、提出要求。严格执行常委会党组《关于进一步健全向区委请示报告制度的实施办法》，就行权履职中的重大问题和重要事项向区委请示报告58项，自觉将人大各方面工作置于区委领导之下。坚持履行好党组在人大工作中"把方向、管大局、保落实"的职责，召开18次党组会议，有力推动人大工作高质量开展。依法规范人事任免，坚持党管干部与人大依法行使任免权相统一，全年依法任免国家机关工作人员90人次，补选区人大代表14名。

推动主题教育走深走实。牢牢把握"学思想、强党性、重实践、建新功"总要求，高质量开展学习贯彻习近平新时代中国特色社会主义思想主题教育。将理论学习作为首要任务，坚持学原著、读原文、悟原理，深刻领悟习近平总书记考察浙江重要讲话精神以及对"八八战略"实施20周年、"千万工程"等重要指示精神的特殊意蕴和丰富内涵。聚焦学习主题原原本本学、集中研讨学、持续跟进学，组织集体学习、交流研讨、专题教育、理论宣讲59次，切实用党的创新理论武装头脑、指导实践、推动工作。扎实推进"循迹溯源学思想促践行"活动，狠抓政绩观、作风等专项问题检视整改，大力开展"联镇街入村社、走企业访群众"活动，联动解决群众及企业急难愁盼问题36个。坚持把调查研究贯穿始终，科学确定调研课题，发放调查问卷1000余份，形成调研成果28项，整改问题13个，以高度负责的精神把主题教育抓出好效果。

落实决策部署见行见效。在服务全区改革发展大局中找准人大定位，坚决做到"党委有部署，人大见行动"。深入贯彻省委三个"一号工程"、市委"打造一流城市、跻身第一方阵"决策部署，迅速出台专项行动实施方案，梳理形成三方面19项任务清单。积极配合省人大常委会开展"交通强省 一流强港"专项调研，形成调研成果供区委区政府参考。助推"三件大事"落实落细，围绕文明城市创建、亚运会筹办中的薄弱环节、顽疾问题，统筹发挥人大职能优势和代表带头作用，广泛汇聚"讲文明、办展会、迎亚运"共识共为。紧扣区委战略目标，作出全力助推"双一流双示范"建设、加快推进甬江科创区北仑片区建设两项决定，确保区委决策主张通过法定程序转化为全区人民的共同意志。以"营造一流营商环境""强化人才要素保障"等专题为切入点，部署开展4期"人大代表民生夜询会"，通过以问知政、以问督政、以问助政，推进解决问题21个。系统谋划"十四五"规划实施情况中期评估监督，形成"1+5"调研报告，精准推动规划落地实施。

二、坚持凝心聚力，在"双一流双示范"建设新篇章中勇担人大使命

常委会立足人大职能定位，坚持以区委"需求侧"牵引人大"供给侧"，紧紧围绕全区改革发展稳定的关键领域和重点任务，自觉在大局下谋良策、做实功，以行之有效的监督助力经济社会高质量发展。

助力经济平稳运行。高度关注经济运行态势，依法听取审议国民经济和社会发展计划执行、政府重大投资项目

安排报告，助力区域经济以进促稳、稳中有进。紧扣营商环境优化提升，开展“两条例一决定”实施情况执法检查，营造全社会支持促进民营经济成长壮大的浓厚氛围。促进完善高质量发展的财政支持体系，开展全口径、全过程预算监督，审议年度预算编制、上年度决算、债务限额及预算调整等工作报告。跟踪督查审计查出问题整改落实情况，对区教育局、区住建局的预算编制、执行和绩效情况进行重点审查，街道预算“阳光三审”继续巩固提升。听取政府债务管理情况报告，提出举债有度、用债有方、偿债有据等意见建议，进一步深化债务风险防范。在审议国资管理综合报告基础上，调研国有企业改革推进情况，听取行政事业性国资管理专项报告，实现国资监督从管“总体”向管“专项”延伸。深入贯彻《浙江省人大财经工作规则》，明确经济计划监督、预算审查监督、国有资产监督等重点内容，搭建形成“3+N”的人大财经监督制度体系。

助力产业提能增效。开展专精特新、开放型经济专题调研，推动优势产业向集群高质量发展。审议节能降耗工作报告，开展《宁波市再生资源回收利用管理条例》实施情况执法检查，推动节能减排和资源再造双向发力，助力区域经济健康可持续发展。紧扣打造高水平创新强区主线，听取科技进步和科技创新平台运行报告，督促政府强化政策引导和服务指导，加大优质科技人才引育力度，加快提升区内企业自主创新能力。锚定世界一流科创策源中心发展目标，制定出台助推甬江科创区北仑片区建设方案，精准划分实施阶段，明确10项重点任务，为找准创新能级、竞争能级、城市能级提升的关键路径建言献策。审议技能人才队伍建设报告，助力打造全市领先的技能人才生态区。

助力城乡品质焕新。密切关注我区第一部“多规合一”空间规划的编制工作，审议分区国土空间总体规划（2021—2035年）编制报告，提出加强规划衔接、促进区域协同发展、系统推进全域国土空间综合整治等建议，为我区未来发展塑造新空间、构建新优势赋能助力。视察“两场一仓一中心”整治提升情况，作出视察意见，有力助推实现发展格局大重构、区域规划大统筹、发展空间大腾挪。持续助推乡村振兴“大战略”实施，围绕村级集体经济发展、农业农村建设用地、海塘安澜、流域防洪等方面开展监督调研。结合代表联络站点优化提升，有序推进乡村振兴助力站建设，形成大碶“品牌强农”、柴桥“产业兴农”、白峰“文旅助农”等一批亮点鲜明、各具特色的品牌阵地。着眼优化生态环境，听取审议年度生态环境报告，开展湿地保护法执法检查、生物多样性保护工作视察，持续促进绿色发展。关注生态环境安全，戚家山、大榭工委分别围绕大气污染防治和海洋环境保护等重点领域，因地制宜打造生态环境议事“一点一特色”，拓宽了关注生态环境的民主参与渠道。

三、坚持民呼我为，在共同富裕示范先行新期待中增进民生福祉

常委会牢牢把握以人民为中心这一价值追求，让更多目光关注民生，让更多成果满足民需，切实推动解决群众最关心最直接最现实的利益问题，在增进民生福祉、促进共同富裕中践行人大初心使命。

促进公共服务提质升级。聚焦“朝夕美好”，紧扣《宁波市居家养老服务条例》实施，听取审议专项工作报告，专题询问养老服务体系建设工作，拟定九方面10条询问建议交区政府研究处理，助推形成适度普惠、服务精准、多元供给的养老服务格局。监督支持儿童友好城区建设、托育事业发展，推动“一米高度看城市”理念融入城市化发展进程。聚焦“体育强区”，立足全民健身国家战略主线，开展全民健身“两条例”执法检查，明确22个检查重点，助推解决群众“健身去哪儿”等民生问题。聚焦“和美教育”，围绕学校规划布局、师资配置、基础保障等内容做调查、出方案、提建议，为做好“减负”“提质”两篇文章把脉建言。聚焦“病有良医”，全面走访人民医院、二院、三院、中医院等区内所有公立医院，提出强保障、补短板、提品质等意见建议35条，促进公共医疗事业健康、稳定发展。调研侨务、民族宗教工作，为共谋发展、共建和谐营造良好氛围。

促进法治建设行稳致远。注重以法治之力维护社会安定、守护民生安宁，紧盯法治建设关键领域，审议法治政府建设、规范性文件备案审查报告，指导街道备案审查实现全覆盖，听取基层村（社区）警务建设报告，支持推动政府全面提高依法行政、依法治理水平。注重发挥人大、法检协同作用，听取“共享法庭”建设、未成年人检察报告，出台“代表联络站+共享法庭”“双员制+双员”运行办法，创新打造全省首个“海上共享法庭”（浙江自贸试验区宁波片区服务站），探索构建“代表+公益”双向互动机制，将司法服务延伸到基层社会治理最末端。深化“基层立法联系点+代表联络站”融合建设，成立“基层立法体验中心”。开展港区集装箱汽车管理立法调研，配合上级人大做好12部法规条例立法建议征集工作。认真做好干部任前法律知识考试、任职表态发言、颁发任命书、宪法宣誓等工作，切实增强选举任命干部的法治观念和人大意识。加强和改进人大信访工作，依法妥善处理群众合理诉求17件。区人大获评全市普法工作成绩突出集体。

促进民生实事普惠共享。坚持以“民声”定“民生”，深化民生实事项目人大代表票决制。发动群众“点题”，出台人大参与民生实事项目征集和提出工作办法，开展“民生实事项目集中征集月”活动，实行广泛征集与集中征集相结合、线上“屏对屏”与线下“面对面”征集相结合，收集市区两级项目线索457条。依托代表“议题”，分层次、分领域召开座谈会15次，就68项重点线索建议开展专题调研，在广泛收集民情中充分体现民意。坚持人大“评题”，将民生实事项目监督列入年度监督工作计划，建立“项目征集—审议票决—进度监督—绩效评估”的全过程监督机制。由常委会领导分别领衔联系1~2个票决项目，通过专项督查、

专题视察、专题询问会等形式，督促区政府及相关职能部门将实事办好，10个民生实事票决项目、10个续建项目已全部按期完成，落地率100%。

四、坚持守正创新，在全过程人民民主新图景中擦亮履职底色

常委会探索全链条、全方位、全覆盖的民主，扩大人民有序政治参与，发挥代表主体作用，深化基层民主创新实践，确保人大工作更好体现人民意志、保障人民权益、激发人民创造活力。

拓宽社情民意表达渠道。持续建设"代表微网回音格"履职场景，切实将人大工作触角延伸至"最小单元"，促进代表与群众全方位、全天候、全覆盖的双向联系。持续推进人大核心业务和工作力量"双下沉"，完善领导干部、人大代表和政府部门负责人进联络站接待工作机制，区委区政府主要领导以代表身份带头进站接待选民，各级人大代表纷纷响应，全年走访选民2万余人次。拓展闭会期间代表履职路径，组织代表参加重要情况通报会，邀请389名代表列席区委、区人大常委会、"一府一委两院"和开发区管委会重大会议、重要活动，保障代表更好知情知政。常态化邀请群众线上线下参与立法调研、执法检查、履职评议，运用数字化手段多渠道、全方位收集反馈社情民意。一年来累计开展线上问卷调查21批次，征集意见建议1600余条。

夯实基层人大工作矩阵。聚焦制度健全，出台《规范提升街道工委工作若干意见》和《街道人大工作规范化建设指引》，指导街道人大健全完善议事规则、联系选民、建议办理、执法检查、居民议事组织等制度，推动基层人大工作运行有序有效。聚焦阵地建优，完善基层单元"1+X"制度体系，加快联络站、立法联系点和专（工）委特色站点共建共促、融合发展。全面推广"联络站码""代表码"，推动联络站迭代升级、提质增效。聚焦实践建功，鼓励基层人大实践创新，着力打造践行全过程人民民主基层实践样板。如新碶工委"亲青民主体验"、霞浦工委"红色接待驿站"、春晓工委"企小二"议事、梅山工委"海岛智囊团"、郭巨工委民主协商说事等，小港工委"红领巾民主学堂"获宁波市人大工作创新奖，基层人大工作"百花齐放"的态势初步显现。

支持人大代表依法履职。精心举办2期人大代表能力提升培训班，依托"致知学法苑"和"代表通—网上学堂"等平台载体，做好培训赋能结合文章，代表想履职、能履职、履好职的基础得到进一步夯实。充分发挥代表主体作用，开展"三强三促"代表主题活动，组织代表中心组、各代表小组"深入企业一线""走进'两院'"调研、视察43批次，举行人大代表宣讲40余场，代表履职舞台进一步拓展。加强代表履职全生命周期管理服务，扎实开展代表履职登记、联系服务选民、年度述职、先进表彰，促进履职更加规范高效。紧盯代表建议"内容高质量、办理高质量"，落实建议提出前会商交流机制，形成常委会领导重点督办、专工委归口督办、代表工委常态督办、人大代表参与督办的"大督办"工作格局，组织建议督办27次，206人次代表参与，区十届人大二次会议以来的145件代表建议均已按期办结。认真组织市人大会代表重点审议发言，为推动区域发展凝聚合力。

五、坚持强基固本，在人大"四个机关"建设新课题中书写优异答卷

常委会主动适应新发展新要求，始终把加强自身建设作为促进工作的"硬指标"，努力打造政治担当坚定、精神状态昂扬、能力本领过硬、作风形象良好的人大队伍，为依法履职提供坚强保证。

锤炼一流作风效能。在建强党的组织上下功夫。进一步增强常委会党组、机关党组政治引领功能，大力推行"党建+"模式，加快形成上下贯通、各方联动、齐抓共管的大党建格局。认真履行全面从严治党主体责任，推进党建与业务深度融合，努力营造风清气正的良好政治生态。在锻造过硬队伍上下功夫。按照"四个机关"的定位要求，深入开展"守正固本、创新增效、提能强基"专项行动，深化月度亮晒、述职分享、干部挂职等制度机制，丰富事业进步与干部成长"双向成就"具体抓手，拓展干部培养使用平台路径，使人大干部始终干在改革发展主战场、民主法治最前沿、民生保障第一线。在历练严实作风上下功夫。倡导实干为先的鲜明导向，常委会领导班子成员深入街道，投入村社帮扶、河道巡查、联系企业、抗台防汛等工作，始终保持干劲，持续贡献力量，有效发挥示范带头作用。常态长效组织平安护航亚运巡防、"红色周末"志愿服务等活动23次，激励党员干部发挥先锋模范作用。

构建整体工作合力。坚持全区"一盘棋"思维，健全主任会议成员分工联系指导街道人大工作机制，建立季度工作交流、年度工作研讨、专项工作通报等制度，形成上下联动、同题共答的人大合力。持续放大数字赋能效应，依托省市人大数字化应用平台，全面实现业务数据流省市区街四级贯通，常态化推进"四张清单"、参与立法监督、民情民意处理、主题活动意见征集等业务线上运行，多项指标在省市人大数据亮晒中位居前列。加强监察司法、财经、社会建设三个专门委员会建设，累计开展研讨交流、专题会议12次，切实发挥了专委会依法监督和参谋助手作用。完善政府重大政策出台前征求代表意见机制，加强与"一府一委两院"和开发区管委会的协调联系，不断提升人大工作的整体质效。强化考核问效，围绕区委中心工作和单位核心职能，探索制定区直部门、各街道工作考核计分细则，形成全覆盖、流程式、可操作的考核体系，为工作开展提供指导与遵循。

强化理论宣传引领。加强人大制度在基层创新实践的工作和理论研究，完成高质量调研成果18篇，其中《人大视角下青少年对全过程人民民主的认知与实践思考》一文获市人大理论研讨二等奖。统筹运用新媒体和传统媒体讲好人大故事、展现代表风采，打造"主流媒体、社会化媒体、网络新媒体"宣传体系，全年累计在新华社、浙江日报、宁波日报等中央省市媒体刊载稿件110篇，4件作品获宁波人大新闻奖三等奖，省市人大信息刊载78篇，分别获评省、市人大信息宣传工作先进单位。注重挖掘培育实践品牌，“代表微网回音格”履职场景创建获省人大常委会主要领导批示肯定，获市人大创新工作最高奖——创新特别奖，“企业上市‘加油站’”经验做法获评省人大助力三个“一号工程”主题活动百佳案例，2项街道实践入选市人大基层工作创新典型案例，全过程人民民主北仑实践的新进展新成效得到精彩展示。

各位代表，过去一年常委会各项成绩的取得，根本在于习近平总书记掌舵领航、在于习近平新时代中国特色社会主义思想的科学指引，是中共北仑区委坚强领导的结果，是全体人大代表、常委会和各专门委员会组成人员勤勉努力的结果，是街道人大合力推进的结果，也是上级人大关心指导的结果，离不开“一府一委两院”和开发区管委会的支持配合，离不开区政协、各民主党派、人民团体和社会各界的热情帮助。在此，我谨代表区人大常委会向大家表示崇高的敬意和衷心的感谢！

在总结成绩的同时，我们也清醒地看到，对照宪法和法律赋予的使命，对照新时代人大工作的要求，对照人民群众对美好生活的期盼，常委会工作还存在不少短板问题，主要是：推动人民代表大会制度生动实践有待深化，人大理论制度的研究宣传还需进一步加强；依法监督的刚性韧劲有待增强，服务保障全区改革发展大局的成效还需进一步提升；践行全过程人民民主渠道有待拓宽，代表和群众参与人大工作的平台载体还需进一步丰富；人大干部变革力和引领力有待强化，对数字化时代的理念认知还需进一步转变。对于这些问题，常委会将高度重视，切实予以改进。

2024年工作安排

2024年是新中国成立75周年，是全国人民代表大会成立70周年，也是北仑开发建设40周年。区人大常委会工作的指导思想是：坚持以习近平新时代中国特色社会主义思想为指导，全面贯彻落实党的二十大、中央人大工作会议和习近平总书记考察浙江重要讲话精神，坚持党的领导、人民当家作主、依法治国有机统一，紧扣中心大局、紧贴人民期盼、紧盯依法治区、紧靠代表主体，以锐意进取的姿态、笃行实干的状态，奋力推进“八八战略”走深走实，全力助推“六促六优”专项行动，助力提升“双一流双示范”建设成效，努力为北仑在“勇当先行者，谱写新篇章”征程中争一流作示范贡献人大智慧和力量。

一是讲政治、砺品行，铸牢忠诚核心的向心力。始终坚持党对人大工作全面领导这一最高政治原则，扎实做好学习贯彻习近平新时代中国特色社会主义思想主题教育“后半篇”文章，注重在常学常悟常进、深化内化转化上下功夫，强化“第一议题”抓学习、“第一遵循”抓贯彻、“第一标准”抓落实，自觉把人大工作同党的基本理论、基本路线、基本方略对标对表，同习近平总书记重要讲话、重要指示批示精神对标对表，切实用党的创新理论引领推动人大工作高质量发展。充分发挥常委会党组把方向、管大局、保落实的重要作用，牢牢把准正确政治方向，严格执行重大事项请示报告制度。发挥人大职能优势，开展人大助推基层社会治理专项调研，不折不扣完成区委交办的各项工作任务，切实把制度优势转化为发展胜势和治理效能。

二是善监督、强担当，提升助推发展的协同力。紧紧围绕区委九届五次全会部署，打好法定职权“联动牌”、工作力量“协作战”、监督方式“组合拳”，切实增强人大监督的政治效果、法律效果和社会效果。着眼把牢区域发展蓝图，依法听取审议国土空间规划实施、国民经济和社会发展计划执行情况报告。着眼管好人民钱袋子，加强对财政预决算、审计查出问题整改、政府性债务管理监督，审议国资管理综合报告、国有企业资产（不含金融企业）管理情况专项报告，听取政府投资项目安排、非税收入和专项资金收支、节能降耗工作报告，深化街道预算监督和部门预算绩效监督。着眼增强产业发展竞争力，视察浙江自贸试验区宁波片区建设，审议甬江科创区北仑片区建设和科技进步工作报告。着眼促进城乡一体发展，审议“千万工程”实施、“三河六岸”公共空间提质项目建设、气象高质量发展报告及落实村级集体经济收入审议意见整改报告，调研城市有机更新、征地拆迁、政务服务增值化改革等相关工作。着眼推动依法治区进程，审议法治政府建设、法官和检察官队伍建设、规范性文件备案审查、虚假诉讼打击防范、智慧交通建设报告，视情听取区监委专项工作报告，开展美丽乡村建设条例立法调研，视察法治化营商环境、社会治理基层智治，检查科技进步、营商环境、预防和制止家庭暴力、无障碍环境建设、落实河长制等方面法律法规执行情况。

三是守初心、解民忧，增强履职为民的保障力。坚持把群众的呼声作为人大工作“第一信号”，健全“民呼我应、民呼我为”长效机制，以人大的高效履职丰富全过程人民民主的时代内涵。聚焦群众急难愁盼，视察保障性租赁住房、养老服务、医疗急救工作情况。聚焦“除险保安”，调研小微园区（厂中厂）安全管理、食用农产品安全风险隐患闭环管理，切实增强人民群众安全感。聚焦“宜居宜业”，深化生态环境保护“综合+专项”报告制度，持续关注“无废城市”建设工作，开展噪声污染防治法执行情况检查，视察幸福河湖建设，听取审议青年发展型县城试点建设报告，对基层退役军人服务站融合建设、重点群体就业和侨务工作开展调研。聚焦“实事办实”，贯彻执行票决制工作“一决定一办法”，发动人大和政府、代表和群众深度参与“四大机制”实践，更广泛聆听基层群众的真实声音，推动全过程人民民主更加可感可及。

四是重主体、优服务，巩固团结奋斗的凝聚力。分层分类抓好代表履职培训，搭建便捷有效的代表活动网络，为代表依法履职创造良好条件。依托“代表微网回音格”工作场景，深化开展“人大代表民生夜询会”，组织代表深入基层、深入一线调查研究，广泛收集群众呼声诉求，提出务实管用的人大建议、人大方案。坚持重要情况通报会、专项情况通报会制度，组织代表走进部门、约见政府部门负责人，邀请代表列席区委、“一府一委两院”和开发区管委会重大会议、重要活动，拓宽代表的知情知政渠道。优化“双员制”接待流程，缩短民生问题解决距离。创新代表建议办理工作机制，加大督办工作力度，切实提高问题解决率和群众满意度。完善街道居民议事会制度，为街道人大和代表履职提供民意支撑。融合推进人大民主民意表达平台建设，开展代表联络站星级评定，持续推进人大核心业务和工作力量“双下沉”，更好激发人大工作活力。

五是塑形象、练内功，强化真抓实干的执行力。深入贯彻新时代党的建设总要求，认真履行管党治党政治责任，加强常委会党组、机关党组建设，进一步健全党建责任体系和工作链条。着眼打造变革型组织、提升塑造变革能力，一体推进作风、纪律和制度建设，全面提升工作质效。深化与上级人大纵向联动，优化同“一府一委两院”和开发区管委会贯通协调，推动人大工作高效协同、整体跃升。积极践行“三个跑遍”，在深入基层、联系群众中锻造过硬基本功，持续深化人大制度理论研究，切实提升调查研究质量。坚持生成性学习、激发创造性张力，打造唯实唯先、善作善成的人大干部队伍，以一线意识、一线状态追求一流业绩。始终秉持争先创优意识，聚焦精准监督、常态决定和基层民主实践等赛道，着力打造“硬核监督成果”和工作“金名片”，推动北仑人大工作继续走在省市前列。

名词解释

1.“人大代表民生夜询会”。区人大常委会在完善“双员制”接待过程中，探索搭建区级层面关注解决社情民意的工作平台。利用相对空闲的晚上时间进行，地点设在代表联络站（点），区人大常委会、区政府领导，区人大代表，相关政府部门负责人参加。

2.“1+5”调研报告。区人大常委会对我区“十四五”规划纲要中期评估的调查报告和工业经济发展、教育事业发展、综合交通体系建设、农业农村现代化、应急管理五个专项规划中期评估的调查报告。

3.“两条例一决定”。《浙江省民营企业发展促进条例》《浙江省促进中小微企业发展条例》和《宁波市人大常委会关于促进民营经济高质量发展的决定》。

4.“3+N”人大财经监督制度体系。以经济计划监督、预算审查监督、国有资产监督三大监督为主体，以重点项目监督、重点工作监督、重大执法检查为支撑，以街道预算“阳光三审制”和部门预算“三评法”为特色的人大财经监督制度体系。

5.“代表联络站+共享法庭”。人大代表联络站与“共享法庭”一体融合、优势互补，使其具备纠纷联调、意见反馈、普法宣传、司法监督等功能，成为实现一站式纠纷化解、一站式诉讼服务、一站式基层治理的支点。

6.“双员制+双员”。2023年6月，区人大常委会出台《人大代表联络站“共享法庭”“双员制+双员”运行办法（试行）》，依托民情联络员（选民代表）、政情咨询员（街道办事处领导及科室负责人）“双员制”接待机制，引入人民调解员、法院审判员（区人民法院联系法官）“双员”解纷模式，探索打造“共享法庭”进人大代表联络站“双员制+双员”运行模式，推进基层矛盾纠纷化解、群众烦忧问题解决。

7.“代表微网回音格”。区人大常委会践行“最小单元”理念，创新打造的代表履职平台。依托全区代表联络站（点）和网格体系，组织省市区三级代表和全体人大机关干部融入“微网格”、健全“任务链”、打造“回音格”，有效畅通基层民主“最后一米”。通过构建“横向到边、纵向到底”的立体化网格体系，积极推动人大组织形态和城乡现代社区网格有机融合，让全过程人民民主“触角”延伸至基层“神经末梢”。

8.“四个机关”。2021年10月13日，习近平总书记在中央人大工作会议强调：“各级人大及其常委会要不断提高政治判断力、政治领悟力、政治执行力，全面加强自身建设，成为自觉坚持中国共产党领导的政治机关、保证人民当家作主的国家权力机关、全面担负宪法法律赋予的各项职责的工作机关、始终同人民群众保持密切联系的代表机关。”

9.“四张清单”。浙江省人大常委会组织开展全省各级人大代表助力“三个一号工程”主题活动，构建“1433”实施体系，其中“4”即“四张清单”主要任务：加强领导，注重统筹谋划，形成“工作清单”；选准主题，开展调查研究，形成“问题清单”；促进履职，发挥代表作用，形成“建议清单”；构建闭环，注重转化成果，形成“成果清单”。

10.企业上市“加油站”。由区人大常委会和区政府主导，区人大常委会财经工委与区地方金融监管局联合成立的新型人大代表履职平台，旨在充分发挥代表作用，凝聚多方力量，助推优质企业上市。2023年3月24日在大碶街道灵峰工业社区人大代表联络站揭牌成立，成立至今已助力新增上市及过会企业3家。

11.“一决定一办法”。2023年8月，宁波市十六届人大常委会第十二次会议作出《关于深化“四大机制”完善民生实事项目人大代表票决制的决定》，市十六届人大常委会第四十次主任会议研究制定《关于参与民生实事项目征集和提出工作办法（试行）》，对民生实事项目人大代表票决制进行迭代升级。

12.“四大机制”。宁波市人大常委会为进一步健全为民办实事长效机制，充分发挥人民代表大会发展全过程人民民主的主要渠道作用，巩固提升民生实事项目人大代表票决制工作先发优势，深化民意征集、项目选定、过程监督、结果评价“四大机制”，构建“群众提、代表定、政府办、公众评”工作格局。

中国人民政治协商会议 宁波市北仑区委员会常务委员会工作报告

——2024年1月10日在区政协十届三次会议上

宁波市北仑区政协主席　王建波

2023年工作回顾

2023年是全面贯彻落实中共二十大精神的开局之年，是"八八战略"深入实施20周年，也是十届区政协各项工作的深化提升之年。一年来，区政协高举习近平新时代中国特色社会主义思想伟大旗帜，深入学习贯彻习近平总书记考察浙江重要讲话精神，在中共北仑区委的坚强领导下，全面发展协商民主，深入助力"六促六优"再深化、"三争三强"再攀高行动，扎实开展"平台品质提升年、履职能力提升年"活动，服务大局有力有为，为民履职尽心尽责，为北仑深入推进"双一流双示范"建设作出政协应有贡献。

一、加强政治引领，筑牢思想之基

党的领导全面加强。充分发挥政协党组把方向、管大局、保落实的重要作用，第一时间、第一议题学习贯彻习近平总书记重要指示批示精神，围绕习近平总书记考察浙江重要讲话精神和"八八战略"实施20周年重要批示精神等开展研讨交流。坚持在区委领导下履行职能、开展工作，及时传达学习区委指示精神，研究政协贯彻落实意见。严格执行重大事项请示报告制度，全年向区委请示报告6次。召开区政府、开发区管委会与区政协重点工作协商对接会，共同研究协商监督调研计划，邀请区级领导出席重要履职活动60余人次，切实做到区委有号召、政协有行动，区委有部署、政协有落实。统筹推进政协系统党的建设，压紧压实两级党组管党治党政治责任，专题研究意识形态工作，分析研判风险，筑牢安全防线，推动政协党建与政协履职双促进、双提升。

主题教育深入开展。坚持将深入开展学习贯彻习近平新时代中国特色社会主义思想主题教育作为首要政治任务，牢牢把握"学思想、强党性、重实践、建新功"的总要求，聚焦五个"聚力争先"，迅速掀起学习热潮，党组会议、主席会议、常委会会议开展学习12次。政协党组强化示范引领，赴大碶街道灵峰工业社区开展"循迹溯源、重温嘱托、感恩奋进"现场学习，赴区传媒中心参观"六促六优"专项行动主题展。推动主题教育与委员学习相结合，深入政协委员和界别群众开展宣传宣讲，主动发声、积极引导，团结引领各界群众把思想和行动统一到习近平总书记的重要指示精神上来，把思想伟力转化为实践动力、把所感所悟转化为履职思路。深入开展"大走访大调研大服务大解题"和"联镇街入村社、走企业访群众"活动，深入一线解难题、想办法、出实招，形成课题调研成果15项，破解基层难题28个，高质量推进检视整改、建章立制，推动主题教育在区政协系统走深走实，得到《人民政协报》头版主题教育专栏报道，市政协主要领导和区委、区政府主要领导分别作出批示肯定。

"书香政协"有力推进。深入贯彻落实习近平新时代中国特色社会主义思想学习座谈会制度，开展委员读书活动20余场次，组织委员参加省政协"学习贯彻全国两会精神、为谱写中国式现代化浙江篇章贡献政协力量"等线上主题读书活动，委员交流发言1800余人次。开展委员荐书活动，举办"书香政协·委委道来"4期。全面启动"崇学书房、崇学书柜"建设，建立"崇学书房"5个、"崇学书柜"5个，推动崇学书柜走进图书馆等公共文化空间，助力"书香社会"建设。与美姑政协开展"书香政协·仑美一起读"活动，两地政协共建崇学书房，牵头推动北仑农商银行阳光公益基金出资150万元，分5年支持美姑图书馆建设，采购书籍及电子阅览设备，助力两地精神共富。

二、深入协商议政，建好睿智之言

紧扣中心大局献计献策。聚焦省委三个"一号工程"，围绕服务业高质量发展暨数字经济发展、营商环境优化提升议题，召开两场专题议政性常委会会议，组织市、区两级政协委员围绕发展总部经济、做大货运数字平台、优化政府公共服务等方面建言献策，为推进经济持续回升向好建诤言、献良策。认真贯彻落实省政协主要领导来北仑调研讲话要求，深入助推宁波自贸片区建设，提出《推进综合保税区功能创新与自贸区改革相衔接的建议》，得到省政协领导批示肯定。在市政协"主席讲堂"作"高质量推动自贸区提升发展"专题授课，面向全市政协系统介绍宁波自贸片区建设成果，得到市政协领导一致好评。聚焦"六促六优"再深化、"三争三强"再攀高专项行动，围绕"构建现代服务业体系、增强竞争新优势""大力培育专精特新企业、打造制造业单项冠军强区"等议题，邀请企业家委员、行业专家与党政主要领导面对面协商交流、共谋发展，许多建议得到区委区政府主要领导充分肯定。聚焦“民营经济31条”等政策落实情况以及中小企业关注的科技产业创新等问题，围绕臻心惠企·助力中小企业高质量发展、加快推进科创平台“栽树工程”等议题开展协商监督活动，提出针对性、前瞻性的建议，助力我区优化助企纾困服务，加快构建高质量发展的现代化经济体系。聚焦“三河六岸六道”品质提升开展专题协商、委员视察，推进项目加快开工建设。围绕培植北仑籍文化名人标识体系、推动非物质文化遗产活态传承等议题开展调研协商，为提升我区文化软实力凝心聚力。围绕优化青年技能人才成才成长环境开展专题协商，在市政协月谈会上宣传推广技能人才培养“北仑模式”，形成课题调研报告、协商专报等成果，助推海天集团等一批企业与我区职业院校开展紧密合作，实现专业共建、人才共育。

关注民生福祉聚识聚力。深入贯彻落实习近平总书记对“千万工程”重要批示精神，围绕深化“千万工程”、建设美丽乡村情况联动开展专项集体民主监督，助力绘就美丽乡村“新画卷”。组织在仑省市政协委员视察梅山湾旅游发展，为推动港城文旅发展建言献策。开展“关注森林”活动，组织委员视察古树名木保护、松材线虫病防治和镇海棘螈保护情况，推动社会各界共同关注生物多样性保护。聚焦城市有机更新、无废城市建设、新能源汽车公共充电配套设施建设、森林游步道安全保障、高中段教育资源优化、老旧小区适老化改造、“一老一小”服务保障、儿童友好城区建设等议题开展民主监督、委员视察，推动相关部门切实把群众最关切的事办实办好办出成效。

推动提案工作落地落实。将重点提案督办与专题协商、委员视察和民主监督有机结合，推动提案办理全周期闭环管理。组织委员对3家单位开展提案办理工作民主评议，评议结果均为优秀。有效探索提案转化途径，联合区检察院建立委员提案与检察建议衔接转化工作机制。区政协十届二次会议立案提案136件，闭会期间提案5件，全部办复完毕，建议采纳落实率达到97.87%，用心用情解决了一批群众关心、基层关注的问题和诉求。关于优化东部片区资源配置、更好发挥“两场”建设成效的建议，推动我区新增集卡停车位约5000个，有效解决“集卡围城”问题。关于试点环线早晚高峰公交的建议，推动公交公司开通定制73路等公交线路，串联城区多个小区和学校，获得学校、家长的一致好评。

三、发挥平台优势，提升协商之效

“请你来协商”提质增效。构建选题、调研、协商、监督一体化协商体系，持续擦亮“请你来协商·助力‘六促六优’”协商品牌。探索协商议政走出“会场”、走进“现场”，将协商会场搬到港航委员会客厅、“臻心汇”委员工作室、梅山非遗展陈馆、保税区金融科技产业园等场所，让协商更接地气、更聚人气。聚焦加强山海协作、共促文旅产业发展议题，赴云和县开展跨区域协商，助力打造北仑—云和两地山海协作“升级版”。充分发挥“协商之治”和“数字之治”的融合叠加优势，委员线上线下同步参与主题议政超1500人次，提出意见建议2200余条。落实协商闭环管理机制，向区委、区政府和开发区管委会领导报送协商专报8期，获得区委、区政府主要领导批示6次，与区委督考办联动开展协商“回头看”活动2次，确保协商有声音、落实有回音。

委员工作室提档升级。出台《关于推进委员工作室建设的实施办法》，指导15家委员工作室（会客厅）完成“三位一体”建设，全年开展协商议事、志愿服务、团结联谊等活动180余场次。港航委员会客厅与市物流协会等4家单位建立合作关系，倾情服务“卡哥卡嫂”，创建“漫商量”品牌，持续为“锻造港口硬核力量”建言助力，2023年成功创建省级五星级委员会客厅。“臻心汇”委员工作室主动靠前服务，积极反映企业心声，推动实施“早餐入户”行动，惠及企业员工4000余人次，2023年成功创建市级委员工作室。港航委员会客厅、“臻心汇”委员工作室接待各级政协和相关部门学习考察76批次，成为我区对外交流、扩大影响的“金名片”。“善行北仑”“文明实践”“法之力”“青春健康”等委员工作室热心社会公益活动，得到社会各界充分肯定。“益企议事”“群文花开”“新枫享”“映山红”“同心侨”“印·南秀”“惠风”“三多”“鱼水情”等委员工作室，立足自身特色开展履职活动，成为委员联系服务界别群众的重要平台。在北仑—云和开展山海协作结对20周年之际，与云和政协合作共建山海协作委员工作室，促进两地政协委员合作交流。

民生议事堂提能扩面。聚焦民生“关键小事”，深入开展民生议事堂“助解急难愁盼 增进民生福祉”专题协商议事活动，围绕营造“烟火气”园区、智慧停车管理、美丽城镇建设、农文旅融合发展、无物业小区治理、文明城市创建等议题开展民生议事堂、“协商驿站”活动59场，创新“委员直播”“委员夜谈”等议事模式，委员“线上+线下”收集民意、反映诉求，有力破解基层民生难题200余个，基层协商的覆盖面更广，影响力进一步提升。守护“最美上学路”、港航物流高质量发展助力营商环境优化等协商活动得到《人民政协报》、人民政协网等媒体宣传报道。织密委员基层履职网络，延伸委员履职触角，推动委员参与北仑法院“共享法庭”纠纷调解，通过开展“微调研”“微协商”赋能“精治理”，更好把政协制度优势转化为基层治理效能。

四、深化团结联谊，广聚奋进之力

团结合作画大同心圆。举办全区政情通报会，定期邀请区政府、开发区管委会职能部门通报工作情况，为政协委员知情明政创造条件。搭建协商议政平台，支持各民主党派、工商联和无党派人士通过政协渠道履行职责、发挥作用。经常性走访联系党外知识分子、非公有制经济人士和新的社会阶层人士，加强与港澳委员和民族宗教界代表人士的沟通联络，增进合作共识。会同区委统战部举行聚心聚力“双一流”、笃实笃行“双示范”各界人士中秋茶话会，畅叙情谊、共话发展。完成政协书画院、茶文化促进会换届，为政协社团规范有序运转提供有力保障。

以文化人汇聚正能量。坚持以文聚人心、以史增共识。开展“迎亚运盛会、助力全省三大提升行动”联动专项集体民主监督，举办“礼迎亚运、委员助力传承传统文化”活动，为亚运建言助力、营造氛围。联合区委宣传部等部门承办“大风音乐节”暨纪念周大风100周年诞辰系列活动启动仪式，编撰出版《大风表东海——人民音乐家周大风百年诞辰影音集》，全书选用近300张周大风的珍贵老照片和70首作品，相关活动得到省政协《联谊报》人文周刊头版整版报道。与区传媒中心合作播出视频节目《北仑闲话》37期，深受新老北仑人喜爱，收看量突破50万人次。征集书画作品参加市政协系统助力“打造一流城市、跻身第一方阵”书画作品巡回展、践行“八八战略”同心奋进谱新篇书画作品展，助力提升我区港城文化影响力。

舆论宣传传递好声音。构筑宣传工作矩阵，广泛宣传政协工作亮点和委员履职风采。开展“建功新时代、委员展风采”系列活动，在“北仑政协”微信公众号开辟“一把手谈实干争先”“区政协常委谈履职”等栏目，充分展现新时代人民政协新风采新气象。发放倡议书，引导委员积极投身“双一流双示范”建设。加强与上级宣传平台的联动，讲好北仑故事、政协故事。全年在“学习强国”学习平台、《人民政协报》、《联谊报》、《宁波日报》、甬派等各级媒体刊发报道150余篇，获评市政协“好新闻”2篇，报送量和录用量均创历年新高。区政协开展惠企助企服务、助推经济发展的经验做法得到《人民政协报》《激发经济活力》专栏头条报道。

五、完善服务保障，彰显履职之能

制度化规范化建设深入推进。研究制定“平台品质提升年、履职能力提升年”实施方案，为政协工作规范、高效、创新开展提供有力保障。优化调整北仑区、开发区职能部门与区政协专委会对口联系安排，推动协商调研联系更加紧密、联动更加经常、成效更加明显。修订完善先进界别组、先进街道委员联络委评选表彰办法，促进政协工作争先进位、出新出彩。建立社情民意信息考评机制，组建骨干信息员队伍，信息数量和质量均有明显提升。

委员管理服务水平全面提升。举办履职能力提升培训班，分两批组织委员赴省委党校四明山分校开展培训，有效提升委员队伍整体素质。抓好委员服务管理，完善委员履职档案，出台委员联系界别群众工作实施办法，修订委员履职考评实施办法、委员履职积极分子评选表彰办法等制度，委员履职水平进一步提升，履职成效不断显现。广大政协委员勇担社会责任，积极参与东西部协作、结对帮扶、慈善公益、志愿服务等活动，受到党委、政府表彰肯定，陈彩虹委员家庭获评全国最美家庭，米娜瓦尔·艾力委员荣获中国青年志愿者优秀个人奖，周天伦委员获评浙江好人，有3名委员获得区道德模范及提名奖。

“六型”机关创建成果巩固深化。坚持以一流标准一流作风一流业绩推进政协机关建设，引导机关干部以实干实绩实效为目标导向，营造比学赶超、创先争优的浓厚氛围，更好发挥政协机关参谋助手、统筹协调、服务保障、推动落实作用。全力支持区纪委区监委派驻纪检监察组履行监督执纪职责，构建亲清统一的新型政商关系，营造风清气正的政治生态。深入推进“数字政协”建设，正式启用区政协“无纸化”会议系统，开发并上线“掌上履职”应用平台，实现环保、便捷、高效办公，以数字赋能提升政协履职效能。

各位委员，回顾一年来的工作，成绩来之不易，这是习近平新时代中国特色社会主义思想科学指引的结果，是中共北仑区委坚强领导的结果，是区人大常委会、区政府、开发区管委会大力支持的结果，是全区各街道各部门、社会各界和老领导、老同志关心支持的结果，是区政协各参加单位、全体政协委员共同努力和辛勤履职的结果。在此，我代表区政协常委会向大家致以崇高的敬意和衷心的感谢！

在肯定成绩的同时，我们也清醒地认识到工作还存在一些差距和不足：主要是协商议政、建言资政的质量还需持续提高，成果转化、跟踪问效的力度还需继续加大，委员联系界别群众的广度深度还需不断拓展。对此，我们将在今后的工作中认真研究，切实加以改进。

2024年工作任务

2024年是新中国成立75周年，是人民政协成立75周年，是北仑开发建设40周年，也是十届区政协履职的关键之年，区政协工作的总体要求是：坚持以习近平新时代中国特色社会主义思想为指导，深入学习贯彻习近平总书记关于加强和改进人民政协工作的重要思想，全面贯彻落实习近平总书记考察浙江重要讲话精神，紧扣区委开展“六促六优”专项行动等决策部署，助力“双一流双示范”建设，坚持党的领导、统一战线、协商民主有机结合，深化“平台品质提升年、履职能力提升年”活动，充分发挥专门协商机构作用，深入实践全过程人民民主，为北仑在“勇当先行者、谱写新篇章”征程中争一流作示范贡献政协智慧和力量。

围绕上述工作目标，主要做好五个方面工作。

一、高举旗帜党建统领，以更高站位锻造忠诚本色

坚持把习近平新时代中国特色社会主义思想作为根本遵循，建立健全政协党组引领学、理论学习中心组交流学、“知行夜讲堂”辅导学、界别活动集中学、委员线上读书互动学“五位一体”学习体系，深入学习贯彻习近平总书记重要指示批示精神，不断夯实团结奋斗的共同思想政治基础。毫不动摇坚持党对政协工作的全面领导，持续探索“党建+履职”模式，培育打造“同心向党·聚仑同行”系列品牌。深入推进“崇学系列·书香政协”平台建设，全面营造“多读书、读好书、善读书”氛围，力争到今年底实现街道委员联络委“崇学书房”建设全覆盖、委员工作室“崇学书柜”建设全覆盖。

二、围绕中心服务大局，以更强担当助力高质量发展

紧扣我区“双一流双示范”建设，瞄准具有全局性、前瞻性课题，深入调研、主动协商、精准建言，努力形成一批有力度、有分量的协商成果。着眼科技产业创新，围绕创新驱动高质量发展、产业链共同体建设、高能级科创平台建设、未来产业发展、两业融合、知识产权保护等议题开展深度协商，助力我区加快推进新型工业化，培育新质生产力。聚焦甬江科创区北仑片区、临港经济示范区、灵峰总部产业集聚区建设开展委员视察，为我区加快产业平台提能升级共商对策、共谋发展。围绕港口岸线高效利用、中心城区扩容提质、港城联动发展、区际快速路网建设、弘扬港口文化等议题开展协商调研，为我区加快构建双循环枢纽、高水平建设现代化港城建诤言、谋良策。发挥政协重要平台、重要渠道作用，积极向上呼吁，全力做好牵线搭桥、支持配合工作，为浙江自贸区宁波片区建设广集众智、广聚合力。持续推进“森林北仑”活动，围绕未来乡村建设、生物多样性保护、生态环保等议题开展民主监督，助力我区高品质建设和美乡村，打造“千万工程”升级版。聚焦共同富裕示范先行，围绕农村集体土地高效利用、品牌兴农、城区泊车收费管理、“一老一小”服务保障、青年北仑建设、儿童友好城区建设、中小学生心理健康教育、“15分钟品质文化生活圈”建设、应急救助体系建设、“大综合一体化”行政执法改革等议题，组织委员察实情、找症结、议对策，协助区委、区政府把群众最在乎的事办好、最牵挂的事办成。

三、守正创新提能增效，以更高水平发展协商民主

深刻把握全过程人民民主的丰富内涵，以深化开展“平台品质提升年”为抓手，加强专门协商机构工作体系化建设，提升打造“请你来协商·助力‘六促六优’”协商平台，建立健全“党委领导、政府支持、政协搭台、多方参与”的协商议事工作机制，不断提高协商的靶向性和资政的含金量。聚焦群众关心关注的急难愁盼问题，指导各街道开展好民生议事堂、“协商驿站”活动，组织委员深入实际察民情，献计出力解民忧，春风化雨聚民心，大力营造“愿协商、敢协商、善协商”的氛围，进一步释放政协协商的潜能效能。完善民主监督制度机制，推动政协民主监督与其他监督融会贯通、优势互补，不断提升民主监督实效。以港航委员会客厅、“臻心汇”委员工作室为引领，高起点谋划、高标准建设委员工作室，更好发挥服务经济发展、助解基层矛盾、反映社情民意等作用，积极争创省级委员会客厅、市级委员工作室，着力打造具有北仑特色、政协标识度的履职品牌。

四、发扬民主增进团结，以更大半径画好团结奋斗同心圆

坚持把加强思想政治引领、广泛凝聚共识作为履职中心环节，围绕新中国成立75周年、人民政协成立75周年、北仑开发建设40周年，举办中秋茶话会、书画摄影展等政协特色活动。充分发挥政协统一战线组织作用，充分运用联合调研、情况通报、座谈交流等方式，拓宽与各民主党派、人民团体的联系途径，加强同党外知识分子、少数民族人士、宗教界人士、非公有制经济人士、新的社会阶层人士的团结联谊。深化委员联系界别群众机制，将委员联系界别群众与政协履职工作一体谋划、一体部署、一体推进，依托委员工作室（会客厅）、民生议事堂等履职平台，常态长效增进委员与界别群众联系，更好地倾听群众呼声、反映群众诉求、集中群众智慧，切实把委员联系界别群众工作做得更实、更好、更出彩，打造委员联系界别群众“北仑样板”。深化与东西部协作、山海协作等地政协的学习交流，深入开展“书香政协·仑美一起读”活动。充分发挥文史优势，努力挖掘北仑名人文化，做好连环画家贺友直先生在北仑文史资料编撰工作。多层次扩大对外交往，拓展团结联谊广度深度，努力画好同心圆、扩大朋友圈，广泛汇聚团结奋进合力。

五、强基固本实干担当，以更实举措交好人民政协履职答卷

以深化开展“履职能力提升年”为抓手，扎实推进“一委一品牌”“一界一特色”“一街一亮点”建设，努力形成更多标志性履职成果。充分发挥专委会基础作用，着力建设“定位更专业、服务更精准、履职有特色、工作有创新”的“专精特新”专委会。强化界别活动服务保障，推动界别履职更加活跃、更具特色、更有成效。加强对街道委员联络委的指导，深化界别组和街道委员联络委协同履职机制，形成相互赋能、协同联动工作合力。分层分类开展学习培训，建立委员履职清单，完善履职激励机制，让每名委员参政更有动力、履职更有活力。深入推进“六型”机关建设，弘扬“四下基层”优良传统，改进视察调研方式，提升办文办会水平，更好服务政协事业高质量发展。

专 记

学习贯彻习近平新时代中国特色社会主义思想主题教育

根据中央和省市区委部署要求，北仑区参加第二批主题教育的单位共94个，其中区级机关（部门）74个、区属国有企业7个、垂直单位2个、街道11个，共涉及省管市管干部44名、区管干部942名和党员45414名。全区主题教育从2023年9月开始，区委、宁波开发区党工委聚焦“学习贯彻习近平新时代中国特色社会主义思想”主题，严格落实“学思想、强党性、重实践、建新功”总要求，高质量推进理论学习、调查研究、推动发展、检视整改、建章立制各项举措，基本实现了5个“走在前、当标杆”目标。北仑区经验做法得到省委第二巡回督导组组长徐鸣华、市政协主要领导批示肯定4次，被中央级媒体报道20次，其中《人民日报》头版报道北仑区“在主题教育中助企惠企”成效、海外版专题报道“以主题教育契机推动青年干部培养”实践，《人民政协报》头版报道“在主题教育中深化对口协作”进展。在省主题教育有关工作推进会上，北仑区作为全市唯一代表介绍“党员模块化教育培训”创新经验，并由省委主题办简报单篇刊发推广。

把“学思想”作为首位任务贯穿始终，认真落实“十二注重、十二切忌”工作指引，做到真学、真懂、真信、真用。以上率下示范学。严格落实“第一议题”制度，区委、宁波开发区党工委带动各区管领导班子，第一时间传达学习贯彻中共中央总书记习近平考察浙江、江西、上海等省市时的重要讲话精神，开展专题交流研讨297次，建立健全贯彻习近平重要指示、批示精神闭环落实机制。依托理论学习中心组学习会、专题报告会等载体举办读书班，区领导集中学习时间为8.5天，区管干部完成集中学习时间平均为8.3天。结合“三会一课”等方式开展“书记上讲台”活动，区委书记潘银浩带头为青年干部讲授专题党课，各基层党组织书记和区管领导班子成员讲党课3254场次。充分挖掘习近平15次来北仑考察宝贵财富，规划“硬核发展”等5条精品线路，臻至机械等10个点位入选市级“循迹溯源”示范点，数量位居各县区第一。开展“循迹溯源学思想促践行”活动，区级领导班子赴鄞州区湾底村、宁波舟山港穿山港区等区内外村社、企业进行现场学习，各级党组织完成现场学习累计超过6.3万人次。推出“伟大建党精神”等3个专题展陈，举办“溯源新思想·加快构建新发展格局”全国研讨会，与《人民日报》共办“张人亚力量密码与伟大建党精神”专题研讨会，张人亚党章学堂、灵峰工业社区获评全省首批学习贯彻习近平新时代中国特色社会主义思想现场教学示范基地。落实“加强和改进流动党员管理”专项行动，依托“车轮上的党支部”等载体，搭建“指尖学堂”与“云端课堂”移动平台，实现流动党员纳管率保持100%、线上学习率超过95%。创设“车间党课”“花田党课”等形式，分类分众开展基层宣讲1683场，覆盖党员群众5.8万余人次。依托“知行夜讲堂”平台，邀请区直部门主要领导录制“打造一流营商环境标杆区”等视频课程11堂，学习点击量超过3.5万次。开发视频微党课10部，“港湾里的家”被推荐参评全国党员教育片交流。

落实“三个跑遍”要求，深化“大走访大调研大服务大解题”活动，做到“深、实、细、准、效”。建立“大主题把控、小切口申报”的双向选题机制，围绕“双一流双示范”建设目标，划定“自贸试验区建设”“港产城融合发展”等24个主题方向，推动区领导确定“青年技能人才成长”“产业园区二次开发”等41项战略性调研。结合“走进工作难处”摸排行动，引导各单位召开选题座谈会56场，访谈各行业领域党员群众代表1135人次，确定由区管领导班子成员负责“岸线使用效率提升”“青年住房保障改善”等651项对策性调研。建立“一课题一计划四清单”机制，按照“底数摸清、民意问清、根源找清”工作法，推动领导干部赴基层一线实地考察1874次，撰写完成《北仑区制造业中小企业发展情况》等952份调研报告，召开调研成果交流会97次，组织领导干部复盘剖析190个典型案例。实施“联镇街入村社、走企业访群众”活动，区领导一线破解“部分园区生活设施不足”等171个难点问题，安排85个区直部门包联240个村社、314家重点企业项目，推动机关干部下沉一线，现场解决群众诉求1.6万余件。以落实调研成果转化清单为抓手，区领导提出具体工作举措168项，推动出台“数字产业扶持办法”等27项长效机制，区委书记领题调研提出“贸易投资自由化便利化七大对策”，促进跨境贸易高水平试点工作获全省改革突破奖。打造“潮涌东方看北仑”品牌，将调研成果转化为《破局：工业园区里的社区建设实践》等8种理论成果并公开发布，青年干部课题组撰写理论文章《“浙”只地瓜何以越来越甜》在“浙江宣传”公众号发表，阅读人数超10万。

引导广大党员干部教育实践“两手抓、两促进”，深入推进“六促六优”专项行动，以高质量发展成效检验主题教育成果。实施“持正确政绩观、建为民新业绩”专项行动，秉持“以实绩论英雄”导向，完善综合考评体系，分解106项指标，将责任明确到人。建立“晾考赛评”机制，开发数字化晾晒平台，实行“旬盘点、月调度、季通报”，全方位督考各方面进展成效，全区5项总量指标位居全省第一、10项位居全市第一，规上工业增加值连续六年全省第一。践行“四下基层”制度，开展“千名干部进万企”活动，创新“项目管家”现场办公模式，建立“一项目一领导一团队一联络员”的贴身服务机制，制发“亲清服务7&7正负面清单”，全链条满足企业需求5400余项，无感监测营商指数全市第一。深化运用区委“激发创新创业活力”正面案例经验，加快构建“1+6+5”创新深化体系，成功创建1个国家级、3个省级特色产业集群，“双创”工作获国务院督查激励，属全省唯一。实施“六提争先”立功竞赛活动，区领导领办“三河六岸”公共空间提质等44个民生工程，推出普惠托育试点、护航高能级赛事等30个揭榜挂帅项目。按照1名区管干部带领多名青年骨干认领1个项目的“1+N+1”模式，157名干部组队攻关、抢抓进度、无一滞后，“七优享”工程获省五星评价，圆满完成杭州亚运火炬传递和女排赛事。开展“夯实基层、服务基层、关爱基层”专项行动，建立基层党组织“书记加油”分级赛马机制，连续举办村社书记擂台赛、网格书记基层基础“一口清”大比武等5场考赛活动，充分调动基层党员干部积极性。深化农村固本强基三年行动，开展154个行政村班子建设质量分析评估，完成12个薄弱村整转。

全面检视和靶向施治相结合，奔着问题去、盯着问题改，以最严要求、最实举措确保改到位、改彻底。围绕省委巡视反馈的37项问题，建立巡视整改跟踪督查和日常监督机制，确保全部问题按期清零见效，“全周期警示教育”工作获省委常委、市委书记彭佳学批示。围绕市委巡察组对区内街道巡察反馈的79个问题，按照“一方案四清单”分解落实整改任务，整改完成75个。围绕省委主题办下发的9个省市区上下联动整改问题，建立“多部门承接一个问题”的“N对1”协同整改机制，确保全部销号。开展“六对照六排查”自我检视活动，认真开好专题民主生活会和专题组织生活会，区级和各区管班子检视出问题891个，各单位党员干部共检视出个人问题7112个。开展5项“大排查大整治”行动，完成对全部党支部的两轮基础党务交叉检查，发现并整改“个别村社两年未发展党员”等问题393个；完成对17万余家工商在册市场主体的安全隐患排查，闭环消除风险3.3万余个，保障北仑区获授省委省政府“平安牌”。建立区级整改整治问题库，结合“七张问题清单”闭环管理机制，统一纳管各层级、各单位持续整改问题272个，落实“红黄绿”亮灯机制对账销号，260个问题整改到位，销号率为95.59%。坚持“开门搞教育”，多渠道收集到“部分老旧小区停车难”等问题线索986条次，梳理出“厂中厂安全隐患”等16类群众反映强烈的民生问题。开展区直部门作风建设问题专项检视，针对“创新动力不强”等10类作风建设问题，面向党员干部、“两代表一委员”等发放调查问卷1386份，收集反馈意见19797条次。建立“检视一批、交办一批、整改一批、回头看一批”的“四个一批”机制，压茬推进民生问题、作风问题等4个专项整治行动，交替召开6次交办会和调度会，相关做法被央广网等国家级媒体报道，其中“黑臭水体”全域清零保障北仑区再夺“大禹鼎”金鼎。

坚持“当下改”和“长久立”相结合，将好经验好做法固化下来，推动出台一批政策举措和制度文件。扛起“先行先试”使命担当，征集评选自贸区制度创新优秀案例22个，先后有11项制度创新获评全省最佳案例，数量在全省10个区块中位居第一。推进共同富裕现代化基本单元试点工作，加快工业社区建设，国家行业标准成功立项，全国首个“货车司机全周期服务规范”省级团体标准发布，试点经验入选省共同富裕最佳实践案例。推出先锋干部评选标准，设立“六促六优先锋榜”，公开表扬先进典型2批次58名，其中4名分别获评省市级“学习身边榜样”先进典型。聚焦生态环保、应急管理、农业农村等重点领域，梳理形成“履责事项、容错事项两张清单”92条，编制《北仑区容错纠错工作手册》，形成容错免责、减责典型案例7件，其中1件入选全省指导性案例。深入开展青年干部“明德守法、完善自我”专项行动，制定出台《机关青年工作委员会工作规程》，建立联席会商等运行机制，打破部门、编制、职务等身份界限，推动全区1300余名青年干部混合组队、实战历练、共同成长。紧扣国企改革，编制《国有资本布局与结构调整发展规划》，推动区属国企形成“1+6”发展格局，各公司建立健全议事、财务、人员等方面管理制度99项。聚焦打造一流法治营商环境，成立全省首个企业合规指导中心，同步出台《自贸区企业合规指导中心工作规程》，主题教育期间办理全省首例跨省企业合规案件。

牢牢把握主题主线，把稳坐标航向、夯实组织支撑，确保主题教育各项任务有条不紊、扎实推进。区领导带头履行“五个坚定不移”集体承诺，市委常委、区委书记潘银浩主持召开主题教育相关会议16次，在相关材料上作出批示12次，带动形成一级带一级、层层抓落实的工作格局。区委主题办内部构建“三会三表”工作机制，紧盯10项重点任务，常态开展晒图比绩、对图销号，累计召开各类工作推进会37次。发挥“一报一台一端”全媒体优势，中央及国家级媒体报道北仑区主题教育情况20篇、市级以上媒体报道302篇。做好信息报送工作，北仑区典型经验累计获省市主题教育简报刊发11次；开设4个专题专栏，及时跟进、滚动更新北仑区主题教育动态进展，累计编发区级专报简报26期。落实“三必审四过筛”宣传工作机制，杜绝“低级红”“高级黑”现象。围绕《实施方案》这一行动总纲，梳理制定5个重点举措方案、4个专项行动方案以及若干工作指引，全面落实“1+5+4+N”主题教育政策指导四梁八柱。依托8个联络小组，全覆盖全过程包联各街道各单位，结合省委市委巡回督导组34次到北仑督导反馈意见，先后组织开展4轮“四不两直”走访检查和电话调度，覆盖基层单位706家次，点对点通报、纠正规定动作落实不及时不深入等各类问题569条。针对重点任务执行中存在的共性问题，及时下发关于力戒形式主义等“工作提示单”14期，开展专题培训285人次，审核把关各类材料5325份，答疑纠偏452条，确保主题教育工作指令清、要求明、步调齐。

“六促六优”专项行动

2023年，北仑区认真贯彻落实区委总体部署，紧紧围绕“六促六优再深化、三争三强再攀高”目标要求，对标一流、争先进位，全力推进“六促六优”专项行动各项任务有效落实。至年底，全区“六促六优”专项行动共计252项任务，其中进度正常151项，办结60项，超前22项，滞后19项，呈现出四个特点。

经济运行回稳向好。各级各部门深入理解“六促六优”行动是推动北仑经济社会建设“总抓手”的重大意义，通过一年艰苦奋斗，有力助推北仑经济社会实现高质量发展。2023年，全区实现地区生产总值2730亿元；完成财政总收入813.4亿元、一般公共预算收入413.5亿元；城乡居民人均可支配收入达到74289元，增长5%，城乡收入倍差降至历年最低，10项总量指标位居全市首位，5项总量指标保持全省第一。

体制机制优化提升。建立主要领导亲自挂帅、分管领导主导推进、职能单位协同联动的工作机制。区委书记潘银浩多次专题听取“六促六优”专项行动汇报并作出指示批示，牵头区领导定期深入一线、召开专题会议，带头领办并全力推动滞后项目攻坚克难；六个协调小组建立工作例会制度，定期召开月度分析会，群策群力破题解难；对需跨组协调的问题困难，“六促六优”专项行动领导小组办公室不定期召开专题会议，及时会商解决一批多跨协同的卡点堵点。

发展动能蓄势发力。全面重塑产业培育、招商引资、项目管理体制机制，新签约落地20亿元以上项目15个，完成固定资产投资487.6亿元；充分发挥甬江科创区和自贸试验区两大平台作用，极氪、东方等研发总部和镇海中学甬江校区成功落户，自贸试验区宁波片区获省考核优秀；做好改革、共富、治理、党建四篇文章，16项自贸试验区制度创新成果在全国复制推广，连续两年获省共同富裕考核优秀，获授省委省政府“平安牌”，工业社区治理服务经验入选全省“八八战略”最佳实践案例。

担当作为更加彰显。创新“督考评赛”、数字平台亮榜赛绩等机制，做到项目化、清单化、闭环化推进。开展现场调研督查9批次，发放工作提示单2份、“绿色”激励单5份、“黄色”督办单3份，评选绿榜项目47个。编发“六促六优”专报12期、简报16期，其中5期得到区委主要领导批示。在市级以上各类媒体刊发“六促六优”宣传报道4000余条，在“仑传”App刊发各类报道1100余条，每季度组织开展“六促六优”先锋榜风采展示。

北仑区国有企业整合提升

一、背景

北仑区国有独资或控股、参股的公司数量众多，区属国企达347家，包括宁波市北仑区国有资本运营有限公司、15家一级管理企业；主体信用等级评定为AAA级企业1家、AA及AA+级企业11家。

至2022年底，全区国有企业汇总资产总额2501.58亿元，负债合计1561.79亿元、净资产合计939.79亿元，资产负债率62.4%；利润总额为3.51亿元，营业收入117.03亿元；存续带息融资余额（含专项债）933.72亿元。

北仑区国有企业主要是原各区块设立的，如原北仑区、宁波开发区、大榭开发区、宁波保税区、梅山综合保税区、滨江开发区等均成立了各自的投融资平台及相关公司。这些公司多年来通过多渠道多层次进行了融资，在加快所在区域的城市基础设施建设、经济发展等方面，均作出了重大贡献。

2022年，各功能区域虽实现合并，各投融资平台之间的相互支持等合力有了一定的体现，但仍未能有效地最大化的展现，也未能与全区的整体发展以最大化地契合，其自身的造血机制仍不够健全、造血功能仍不够强大，随着经营规模、负债规模的不断扩大，其经营能力、融资能力面临逐渐下降的风险等。

11月28日，区委办发布了《关于推进开发区（园区）国有企业整合提升工作的通知》，是原大榭开发区、宁波保税区、梅山综合保税区国有企业整合提升工作的指导性文件。

2023年初，区国有资产管理中心聘请会计师事务所及头部券商进行全面梳理，根据原有各国资国企的业务条线情况，结合行业属性、区域特点、业务归集等产业集聚需求，在综合平衡了主题行业板块设置及新设集团的战略定位、核心业务、主业特点、资金营运等情况后，启动了新一轮全区国有企业整合提升工作。

二、思路

（一）理顺主题板块。按照“行业属性、整体规划”的工作原则，采取市场化运作的方式，合并重组“同主题、同主业、同区域”的国有企业，关停或转让部分无实体化经营的国有企业。在充分平衡各板块的产业需求及经营特点后，通过战略性重组、专业化整合，打造“主业清晰、产业明确、专业集中”的现代化企业集团，为北仑区经济发展赋能。

（二）循序稳妥推进。全盘分析整合过程中可能产生的法律法规、债务资金、项目运营等风险，按照主题行业板块所涉企业的数量规模，科学分析重整难度，采取“先易后难”的基本原则，以最少的成本、最低的影响完成本次全面整合提升工作，最终形成全区国资国企“一业一企、一企一业”的创新发展蓝图。

（三）双权适度分离。为更加高效地完成整合工作，原则上按照主题行业板块设立的企业集团应承担全部板块业务，但在特殊情况下，对于部分延续旧业务及其实施主体，允许经营管理权与股权在结构上的适度分离，即新设立的企业集团通过委托代管或者派驻监管的方式管理延续旧业务。待条件成熟后，将延续旧业务划转至新设立的企业集团，达到两权匹配。

三、方案

本次改革总体目标是：全面完成产业集团改组组建，全面理顺国有资本运营机制，全面增强区属国企发展质量。具体整合方案主要分两大部分。

第一部分：实体化运作区国资运营公司。区国资运营公司的主要职能是围绕区委、区政府、开发区管委会工作部署，谋划落实重大投资任务，履行国有资本出资人职责，统筹全区国有资产资源，强化资金（信用）支撑保障，助推国资监管方式转变等。组建设立创业投资板块，实行专业化、市场化独立运作，主要负责建立产融一体的国资基金平台体系，支持各产业集团开展资本运作和招商引资，提供全流程、专业化、市场化投资管理和服务，引导带动社会资本参与我区产业项目投资和区域开发建设，助推国有资本合理流动和保值增值。

第二部分：整合组建六大产业集团。通过无偿划转、资产转让、公司分立、吸收合并、清理盘活等途径，推动产业相近、行业相关、主业相同的区属企业和国有资本整合提升，搭建形成六大行业板块，组建设立六大产业集团。

在管理层级上，区国资运营公司和各产业集团按区属一级国有企业进行监管并实体化运作，领导班子由区委统一管理，日常管理由区委组织部负责、区国资中心党委协助。在股权关系上，现阶段，城投集团、农投集团、商贸物流集团由区国资运营公司履行出资人职责，交投集团、服务业集团、工投集团由区国资中心履行出资人职责，并可根据工作需要逐步调整。在业务审批上，按《关于印发宁波市北仑区（开发区）企业国有资产监督管理办法的通知》等有关文件精神和工作机制执行。

1.城投集团。以开发区控股公司和梅山岛开投公司为主体组建，主要承担城市功能区块开发、国土资源整备、城市更新改造修复、城市公共基础设施建设、市政公用事业建设及特许经营、保障性经营性房地产开发经营、存量国有资产盘活、集团国有资本经营和招商引资等职能。

2.交投集团。以北仑区投控公司为主体组建，主要承担城乡交通基础设施建设管理、港口岸线资源整合开发、道路沿线及相关功能区块资源开发、公共交通事业发展运营、集团国有资本经营和招商引资等职能。

3.工投集团。以北仑区工投公司和大榭开发公司为主体组建，主要承担工业地产开发、工业园区开发建设、工业信息化及智能化建设、工业产业及配套投资、制造业公共服务建设运营、集团国有资本经营和招商引资等职能。

4.服务业集团。以北仑区服务业公司为主体组建，主要承担文体项目建设运营、健康产业投资发展、旅游地产及配套设施建设管理、酒店物业管理、人力资源服务、商业运营管理、集团国有资本经营和招商引资等职能。

5.商贸物流集团。以保税区控股公司为主体组建，主要承担自贸区板块业务运营、"两场一仓一中心"投资建设、跨境贸易、数字经济产业投资、集团国有资本经营和招商引资等职能。

6.农投集团。以北仑区农发公司为主体组建，主要承担农林水利基础设施投资、生态环保产业投资、公用事业投资运营、集团国有资本经营和招商引资等职能。

3月31日，北仑区、开发区国有企业整合提升改革工作会议召开。会议对整合组建的六大产业集团进行了授牌。

9月底，全面理顺了区国资中心（区国资运营公司）、各产业集团及其下属公司之间的产权关系、业务关系和管理关系，全面完成板块资产整合，实现全区国有企业的集中统一领导和板块归口管理。

创新深化改革攻坚开放提升工作

2023年，北仑区第一时间传达全省深入实施"八八战略"强力推进创新深化、改革攻坚、开放提升大会，和全市"打造一流城市、跻身第一方阵"动员大会会议精神，部署推进创新深化改革攻坚开放提升工作。建立由区委、区政府主要领导任组长，区委副书记、组织部部长、常务副区长等区领导任副组长的工作领导小组，领导小组下设"一办三组三专班"，4月27日，北仑区召开深入实施"八八战略"强力推进创新深化改革攻坚开放提升领导小组第一次会议。印发领导小组办公室组建方案及三组三专班工作力量组建方案，有序推进有关工作落实。制定出台《总体方案》，三个专题组、三个专班分别编制出台3个《实施意见》、3个《行动方案》，形成"1+3+3"工作方案体系。常务副区长每月召开领导小组办公室专题例会，各专题组专班牵头区领导定期召开工作例会，研究工作推进及晾晒指标情况，协调推进重点工作、重大事项，研究解决重大问题等。

创新深化工作方面。极氪、东方等研发总部成功落户甬江科创区北仑片区。新增国家级专精特新"小巨人"企业9家、国家科技型中小企业600家，高新技术企业达到678家。新增国家企业技术中心2家、省级重点企业研究院2家，16个重大科技攻关项目获市级立项，数量全市第一。北大宁波海洋药物研究院开园，中科海西创新中心、北航宁波创新研究院入选市级新型研发机构十强。新增授权发明专利890件，省政府质量奖实现零的突破。北航宁波创新研究院院长焦宗夏、北仑籍科学家夏强当选中国工程院院士。北仑区创新创业工作获国务院督查激励，成为全市首个获得全省"科技创新鼎"的县（市、区），获得浙江省首批制造业领域最高荣誉"天工鼎"。全区高新技术产业增加值、规上工业企业研发投入均居全市首位。

数字经济创新提质"一号发展工程"方面。2023年完成数字经济核心产业营收856.8亿元；规上数字经济核心产业增加值250.1亿元，同比增长15.2%，占GDP比重达9.2%；互联网软件业营收80.9亿元，占全市1/3。三项指标规模继续保持全市第一。31家企业列入数字化改造试点企业，规上企业数字化改造覆盖率82.62%。9家企业入选省级数字化车间/智能工厂培育库，新增1家省级未来工厂试点企业、2家省级工业互联网创建平台、1家省级产业数字化服务商。北仑模具产业作为全省首批中小企业数字化改造试点经验，被央视《经济半小时》专题报道。在政策集成上，出台全市第一个《数字产业高质量发展扶持办法》和实施细则，兑付奖励资金1934.94万元。在产融对接上，打造全市唯一数字经济领域产融对接平台"数融荟"，已成功举办四期。2023年获评市实施数字经济"一号发展工程"成效明显的区（县、市）。数字经济系统工作评价全市第一。北仑区在2023年度全省数字经济创新提质"一号发展工程"半年度、三季度、年度工作考评中，均获五星评价。

改革攻坚和营商环境优化提升"一号改革工程"方面。营商环境无感监测指数、依申请政务服务事项高质量"一网通办"率两项指标位居全市第一，涉港口事项执行"一件事"入选全省微改革项目。农村集体经营性建设用地入市、全国第一批清洁生产审核等2项国家部委试点和"标准一件事"、共青团城市基层组织改革、普惠托育基本公共服务等11项省级试点成功获批。深入推进减污降碳协同改革，北仑作为全省唯一的县（市）区在《联合国气候变化框架公约》第28次缔约方大会作经验交流，改革经验入选生态环境部《2023年中国减污降碳协同增效典型案例》。创新打造的涉案款e缴通和幸福驿站项目分别入选2023年全国政法智能化建设智慧治理创新案例和全国数字医疗健康创新服务案例。探索地下空间创新开发利用机制、"两场一仓一中心"综合治理机制、"代表微网回音格"、工业社区基层治理模式等重点改革项目获得国家部委和省市领导高度肯定。

开放提升和"地瓜经济"提能升级"一号开放工程"方面。2023年完成外贸进出口总额4501亿元，占全国份额保持在10.8‰，占全市三分之一；实际利用外资26.9亿美元，同比增长91.5%，大幅高于全省平均增速，总量占全市一半以上。6月实现保税液化天然气加注全省首单突破，宁波舟山港成为全球第5个具备天然气加注能力的港口；液化天然气保税仓由16万立方米扩容至32万立方米，成为华东地区最大的液化天然气保税仓。探索跨境电商零售新模式，2023年北仑区实现跨境电商进出口667.41亿元，保税区跨境电商零售进口业务连续7年位居全国综试区单个区域第一。跨境贸易投资便利化集成创新案例入选全国自贸试验区第五批"最佳实践案例"，实现宁波片区国家级案例零的突破，13项金融开放试点规模562.2亿美元，领跑全国4个试点区域。落地全省首单国际航行船舶保税液化天然气加注业务，落户全省首家融资租赁SPV公司。5月北仑区获评全省十佳外贸强区，宁波保税区、宁波开发区获评十佳开放平台，宁波开发区2023年度在全国综合评价中跃升至第12位。13项制度创新成果全省复制推广，居全省首位；22项改革创新取得全国全省"首单"或"首例"突破性成果。2023年浙江自贸试验区宁波片区11项获评省级制度创新案例，新增8项全国首创型制度创新。3个项目获批省级试点项目，2个案例入选全市首批最佳实践案例。北仑区被评为"地瓜经济"提能升级"一号开放工程"五星级区（县市）。

承接推进省市"十项重大工程"工作

2023年以来，北仑区积极贯彻落实省、市决策部署，聚焦指标，全力争先，做好提升进位。严格对照省市关于承接推进"十项重大工程"的各项工作要求，建立实施"123"工作法，抓好"一个体系""两级协调""三个突破"，有条不紊、从严从实推进十项重大工程承接推进工作，确保每项任务都落实到位、执行到位。

精准谋划，顶格落实一个体系。按照省市关于十项重大工程工作建立"1+10"专班工作体系的要求，北仑区第一时间督促各区级相关部门加紧建立工作专班，并通过"区级领导定期督导、区总专班统筹协调、各分专班协同发力"的攻坚机制，做到工作项目化、任务清单化、节点时间化。每月由常务副区长召开"十项重大工程"领导小组办公室例会，研究推进情况并部署下一阶段工作。精准统筹，全程推进两级协调。强化市区两级协调沟通，按照"条抓块统"的原则，由区级各分专班按条线加强向上沟通的力度，研究吃透省级部门指标评定标准，实现考核排名的争先进位。精准发力，全力攻坚三个突破。实现重点指标突破，定期开展监测开展考核指标排摸预警晾晒工作的基础上深入分析研判，找准短板、精准促进，为指标的促长补短提供保障。2023年，全区共有13项指标完成情况或年度考评成绩排名全市前三，11项指标排名实现争先进位。实现重点任务突破，坚持以推进项目为中心，通过项目的促进推动整体工作的质效提升。调动一切可以调动的资源要素，用好一切可以利用的政策举措，释放一切可以挖掘的投资潜能，集中力量，最大限度加快新建项目的开工提速、按时入库以及北仑电厂一期节能减排改造项目、通山未来社区、龙湖房地产项目等续建项目的投资放量。千项万亿新建项目开工率实现100%；实现问题清单突破，实行“清单+责任”化工作机制，提前明确总专班及各分专班落实问题清单、推进措施的承接主体，做到职责明确、防患未然。同时及时跟进问题清单进度，确保发现即解决。

一、扩大有效投资“千项万亿”工程。

1.省重大项目新建项目开工率。2023年度千项万亿新开工项目1个，为宁波北仑衙前社区，项目已实现开工，新建项目开工率100%；2.民间投资占固定资产投资比重。1—12月民间投资完成206亿元，同比增长4.8%，占固定资产投资比重41.81%；3.固定资产投资增速。1—12月固定资产投资完成492.8亿元，同比增长7%；4.千项万亿重大项目投资完成率。1—12月省千项万亿工程完成124.6亿元，投资完成率152.6%（超过120%的满分目标）；5.建筑安装工程投资增速。1—12月建安工程投资完成214.3亿元，同比增长5.1%。

二、“415X”先进制造业集群培育工程。

1.规上制造业增加值1110.7亿元，增速5.7%；2.制造业投资完成191.3亿元，增速-15.1%。

三、“315”科技创新体系建设工程。

1.2022年R&D经费支出占GDP比重2.47%，较上年提升0.07个百分点；2.“3”高地高新技术企业数184家，全市排名第3；3.“3”高地重大创新平台投资额21.97亿元，全市第1，全省第1；4.高新技术产业增加值占规上工业增加值比重69%。

四、服务业高质量发展“百千万”工程。

1.服务业增加值增速实现4.3%；2.规上服务业企业营业收入实现1173亿元，规模列全市第2；3.省服务业重大项目投资完成率150.65%，超时序完成指标；4.网络零售额和增速实现476.5亿元。

五、世界一流强港建设和交通强省建设工程。

全力推进六横公路大桥一期、杭甬高速复线三期工程、甬舟铁路宁波段、北仑铁路支线复线工程、梅山铁路支线工程、梅山港口基础设施重点项目等项目，打造综合立体交通网，完善港口集疏运体系。

六、县城承载能力提升和深化“千村示范、万村整治”工程。

1.集体经济年经营性收入50万元以上行政村占比96.1%；2.和美乡村建设覆盖率25.16%；3.全体居民人均可支配收入增速5.5%。4.城乡居民收入倍差1.626。

七、跨乡镇土地综合整治工程。

1.2023年完成投资额83.9亿，全年目标完成率103%，位居全市第一；2.永久基本农田集中连片整治目标为1369.95亩，已完成1369.95亩，全年目标完成率为100%；3.高标准农田建设和改造面积目标0亩，实际全年完成1370亩；4.垦造耕地面积目标值16.74亩。已完成15.65亩，全年目标完成率为93.5%；5.建设用地复垦面积目标值37.82亩。完成值39.11亩，全年目标完成率103.41%；6.低效建设用地整治盘活目标为15亩，完成47.97亩，全年目标完成率为319%。

八、文旅深度融合工程。

1.重大文旅产业项目完成率144.50%；2.文旅市场主体增速32.86%，全市排名第1；3.全域旅游人次增速20.61%。

九、公共服务“七优享”工程。

高质量完成35项重点指标和29项省级民生实事项目，涉及区委制定的所有考核指标也都如期完成。此外，还形成了15项特色标志性成果，在年度考核中位于全省A档，排名全市第一。《探索七优享民生方程式“新解法”》入选全省典型经验做法案例。

十、绿色低碳发展和能源保供稳价工程。

略。

大事记

1月

1日　新年首艘超大型油轮“伊兰特”号平稳靠泊宁波舟山港大榭港区实华码头3号泊位。“伊兰特”号油轮船长329.99米，载重吨299999吨，从阿联酋沙奎载运271870.99吨原油到大榭港区。

15日　富邦世纪广场的屋顶摩天轮“芯动北仑”正式开业。“芯动北仑”摩天轮高81米，直径52米，定制了不同主题的轿厢，采用全新的摩天轮设备，融入科技、艺术、文化、商业等元素，为北仑乃至宁波地区增添一座亮眼的文旅商业新地标。

30日　中国人民政治协商会议第十届宁波市北仑区委员会第二次会议开幕，为期3天。本次会议应到委员246人，实到237人，符合政协章程的规定。区政协主席王建波代表区政协第十届常委会作工作报告。市委常委、区委书记、宁波开发区党工委书记潘银浩到会并讲话。

31日　宁波市北仑区第十届人民代表大会第二次会议在北仑影剧院开幕，会期3天。大会应到代表245名，实到235名，符合法定人数。区长王程代表区人民政府向大会作政府工作报告。贺威平受区十届人大常委会委托，向大会报告工作。市委常委、区委书记、宁波开发区党工委书记潘银浩到会并讲话。

2月

2日　中国女排2023年的第一次集训在北仑体育训练基地正式拉开帷幕，全力备战世界女排联赛、杭州亚运会和巴黎奥运会女排资格赛。

14日　市委常委、区委书记、宁波开发区党工委书记潘银浩在大碶街道调研粮食安全及春耕备耕工作，强调要深入学习领会习近平总书记关于“三农”工作的一系列重要论述，坚决扛起粮食安全重大政治责任，抓实抓好春耕备耕工作，提升粮食安全保障水平。

22日　宁波大榭热电有限公司热电四期项目开工仪式举行。该项目是市重点项目，总占地面积约7.76公顷，计划总投资15.9亿元人民币，建设规模为3炉3机，同时配套建设烟气处理、水煤浆路由、储运系统等辅助设施。建成后将为大榭石化炼化一体化项目的动力中心提供蒸汽保障。

3月

1日　区文学艺术界联合会第四次代表大会召开。市委常委、区委书记、宁波开发区党工委书记潘银浩出席会议并讲话。

同日　区红十字会第五次会员代表大会召开。市委常委、区委书记、宁波开发区党工委书记潘银浩出席并讲话。市红十字会党组书记、常务副会长许伯强到会祝贺。大会审议通过了区红十字会第四届理事会工作报告；选举产生了区红十字会第五届理事会，张海航为会长。

9日　北仑—美姑东西部协作联席会议在北仑区行政中心举行。

16日　新晋全球最大集装箱船、最大载箱量达24116标准箱的“地中海泰萨”轮，靠上宁波舟山港穿山港区集装箱码头4号泊位。该轮由中国船舶集团有限公司自行建造并于3月9日在上海交付，船总长399.99米，型宽61.5米，型深33.2米，最大堆箱层数可达25层。

30日　全国人大常委会办公厅研究室副主任翟炜、浙江省人大常委会研究室副主任邹绍平一行到北仑区调研，宁波市人大常委会副主任胡军，北仑区人大常委会主任贺威平、副主任陆亚芬等陪同调研。

4月

12日　宁波甬江科创区北仑片区建设推进动员大会召开。市委常委、常务副市长华伟，市委常委、北仑区委书记、宁波开发区党工委书记潘银浩作动员讲话，并为宁波甬江科创区北仑片区建设指挥部揭牌。王程主持，贺威平、王建波、方飞龙等区五套班子有关领导出席。

14日　中国男排在北仑体育训练基地集结，备战2023年世界男排联赛、杭州亚运会和巴黎奥运会男排资格赛。

17日　宁波首所民办高级技工学校——宁波北仑弘途高级技工学校正

式揭牌，将为北仑乃至宁波经济的高质量发展提供人才人力资源支撑。该校9月在校生规模2000余人，开办工业机器人应用与维护、智能制造技术应用、数控加工、模具制造等15个专业。

20日　四川省凉山州美姑县人大常委会主任洪开明率队到北仑考察。美姑县人大常委会副主任苏干铁溢、原主任沙马拉林等参加。市委常委、区委书记、宁波开发区党工委书记潘银浩，区人大常委会主任贺威平等陪同考察。

21日　全国人大常委会委员、社会委副主任委员秦生祥率执法检查组到北仑视察宁波舟山港穿山港区安全生产情况。省人大社会建设委、市人大常委会、区人大常委会及宁波舟山港集团等相关负责人陪同视察。

23日　由浙江省书法研究会和北仑区文广局主办的“书为心画——当代中国画名家书法展”开幕式在北仑区文化馆艺术空间举行。区政协副主席、区文联主席胡军出席开幕式并宣布展览开幕。展览征集了114位当代中国画名家的书法作品，涵盖篆、隶、楷、行、草等各种书体。

26日　商务部自贸区港司副司长马成芳率商务部研究院副院长崔卫杰等一行，到浙江自贸试验区宁波片区调研。省自贸办副主任、商务厅副厅长胡真舫，北仑区副区长、开发区管委会副主任任锦群陪同调研。

28日　北京大学宁波海洋药物研究院正式在北仑梅山开园。中国工程院院士、北大常务副校长、医学部主任乔杰，中国工程院院士詹启敏，中国科学院院士陈凯先，中国科学院院士郝小江等院士专家团队，宁波市政府党组成员、宁波开发区管委会主任奚明，宁波市科技局局长、党组书记费小琛，北仑区委副书记、区长王程等领导一并出席仪式。

5月

8日　区委、区政府举行全区经济高质量发展大会，市委常委、区委书记、宁波开发区党工委书记潘银浩，区委副书记、区长王程等区领导与全区企业家代表们一起共谋创新发展之路。大会为8名企业家、105家企业、8家单位，颁发了“勇挑大梁”企业家、“勇立潮头”企业家奖、2022年度北仑区人民政府质量奖等15个奖项，共有113家企业、单位代表上台领奖。

9日　全国人大常委会委员、环资委主任委员鹿心社率调研组到北仑专题调研湿地保护工作。省人大常委会党组副书记、副主任高兴夫，市委常委、北仑区委书记、宁波开发区党工委书记潘银浩，市人大常委会副主任戎雪海等陪同调研。

17日　2023年中国（浙江）自由贸易试验区DEPA与大宗商品国际供应链论坛在北仑区举行。省政协副主席张学伟等出席。市委常委、北仑区委书记、宁波开发区党工委书记潘银浩等市、区领导参加活动。该论坛由省商务厅（省自贸办）主办，自贸试验区宁波片区管委会和浙江省自由贸易发展中心共同承办。来自商务部、国务院发展研究中心、新加坡资讯通信媒体发展局及国内外数字经济、大宗商品企业的近250位嘉宾参会。

22日　国际生物多样性日。浙江省发布生物多样性保护十大案例。其中“北仑，国家一级野生保护动物‘镇海棘螈’保护之路”榜上有名。

26日　省科协、省教育厅、省科技厅、省文化和旅游厅与团省委公布了第二批浙江省科学家精神教育基地认定名单，北仑区钟观光纪念馆名列其中。

6月

2日　浙江省委、省政府发布了全省党政领导科技进步考核通报。北仑区获得2022年度全省市县党政领导科技进步目标责任制考核优秀，实现“三连冠”，同时首次获得全省“科技创新鼎”。

18日　2023年中国家庭帆船赛宁波梅山湾站比赛收帆。经过两天角逐，珠江之友队和常春藤联盟队分获Hobie T1和Hobie T2组冠军。本次赛事共有40组家庭、上百名选手参加。本站是中国家庭帆船赛“迎亚运百日倒计时”的首场赛事，也是北仑梅山湾2023年在迎亚运水上赛事组织上的首场全国性水上运动比赛。

26日　浙江省第三批减污降碳协同试点和第二批标杆项目名单公布，北仑减污降碳协同试点入选第三批试点；石华宁波高效气液焚烧处理系统、北仑第三集装箱公司“水运港一船多能源融合技术及集成应用”2个项目入选第二批标杆项目。

7月

4日　2023年浙江“千项万亿”重大项目集中开工仪式在省人民大会堂举行，共99个重大项目开工，总投资6789亿元，年度投资399亿元。开工仪式以视频连线形式举行，11个地、市分别设置了分会场。其中4个项目在北仑区，分别为国能北仑电厂一期节能减排改造项目、北仑支线复线及相关工程、北仑区坝头路（通途路—甬江南路）工程以及G9211杭甬高速宁波三期工程威海路至柴桥段，总投资超340亿元。

18日　区委召开九届四次全体（扩大）会议。会议回顾习近平总书记“八八战略”在浙江实施20周年的经历，深刻感悟“八八战略”蕴含的深邃政治智慧、卓越战略远见、真挚为民情怀和坚韧意志品质，把学习宣传贯彻习近平总书记重要指示精神作为下阶段主题教育的重要学习实践内容，结合“大走访大调研大服务大解题”“联镇街入村社、走企业访群众”等活动，切实为基层、企业、群众解难题、鼓干劲、强信心，将“八八战略”深入落实到全区工作的全过程。

同日　经区政府常务会议研究决定：同意新碶街道设立香堇社区居民

委员会、港兴工业社区、迎宾工业社区，其中后两个为纯工业社区。香堇社区由原向阳社区规模调整而来，管理服务范围为东至岩河、南至泰山路、西至松花江路、北至黄山西路。迎宾工业社区管理服务范围为东至岩河、西至钱塘江北路（迎宾路）、南至进港中路、北至迎宾路（含保税西区两个生活小区）。港兴工业社区管理服务范围为东至海河路、西至岩河、南至进港路、北至迎宾路（含保税东区两个生活小区，不含浙江海港集团管理区域）。迎宾工业社区辖区总面积1.2平方千米，社区内有约90家企业单位，多为规模以上企业，涵盖物流、加工制造、高新技术等多个行业，职工约4300人。

同日　宁波亚洲浆纸业有限公司举行院士工作站揭牌仪式，南京林业大学副校长张红，加拿大工程院肖院士，金光集团App（中国）副总裁翟京丽，宁波市科协副主席吴天昊和宁波开发区管委会有关领导等出席。

8月

12日　宁波舟山港六横公路大桥一期工程关键施工节点梅山水道桥主塔顺利封顶，为全线通车奠定坚实基础。

16日　宁波舟山港梅山港区沈海高速连接线（象山湾疏港高速）昆亭至塘溪段工程顺利通过交工验收。该工程于2019年12月12日开工建设，项目起点位于北仑区春晓街道，终点位于鄞州区塘溪镇鹳山村，全长约24.15千米，设有昆亭枢纽、春晓互通、瞻岐互通、塘溪枢纽四座互通式立交。其中春晓互通、瞻岐互通为高速收费站；塘溪枢纽连接甬莞高速，昆亭枢纽未来将与六横公路大桥相连。全线设计按100千米/小时、双向六车道高速公路标准建设。

18日　北仑本土画家孙宁“积步丹青”水彩作品展在中国美术馆7号厅开展，共展出孙宁水彩作品35件，有《外婆的灶台》系列、《古镇遗韵》系列、《老宅》系列等，均融合了中国画的意境，勾画出一种轻松、整体、协调的水性之美。

20日　2023国际射联射击世锦赛（全项）在阿塞拜疆巴库进行。北仑籍运动员（北仑区实验小学毕业生）刘军辉在男子10米气手枪团体比赛中，与队友张博文、谢瑜合力打出1749环的总成绩，为中国队摘得金牌。

23日　区政协主席王建波一行到四川省美姑县开展两地政协交流合作活动，并举行“书香政协·仑美一起读”仑·美崇学书房挂牌及赠书仪式。美姑县政协主席贺雪冰，县委副书记廖天平，县委常委、副县长李声波及相关部门负责人参加。考察期间，王建波一行还到美姑县人民医院和美姑县中学，看望慰问北仑帮扶美姑的医生和教师代表。

28日　北仑区青年联合会第七届委员会全体会议召开。市委常委、区委书记、宁波开发区党工委书记潘银浩出席并讲话。团市委副书记俞欢欢，区领导王建波、周成钢、王恩胜、潘卫华、屠斌斌、陆亚芬等参加。大会听取并通过了北仑区青年联合会第六届委员会常务委员会所作的工作报告，选举产生了北仑区青年联合会第七届委员会常委、副主席、主席。

29—30日　市委常委、区委书记、宁波开发区党工委书记潘银浩率北仑区党政代表团，到丽水市青田县和云和县开展山海协作工作对接，深化交流互动、提升合作效能，加快推进山海协作高质量跨越发展。其间，与青田县、云和县分别签订了2023年度革命老区重点城市对口合作山海协作工程协议和卫生健康领域合作协议。

9月

3日　利比里亚籍超大型集装箱船“第一创新”轮成功靠泊宁波舟山港大榭港区集装箱码头。“第一创新”轮长399.95米，宽61.4米，总吨位235311吨，最多可装载24136个标准集装箱，为全球最大的集装箱船之一，是名副其实的海上“巨无霸”。该轮本航次将承载6251个标准箱货物出运至荷兰、德国、比利时、英国、西班牙等地。

6日　北仑区企业联合会（企业家协会）五届一次会员大会召开。市委常委、区委书记、宁波开发区党工委书记潘银浩出席会议并讲话。会议审议通过了北仑区企业联合会（企业家协会）第四届理事会工作报告，选举产生了第五届理事会和监事会。

7日　欧洲宁波总商会会长李永平带领考察团到北仑考察营商环境，寻求合作机遇。区委副书记、区长王程，区委常委、统战部部长吴艳芳，副区长程展会见了考察团。欧洲宁波总商会成立于2019年7月，由旅德宁波同乡会、丹麦宁波商会、罗马尼亚宁波商会、西班牙宁波商会等17个国家宁波同乡会（商会）及宁波大学欧洲校友会、宁波诺丁汉大学欧洲校友会等构成。

10日　浙江省人民政府发文表彰第一届浙江省知识产权奖获奖者，北仑区有6家企业榜上有名：宁波海伯集团有限公司获专利奖二等奖；宁波东方电缆股份有限公司、宁波意宁液压股份有限公司获专利奖三等奖；宁波怡人玩具有限公司获商标奖三等奖；宁波港信息通信有限公司获版权奖计算机软件类二等奖；贝发集团股份有限公司获版权艺术作品类三等奖。

12日　杭州第19届亚洲运动会火炬传递宁波站活动在北仑区举行。省委常委、市委书记彭佳学宣布起跑，副省长、杭州亚运会赛事总指挥部火炬传递指挥中心指挥长胡伟出席，市委副书记、市长汤飞帆致辞，市、区主要领导与亚运会组委会和社会各界代表参加起跑仪式。170名各行各业优秀代表担任火炬手，其中年龄最大的73岁、最小的14岁。

16—24日　2024巴黎奥运会女

排资格赛（A组）在北仑体艺中心举行。参加比赛的有中国、乌克兰、墨西哥、捷克、加拿大、荷兰、多米尼加和塞尔维亚的队员。中国女排以4胜3负积14分的成绩获奥资赛A组第4名。

9月　全省首笔余额管理制证券类灵均投资QDLP试点项目在北仑落地。

10月

19日　中国（浙江）自由贸易试验区宁波片区工作推进会在北仑区召开。副市长李关定出席会议并讲话。区委副书记、区长王程及市商务局、市自贸办，市辖的12个区（县、市）、功能园区管委会和24个市级相关部门负责人、宁波舟山港集团负责人参会。市政府副秘书长华弼天主持会议。

26—28日　区委副书记、区长王程带领北仑区党政代表团到四川省凉山州美姑县、黄冈市罗田县考察。北仑区人大常委会副主任、区慈善总会会长张如平参加。其间，北仑区交投集团和美姑县国投公司签订投资合作协议。

31日　市委常委、区委书记、宁波开发区党工委书记潘银浩到力劲科技、拓普集团和台塑企业宁波厂区调研企业科技创新工作。

11月

1日　在宁波大学高质量发展大会上，"浙江省爱乡楷模""宁波市荣誉市民"王明康家族向学校捐资1500万元，助建梅山校区海洋学院科研大楼南楼和海运学院行政大楼。王明康祖籍北仑新碶，后旅居香港发展。自1992年以来，累计为宁波教育等公益事业捐资总额已经超过5700余万元。

同日　来自巴哈马的液化天然气船舶"玛可玛"号靠泊北仑港。这是被誉为"绿能港"的宁波北仑液化天然气接收站自2012年投产以来接卸的第576船液化天然气。至此，该接收站累计接卸量已突破4000万吨，折合天然气约560亿立方米，相当于为华东地区注入了将近5.6个百亿大气田的绿色动能。

10日　"甬攀高峰 科创未来"——甬江科创区项目集中签约仪式在小港街道海天文体中心举行。市委常委、北仑区委书记、宁波开发区党工委书记潘银浩与市、区政府相关部门负责人出席仪式。参加本次签约的9个项目总投资近50亿元，既有数智科技项目、生物医药项目和新材料、新金融项目，也有打造"地瓜经济"一号开放工程的甬企回归项目。

16日　区委召开九届五次全体（扩大）会议。区委常委会主持会议。市委常委、区委书记、宁波开发区党工委书记潘银浩代表区委常委会作报告。区委副书记王程、方飞龙出席，市委主题教育第三巡回督导组副组长葛瑞康到会指导。会议审议通过《中共宁波市北仑区委关于深入学习贯彻习近平总书记考察浙江重要讲话精神在勇当先行者谱写新篇章征程中争一流作示范的决定》。

24日　北仑—云和高层联席会议在北仑区举行。北仑区委副书记、区长王程，云和县委副书记、县长周鸿飞出席并讲话，北仑区与云和县有关领导出席会议。会上，双方签订了《科技创新深化合作协议》和《文旅宣传推广合作协议》。

12月

1日　北仑区委、区政府、宁波开发区管委会向上海交通大学医学院附属仁济医院院长夏强发去贺信，祝贺他当选为中国工程院院士。夏强是北仑籍人士，兼任上海器官移植与免疫工程技术研究中心主任、上海器官移植研究所所长、中国—东南亚儿童终末期肝病转化研究中心主任，由于其科研工作成效显著，2022年12月，经中国工程院第八届主席团第六次会议审议，中国工程院党组审定，确认为中国工程院2023年新增院士。

7日　北仑区人民政府与浙江大学医学院附属第一医院签署合作协议，开启了自2008年11月以来，历经15年后的北仑区人民医院新一轮医疗托管合作。浙大一院党委书记梁廷波等出席签约仪式。

12日　区委召开议军会暨党管武装工作会议。市委常委、区委书记、宁波开发区党工委书记、区人武部党委第一书记潘银浩主持并讲话。王程、方飞龙出席。

14日　区委常委会召开扩大会议，传达学习中央经济工作会议精神，研究部署北仑区贯彻落实意见。市委常委、区委书记、宁波开发区党工委书记潘银浩主持会议并讲话。

15日　位于北仑区春晓大道与东塘路交叉口的宁波潜艇展示园正式对外开放，展示园包括码头潜艇区和陈列展示区，展示退役潜艇"长城189号"和"潜行大洋砺剑锋——世界与中国海军潜艇史话"专题展。

18日　中国信息通信研究院发布2023年度中国工业百强区名单，北仑区位居全国第12位、全省第1位。全区1—10月，完成规上工业增加值916.8亿元，同比增长6%，增加值位居全省首位，其中10月完成规上工业增加值100.2亿元，同比增长25%，单月增速排序为宁波市第一。

31日　商务部网站公布2023年国家级经济技术开发区综合发展水平考核评价结果，宁波经济技术开发区排名较2022年前进了5位，为全国230个国家级经开区中的第12位。同时，商务部还公布了国家级经济技术开发区进出口总额和实际使用外资排名的前10，宁波经济技术开发区分别排名第3与第6。

北仑概况

地理环境

【位置】 北仑区位于浙江省陆地最东端，地理坐标介于北纬29°41′30″至30°01′00″，东经121°38′50″至122°11′00″。三面环海，北、东、东南之金塘港、峙头洋、佛渡水道与舟山市定海区、普陀区水域相连；南隔象山港与象山县相望；西南与宁波市鄞州区相接；西北濒甬江，与宁波市镇海区分界。境域东西最大直线距离52千米，南北最大直线距离30.1千米。陆域面积614.57平方千米（含内陆水域面积）。区人民政府驻新碶街道四明山路775号（长江路1166号），距宁波市中心28千米。

【地形地貌】 北仑区境属天台山丘陵，迤逦东南，潜于东海西北和中部，系丘陵平原间隔地貌，东南部为丘陵，称穿山半岛。半岛北南两侧濒临东海，海岸冗长多江湾。灵峰山以西为长山平原，以东为大碶—柴桥平原。除平原外，多为丘陵。最高山为北仑和鄞州两区界山太白山，海拔653.6米。

政区 人口

【行政区划】 北仑区是宁波市六个市辖区之一。1984年，划原镇海县县域部分地区，新建宁波市滨海区。1985年，撤销镇海县，扩大滨海区，按甬江分界，甬江以南为宁波市滨海区，甬江以北为宁波市镇海区。1987年滨海区更名为北仑区。2023年，北仑区辖新碶、小港、大碶、柴桥、霞浦、大榭、戚家山、春晓、梅山、白峰、郭巨11个街道，下设62个社区居委会、195个村。

【历史沿革】 北仑区遗存属河姆渡文化系，境内在新石器时代已有先民居住。夏商时代，北仑区域属于越，春秋时，为越国所辖。秦王政二十五年（公元前222），秦置郡县，北仑区域属会稽郡鄮县（东境）。唐元和四年（809）在明州甬江口建望海镇。后梁开平三年（909）扩望海镇为望海县，未几改定海县；同年，改鄮县为鄞县，北仑区域之大部分地为鄞县地，惟崇邱乡（今小港地区）时属定海县。宋熙宁十年（1077），划鄞县东境之灵岩、泰邱、海宴三乡归定海县，北仑区域全境始属定海县。至清康熙二十六年（1687）定海县更名为镇海县。民国时期，中华人民共和国成立后，县属基本未变。1984年，划县域部分地区，新建宁波市滨海区。1985年，撤销镇海县，扩大滨海区，按甬江分界，甬江以南为宁波市滨海区，甬江以北为宁波市镇海区。1987年滨海区更名为北仑区至今。

【人口】 2023年，全区（户籍人口）总户数为183380户，总人口452757人，总人口比上年末增加3225人。全区非农人口320715人，男女性别比例为91.69∶100。全年出生人口2644人，出生率为5.86‰；死亡人口3513人，死亡率为7.79‰；自然生长率为–1.93‰。

2023年，全区新增就业人数4.57万人，失业人员再就业8958人，就业困难人员再就业1367人，公益性岗位开发保持637个，全年登记失业率为1.88%；新增创业实体1.97万家，发放各类补贴和创业担保贷款合计约0.79亿元。

气象 水文

【概况】 北仑区属亚热带季风气候区，面临东海，气候温和湿润，四季分明，无霜期长，雨量充沛，台风、暴雨、冰雹、大雪等灾害性天气时有出现。四季特征：平均气温稳定在小于10℃为冬季；大于22℃为夏季，界于10℃~22℃为春、秋季。全区春季82天，夏季88天，秋季64天，冬季132天。年平均气温16.5℃，常年以1月份为最冷月；以7月和8月为最热月。梅汛期多年平均出现在6月中旬到7月上旬，平均梅雨量244毫米，梅雨日26天。冬季盛行西北风，气候干燥寒冷，极端最低气温–6.6℃，年平均出现一次寒潮天气。春季气温开始波状回升，雨量逐渐增多，东风渐占优势。夏季以东南风为主，降水主要集中在梅汛期和台汛期，7月、8月进入晴热少雨的伏旱季节，9月进入秋季，气温开始回落。极端最高气温40.5℃。

2023年，北仑区天气气候复杂，春季气温异常高，对流天气多重发，盛夏雨量创极值，“杜苏芮”台风影响重，秋冬冷暖转换频，寒潮天气程度强。年内经历1个严重影响台风、3轮寒潮、1次小雪、5天暴雨、21天高温、17天低温、41个雷暴日。

【基本气象要素】 年平均气温18.5℃，比常年（17.4℃）偏高1.1℃，历史第二高（仅次于2021年）；1月到11月各月气温都比常年偏高，其中3月比常年偏高1.9℃，9月比常年偏高2.0℃。

年降水量1503.8毫米，比常年（1501.5毫米）偏多2.3毫米；降水日数151天，接近常年（151.2天）；降水量呈西南多东北少分布，分布雨量700~1800毫米，最大为大碶街道九峰山站1844.3毫米。梅雨量263毫米，与常年持平。汛期降水量1208.1毫米，比常年（967.8毫米）偏多240.3毫米。

年平均风速1.5米/秒，主导风向东南风。平均风速呈西部小东部大分布，最大为白峰街道。北仑国家气象站极大风速为19.9米/秒（7月29日），区域站极大风速为32.2米/秒（后焦山，12月16日）。

年日照时数1532.9小时，比常年偏少142.8小时。除1月、3月、11月、12月比常年偏多外，其余各月均比常年偏少。

全年共出现雷暴日41天，共发生地闪4271次，同比增加3倍多，雷电平均强度32.26千安培，平均密度7.02次/平方千米。地闪主要集中在5—8月，13—16时。6月30日地闪次数最多，达879次；7月10日地闪强度最强，达169.57千安培，出现在白峰街道；大碶街道、小港街道和柴桥街道地闪活动频次和密度均较高。

【主要天气气候事件】 2023年共出现高温日（日最高气温≥35℃）21天，比常年偏多3.5天，其中5月1天、6月3天、7月13天、8月4天。典型天气为5月29日，受副热带高压影响，北仑国家气象站报最高气温达35.1℃，这是继2018年后首次5月份出现高温。7月7日，北仑国家气象站出现全年极端最高气温39.7℃。

2023年共出现低温日（日最低气温≤0℃）17天，比常年偏多3.5天，其中1月11天、12月6天。典型天气为12月15日起受强寒潮天气持续影响，北仑区剧烈降温，日平均气温过程降温幅度达17℃，12月23日北仑国家气象站出现全年极端最低气温-5.4℃，为12月最低气温，仅次于1991年的-5.9℃。

2023年因受强对流天气影响，共出现41天雷暴日，其中4月1天、5月2天、6月8天、7月14天、8月11天、9月5天。典型天气为6月30日下午至傍晚，北仑区大部出现强对流天气，发生地闪879次，为全年地闪次数最多的强对流天气过程，最大地闪出现于白峰街道，强度为-107.4千安培。全区面雨量43.3毫米，最大测站为白峰街道白峰小学站80.0毫米，其次白峰街道新峰村站77.6毫米，最大滑动小时雨强白峰小学站77.0毫米。

2023年因受冷空气前锋强对流云团发展影响，共出现暴雨（24小时降水量≥50毫米）5天，比常年偏少3.3天，分别出现在7月29日、8月15日、8月25日、8月29日 和9月16日。典型天气为8月28日下午至29日上午北仑区出现暴雨天气，其中大碶、霞浦、大榭、新碶、柴桥等街道出现大暴雨，全区面雨量79毫米，最大为大碶街道九峰山站208毫米，最大滑动小时雨强大榭街道海港社区站86.2毫米，北仑区域内多处出现道路积水。区气象台发布了暴雨红色预警信号。

2023年，出现一个有严重影响的台风（5号台风“杜苏芮”），其于7月21日在菲律宾以东洋面生成，先后影响14个省（自治区、直辖市）。7月26日至30日北仑区出现暴雨到大暴雨局部特大暴雨，面雨量142毫米，12%区域超过250毫米（特大暴雨），60%区域超过100毫米（大暴雨），最大雨量为大碶街道青林村站312毫米，最大滑动小时雨强大碶街道青林村站81.2毫米。沿海海面和高山区域出现8~9级个别10级、沿海区域7~9级、内陆6~8级个别9级东南大风。7月29日北仑城区部分道路被淹。

2023年共出现3次寒潮过程，其中有2次强寒潮过程，影响开始时间分别为1月14日和12月15日。典型天气为12月15日起受强寒潮影响，北仑区气温大幅下降，日平均气温过程降温幅度17℃，北仑国家气象站17日最低气温0.2℃。其中15日夜里至16日上午城区出现短时冰粒，山区出现零星小雪，15—17日出现沿海海面8~10级、沿海区域和高山区7~9级个别10级、内陆6~8级偏北大风。

2023年共出现低能见度天气（日最小能见度＜1000米）21天。低能见度天气主要出现在北仑区以东沿海区域及梅山、春晓、郭巨、白峰和大榭等街道，发生时间主要在春冬季夜里至清晨。

典型天气为12月底，冷空气势力较弱，天气静稳，大气扩散条件较差，全国出现大范围的雾和霾天气过程。27日夜里至28日上午、28日夜里至29日上午、29日夜里至30日上午北仑区能见度差，区气象台连续3天发布大雾黄色预警信号。

2023年共出现大风（日极大风速≥17.2米/秒）2天，大风主要出现在台风、强冷空气以及强对流天气影响期间。典型天气为受强冷空气影响，1月23日至25日北仑区出现沿海区域和高山区7~9级个别10~11级、内陆6~8级偏北大风，最大后焦山站30.3米/秒（11级）。4月3日下午至4日受江淮气旋前部偏南气流影响，北仑区出现偏南大风，其中4日沿海区域9~10级个别11级、内陆7~9级个别10级，最大峙头站29.8米/秒（11级）。 （撰稿人：万雪丽　董　群）

国民经济和社会发展综述

【概况】 2023年，全区实现地区生产总值2729.18亿元，同比增长5.0%（按可比价计算，下同），一季度、上半年和前三季度地区生产总值分别同比增长3.7%、3.4%和5.0%。分产业看，第一、二、三产业分别实现增加值9.11亿元、1232.58亿元和1487.48亿元，分别同比增长5.8%、5.8%和4.3%，三次产业占比为0.3∶45.2∶54.5，第二、三产业分别拉动GDP增长2.64和2.35个百分点。按常住人口计算，2023年北仑区人均地区生产总值达到307860元（按年平均汇率折算为43688.20美元），同比增长2.4%。

2023年，全区实现财政总收入813.41亿元，同比下降10.2%；一般公共预算收入413.48亿元，同比下降2.5%，其中，税收收入356.89亿元，占一般公共预算收入比重为86.3%。一般公共预算支出377.06亿元，同比增长1.4%，其中，科学技术支出同比增长20.1%。

2023年，北仑区出台稳经济一揽子政策举措，兑现惠企资金超65亿元，为市场主体减税降费172.5亿元，制造业中长期贷款、普惠小微贷款、民营企业贷款分别增长48.8%、37%、29.3%。产业集群提质壮大，芯港小镇、灵峰现代产业园、临港经济示范区等重大产业平台蓄势聚能，大榭化工园区跻身全国高质量发展化工园区十强，压铸模具产业集群获评国家中小企业特色产业集群，精细化工、高端新材料、新能源汽车及零部件入选"浙江制造"省级特色产业集群核心区和协同区，规上工业增加值连续六年全省第一，获浙江省首批制造业领域最高荣誉"天工鼎"。数实融合加速推进，全面布局"22X"数字经济产业新体系，新增省级未来工厂试点1家、省级工业互联网平台和产业数字化服务商3家、市级数字化车间（智能工厂）8家，数字经济核心制造业增加值、互联网软件业营收规模保持全市第一，成为全省制造业领航企业评定培育和首批DCMM贯标试点区［DCMM贯标试点企业是指在国家正式发布《数据管理能力成熟度评估模型》（GB/T 36073—2018）这一国家标准后，由地方政府或相关部门选定的一批企业，率先按照该标准进行数据管理能力成熟度的评估和认证］。服务业质效稳步提升，聚力推进港航服务业"百日攻坚"行动，撬动一批优质项目落地和总部企业招引，全区服务业增加值1380亿元、增长5%，成功入选浙江省首批数字贸易示范区。消费活力逐步释放，发放消费券7000万元，重点发力网红经济、夜间经济、首店经济等新型业态，带动实现社会消费品零售总额450亿元、增长9%。

坚持港城融合、城乡一体，高起点编制1244功能片区规划体系，完善"一区四片、两轴联动"空间格局。深化全域国土空间整治试点，科学布局"两场一仓一中心"，加快推动宁波舟山港国家物流枢纽项目，开工灰库、半山两个物流基地，连片推进沿海、永丰、算山等13个城中村更新改造，14个项目地块拆迁清零，城市承载力有效拓展。杭甬高速复线三期、铁路北仑支线复线、轨道交通6号线开工建设，象山湾疏港高速建成通车，招宝山大桥北仑侧接线主线贯通，新改造提升市政道路9条，新增停车位2300个、特色公交5条、绿波带10千米，改造城区堵点10处，区域通达能力进一步增强。加快凤凰城、滨江新城、庐南等城市板块开发步伐，区文化中心破土动工，凤凰公园成为市民休闲热门打卡地。全域开展迎亚运城市三大提升行动，拆除违建165万平方米，改造积淹水点35处，更新综合管线18.6千米，2个老旧小区完成改造，7个未来社区通过省级验收，创建省级垃圾分类示范小区17个，打造省级城乡风貌样板区2个，"精特亮"创建工作连续两年位列全市第一档次。新路岙—城湾水库联调工程、王家洋泵站建设加力提速，建成海塘安澜工程4.5千米，入选全省幸福河湖建设优秀榜单。启动"千万工程"再深化三年行动，新增省美丽宜居示范村6个，新增永久基本农田集中连片建设411.7公顷，播种粮食面积1966.7公顷，零整改通过国家农产品质量安全区监测评价，获评全国"平安农机"示范县。

【农业、农村】 2023年，全区实现农林牧渔业总产值13.50亿元，同比增长5.8%（按可比价计算，下同），其中，农业10.92亿元，同比增长2.6%；林业0.22亿元，同比增长46.4%；牧业1.17亿元，同比增长37.7%；渔业0.32亿元，同比增长24.9%；农林牧渔服务业0.87亿元，同比增长3.1%。年末全区有农业龙头企业29家，其中省级4家、市级18家；工商登记在册的农民专业合作社83家，其中市级示范性农民专业合作社2家、区级示范性农民专业合作社2家；注册家庭农场110家，其中省级示范性家庭农场11家、市级示范性家庭农场26家、区级示范性家庭农场37家。

美丽乡村。启动"'千万工程'再深化，和美共富新启航"三年行动，成功创建省级未来乡村2个，其中春晓街道三山村评定优秀、白峰街道小门村评定良好；创建省级美丽乡村示范街道1个、省级特色精品村4个、和美乡村达标村31个、市级艺术赋能村4个、市级具有地域辨识度的和美乡村8个；成功创建市"一环十线"蓝色海湾线。

【工业、建筑业】 2023年，全区1047家规模以上工业企业实现增加值1110.70亿元，同比增长5.7%，一季度、上半年和前三季度规上工业增加值分别同比增长5.2%、同比下降0.5%和同比增长4.2%；实现总产值5342.46亿元，分行业看，全区32个列统行业中，有14个行业工业总产值保持正向增长，同比增长43.8%；高新技术、装备制造、高端装备等新兴产业保持较高增速，比上年分别同比增长7.3%、11.0%和6.6%，均高于全部规上工业增加值增速，占规上工业比重分别达到69.0%、40.6%和24.6%。

2023年，北仑137家区属建筑业企业完成建筑业总产值248.57亿元，其中省内产值161.72亿元。新开工建设工程119个，其中房建项目100个，总建筑面积366.13万平方米；市政项目19个，总造价7.4亿元。监督单位工程竣工验收143项，其中房建工程115项、建筑面积357.7万平方米，市政工程28项、工程造价10.3亿元；工程合同总造价105.6亿元。年末纳入监管的在建项目183个，其中房建项目151个，总建筑面积925.8万平方米；市政项目32个，总造价17.37亿元。完成竣工验收备案133项，建筑面积407.23万平方米。全年共3个建设项目获钱江杯，7个项目获省标优良工地，15个项目获评市标优良工地，10个项目获市结构优质奖，3个项目获“甬江建设杯”优质工程奖。

【固定资产投资、开发建设】 2023年，全区固定资产投资同比增长7.0%，其中，基础设施投资、项目民间投资和房地产开发投资分别同比增长71.5%、16.6%和9.2%。分产业看，二产投资同比下降4.5%，下拉固定资产投资2.3个百分点；三产投资同比增长18.9%，拉动固定资产投资增长9.3个百分点。

2023年，新增市政道路长度6.4千米，绿化面积3.45万平方米，新增桥梁5座，新增雨水管道7.2千米，新增污水管7.2千米，新增公建类项目房屋建筑面积14.13万平方米。镇海中学甬江校区一期工程、临港经济示范区配套学校新建工程、北仑区三河六岸公共空间提质项目等重点项目开工建设；太河路北延（海关—骆霞线）工程、云台山路（东泰巷—清水河）工程、凤凰城国贸地块北侧及东侧规划道路工程等一批市政项目建成；北仑中心城区停车场暨青年SPORT港工程、新碶小学扩建工程、浙师大附属芦江书院改建工程等一批民生工程投入使用。

2023年全区共安排重点工程256个、计划总投资3369亿元，其中，重点建设项目199个、总投资2714亿元、年度计划投资501亿元；重大前期项目57个、总投资655亿元。全年已有国能北仑电厂一期节能减排改造项目等77个项目实现开工，开工率100%；已有台塑丙烷脱氢年产60万吨丙烯项目等65个项目建成或基本建成，计划完成率100%；11个列入省扩大有效投资“千项万亿”工程的重点项目完成投资124.6亿元，投资完成率152.6%，新建项目开工率100%。

【国内贸易、旅游】 2023年，全区实现社会消费品零售总额465.67亿元，同比增长12.6%；限上商品销售额达21879.59亿元，同比增长5.8%。全年完成“浙里来消费”主题活动超100场，先后举办进口商品欢乐购、梅山国际汽车消费节、国际葡萄酒文化节等大型特色促消费活动，参与商家1.4万家，合计拉动消费约16.8亿元；出台商贸流通发展专项政策，配套资金550万元；出台重点消费领域产业政策，配套专项财政资金6000万元；出台内贸企业发展政策，配套资金500万元，带动社会消费品零售额增长超19亿元。

2023年，宁波梅山湾沙滩公园、北仑宁钢工业旅游区成功创建国家AAA级旅游景区；春晓街道成功创建浙江省AAAAA级景区街道；宁波海港东方酒店、宁波大榭国际大酒店、丰和院获评“诗画浙江·百县千碗”省级美食体验店；“浙派好礼”文创产品评选荣获1银2铜，全国旅游商品大赛荣获1铜；区旅游咨询中心获评市AAAA级咨询中心。全年全区共有星级饭店3家，花级酒店11家，特色文化主题饭店1家，旅行社23家，国家AAAA级旅游景区2个，国家AAA级旅游景区6个，国家级文化产业示范基地1个，省级旅游度假区1个，省工业旅游示范基地（点）4个，省红色旅游教育基地1个，省文化产业示范基地3个，浙江省中小学生研学实践教育基地2个，省AAA级景区城1个，省AAAAA级景区街道1个，省AAAA级景区街道3个，省级景区村（社）54个，省银宿级民宿5家，“诗画浙江·百县千碗”省级美食体验店11家。

【对外经济、交流合作】 2023年，全区实现外贸进出口总额4501.62亿元，与上年基本持平，其中出口1930.50亿元，同比下降3.0%；进口2571.12亿元，同比增长2.3%。主要出口产品中，机电产品出口999.00亿元，同比增长7.1%，占出口额比重为51.7%；高新技术产品出口131.10亿元，同比增长26.5%，占出口额比重为6.8%。

2023年，北仑区新批境外投资项目73个，完成境外核准中方投资额21.37亿美元，同比增长54.9%，完成全年指标任务388.5%；完成实际对外投资9.92亿美元，同比增长88.8%；服务外包在岸8.26亿美元，同比增长9.7%，服务外包离岸15.36亿美元，同比增长10.1%。

2023年，完成实际利用外资26.96亿美元，同比增长91.3%；引进内资300.22亿元，同比增长10.0%；完成浙商回归到位资金224.26亿元，完成市对区考核的100.1%；全年累计完成环洋碳三、极光湾科技、鼎晖投资等63个重点项目签约，涉及化工新材料、高端装备、汽车制造、数字经济、现代金融、总部经济等领域，总投资额超1000亿元，其中，总投资100亿元以上项目1个，50亿元以上项目7个，20亿元以上项目14个，1亿美元以上项目7个。

【港口、交通、邮电】 2023年，以北仑港区为主体的宁波港口年货物吞吐量完成6.72亿吨，同比增长5.5%；集装箱吞吐量完成3230万标准箱，同比增长5.0%。宁波舟山港货物吞吐量完成13.24亿吨，同比增长4.9%；集装箱吞吐量完成3530万标准箱，同比增长5.9%。宁波舟山港已与世界上100多个国家和地区的600多个港口通航，集装箱航线总数达到302条。

2023年，北仑区公路网通车里程达525.52千米，其中高速公路里程62.42千米。全区共有货运业户3015家，货运车辆27003辆，其中集卡企业2260家，集装箱运输车辆24414辆，全年完成公路运输周转量公路周转量453.2亿吨·千米，比上年增长17.7%；营运客车59辆，巡游出租车160辆，全年客运量80.48万人，周转量1611.4万人千米；共有公交车辆731辆，全年公交客运量2618.81万人次。年末共有水运企业39家，船舶120艘，吨位354万吨，全年完成水路运输周转量1519.7亿吨·千米，比上年增长12.7%。

2023年，全区实现电信业务收入14.07亿元，同比增长10.5%；邮政业务收入1.51亿元，同比增长13.4%；邮政业务总量1.60亿元，同比增长11.5%；报纸订销1851万份，同比下降16.6%；杂志订销46万份，同比下降2.5%；发送函件36万份，同比增长66.5%。全区固定电话用户17.21万户；移动电话用户129.22万户；各类互联网用户51.71万户。

【银行保险】2023年，全区金融机构人民币各项存款余额2763.04亿元，同比增长12.0%，余额年底比年初增加304.26亿元，境内存款中住户存款余额1071.57亿元，同比增长21.0%；非金融企业存款余额1445.86亿元，同比增长12.8%。年末金融机构人民币各项贷款余额2517.87亿元，同比增长17.1%，比年初增加375.50亿元。境内贷款中住户贷款余额766.21亿元，同比增长1.8%；企（事）业单位贷款余额1751.49亿元，同比增长26.1%，其中，单位短期贷款余额640.77亿元，同比增长11.3%。

2023年，全区保险机构实现保费收入29.70亿元，比上年增长10.3%，其中，财产险保费收入18.80亿元，同比增长6.1%；人身险保费收入10.90亿元，同比增长18.4%。全年保险公司赔付支出13.95亿元，比上年增长12.9%，其中，财产险赔付支出11.66亿元，同比增长8.8%；人身险赔付支出2.28亿元，同比增长40.0%。

【教育、科技、人才】2023年，全区有小学22所，初中9所，九年一贯制学校13所，普通高中5所，完全中学2所，职业高中1所，区教育“三中心”1所，成人学校10所，特殊教育学校1所，各级各类幼儿园70所，在校中小学生77781人，在园幼儿23446人。新增2所省一级幼儿园，辖区中心幼儿园全部创评为省一级园，省二级及以上优质园招生覆盖率达91.8%，公办幼儿园在园幼儿占比达72.2%。完成学校新改扩建项目9个，开工建设项目4个，各学段新增学位超4000个，随迁子女100%入读公办学校，镇海中学甬江校区完成首届招生；全区参加普通高考学生上线率连续4年保持100%，各类职业教育赛事中，获国家级奖项6项、省级奖项13项、市级奖项114项。

2023年，全区有效高企数突破670家、备案国家科技型中小企业601家、省科技型中小企业394家；规上工业企业研发投入104.19亿元；入选省创新能力百强8家、市研发投入百强23家；全年新增国家企业技术中心2家、省级重点企业研究院2家、省高新技术企业研究开发中心19家，入选省“315”重大工程项目2项；获批省“尖兵”“领雁”项目4项，获批市级重大科技攻关16项，获市级补助2640万元；促成科技成果转化项目48项，技术交易额103.8亿元；新增省级众创空间1家、市级孵化器2家，依托各类平台引进科技项目195个，其中高层次人才项目17个；获批市重点研发计划项目5项、自然基金项目13项、公益类项目5项；获省级科技进步奖1项、市级科技进步奖5项；全区共5个街道入选市创新能力30强；“社区科技志愿服务的探索与创新”入选“浙里科普”省级创新示范试点。

2023年，全区新增国家级人才计划入选者5人；获省西湖友谊奖2名、入选省领军型创新创业团队3项；新增（净增）各类人才2.6万人，新增技能人才1.3万余人、高技能人才7417人，累计完成各类培训4.06万余人次；新建省级及以上博士后工作站8家、市级院士工作站（科创中心）2家、市级博士工作站4家。截至年末，全区专业技术人员17.1万名，正高级及以上高层次人才519名，副高职称人员5463名，高技能人员7.7万名。

【文化、卫生、体育】2023年，全区新建省民生实事工程城市书房4个、文化驿站2个、乡村博物馆5个、建设“15分钟品质文化生活圈”49个；全年开展文艺演出、戏剧下乡、展览、培训、讲座等各类文化惠民活动878场，线上线下参与群众超830万余人次。大碶街道岩河社区荣获2023年全国“书香社区”称号，大碶街道入选浙江省第三批浙江文艺创作采风基地名单；大榭史前制盐遗址、张人亚衣冠冢被认定为第八批省级文物保护单位；梅山盐场旧址、16件可移动革命文物入选浙江省第二批革命文物名录；港口博物馆获2023年“浙江省最具创新力博物馆”“浙江省智慧景区”称号。

2023年，全区共有医疗卫生机构380家（其中停业13家医疗卫生机构），包括公共卫生机构4家、公立医疗机构66家、民营医疗机构214家、村卫生室96家；实有床位数3133张；据初步统计，共有卫生技术人员6164人，其中执业（助理）医师2541人，注册护士2524人。2023年，基层医疗卫生机构标准化率达100%，建设慢病一体化门诊3家、市基层四星级急诊室2家、三星级急诊室3家；规范化电子健康档案覆盖率83.2%；全区无甲类传染病报告，乙类传染病4393例，丙类传染病9004例，报告传染病死亡1例；落实新冠“乙类乙管”各项措施，开展监测预警10481人次，救治应急演练2次；接种各类疫苗26万余针次。

2023年，完成省民生实事工程项目13个，完成率100%；公共体育场地面积新增41万平方米，总面积达281万平方米，人均体育场地面积达到3.14平方米（按2023年常住人口计算）；高水平办好“奥资赛”，赛事实际投入产出比达到1∶8.6；全年共开展各级各类全民健身赛事活动730场，参与人数达到68万人次；全年开展全民健身大讲堂14期，“一人一技”体育技能公益培训160期，受益人群1.2万余人次；在宁波市第二届全民运动会（青少年部）比赛中，北仑共获得90枚金牌、252枚奖牌，团体总分1599.75分；北仑籍运动员在各类大赛中斩获世界冠军2项、亚洲冠军1项、全国冠军2项、省赛冠军10项，全年向上一级体校输送体育后备人才40名。

【生态环境、平安建设】2023年，北仑区再夺省治水“大禹鼎”金鼎；连续六年获得美丽浙江考核优秀；成功入选第三批省级减污降碳协同试点；3个项目入选生态环境部减污降碳协同增效典型案例，9个项目入选省级减污降碳协同标杆项目；完成106家企业挥发有机物治理，淘汰国三及以下标准柴油货车1799辆，全区空气质量优良率达92.8%，$PM_{2.5}$浓度22微克/立方米；累计完成198个入海排口排查整治，完成176家企业工业“污水零直排”排查整改，北仑表面处理中心建成全省首批“污水零直排”标杆园区；梅山湾建成全省首批滨海宜居型美丽海湾，12个区控以上断面水质优良率保持100%。

2023年，北仑区获浙江省委、省政府命名表彰“平安区”称号，11个街道获市“平安街道”称号，90个社区、152个村成功创建区级平安（村）社区。继续实施“平安北仑”创新综合保险，将保险风险管理和救助机制纳入社会治理；累计建成共享法庭173家，全年调解各类矛盾纠纷11181件，成功率为99.96%；印发《“除险保安”晾晒通报》125期，开展各类社会风险项目评估78件。

【居民生活、社会保障】2023年，全区居民人均可支配收入74642元，同比增长5.5%。按城乡划分，城镇居民人均可支配收入82322元，同比增长4.9%；农村居民人均可支配收入50622元，同比增长6.8%，城乡居民人均收入倍差为1.626，同比下降0.03。居民人均消费支出45580元，同比增长6.7%，按城乡划分，城镇居民人均生活消费支出49458元，同比增长5.7%；农村居民人均生活消费支出33451元，同比增长10.2%。

2023年，全区户籍人口已参加各类养老保险35.29万人，参保率达99.39%，职工基本养老保险参保约60万人，工伤保险参保58.86万人，城乡居民基本养老保险精准扶贫实现“三个100%”；城镇职工基本医疗保险参保人数59.49万人，城乡居民基本医疗保险人数18.34万人，户籍人口基本医疗保险参保率达99.76%，符合条件的困难群众资助参保率、医疗救助政策落实率均达100%；全年共化解6名困难群众高额医疗费用44.8万元，困难群众医疗费用综合保障率达90.79%；“天一甬宁保”参保率达50.2%，比上年度提升15.1%；全区定点护理服务机构27家，注册护理人员268名，全年累计待遇享受1487人，机构床日总数4.4万床日，居家护理时长12.5万小时，累计使用长期护理保险基金865万元。

2023年，全区在册城乡低保对象1786户、2357人；低保边缘对象199户、353人；特困人员175户、176人；困境儿童230名、社会散居孤儿7名、事实无人抚养儿童33名。全年累计发放低保金2898.0万元；特困人员支出供养金逾709.3万元；为1185人次困难群众实施临时救助约757.6万元；儿童福利累计支出395.5万元。至年末，全区共20家养老机构，其中公办养老机构12家、民办养老机构8家；机构床位数3009张，其中护理型床位数2201张；区域性居家养老服务中心13家，居家养老服务站276家，爱心食堂（助餐点）70家，城乡助餐覆盖率100%；新建专业化运营的5A级居家养老服务中心1家；共有家庭养老照护床位240张。

注：

1、本综述所列各项数据为统计快报数或初步核算数，部分数据因四舍五入原因，存在与分项合计不等的情况；

2、地区生产总值（GDP）、各产业增加值和农林牧渔业总产值增幅按可比价计算；

3、根据新的《三次产业划分规定》，从2015年起，公布的GDP数据中，第一产业不含农、林、牧、渔服务业，第二产业不含开采辅助活动和金属制品、机械和设备修理业，上述三个行业归入第三产业；

4、规模以上工业指年主营业务收入2000万元以上工业企业；

限额以上批发、零售、住宿、餐饮企业：

批发业，年主营业务收入2000万元及以上；

零售业，年主营业务收入500万元及以上；

住宿业，年主营业务收入200万元及以上；

餐饮业，年主营业务收入200万元及以上。

中共宁波市北仑区委员会
中共宁波经济技术开发区工作委员会

综　述

【概况】 2023年，北仑区委常委会、宁波开发区党工委团结带领全区上下牢记习近平总书记殷嘱托，深入贯彻党的二十大精神，创造性落实中央和省委、市委一系列重大决策部署，强力推进创新深化改革攻坚开放提升，深入实施三个“一号工程”，不断深化“六促六优”专项行动，攻坚克难求突破、勠力同心抓变革，推动经济社会各项事业顶压而上、逆势突围，以“双一流双示范”的建设成效有力服务大局、支撑全局，在特殊之年彰显了大区担当。

【学习教育】 坚持学原著、读原文、悟原理，区委理论学习中心组、区委常委会分别开展集体学习27次和59次。深入开展党的二十大精神“六学六增六提升”学习实践活动，深刻领悟中共中央总书记习近平考察浙江重要讲话精神以及对“八八战略”实施20周年、“千万工程”等重要指示精神的特殊意蕴和丰富内涵，召开区委九届四次全会，坚定不移推动“八八战略”持续走深走实。开展学习贯彻习近平新时代中国特色社会主义思想主题教育，推进“循迹溯源学思想促践行”活动，举办“溯源新思想·加快构建新发展格局”理论研讨会，打造《在北仑感知活力中国》展陈馆，深入挖掘习近平15次到北仑考察宝贵财富，精心打造10个市级“循迹溯源”示范点，狠抓政绩观、作风等专项问题检视整改，开展“联镇街入村社、走企业访群众”活动，联动解决群众及企业急难愁盼问题1940个。

【经济】 紧扣高质量发展主线，打好“扩投资、拓市场、促消费、强主体、防风险”组合拳，有效应对多周期叠加下纷繁复杂的发展形势，经济发展呈现稳中向上良好态势。深化功能片区产业发展规划研究，推进园区二次开发，促进产业协同集群发展，大榭化工园区跻身高质量发展化工园区全国前十，压铸模具产业集群获评国家中小企业特色产业集群，精细化工、新能源汽车及零部件、高端电子专用材料分别入选“浙江制造”省级特色产业集群核心区和协同区，夺得浙江省首批制造业领域最高荣誉“天工鼎”。坚持招商引资、稳商扩资并重，加快推进优质项目落地和总部企业集聚，新签约落地百亿元项目2个、50亿元项目6个、20亿元项目9个，实施稳商扩资项目113个。聚焦破解“大港小产”问题，开展港航服务业“百日攻坚”行动，新招引航运服务企业123家，完成营收212亿元，港口附加值持续攀升。实施“四上”行动，推进优质中小企业梯度培育，获评省级制造业领航企业评定培育试点，8家高新企业入选省创新能力百强，新增国家级专精特新“小巨人”企业9家、上市过会企业3家。

【民生】 推进共同富裕基本单元试点，城乡收入倍差降至新低。开展重点人群就业帮扶2万人次，零就业家庭保持动态清零。新筹建保障性租赁住房6428套。实现长期护理保险参保全覆盖，户籍人口养老和基本医疗保险参保率分别达99.3%、99.6%，低保标准提高至每月1255元。做好东西部协作、山海协作、对口支援工作。推进镇海中学甬江校区、人亚学校、临港经济示范区配套学校等项目，通过全国义务教育优质均衡发展区实地评估。医疗中心、人民医院感染楼等项目加快建设，基层医疗卫生机构标准化率达100%。“老有康养”工作居全省第4、“学有优教”全省第5，通过省普惠托育试点验收，获评“儿童友好协同创新区”，儿童友好城市建设经验获全国推广。擦亮“海丝”“港口”“中国女排主场”“党章守护地”等城市文化标识，出台《北仑打造文化强区“1485”行动方案》，打造“15分钟品质文化生活圈”49个。举办女排奥运资格赛，全方位展现了“潮涌东方看北仑”的城市文化形象。常态化推进文明城市创建，开展北仑好人评选，21人获省、市好人、道德模范等荣誉，开展各类文明实践活动1万余场次。

【民主法治】 坚持党的领导、人民当家作主、依法治国有机统一，支持区人大及其常委会依法履职，不断丰富和发展全过程人民民主的“北仑实践”，“代表微网回音格”获市人大创新最高奖。坚持党的领导、统一战线、协商民主有机结合，支持区政协充分发挥专门协商机构作用，开展“平台品质提升年、履职能力提升年”活动，“请你来协商”、委员工作室、“民生议事堂”履职平台的品牌辨识度不断彰显。完善大统战工作格局，支持引导各民主党派、无党派人士参政履职，落实宗教工作主体责任，深化“同心共富”“同心同廉”行动。坚持依法治区，推进“大综合一体化”行政执法改革，深化诉源治理、诉调衔接，提升区法院、区检察院履职质效。国防动员新体制高效运行，军民共建、退役军人事务、民兵后备力量建设等工作取得新进展。扎实做好党的群团工作，共青团、文联、红十字会等顺利完成换届，党联系群众的桥梁和纽带更加牢固。

【党的建设】 落实新时代党的建设总要求，坚定不移推进全面从严治党。深化“知事识人”体系建设，开展选人用人突出问题专项治理，全面重塑干部考核考察机制，完善公务员职级晋升原则，9名干部获评省、市担当作为好干部。制定年轻干部队伍建设实施意见，新增17名“85后”区管干部，“90后”区管副职实现零的突破。推进宁波开发区事业机构二次融合、国有企业改革。实施“红色根脉强基工程”，深化农村基层固本强基行动，11人获评省、市担当作为好支书，2人获评省社区工作领军人才。推进现代社区建设，实现工业社区全域覆盖、超大社区基本“清零”，工业社区治理服务经验入选全省“八八战略”最佳实践案例和省共富最佳实践案例，大碶街道及11个村社获评省级“红色根脉”强基示范街道和示范村社，3个社区创成省级现代社区。坚持以严的基调正风肃纪反腐，开展征地拆迁、招投标、国企等重点领域专项治理，全年查处“四风”问题36起58人，查处群众身边腐败和作风问题48起52人，党纪政务处分152人，移送司法机关13人。推动以案促改促治，完善制度机制15项。省委巡视反馈问题全部高质量销号，完成两轮常规巡察及市区上下联动巡察3个提级管理街道及下辖村（社区），移交问题线索15件。全年澄清正名14人，打击诬告陷害1人，容错免责、减责10人。

重要会议

【区委常委会宁波开发区党工委会议】 于3月3日召开。会议传达学习贯彻中共中央总书记习近平重要讲话精神、全国和省、市重要会议精神，研究部署北仑区贯彻落实意见。市委常委、区委书记、宁波开发区党工委书记潘银浩主持会议。会议强调，要认真学习贯彻习近平在学习贯彻党的二十大精神研讨班开班式上的重要讲话精神，切实把思想和行动统一到习近平新时代中国特色社会主义思想上来，把力量凝聚到实现党的二十大确定的目标任务上来。要奋力推进“双一流双示范”建设，确保新时代新征程北仑现代化建设开好局起好步。要全力拼经济、全面提效能、全员抓落实，调动各方力量、整合各方资源，抢抓机遇、加压奋进，确保一季度实现“开门红”“开门好”。会议审议《2022年全区党风廉政建设、政治生态建设状况及主体责任检查、“五张责任清单”评估情况报告》和《2023年北仑区（开发区）党风廉政建设和反腐败工作组织领导与责任分工》。会议听取了其他工作汇报。

【国有企业整合提升改革工作会议】 于3月31日召开。区委副书记、区长、开发区管委会副主任、党工委副书记王程出席会议并讲话，区委副书记、政法委书记方飞龙主持会议。会上，区委常委、常务副区长屠斌斌对全区国有企业整合提升工作进行了部署。区委常委、组织部部长周成钢通报了国有企业筹备组和临时党委情况。会议对整合组建的六大产业集团进行了授牌。国资中心、生态湿地建管办、新碶街道等5家单位作表态发言。王程强调，要坚持历史维度，找准坐标方位，在认识层面凝聚起深化国企改革的强大共识，同心同向把国企改革推向深入；要坚持问题导向，补齐发展短板，在实施层面落实好深化国企改革的各项任务，着力解决区块之间、企业之间融合发展不到位的问题，着力解决国有企业发展质量还不够优的问题，着力解决区属国企监管机制还不够完善的问题，积极主动深化改革，依靠改革应对变局、开拓新局；要加强组织领导，明确责任分工，在组织层面构筑起深化国企改革的坚强保障，进一步强化组织领导、协调配合、上下联动、纪律保障，依法依规、合心合力推进实施，确保各项改革任务顺利完成。区委、区人大、区政协相关领导，区政府、开发区党工委管委会领导班子成员，北仑区、开发区有关职能部门（单位）及驻区垂直管理有关单位主要负责人，各街道办事处主任等参加会议。

【北仑区（宁波开发区）自贸试验区建设领导小组会议】 于4月27日召开。市委常委、区委书记、宁波开发区党工委书记潘银浩强调，要真抓实干、勇于创新，把自贸试验区宁波片区建设成为新时代改革开放的新高地。区委副书记、区长王程传达省、市有关会议精神。自贸区综合协调局、自贸区政策法规局、北仑海关、开发区金融创新局分别作汇报。

【全面深化改革委员会第三次全体（扩大）会议暨优化营商环境工作会议】 于5月19日召开。市委常委、区委书记、宁波开发区党工委书记、区委全面深化改革委员会主任潘银浩主持会议。会议传达学习二十届中央全面深化改革委员会第一次会议主要精神；听取了区委改革办关于2022年北仑区改革工作情况，2023年改革攻坚先行示范实施意见的起草情况；审议了《关于强力推进改革攻坚先行示范实施意见》和《中共宁波市北仑区委全面深化改革委员会2022年工作总结报告》。潘银浩强调，要深入学习贯彻党中央和省、市关于全面深化改革的各项决策部署，按照全省营商环境优化提升“一号改革工程”大会部署要求，用足用好“改革”这一最得力、最有效工具，持续打造更优营商环境，推动北仑经济社会再创新优势、奠定新胜势。区政务办、区检察院、区市场监管局、小港街道等4家单位就改革工作典型经验和下一步工作打算作交流发言。

【学习贯彻习近平新时代中国特色社会主义思想主题教育专题党课暨激励干部担当作为大会】 于7月3日召开。会议贯彻落实省委、市委大会精神，深入学习习近平新时代中国特色社会主义思想，以及习近平对“八八战略”实施20周年、“千万工程”和“浦江经验”一系列重要批示指示精神，激励广大党员干部切实做到以学铸魂、以学增智、以学正风、以学促干，并转化为感恩奋进、实干争先、再建新功的高度自觉，共同为全区经济社会高质量发展支撑助力。市委常委、区委书记、宁波开发区党工委书记潘银浩围绕“锤炼忠诚品格、干出担当合力、勇建时代新功，在践行伟大思想、深化‘八八战略’新征程中打头阵当先锋做表率”讲授专题党课。会议通报了省、市担当作为好干部、好支书，“红色根脉”强基示范街道、示范村（社区）名单；6名先进代表分别作交流发言和书面发言。

【区委常委会宁波开发区党工委会议】 于7月14日召开。市委常委、区委书记、宁波开发区党工委书记潘银浩主持会议。会议传达学习贯彻省委十五届三次全体（扩大）会议、市委十四届四次全体（扩大）会议精神；听取关于区委九届四次全会报告稿和决议稿起草情况的汇报；听取关于北仑区近期安全生产工作的汇报；审议《关于高质量做好2023年全面推进乡村振兴重点工作的实施意见》《北仑区“千万工程”再深化和美共富新启航三年行动实施方案》。会议还研究了其他事项。

【区委全面依法治区委员会第二次（扩大）会议】 于8月3日召开。区委副书记、区长、区委全面依法治区委员会副主任王程主持会议，研究部署全区法治建设重点工作。王程强调，要深入学习宣传习近平法治思想，以高度的责任感和使命感，大力弘扬法治精神，持续丰富法治实践，不断开创法治北仑建设新局面。

会上，区委副书记方飞龙通报了2022年法治北仑建设情况；依法治区委员会成员讨论审议了《2023年法治北仑建设工作要点》和《2023年法治宁波建设考核责任分解表》；相关代表就履行法治建设第一责任人情况进行述职。会议传达学习了中共中央总书记习近平对防汛救灾工作作出的重要指示精神和省委、市委常委会会议有关精神，安排部署全区防汛防台重点工作任务。

【全区生态环境保护大会暨美丽北仑建设推进大会】 于9月8日召开。会议深入学习领悟习近平生态文明思想，贯彻落实全国全省全市生态环境保护大会精神，研究部署生态环境保护和美丽北仑建设工作。市委常委、区委书记、宁波开发区党工委书记潘银浩在会上强调，要深刻把握习近平生态文明思想的科学性、真理性、时代性和实践性，进一步增强生态环境保护的战略定力，动员全区上下争当人与自然和谐共生的中国式现代化港城示范，为建设美丽中国作出更大北仑贡献，奋力谱写新时代生态文明建设新篇章。会上播放了美丽北仑建设专题片；市生态环境局北仑分局、区发改局、区农业农村局分别汇报2023年相关工作推进情况和下一步工作计划，柴桥街道、大港开发公司作交流发言。会议还对亚运安保工作作了部署，要求紧紧围绕“简约、安全、精彩”的要求，坚决交出平安护航亚运的高分答卷。

【全区领导干部会议】 于9月26日召开。会议专题传达学习中共中央总书记习近平考察浙江重要讲话精神，号召全区上下把总书记的亲切关怀转化为感恩奋进、接续奋斗的高度自觉，把谆谆教诲转化为攻坚克难、再谱新篇的强大动力，以忠诚之心、感恩之心沿着总书记指引的方向奋勇前进，不断谱写中国式现代化建设新篇章。市委常委、区委书记、宁波开发区党工委书记潘银浩主持并讲话。

会议强调，习近平考察浙江重要讲话，统揽全局、指航定向，言近旨远、语重心长，为谱写中国式现代化浙江新篇章指明了前进方向、提供了根本遵循。要深刻领会习近平重要讲话的精神实质，与党的二十大精神和习近平对浙江、对宁波、对北仑工作一系列重要指示、批示精神一体学习领会、整体贯彻落实，把绝对忠诚、紧跟追随的方向把得更准，勇挑大梁、勇立潮头的使命扛得更牢，探路先行、实干争先的步伐迈得更大，确保习近平总书记重要讲话精神在北仑落地生根、开花结果。要在高质量创新上敢为善为、争当标杆。聚力科创提能、产业提质、发展提速，确保各项经济指标持续向好、经济大盘稳中有进。要在高能级开放上敢为善为、争当标杆。做强港口枢纽、做大内外贸易、做优制度创新，切实把开发开放优势转化为领跑未来的整体胜势。要在高品质共富上敢为善为、争当标杆。全力缩小“三大差距”、扩大服务供给、打造文化高地，在共富赛道上跑在前、作示范。要在高效能治理上敢为善为、争当标杆。深化基层治理创新、优化全面平安机制、强化城乡空间治理，以高效能治理助力高质量发展。要在高水平党建上敢为善为、争当标杆。抓实“严”的基调、抓牢“好”的标准、抓出“实”的成果，深入推进新时代党的建设新的伟大工程。

【区委九届五次全体（扩大）会议】 于11月16日举行。区委常委会主持会议。市委常委、区委书记、宁波开发区党工委书记潘银浩代表区委常委会作报告。区委副书记王程、方飞龙出席，市委主题教育第三巡回督导组副组长葛瑞康到会指导。会议审议通过《中共宁波市北仑区委关于深入学习贯彻习近平总书记考察浙江重要讲话精神在勇当先行者谱写新篇章征程中争一流作示范的决定》，动员全区上下感恩奋进、踔厉奋发、矢志奋斗，持续推动“八八战略”走深走实，在“勇当先行者、谱写新篇章”征程中争一流作示范，为推进共同富裕和中国式现代化建设贡献更大北仑力量。全会号召，全区党员干部要更加紧密地团结在以习近平同志为核心的党中央周围，坚定不移沿着总书记指引的道路阔步前行，以“争一流作示范”的北仑担当，为省、市发展大局作出新的贡献。

重要决策

【国企改革】 2023年，北仑区通过无偿划转、资产转让、公司分立、吸收合并、清理盘活等途径，推动产业相近、行业相关、主业相同的区属国企和国有资本合并，组建设立了国有资本运营公司和城投、交投、工投、服务业、商贸物流和农投六大产业集团，形成了1+6的整体发展格局，编制形成《北仑区国有资本布局与结构调整发展规划》。区直属国企从15家缩减至7家，二级企业从160余家缩减至54家。区国资运营公司和各产业集团按照《中华人民共和国公司法》要求，建立健全党组织、董事会、监事会—经营、执行层（内设事业部）—全资子公司、参控股企业、基金公司的治理结构和管理架构，实施董事会向出资人报告制度。产业集团内部设置综合事务部（行政、党群、人事）、计划财务部、法务审计部及事业（业务）部门，以“3+X”的管理架构，推行事权上移和大部制管理。在区委综合考核办法的基础上，结合区属国企职责定位和发展实际，明确考核指标体系、主要方式和结果运用，逐步加大收入、利润总额等关键性经营指标的考核权重，形成效益决定、效能调节、人工成本刹车、人均水平调控的工资总额决定机制。通过专家咨询、区外比对、走访调研等方式，制定统一的产业集团工资管理制度模板，科学设置17个职级、12个档位，指导各集团结合职工原公司层级、个人收入及职级职务、现有岗位的实际情况，对企业职工进行首次定级靠档，并确定集团工资总额，为企业职工跨集团交流提供了制度基础。出台《区属企业中层管理人员队伍建设的指导意见》，明确中层管理人员任职年龄、人员比例、任用程序和资格条件等。加强中层管理人员专业化培养，力争中层人员中拥有高级职称或注册资格的达到45%以上，40岁以下的中层人员常态保持在20%以上，各产业集团预留年轻化、专业化的人才培养空间。修订《区属企业人员管理办法》，明确一般职员在招聘、录用、调动等方面，建立与市场相适应的人员管理规则。

【学习贯彻习近平新时代中国特色社会主义思想主题教育】 9月，全区学习贯彻习近平新时代中国特色社会主义思想主题教育启动。参加第二批主题教育的单位共94个，其中区级机关（部门）74个、区属国有企业7个、垂直单位2个、街道11个，共涉及省管市管干部44名、区管干部942名和党员45414名。区委、宁波开发区党工委严格落实“学思想、强党性、重实践、建新功”总要求，高质量推进理论学习、调查研究、推动发展、检视整改、建章立制各项举措，基本实现了5个“走在前、当标杆”目标。

组织工作

【概况】 2023年，北仑区委有常委11名、委员52名、候补委员10名；下设11个派出党工委、132个基层党委、65个党组、128个党总支、1997个党支部。全区有党员39627名，其中女党员14803名，占37.4%；35岁以下党员13769名，占34.7%，50岁以上党员13397名，占33.8%。全年新发展党员426名，其中高中以上文化程度占95.3%。北仑区、宁波开发区共有区管领导干部926名，其中女性领导干部188名，党外干部33名；街道区管领导干部202名。区直单位领导班子平均年龄为48.6岁，街道领导班子平均年龄44.55岁。

坚持理论学习、调查研究、推动发展、检视整改、建章立制等有机融合、一体推进，高标准、高质量开展第二批主题教育。先后举办2期区委、宁波开发区党工委主题教育读书班，分3期完成942名区管（部管）干部专题轮训。抓实流动党员主题教育，组建54个集卡司机云网格，推动247名集卡司机流动党员就近开展主题教育，“车轮上的党支部”经验做法被主题教育省委第二巡回督导组批示肯定。挖掘中共中央总书记习近平15次到北仑考察宝贵财富，灵峰工业社区、张人亚党章学堂获评浙江省学习贯彻习近平新时代中国特色社会主义思想现场教学示范点，臻至机械等10个点位入选市级“循迹溯源”示范点。设计5条经典线路，汇编形成“一图一表一册一码”学习菜单，累计接待区内外1.8万余人次党员现场受训。柴桥街道作为全市唯一代表在全省新时代党员队伍建设工作推进会上作典型发言。针对作风建设、民生补短等4个领域问题开展专项整治，检视反馈76个区直部门作风建设问题19797条次，集中交办“厂中厂”安全隐患排查、出租房管理不规范等民生问题16个。建立“检视一批、交办一批、整改一批、回头看一批”的“四个一批”机制，召开4次问题交办会、工作调度会，交替盘点、压茬推进，相关做法被央广网等国家级媒体报道。

在全市率先完成开发园区机构整合工作的基础上，稳妥推进开发区事业机构二次融合，厘清开发区事业机构职责，推动开发区事业机构从24家精简为14家，实现撤销单位相关行政辅助和社会事务职责的有序承接。紧扣事业发展，统筹用好各年龄段干部，修订公务员职级晋升操作办法，推动领导班子结构功能“双优”。牵头组建编办、人社等部门共同参与的工作专班，逐一分析涉改机构、拟转隶人员情况特点、专业特长等，实现178名干部精准匹配、平稳转隶。选派5名岗位适应快、懂经济、懂招商的原区块干部、15名新招录干部至区块经济发展中心，优化干部队伍结构。全面推进国企整合提升工作，进一步理顺区属企业领导人员管理体制机制，全面完成六大产业集团领导班子配备，选优配强41名领导干部。聚焦两区融合后干部实际需求，推出“知行夜讲堂”，全年制作播放12期，由各部门“一把手”就自贸区建设、数字经济、港航服务业等主题进行授课，不断提升干部变革塑造能力。开展两区挂职、实训锻炼干部人选集中排摸，汇总梳理选派借用干部424人，推荐上报挂职实训储备人选27人，新选派到市以上平台历练干部16人。深化“百名干部战一线、千日攻坚创一流”专项行动，先后抽调158人参与滨江新城、凤凰城、亚运会火炬传递等重点项目和重点任务。

推进年轻干部储能培育工程，推动年轻干部加速成长。坚持源头储备与专业需求相结合。深度挖掘编制存量，2024年公务员计划编报，面向社会统一招考推出82个公务员（参公人员）岗位和7个选调生岗位，实现招录数量近20年“规模最大”、数字经济等紧缺专业需求比例达“历年最高”、区直机关实现行政人员招录“数量最多”的“三个突破”。聚焦专业化力量储备，优化公务员“一本账”管理，围绕数字经济、自贸区建设等重点，建立全区“紧缺专业更新目录册”和各单位紧缺人才“供需匹配动态图”，形成公务员源头优选管理“数据链”。坚持梯队建设与结构配备相结合。制定出台《关于加强年轻干部队伍建设的实施意见（2023—2027）》，进一步明确年轻干部队伍建设的总体目标和主要举措，推动形成“一盘棋”工作格局。开展新一轮科及科以下干部制度性交流，择优交流43名干部，其中“85后”27名、“90后”13名。开展年轻干部实绩亮晒、综合比选，“一人一表”落实“立体画像”，分级分类储备一批优秀年轻干部。至年底，全区“85后”区管干部46名，较上年底新增17名，其中新增配备“90后”区管副职2名，实现零的突破。坚持全员训练与分类精练相结合。创设全区机关青年工作联席会议制度，组建51个学习小组，975名年轻干部常态参与理论学习、党性锤炼，提升年轻干部政治素养。深化落实成长帮带“青蓝工程”，探索建立“1+4”选调生奋楫计划，拓展实训活动形式，开展与北大暑期政务实习学生合办读书会等活动7期，锻炼培养选调生独当一面能力。年轻干部参与编写的《锚定“开放提升”新航向、打造“地瓜经济”升级版——以北仑区“地瓜经济”实践探索为例》入选首批省委组织部“三个一号工程”案例集。

加快引育海内外高层次人才和青年人才，助力北仑获得浙江省“科技创新鼎”。牵头组织申报市级及以上人才项目460个，同比增长41.1%。全年新入选省“鲲鹏行动”计划企业创新顶尖人才1人；入选国家级引才计划26人，同比翻番；入选国家级重点人才培养工程1人。举办谷雨人才日“智荟港城 无与仑比”国际英才产智对接会、第三届“硬核杯”国际英才创业创新大赛等活动，吸引集聚海内外高层次人才超百名。完成两批次集成电路产业专项人才评价遴选，新认定产业人才18名。成立宁波英国约克郡海外创新孵化中心和宁波新加坡海智创新孵化中心。常态化开展党政领导联系服务专家活动，落实重点人才工作推进例会制度。完善“财政+金融”高层次人才项目支持体系，累计投资青年项目4个，计2800万元。举办“仑才荟聚”高层次人才联谊活动4场，促进人才互动交流。建立企业人才纾困解难的服务机制，累计联系服务人才企业115家次，帮助高层次人才解决疑难问题25个。

【2023年新入职公务员、选调生集体谈话暨“初心之旅”活动】 于8月22日举行。活动以集中谈话、实地考察学习等形式，帮助新入职公务员、选调生尽快转变工作角色，快速融入工作环境。区委组织部相关负责人与50余名新入职公务员、选调生开展了集中谈话，详细介绍北仑开发建设、年轻干部培养等情况，并从“六缺六不缺”和“四个讲”方面提出期望和要求，同时，勉励大家要以“咬定青山不要松”的韧劲和“功成不必在我、功成必定有我”的胸襟，多做一些打基础、利长远的事，在奋力推进“双一流双示范”建设中贡献一份力量。随后，新入职公务员、选调生沿着总书记之行、答总书记之问“初心之旅”，实地参观了张人亚党章学堂、北仑开发开放展览馆、灵峰工业园区，深度了解北仑历史沿革、发展历程、前景展望，激励新入职公务员、选调生明志笃行、苦练内功，积极投身全区高质量发展新赛道。

【学习贯彻习近平新时代中国特色社会主义思想主题教育读书班】 于9月14日开班。市委常委、区委书记、宁波开发区党工委书记潘银浩作开班动员讲话。他强调，要深入学习贯彻中共中央总书记习近平关于开展主题教育的重要讲话精神，在把稳信仰之舵、淬炼思想之魂、锻强实干之力、鼓足担当之气上更进一步，紧扣扛起“双一流双示范”建设的使命任务，推进主题教育走深走实见行见效，凝聚起真抓实干奋发进取的磅礴力量。市委第三巡回督导组成员，区五套班子领导和区人民法院院长、区人民检察院检察长参加开班式。开班式上，复旦大学哲学博士、二级教授、中共浙江省委党校（浙江行政学院）原副校长陈立旭作题为《学习习近平新时代中国特色社会主义思想》的专题辅导报告。

【“房东联盟”】 2023年，为加强全区6119名流动党员管理和服务，区委组织部坚持“一体管理、一同服务、一并作用”理念，结合网格化治理和流动党员居住范围，在外来人员集聚的村（社区）成立由党员房东组成的“房东联盟”，构建（村、社区）党支部—片（网格）—组（微网格）—户（党员房东）四层党建网格，把“房东联盟”作为微网格的神经末梢动员起来，引导流动党员发挥示范带动作用，积极动员他们参加交通执勤、文明劝导、纠纷调解等治理工作；成立流动党员志愿服务队，帮助新老村民解决生产生活难题；通过“敲门”服务，向独居老人等弱势群体上门送陪伴照顾服务；开展定期安全巡防行动，打造整洁有序规范安全的街面。

【“张人亚的力量密码与伟大建党精神”专题研讨会】 12月1日，由人民日报海外版新媒体“学习小组”与北仑区委、宁波开发区党工委学习贯彻习近平新时代中国特色社会主义思想主题教育领导小组办公室共同主办的“张人亚的力量密码与伟大建党精神”专题研讨会在张人亚党章学堂举行。中共中央党校（国家行政学院）教授罗平汉、中国浦东干部学院教授沈斐、复旦大学特聘教授杨德山、中共一大纪念馆原副馆长徐云根、市委党史研究室副主任刘士岭等党史专家、理论学者齐聚一堂，共同研讨张人亚事迹的时代价值和伟大建党精神的丰富内涵，并与在场青年干部进行热烈的交流互动。研讨会前，学习小组“云课堂”送党课下基层，邀请罗平汉和沈斐两位教授为当地200多名青年干部讲授党课。张人亚党章学堂作为浙江省首批学习贯彻习近平新时代中国特色社会主义思想现场教学示范点也在同日揭牌。

【知行夜讲堂】 2023年，北仑区推出“知行夜讲堂”，通过覆盖全面的组织体系，成为各级党员干部以学促干、知行合一的创新平台。“知行夜讲堂”在每月隔周的周二晚上举行，选题方向紧扣大局，围绕北仑区委“六促六优”等中心工作，强化实战实效，突出痛点难点，以指标解读、案例分享、实战复盘等方式，面向全区机关企事业单位及乡镇（街道）干部授课，不断提升干部塑造变革的能力。全域国土空间综合整治、数字经济、自贸区开放提升等一批事关重大的前沿课题被纳入讲堂选题视野。

（撰稿人：童康睿）

宣传思想工作

【概况】 2023年，北仑区委宣传工作围绕学习贯彻习近平新时代中国特色社会主义思想主题教育及“八八战略”实施20周年主题主线，学习宣传贯彻习近平新时代中国特色社会主义思想和省、市、区委的相关部署要求，突出区委、宁波开发区党工委理论中心组以深入学习贯彻中共中央总书记习近平考察浙江重要讲话精神等专题报告会、交流研讨等形式开展27次，其中研讨12次。抓好各党委（党组）理论中心组集中学习。完成15家区直单位和11个街道的基层理论学习中心组巡听旁听。举办“溯源新思想·加快构建新发展格局”理论研讨会。灵峰工业社区争创成为浙江省习近平新时代中国特色社会主义思想研究中心第二批调研基地。打造“在北仑感知活力中国——北仑在‘八八战略’引领下的精彩蝶变”展陈馆。围绕“八八战略”实施20周年主题在全区组织开展“我家二十年‘八八战略’在身边”专题宣讲活动5000余场，辐射听众超20万人。推动“一域一品”宣讲品牌项目建设，形成了聚焦公园商圈为主“新栋潮声”品牌、以聚焦红色故事为主的大碶街道“红色故事宣讲联盟”、以区慈善总会为引领的“慈善宣讲团”及以退伍军人为主体的“老兵宣讲团”等品牌10余个。组建起全区“后浪·潮涌”青年理论宣讲骨干团队，承办浙江省“‘八八战略’在身边”宣讲大赛暨第十四届微党课大赛决赛，区青年宣讲员曹炜在决赛中获一等奖，冯钧嶂在省里进行宣讲展示。创新开展基层青年理论宣讲“理论背包客”活动10余场，相关活动受到中青报、潮新闻、甬派等各级媒体关注报道。

迭代《及时报告媒体采访信息》管理办法，组建“六促六优”工作专班，实行周专班会商办结制度，2023年，中央级报道913条、省级主流媒体报道368条，其中，《畅通双循环 加快构建新发展格局》《创新引领 塑造发展新优势》等11条新闻被央视一套《新闻联播》录用，《跨越35年的通信》被《人民日报》整版刊发。亚运火炬宁波站传递活动当日央视《新闻联播》《新闻直播间》等栏目共播发相关新闻25条次。新华社播发《亚运“薪火”宁波“扬帆”》等7篇报道，创国内外各语种单日播发北仑稿件之最。以平战结合催生传播蝶变效应，联动北仑发布、仑传App等新媒体矩阵推出爆款产品，先后推出“四川大哥”跳河救人不留名、“休假兵哥哥救人”等短视频，全网阅读量超1000万人次，“北仑发布”“仑传”等新媒体平台牢牢占据主流舆论场。把握亚运火炬宁波站传递、女排奥运资格赛等热点，强势推出“女排娘家人”系列宣传。抓住重要事件“窗口期”，“这里是宁波北仑”之《北仑“国宝”讲述港城逐“绿”之路》，《宁波日报》头版《宁波递上又一张“最美名片”》等被中央、省、市主流媒体先后刊发和转载。新华社国内动态清样《宁波探索利用民间资源助力内外宣工作》关于北仑区“外贸+外宣”政企联动“出海”做法，受到省委常委、市委书记彭佳学等市委领导的批示肯定。打造“1+N”海外传播格局，丹尼尔系列视频全网点击率超过千万，荣获全国性多个奖项，成为“中国好故事”网络国际传播精品案例。

出台《北仑区加快数字文化产业发展的实施意见》，培育新型文化业态和文化消费模式；出台《北仑区文化产业园区管理考核办法》，推动文化产业园区提档升级，创建市级文化园区1个。加大文化产业项目招商力度，继续跟进产业基金招商工作，借力保利文化项目资源，加快推动区内文化产业协同及文化产业落地。出台《北仑区文艺人才培养扶持办法》，加大对重点项目、重大题材扶持力度。以纪念周大风100周年诞辰为契机，打造《采茶舞曲》全息水幕光影秀，举办“大风音乐节”，推出《采茶舞曲》联名茶等系列纪念文创。加强红色文艺精品打造，做好电影《力量密码》宣发，通过系列推广活动，挖掘其中的文化附加值，守护和传承人亚精神。瞄准全国、省、市“五个一工程”奖，组织召开《铸就》纪录片审稿会，邀请省、市专家修改、打磨纪录片《铸就》。以重大节日为契机，举办融入时尚潮流、山野美景、传统文化等丰富元素的文化市集和音乐节，让群众性文化活动有人气、接地气。立足增强观众体验，集结文艺调演、非遗展示、精品展览等文化形式，打造青年文化节等精品文化活动，策划“珠还合浦 历劫重光——《永乐大典》的回归和再造”“丝路遐想”“浙江与海上丝绸之路”等精品展览，举办“我在文化馆拍电影”“图书馆里过中秋”等专题文化活动。立足深化全民阅读活动，组织开展“阅读添书香 绿色心中留”北仑区第二届小小书香大使评选活动、“绿书签·悦读越美”朗读大赛、图书巡展等活动。

持续擦亮“爱心北仑·尚德港城”品牌，开展北仑好人评选，21人获省、市好人、道德模范等荣誉。开展“扣好人生第一粒扣子”“新时代好少年”等主题教育实践，放大53名区级以上“新时代好少年”评选效应，组织开展巡回宣讲12场。开展“我们的节日·精神的家园”主题活动，全民龙舟联赛、“薪火艺蕴 山海情”中秋晚会等深入人心。健全完善文明单位、家庭、校园、村动态管理机制，完成4所省级文明校园、107家市级及以上文明单位和17家省级文明村的申报、复评工作，评选区级“最美村庄”17个。发挥区新时代文明实践中心示范引领功能，常态化开展学习实践科学理论、宣传宣讲党的政策等五类文明实践活动，累计开展活动10400场次，覆盖群众60万人次。探索建立新时代文明实践所市场化、社会化运营模式，推动区新时代文明实践中心、新碶街道文明实践所、霞浦街道新浦社区文明实践站等7个阵地常态长效发挥作用。开展“随手做志愿”全民志愿行，WE志愿平台累计注册人数16.47万人、组织数1644个，开展活动5144场、参与服务11.4万人次，3个志愿服务项目分别获市志愿服务大赛银、铜奖。常态化开展7个周边整改提升、“最干净小区、最美楼道”评选、最美村庄评选、“最美上学路”建设等专项活动，出台“最美网格员”评选激励政策推动日常巡查问题、群众随手拍，问题整改率99.97%。用好“甬文明”平台，开展迎亚运城市文明大提升行动，以城市主干道、商业综合体等48个重点点位为平台，采取悬挂红旗、张贴宣传海报、发放亚运吉祥物等形式，开展立体化矩阵式宣传，举办迎亚运主题活动331场次。

审议通过《关于加强新时代宁波市北仑区网络法治工作的实施细则》《宁波市北仑区重点互联网企业党的建设和重大情况报告规定（试行）》等规范性文件。注重常态化锤炼队伍，举办2023年度北仑区落实工作责任制暨新闻（网络）发言人培训班，全区各单位100余名新闻（网络）发言人参加培训。着力破解“自媒体”乱象、网络水军操纵信息内容、重点流量环节网络传播秩序、优化营商环境等9个方面难点，先后约谈网络安全、网络生态、传播秩序及个人信息保护等领域问题相关主体45家，责令整改企业85次，开展网站违法违规信息清理等专项行动35次，受理办结各类举报件38件，协调关停被盗用后从事赌博色情等违法行为的网站并注销ICP备案4起。举行“护网2023”网络安全攻防演习，落实整改网络安全隐患31个、安全漏洞224个。对全区40余家上市企业、国企及其下属企业开展网络安全检查，累计整改5000余个中危及以上漏洞。全年快速处置省、市网信部门下发的风险漏洞预警通报165起，及时处置一般网络安全事件7起。累计拦截攻击19133次，封禁攻击IP130个，全年未发生重大网络安全事件。

【“溯源新思想·加快构建新发展格局”理论研讨会】 于6月4日在北仑举行。多位专家认为，北仑是作出构建新发展格局战略决策的重要萌发地，并就北仑把握新发展阶段、贯彻新发展理念、构建新发展格局进行理论溯源、实践分析，提出了自己的意见建议。研讨会上，中共浙江省委党校经济学教研部主任、教授王祖强，中共宁波市委党校校务委员会委员、教育长、教授钟春洋，长三角城市经济协调委员会专家委员、宁波市政府决策咨询委员会专家委员、教授陈飞龙，中国发展出版社总编辑、国研智库董事长、国务院发展研究中心研究员梁仰椿，分别代表有关单位和机构，发布了《构建新发展格局重大战略决策在北仑的萌发和实践》《“八八战略”在宁波的实践》《中小企业发展的“北仑路径”：历程、特征与展望》、中国（浙江）自由贸易试验区宁波片区三年实践创新等课题成果。浙江大学公共管理学院与北仑区政府签约，挂牌成立浙江大学公共管理学院营商环境北仑研究基地，将引入国内高端智库对北仑优化营商环境进行把脉问诊开方，以教研结合的形式促进北仑经济发展、营商环境优化。

【“潮涌东方看北仑 喜迎亚运嘉年华”系列活动】 于9月12日启动。仪式现场举办了“迎亚运 打卡‘精特亮’新地标”欢乐跑活动，250余名跑步爱好者参加。本次欢乐跑以中国港口博物馆为起点，梅山红桥为终点。沿途可打卡中国港口博物馆、梅山湾沙滩公园、梅山湾大坝、梅山湾慢行系统游步道等北仑“最美火炬传递线”精品点位，欣赏“纱船、大鼓、造跌”等非遗文化节目表演。本次“潮涌东方看北仑 喜迎亚运嘉年华”系列活动分为“喜迎亚运·畅秀北仑”“喜迎亚运·畅玩北仑”“喜迎亚运·畅享北仑”三方面，包含“潮涌东方 相约红桥”无人机表演、亚运主题城市灯光秀等63项主题活动。“文旅体商”共同发力、互相赋能，打响富有港城辨识度的文化、旅体、消费品牌。该系列活动持续至10月底。

【“潮涌东方迎亚运 滨海北仑传薪火”大型融媒主题宣传】 2023年，北仑区开展“潮涌东方迎亚运 滨海北仑传薪火”大型融媒主题宣传活动。区委宣传部全体干部实地踏勘火炬传递线路，协调媒体采访线路及现场转运方案，先后3次开展全流程、满负荷、全要素、高强度实战演练，坚决保障火炬传递新闻宣传工作有序顺畅安全精彩。精心策划开展亚运会火炬传递新闻宣传，组织《人民日报》、新华社等34家媒体、214名记者全程参与报道，全网共刊播相关报道1330余篇（条），阅读量超1.7亿人次。

【“学习强国”学习平台“六进”活动】开展“学习强国”学习平台进机关、进企业、进学校、进农村、进社区、进家庭等“六进”活动，做到“应进尽进、能入尽入”，扎实做好“学习强国”学习平台的推广和供稿工作，“学习强国”学习平台供稿被市学习平台录用稿件1200余篇，省学习平台录用480余篇，全国学习平台录用160余篇。

【“潮涌东方看北仑”城市形象品牌建设】北仑深化港产城人融合发展，挖掘培育“北仑港”“党章学堂”“中国女排精神”等优秀文化基因，持续打响“潮涌东方看北仑”区域文化品牌，由北仑区政府和宁波交响乐团联合出品的交响套曲《港通天下》在国家大剧院成功首演。北仑借优质艺术品牌“中国交响乐之春”的影响力，结合影视文旅招商、乡贤联谊、青年人才招引系列活动，形成现象级传播效应，同步提升北仑城市知名度和美誉度。各类赛事活动频繁展示“潮涌东方看北仑”品牌标语及北仑特色文化元素，将新闻活动的宣传变为城市形象的展示，实现要事热度向城市美誉度的转化，巴黎奥运会女排资格联赛上，公益广告位上滚屏显示“潮涌东方看北仑”“青年理想之城”等标语，在女排主场新家、主场火热氛围、女排与城市相互赋能共同成长等主题报道之中露出，进一步打响北仑城市知晓度和美誉度。

【文化名人瑰宝活态传承】围绕本土文化名人周大风100周年诞辰，举办“大风泱泱 弦歌不辍”周大风100周年诞辰主题光影秀，采用线上线下相结合方式。线下主要利用现有中心公园音乐喷泉、凤环巢两侧水雾投影、凤凰公园树叶造型屋顶装置、凤凰公园戏水池两处投影、凤凰公园下沉舞台这些现有设备，在新旧两个公园之间用光影和AR技术带来一场“零距离”的周大风音乐主题光影秀。光影秀的

7月25日，2023宁波北仑“大风音乐节”暨纪念周大风百年诞辰系列活动启动

高潮是以中心公园椭圆形喷泉作为全息舞台，演绎形式新颖、视觉震撼的3D全息水幕舞剧《采茶舞曲》。线上在现下光影秀的基础上，加入AR光影秀的形式，打造线上周大风音乐主题AR光影秀，让周大风和他的《采茶舞曲》在北仑生生不息。举办2023北仑“大风音乐节”，以周大风生前极力主张的“用音乐艺术陶冶与塑造心灵、完善人格”为理念，包含“明日之星”少儿才艺大赛、“大碶头好声音”“器乐专场”等多个板块。系统梳理周大风在民族音乐、戏曲、曲艺音乐、民间器乐研究、音乐美学、音乐教育等方面的建树，出版发行《大风表东海》，并举行新书发布会。

（撰稿人：高玉南）

统一战线工作

【概况】2023年，全区统一战线工作准确把握新形势新要求，落实区委统战工作会议“八个聚焦”部署，围绕“铸同心、促发展、做标杆”目标，深化“引领型、力量型、变革型、开放型”统战区域实践，强化创新性谋划、找准突破性抓手、打造标志性成果，为全区“双一流双示范”建设凝聚人心、汇聚力量。

坚持用党的创新理论凝心铸魂，开展学习贯彻习近平新时代中国特色社会主义思想主题教育。指导各民主党派、无党派人士深入开展“凝心铸魂强根基、团结奋进新征程”主题教育。发挥全市统一战线“甬同心”学堂和北仑“同心讲堂”“同心思享”等学习平台作用，先后参加专题报告会、专题讲座和组织开展专题学习30余场次。组织“重走总书记考察路线、重忆总书记殷殷嘱托、重温总书记关心鼓励”活动。实施统一战线“8090”新生代思想政治培育工程，推进全区民主党派、无党派、民族、宗教、民营经济、港澳台侨等领域代表人士政治传承“青蓝接力”计划。

制定2023年度民主协商（会议协商）计划，支持民主党派成员参政履职、建言献策，聚焦区委、区政府中心工作提交各类建议20余件；政协提案80余件。聚焦区委、区政府中心工作开展，发挥资政建言团智库作用，围绕“优化法治化营商环境、服务区域高质量发展”“地瓜经济提能升级”等主题开展6期“议政沙龙”主题活动。编辑报送6期《同心直通车专刊》，多篇参政成果被各级领导批示。全年各民主党派组织开展协作共建活动40余场次，《制度化“协作共建”破解基层多

党合作难题打造新时代多党合作新高地》被省委统战部评为全省统一战线实施“八八战略”20周年优秀案例。举办“同心大篷车·服务进基层”大型社会服务活动，累计服务基层群众1000余人次。制定《2023年度北仑区民主党派基层组织工作指导意见》，支持和指导各民主党派按照“四新三好”要求，加强基层组织思想政治建设、组织建设、履职能力建设、作风建设和制度建设。支持和指导民主党派推进清廉单元建设、打造清廉文化阵地、强化清廉制度建设等推进实施“同心同廉”工程。

开展铸牢中华民族共同体意识示范实践探索，打造民族团结进步示范创建升级版。打造“石榴红”民族工作精品线，提档升级芝兰民族馆、谢墅“五位一体”展厅，打造民族互融示范创建培育点，构建创业扶持体系，完善区域“民族创业联盟”，形成“区域化组团”发展，打造柴桥街道“共富精品带”。加强铸牢中华民族共同体意识宣传教育，围绕“七进”标准，开展“阿拉的节日”“校地共建”等系列活动50余场次。推动“浙里民族团结石榴红”数字化应用，推进全国基层民族工作标准化试点项目，擦亮基层民族工作“金名片”。深化宗教中国化和宗教事务治理，坚持宗教中国化方向，打造宗教中国化示范场所北仑样板，培塑云隐寺、清修寺“月琴书院”、灵峰寺“葛洪书画院”等文化润教品牌。围绕“除险保安 喜迎亚运”组织开展安全消防大排查、大整治工作。

开展党外知识分子建功新时代行动，推进“大港·新港湾”及“滨江·新港湾”新的社会阶层人士实践创新基地建设，指导“滨江·新港湾”筹备举办长三角独立设计师联谊中心成立仪式暨长三角室内设计高峰论坛，相关工作信息被中央统战部《每日汇编》录用。举办党外代表人士（党外干部）履职能力提升研修班。组织近40名新生代企业家及企业高管到四川大学开展集中培训研修。深化美轮美奂品牌，组织开展“寻美北仑”系列主题活动。走访慰问无党派代表人士，举办“阳光生活 救在身边”“迎亚运 同心奋斗”“健身跑”等拓展活动，举办“助力企业合规 护航经济发展”及防范网络电信诈骗等专题讲座。指导知联会组织举办“秋季养生”健康讲座、“易经与企业管理”专题讲座。

优化提升营商人文环境，聚焦“一号改革工程”，推进“两个健康”改革创新，开展“亲清直通车·政企恳谈会”4次，开展企业全周期服务保障活动，推进“走企连心”“金盾护企”等项目，累计服务中小微企业近百家，答疑解惑各类政策咨询、发展难题等60余件。实施“亲清家园”品牌建设行动。开展清廉工业社区省级示范阵地建设，深化企业“烦恼指数”“周二夜诊”等服务。实施“清廉民企”培育提升行动，深化清廉民企建设，召开清廉民企建设培训会。精准夯实服务举措，成立全市第一家企业合规指导中心，多次开展“银企对接”活动，帮助小微企业缓解融资困难，同宁波银行北仑支行签订战略合作协议，全年为全区小微企业投放贷款220.99亿元。全面加强基层商会建设，推动大榭商会成立，指导梅山、新生代等基层商会按期换届。加快异地商会建设，成立北仑区应城商会，指导杭州经济建设促进会北仑分会顺利换届。启动“之江同心·薪火仑传”——北仑区新生代企业家成长计划，以“北仑对青年企业家友好，青年企业家在北仑有为”为目标，涵盖“传承、提升、拓展、担当、健康”五大系列共十期活动，深耕民营企业家“青蓝接力”工程。

开展港澳台侨青年北仑“寻根行”、第二届港澳台侨青少年北仑夏令营、北仑新阶层企业家与港澳台侨青年企业家“深圳之约”等交流活动。指导香港北仑青年联谊会换届，举办香港北仑乡贤团拜会暨香港北仑青年联谊会成立13周年庆典，推动香港北仑“同心共富、结对帮扶”项目落地。指导大碶横河工业社区、小港装备产业园区争创市级港澳台青年创业实习基地。坚持以亲缘、地缘、业缘为纽带，广泛团结凝聚港澳同胞和海外新侨，积极穿针引线、牵线搭桥，主动做好招商引资、招才引智工作。全年累计协助引进甬商回归项目10个，总投资225.87亿元。挖掘北仑“宁波帮”历史底蕴和乡贤资源，促成宁波工程学院“王明康楼”揭牌、梅山街道月琴书院、宁波大学梅山校区叶杰全楼、叶袁玉卿会堂落成等一批重要事项落地。牵线对接并促成北仑籍“爱乡楷模”王明康，捐赠1600万元助建宁波大学梅山校区海洋学院教学实验大楼和科研大楼。推动北仑港澳交流与合作，走访拜会香港宁波同乡会及一批北仑籍乡贤，累计接待回乡省亲的“浙江省爱乡楷模”“宁波市荣誉市民”王明康、严信才、孙周月琴、叶杰全等家族成员，香港环球中国集团总裁包文骏、美国圣盖博市市长、华裔丁言愉等重要人士到访20余批次。召开北仑区第八次台胞台属代表大会，相继举办“情系两岸、风情洨江”端午龙舟比赛、在仑台商台胞中秋联谊晚会和台湾南投埔里、嘉义等团组参访交流等活动，传播两岸爱情亲情。参与“浙洽会”“浙江台湾合作周”等平台，新引进注册及增资台资项目10余个，实际利用台资7130万美元，并在浙江台湾合作周上签约台塑等4个重大台资项目，签约金额4.47亿美元。

【长三角地区自由职业人员联谊中心落户北仑】 3月1日，以“自由做自己·同心向未来”为主题的长三角独立设计师联谊中心成立仪式，在北仑博地影秀城举行。省委统战部副部长王利月，市委常委、统战部部长卞吉安出席活动并讲话。北仑区委副书记、区长王程致欢迎词。成立仪式上，联谊中心监事赵雪松介绍了长三角独立设计师联谊中心基本情况。长三角独立设计师代表共同发布《长三角独立设计师〈宁波宣言〉》，联谊中心现场发布2023“设计点亮乡村·同心助力共富”8大类25个重点项目。“长三角独立设计师联谊中心”，是长三角地区首个自由职业人员联谊交流

3月1日，长三角独立设计师联谊中心成立仪式在北仑博地影秀城举行

平台，也是浙江省首个由基层统战组织成员联合长三角行业协会会员自发建立的集统战性、民间性、专业性为一体的跨省域综合性平台。中心聚焦长三角设计产业“一体化”“高质量”发展，围绕思想引领、设计创新、产业发展、公益服务等重点领域，面向长三角地区独立设计师常态化开展联谊交流，推进三省一市独立设计师互联互通、相互赋能，深化合作，融通共赢。该中心的成立标志着宁波市及北仑区对自由职业人员统战工作联盟化、社会化、开放化实践路径的新探索迈上了新台阶。

【区委统战工作会议】 于3月20日召开。市委常委、区委书记、宁波开发区党工委书记潘银浩在会上强调，要以党的二十大精神为指引，深入学习贯彻习近平总书记关于做好新时代党的统一战线工作的重要思想，全面落实中央和省委、市委统战工作会议部署要求，凝心聚力、勇担使命、团结奋斗，努力为“双一流双示范”建设凝聚最大智慧和力量。会议由区委副书记、区长王程主持。会上传达了全国和省、市统战部长会议精神，区委组织部、团区委、新碶街道、大碶街道等单位作交流发言。

【纪念“五一口号”发布75周年活动】 4月22日，由区委统战部、春晓街道党工委联合主办的以“同心助共富、同行新征程”为主题的纪念“‘五一口号’发布75周年”暨全区统一战线“同心大篷车·服务进基层”社会服务活动在春晓街道举行。区委统战部常务副部长柴善华、春晓街道党工委书记严文龙、区内各民主党派基层组织负责人、无党派人士代表以及党外社会服务专家团成员参加。本次主题活动重点制作了中共二十大精神、“五一口号”由来及意义、各民主党派和无党派人士宣传图板。活动现场，面向基层群众组织开展了中共二十大精神、统一战线发展史、多党合作史等知识有奖问答。安排了党外社会服务专家团提供医疗义诊、法律咨询、普法宣传、反诈宣传、交通安全宣传、理发等便民服务，并为前来问诊的群众送上非处方类“健康小礼包”。

【北仑区“乡贤聚力”座谈会】 于4月26日在北京召开，座谈会以“乡音乡情寄乡愁，同根同源同奋进”为主题。区委常委、统战部部长吴艳芳及30多位工作或创业在首都各行各业、各条战线的北仑籍乡贤代表参加座谈。他们纷纷畅所欲言，积极建言献策，普遍表达心系家乡、宣传家乡、助力家乡，充分利用自身广博的人脉资源，主动参与招才引智招商引资，共同为家乡提供更多信息、创造更多商机，合力回报家乡人民的热情和意愿。

【月琴书院落成暨开院庆典】 于5月10日举行。活动由区佛教协会主办，北仑清修寺、北仑清修文化中心承办。区委统战部部长吴艳芳、宁波市佛教协会会长诚信等出席活动。清修寺地处北仑区梅山岛，据镇海县志记载，始建于清康熙二十五年（1686），有300多年历史。2023年，市荣誉市民、旅居港胞孙周月琴捐赠新建成月琴书院，在寺内形成“前寺后院”的格局。月琴书院将开展各种佛教文化艺术活动，从“论道、讲学、习礼、传播”四方面与现代文明相融合，秉持“以文化连

4月22日，纪念“五一口号发布75周年”暨全区统一战线“同心大篷车·服务进基层”社会服务活动在春晓街道举行

接人，以文化接引人，以文化教化人”理念，以社会主义核心价值观为引领，坚定不移走佛教中国化道路。

【民进省级会史教育基地在周大风故居揭牌】 7月3日，民进浙江省会史教育基地（开明学苑）在位于大碶街道牌门村的周大风故居揭牌。市政协副主席、民进省委会副主委、市委会主委刘毅，市委统战部副部长王贞，区委常委、统战部部长吴艳芳等领导出席揭牌仪式。周大风之子周小凤携夫人谢联平应邀出席仪式。周大风是大碶人，是一位德艺双馨的音乐理论家、作曲家，其创作的《采茶舞曲》红遍中国，被联合国教科文组织选编为教材。在其百年诞辰之际，北仑区委统战部、大碶街道、民进北仑区支部对周大风故居进行了修葺，对周大风生前大量的珍贵资料进行了整理归档，择其精要内容进行展陈，旨在更好地保护和研究周大风音乐文化遗产，传承和弘扬多党合作优良传统。

【香港跨境投资服务业代表团访问北仑民企】 8月9日，由香港贸易发展局华东华中首席代表吕剑为团长，瑞士联合银行集团、汇丰银行、建银国际金融有限公司、普华永道中天会计师事务所、香港家比较有名的律师事务所的近律师行等15家企业组成的香港跨境投资服务业代表团一行20余人，访问北仑民营企业挪客运动和申洲国际。市委统战部副部长、市侨办主任傅岳炳，区委常委、统战部部长吴艳芳陪同考察。在浙江挪客运动用品股份有限公司，代表团一行参观了产品展示馆和实验室，听取了企业发展情况介绍并开展业务交流。在申洲国际集团控股有限公司，代表团一行参观了染整工厂和公司展厅，听取企业最新发展和海外业务情况介绍，并进行对话交流。在代表团访问宁波期间，还先后组织召开宁波—香港企业跨境投资合作商贸配对会和午餐研讨会，听取宁波最新经济发展情况介绍，并围绕内地企业“走出去”——境外投资及并购的风险管理、环球投资及融资解决方案等议题开展交流分享。

【2023年“智汇北仑·精英领航”港澳台侨青年英才创业创新论坛】 于11月28日举行。近百名港澳台侨青年企业家、港澳台侨民宗及海外界青联委员、在北仑高校学者、侨资企业负责人、归国留学生代表等参加。本次论坛以“汇聚侨资侨智侨力，助力‘双一流双示范’”为主题，旨在进一步突出港澳台海外人才工作在创新型国家建设中的支撑作用，深化北仑作为“国家引进国外智力示范区”的先发优势，进一步助推浙江自贸区宁波片区建设，为北仑加快推进“双一流双示范”建设提供人才保障和智力支持。活动现场为第三批北仑区“海外人才联络站”、首批8个北仑区“侨助共富”示范基地、“港澳台及海外留学生实习基地”授牌，并聘任8名“海外引才大使”和“青年北仑海外推荐大使”。4位嘉宾进行分享交流和主旨演讲，内容包括自贸区政策解读、创业创新趋势分析和经济形势观察。

（撰稿人：王政勋）

老干部工作

【概况】 2023年，北仑区有离休干部2人，市管退休干部69名、区管退休干部472名。

区委老干部局推动银辉党建工作，组织老干部学习贯彻党的二十大精神，举办老干部读书会、通报会、座谈会。组织举办“围炉共话八八战略”离退休干部党支部书记座谈会、“八八战略在宁波”人物访谈、“蝶变·微故事”征集、“畅谈新变化·点赞新成就”主题党日等活动。举办离退休干部党支部书记示范培训班和工作会议4期，成功创建省级“三强六好”示范党支部6个、省级规范化党支部37个，5个支部和4名支部书记获省、市最美离退休干部党支部及书记称号，3项案例分别获评全市离退休干部党建优秀创新案例和优秀主题党日活动案例，3个单位获评全市“银辉之家”规范化建设站点。

召开“银辉”志愿者联合会北仑分会换届会议，组建10个专业银辉助力团，常态化开展各类志愿服务活动150余场，老干部参与活动达2500余人次。承办市委老干部局“甬银风采·我与亚运同行”——甬耀银辉2023走进北仑现场志愿服务活动、“践行八八战略·助力亚运盛会”全市老干部书画摄影诗词作品联展，组团参加“银耀之江·与亚运同行”全省老干部助力亚运志愿服务活动；组织老干部参加政府工作报告意见征求会、开展“走看促”“畅谈、建言、献策”等活动。宣传老同志个人和团队的先进事迹，在“学习强国”学习平台、浙江潮新闻、《宁波老年报》等省、市媒体宣传报道40篇次，3个团队、3名个人、3个项目获省、市最美银辉志愿称号。

召开区委老干部工作领导小组会议，明确全区老干部服务管理隶属关系、政策待遇和责任落实主体，完成园区二次整合中120名宁波开发区退休干部关系转接工作，制定离退休干部服务管理政策清单，举办全区老干部工作联络员业务培训会。协调解决老干部住院医疗、后事处理、健康咨询、健康体检、健康讲座等系列服务工作，做好离休干部“一人一策”服务工作以及老干部“六必访”活动，累计上门慰问420次，帮助解决问题诉求27件次。举办老干部集体祝寿、嘉年华、书画征文征集展示和传统节日联欢等活动，邀请专家为老干部开展卫生健康、疾病预防、老干部政策、反电信诈骗、智能手机培训等知识讲座。

加强活动学习阵地建设，活动中心举办老干部各类文体康养活动40余场，接待老干部活动5000余人次，石信耀、孙人建获评省级“银尚达人”，张仿治家庭获评省级“银尚之家”，小港街道红联社区“阿拉的家”获评省级“乐活驿站”。召开全区老年教育联盟指导委员会会议，成立全区老年教育联盟，与宁职院合作开展老年教育，推进老年教育优质学校培育工作，大榭街道老年学校获评全省老年教育优质学校，“枫之声”合唱团获评全省老有所学优质老年学习社团，顾旭东等4名老师入选全省老年教育优质师资库。

【市“银辉”志愿者联合会北仑分会工作会议】 于3月23日在区老干部活动中心举行，区委组织部副部长、老干部局局长李振基等出席活动。会议对分会的组织设置和组成人员进行改选和调整，区人大常委会原副主任张锡雄担任主席，区政协原副主席蒋素春、颜力担任副主席，区老年大学原常务副校长陈金德担任秘书长。本次会议新组建成立了“红脉赓续”“红色宣讲”“体育健身”等10个银辉助力团，现场进行了授旗仪式。

【甬耀银辉2023走进北仑现场志愿服务活动】 于3月31日在小港街道海天文体中心举行，活动主题为“甬银风采·我与亚运同行”，号召全市广大老同志与亚运同行，为浙江喝彩。市银辉志愿者联合会主席、市人大常委会原党组书记、副主任郭正伟，省委老干部局副局长卢群星，市委组织部副部长、老干部局局长严仕恩，区委常委、组织部部长周成钢等领导参加活动。各区（县、市）委老干部局代表，宁波市银辉志愿者联合会骨干，各区（县、市）银辉志愿者代表等300余人参加了活动。在活动现场，老同志志愿者还开展了大型义诊、书画赠送、便民服务、法律咨询、科普宣传等志愿活动，现场服务群众近千人次。参会领导参观考察小港街道红联社区银辉党建共享基地——“阿拉的家”和北仑开发开放展览馆。

【全市老干部书画摄影诗词联展】 于6月9日在宁波中国港口博物馆举行，活动主题为“践行八八战略·助力亚运盛会”。市人大常委会原党组书记、副主任郑杰民，市委组织部副部长、老干部局局长严仕恩，区委副书记、政法委书记方飞龙等出席开幕式。本次展览共展出524幅书画摄影诗词作品，均出自宁波市老干部书画协会会员、区（县、市）及市直单位离退休干部书画爱好者之手。联展除了在宁波中国港口博物馆设立现场展览外，还设立了掌上云展厅，以“线上+线下”VR实景呈现的方式方便广大群众观展。

【离退休干部老年节嘉年华活动】 于10月19日在北仑体育训练基地举行，活动主题为“银耀港城·与欢乐同行”。区委常委、组织部部长周成钢出席活动并作开幕致辞。活动现场设趣味运动区、敬老服务区和宣传展示区，共200余名老干部参加。

【区委老干部工作领导小组会议】 于10月27日在行政大楼举行。区委常委、组织部部长、区委老干部工作领导小组组长周成钢出席会议并讲话，副区长张海航主持会议。会议传达《关于加强新时代离退休干部党的建设工作的意见》文件和全国、省、市老干部局长会议主要精神，听取全区老干部工作情况报告，审议区委老干部工作领导小组成员单位工作职责，研究讨论并审议了全区老干部工作相关政策调整事宜。

（撰稿人：史科杰）

政策研究

【概况】 2023年，区委政策研究工作贯彻落实“六促六优”“三争三强”行动要求，围绕省、市任务部署和区委中心工作，持续推进调查研究和改革攻坚走深走实，充分发挥参谋助手作用，为推动全区经济高速发展出谋划策。

贯彻上级精神及部署，紧密结合北仑实际，起草《中共宁波市北仑区委常委会2023年工作要点》《中共宁波市北仑区委关于深入学习贯彻习近平总书记考察浙江重要讲话精神在勇当先行者谱写新篇章征程中走前列当示范的决定》等重要文件。研读学习各地政策经验，8月起创设《政策参阅》工作载体，撰写《关于促进民营经济高质量发展的政策比较与工作建议》《先进地区推进“工业上楼”的经验做法与我区工作建议》等2篇专题调研报告，供领导参阅。

出台《北仑区践行“三个跑遍”大兴调查研究的实施意见》，围绕理论学习、经济发展、改革开放、共同富裕等领域确定了8类24个调研重点，提出了大兴调查研究的4个步骤9大行动以及4项机制保障，谋划布置了全区大兴调查研究重点课题清单115

3月31日，甬耀银辉2023走进北仑现场志愿服务活动在小港街道海天文体中心举行

项。落实市委政研室、区委主要领导指示，结合主题教育要求，聚焦"地瓜经济"、贸易和投资自由化便利化改革、村发展留用地改造管理、建设国家战略资源配置中心等主题开展调查研究，形成《北仑打造"地瓜经济"提能升级"一号开放工程"示范高地研究》《浙江自贸试验区宁波片区深化贸易和投资自由化便利化改革研究》《村发展留用地开发利用政策研究》《"地瓜理论"视域下北仑区推进总部经济提能升级的路径研究》《北仑区关于"打造国家战略资源配置中心"相关情况的研究》《关于"地瓜经济"提能升级的若干思考和建议》等6篇综合调研报告。

整理学习中共中央总书记习近平关于北仑的重要足迹及重要指示精神文献材料，形成《感受真理伟力 奋进时代征程——深入学习习近平同志关于北仑重大活动史料及重要指示精神》，在3月29日习近平总书记考察北仑三周年的区委理论学习中心组专题学习会议上传达宣讲。撰写《2022年度北仑区实施"八八战略"综合评估报告》《2022年北仑区民生发展报告》等评估报告，发表《以蝶变见证真理用实干成就事业 精彩谱写"八八战略"北仑篇章》《深学敢为 砥砺实干 用心用力书写"双一流双示范"建设政研答卷》等稿件，充分展示习近平新时代中国特色社会主义思想在北仑的生动实践。

【营商环境优化提升"一号改革工程"】 2023年，北仑区五大环境领域改革成效显著，率先探索"1+N"窗口咨询服务、企业行政合规、"公职律师服务直通车"等多项改革，着力构建国际化法治化营商环境体系。深化跨境贸易投资高水平开放试点，推进试点银行和优质企业增量扩面，推动外债便利化、境内再投资免登、境外放款上限提高等13条举措落地落实。建设跨境电商信用信息公示平台，构建全景式跨境电商信用监管模式，打造进出口商品GM2D应用，进出口商品转码赋码量超1440万枚，省委《浙江信息》刊登了北仑经验。政务服务增值化改革加紧部署，制定形成《北仑区政务服务增值化改革实施方案（征求意见稿）》。

【重点领域改革】 推动"涉案款e缴通"应用入选全国政法智能化创新案例，涉港口事项执行"一件事"入围省营商环境"微改革"省级项目库。探索推进"慈善项目+养老"等多元养老服务帮扶体系，实施"老年人防跌倒综合干预项目"试点，幸福驿站项目获评全国数字医疗健康创新服务案例。《深化低风险小型项目审批改革 助推投资项目快速落地》被省委改革办《竞跑者》刊发，《北仑区打造海外工程师引育最优生态 创建国家引智示范区》被市委改革办《改革先锋》刊发，《以"绿岛"模式擦亮高质量发展环保底色》《北仑：打造全国城市民族工作"北仑样本"》等2篇稿件被《宁波通讯》刊发。

【重大改革试点】 创新用地方式，深化非建设用地地下空间确权试点，探索推进集体经营性建设用地入市模式，制定出台全区集体经营性建设用地入市管理办法，初步确定试点村。深入开展普惠托育基本公共服务试点，街道托育机构全覆盖，城乡社区15分钟托育服务圈基本形成，托育服务智慧化管理基本实现。加快探索清洁生产审核创新国家试点。北仑生态环境分局信息管理系统试点建设项目作为"一地创新、全省共享"项目被列入省厅"浙里环境监测"建设试点。

（撰稿人：毛银莉）

机构编制工作

【概况】 2023年，区委编办工作稳步推进开发园区机构融合，谋划党政机构改革，深化"大综合一体化"改革，不断完善管理体制机制，优化机构编制配置，规范机构编制管理，为服务高质量发展提供体制机制和机构编制保障。

全年核准编制使用902名，其中争取公务员（含选调生）招考指标89名，核准高层次人才及专业事业人员招考指标103名；保障民生事业用编需求，核准教师用编指标398名、医生用编指标312名。另核准使用公办幼儿园劳动合同制教职工招录指标300名。严格执行机构编制实名制管理办法，建立健全实名制数据备份管理和调整审批制度，强化信息风险防控。首次在北仑区、宁波开发区范围内开展机构编制实名制数据质量提升活动，实现全区机构编制"云"数据和本地数据同步精细管理。

调整完善全区综合考核职责体系，牵头理顺水利工程建设管理体制，对梅山湾旅游管理体制提出调整建议方案。全面落实疾控体系改革，挂牌设立区疾病预防控制局。坚持统筹安全与发展，对全区化工产业各管理机构的职责边界作出界定，为各项工作开展提供基本遵循。动态调整社区"五定"，核定78个城市社区和16个工业社区员额共1078名、农村社区员额153名，实现城乡社区"五定"全覆盖，提升"五定"管理精细化水平。

全年办理事业单位法人登记各类业务262件，其中设立登记6件、变更登记140件、证书换领102件、解冻（冻结）14件。做好机关群团统一社会信用代码赋码工作，全年办理统一社会信用代码证书相关业务39件，其中初领2件、变更33件、注销1件、换领3件。全面完成全区212家事业单位法人年度报告工作，公示率100%。

【开发园区机构融合】 2023年，在2022年对宁波开发园区机构作整合的基础上，进一步谋划推动园区机构融合，宁波开发区事业机构从原有24家整合设置为14家。稳慎有序完成撤并移交，协调职责转移、人员转隶、资产交接、后勤清点等4个工作小组，梳理汇总375个具体问题并推动解决，不断深化完善北仑区、宁波开发区"融合联动、一体运作"的体制机制。

【机构改革谋划】 梳理开发园区整合后全区机构设置、人员编制基本现状，全面分析上一轮机构改革以来职能运行存在的痛点、堵点，谋深谋实《北仑区机构改革方案》，并就全区事业机构的联动调整提出建议方案。按照上级政策口径和时间节点要求，稳步有序推进全区机构改革工作。在本次机构改革工作中，北仑区提出的涉及机构设置和工作路径的相关意见建议被上级采纳，并在全市推广应用。

【"大综合一体化"改革】 提前谋划做实北仑区执法队伍机构编制底数。对全区8支执法队伍人员编制进行锁定，并按593名的最大口径予以上报，用足用活政策，争取工作主动。理顺下沉人员管理体制，将36名下沉赋权街道集中办公的人员，其人事关系"先行一步"转接到区综合行政执法队，压紧压实人员下沉工作。督促、指导各部门（单位）及时完成监管事项认领工作，确保"应领尽领"，全区认领率达到100%。

【教师编制】 面对全区事业编制总量小、底子薄，教师编制配备不足、长期超编的实际困难，区委编办会同区教育局制定全区中小学教职工编制保障方案，向上级编办争取编制支持。11月，市委编办印发《关于优化配置北仑区中小学教职工编制的批复》，共核拨补充给北仑区912名教师专项周转编制，占市委编办核拨给各区（县、市）编制总量的58.6%，其中省级帮扶编制125名，占省级直接下拨的58.1%。本次获核拨的专项编制实质上是对全区事业编制存量的一次"大解放"，全区长达十年的事业人员超编问题得以解决，以往被挤占的部门事业编制空间得以释放，全区可盘活使用事业编制276名。

（撰稿人：邱天）

信访工作

【概况】 2023年，北仑区信访工作坚持中共中央总书记习近平关于加强和改进人民信访工作的重要思想，坚决贯彻落实国家、省、市信访工作决策部署，坚持以人民为中心，治理重复信访、化解信访积案专项工作成效明显。全区四级走访登记257批356人次。

【领导干部接访下访】 以领导干部下访接访、包案息访、带案下访、上门走访等各类形式，推进全区信访工作，并结合重大活动、上级督查等工作，推动各级各部门主体责任落实，深化督查督办对信访化解工作的推动作用。2023年，区委、区政府主要领导带头实地调研、主动协调，推进全区信访矛盾、风险隐患化解，接待来访群众26批31人次；区级五套班子领导共在区信访联合接待大厅接访群众57批182人次，下沉街道开展接待群众66批127人次，深入街道和矛盾突出村社调研和指导信访化解工作，共推进区内影响面较大、矛盾突出信访事项平稳化解57件。

【推进积案清零】 2023年，区委常委会专题听取存量信访积案情况，区委、区政府主要领导对4件十年以上积案逐案落实包案，各事权单位全方位综合施策，推进信访积案清零。国家信访局交办三批国重件、省局交办"十大领域"共206件重复信访事项均实现动态清零。

【营商环境优化】 2023年，区信访局做好全区营商环境事项一次性化解率对标攻坚优化提升工作。针对符合取数规则的营商环境件，复盘处置情况，确保事件处置"三到位"，并做好未化解件的核销申诉工作。狠抓涉营商环境事项相关事件的办理质效，确保矛盾诉求化解到位，压实压紧部门工作职责。2023年，全区营商环境事项一次性化解率100%。

（撰稿人：凌舟洋）

台湾事务

【概况】 2023年，北仑区对台工作以中央、省、市对台工作会议精神为指导，对标区委中心工作，紧紧围绕"双一流双示范"建设，完善同台企台胞分享发展机遇和落实同等待遇的政策，坚持"深耕经贸合作、深耕基层交流、深耕青年交往"，重点抓好精准服务台资企业、台资项目签约落地、两岸青年交往、两岸婚姻家庭活动等特色内容，全面促进北仑、台湾各领域交流合作，为北仑、台湾两地融合发展贡献更多硬核力量。全年规模以上台资企业实现总产值700.2亿元，约占全区规模以上工业总产值的13%，规模以上台资企业利润18.6亿元，盈利面近82.3%，全年新引进注册及增资台资项目16个，实际利用台资7602万美元，并在2023年浙江台湾合作周上签约台塑、永冠集团、敏达科技和上海宝德集团等4个重大台资项目，签约金额4.47亿美元。全年接待台湾同胞15批次259人次。区台办被国台办宣传局表彰为2023年对台宣传工作先进单位。

【周晁利到北仑调研】 2月1日，省台办副主任周晁利带队到北仑台资企业调研。座谈会上，调研组听取了区委常委、统战部部长吴艳芳关于北仑区重点台资企业运营、惠台举措落实、对台工作领导小组作用发挥等方面情况汇报，并就北仑区在对台实际工作中存在的困难问题和意见建议进行座谈交流。调研组对北仑区对台工作取得的成效尤其是服务台企台商方面给予充分肯定，并就进一步做好对台经贸工作明确具体要求。

【在甬台胞共度"三八"妇女节】 3月6日，在第113个国际"三八"妇女节来临之际，新碶街道玉兰社区联合市台联两岸婚姻家庭委员会在玉兰社区城市书房组织"只为'玉'见你"活动，邀请全市甬台女同胞代表参加，畅叙两岸姊妹情谊，共同欢度节日。

【北仑台企捐车助医】 4月14日，一辆崭新的"卓新七号"健康服务车停靠在大榭街道社区卫生服务中心门诊楼前，这是由台资企业宁波卓新通讯接插件有限公司通过北仑区慈善总会捐赠的一台价值30万元人民币的健康服务车。2015年，卓新公司通过北仑区慈善总会建立慈善冠名基金，并按照每年30万元进行连续投入，已连续6年向北仑医疗系统捐赠6辆健康服务车。

【台企台商无偿献血】 6月7日，由市台协会北仑区联络处、区台资企业"融先锋"党建联建组织开展的无偿献血活动在台晶（宁波）电子有限公司举行。来自日鼎科技、卓新通讯、台晶电子、登骐网络、敏达汽车等10多家台资企业的近200名台商和台企员工参与无偿献血。这是北仑区连续第三年组织的"心手相连 血脉相通"台商台企参与无偿献血活动，得到了当地台商台企的广泛响应和参与。

【北仑区第八次台胞台属代表大会】 于6月30日举行，区委常委、统战部部长吴艳芳出席会议。会议听取并审议《北仑区台胞台属联谊会第七届理事会工作报告》，讨论通过《北仑区台胞台属联谊会章程（修改）》，选举产生北仑区台胞台属联谊会第八届理事会会长、副会长、秘书长、理事等，审议北仑区第八次台胞台属代表大会决议，表彰北仑区台联工作先进集体、先进个人。

【北仑台湾两地签约4个项目】 7月7日，在2023浙江·台湾合作周宁波分会场活动暨"数享机遇 融通两岸"数字经济发展论坛上，北仑、台湾两地签约4个项目，签约金额4.47亿美元。4个项目分别是永冠集团新能源及高端海工装备产业基地，签约金额3亿美元；台塑新建一线码头项目，签约金额1亿美元；上海宝德集团保时捷中心4S店项目，签约金额3676万美元；敏达汽车科技零部件表面处理生产线技改项目，签约金额1530万美元。

【许淑华率团参访宁波舟山港穿山港区】 7月20日，台湾南投县县长许淑华一行参观宁波舟山港穿山港区。时隔9年第二次到宁波的许淑华表示要将这样的交流学习持续下去，不仅仅是南投县来加强交流，她也会多鼓励建议其他地方，包括高雄港、基隆港、台中港，来看看学习宁波模式。

【第25届甬台大学生夏令营走进北仑】 8月3日，第25届甬台大学生夏令营走进北仑。来自台湾大学等台湾15所高校的数十名大学生和宁波大学学生代表先后到宁波中国港口博物馆、梅山湾冰雪大世界、梅山水道南堤等地参观交流。甬台大学生夏令营是1993年经市台胞台属联谊会、台北市宁波同乡会和宁波大学三方协商，共同推动举办的甬台大学生互访活动。

【北仑、台湾青年企业家交流合作恳谈会】 于8月14日由区台办、市台协会北仑区联络处、仑台青年企业家联盟联合举办。恳谈会通过面对面宣讲、点对点答疑等形式，北仑、台湾两地20多位企业代表们共商企业发展良策，共谋融合发展路径。北仑区（宁波开发区）企业服务联合会会长吴克汀围绕浙江省2023年出台的《促进中小微企业发展条例》的制定背景及主要问题，通过多个案例，对创新推动、市场开拓、财税支持、融资促进、服务措施等内容作了深度解读；北仑区（宁波开发区）税务局党委委员、总经济师朱婷婷和区经信局副局长敖朋分别就惠企政策进行介绍；宁波银行北仑支行行长马元龙向在座企业代表们介绍金融惠企融资服务，涉及贷易融、设备贷、小微贷、薪资贷等多款产品，切实帮助企业缓解融资难、融资贵难题。市台协会北仑区联络处负责人、台商王正佑提出了台企台商在融资以及外商投资在税费减免等方面的一些问题和建议，相关政府职能部门一一作了详细答复。

【洪秀柱走访北仑台资企业】 9月18日，国民党前主席洪秀柱到宁波新桥化工有限公司进行参访。洪秀柱与公司全体员工进行了会面，并阐述了"两岸一家亲"的理念，期望更多两岸青年积极参与两岸交流，携手共促祖国和平统一、共创中华民族伟大复兴。

【北仑、台湾同胞共迎中秋佳节】 9月22日，市台湾同胞投资企业协会北仑联络处组织在北仑台商台胞台属代表以及从台湾南投县埔里镇远道而来的嘉宾近300人欢聚一堂，共度中秋佳节，共叙同胞深情，合力推动北仑、台湾融合发展再上新台阶。

【台资企业座谈会】 于10月8日在北仑农商银行举行。座谈会以"扎根地方，共商发展"为主题，其间，市台湾同胞投资企业协会北仑联络处与北仑农商银行签订战略合作协议，北仑农商银行向市台湾同胞投资企业协会北仑台资企业整体授信10亿元。

【彭佳学会见台塑集团总裁王文渊】 10月25日，省委常委、市委书记彭佳学会见台塑集团总裁王文渊一行。彭佳学代表市委、市政府对王文渊一行的到来表示热烈欢迎，并对其长期以来对宁波建设发展的关心支持表示感谢。台塑宁波厂区作为浙江最大的台资项目，为宁波现代化建设作出了积极贡献。彭佳学表示，希望双方进一步完善合作机制、拓展合作领域，共同创造新的更大合作成果。特别是要聚焦新一轮科技革命和产业变革，进一步向高新技术领域进军，合力推动科技攻关、加快创新转型，共同开辟发展新赛道、塑造竞争新优势。

【潘银浩调研台塑企业科技创新工作】 10月31日，市委常委、区委书记、宁波开发区党工委书记潘银浩深入台塑企业宁波厂区调研企业科技创新工作。潘银浩听取了生产经营和项目推进情况介绍，并与随行的职能部门负责人共同协商解决企业面临问题。他指出，企业一定要运用好宏观政策的"窗口期"，聚焦创新驱动发展，塑造新动能新优势，通过产品创新和技术革新，提高产品价值、改善产品结构；同时，要把长远规划和当前发展有机结合起来，加快

10月25日，省委常委、市委书记彭佳学（居中右一）会见台塑集团总裁王文渊（居中左一）一行

推动新项目落地、有效促进产业链下延。

（撰稿人：阚绪献）

党校工作

【概况】2023年，区委党校工作坚守“为党育才、为党献策”初心，依托全省党校“分类建设”工作切实推动“以评促建”，整体办学科研水平跃居全市各县区党校前列。2023年区委党校成绩突出，可概括为“一条主线、两个一百、三点突破”。紧扣复评“标杆引领类”党校这条主线，获评全省首批标杆引领类县级党校。收获教研“两个一百”佳绩，即年度省委党校规划课题立项率100%，省委党校理论研讨会获奖率100%。实现三点突破，首度刊发CSSCI论文一篇；成为全市唯一参与党校系统青年培育计划县级党校，与中央党校专家签约；全省党校系统现场推进会上获邀发言，全面从严治党能力培训教学提升工程北仑实践成果显著。

全年举办主体班次30个50期，培训人数4135人次。承接委托培训25次，覆盖学员1729人。紧扣学习贯彻党的二十大精神主题主线，重点完成党的二十大精神轮训班4期、年轻干部班及中青班各1期，“打造中国式现代化港城示范区”进修班1期等“点题”班次。首次以“视频分课堂”方式承接中组部下达的全国村党组织书记和村委会主任培训班，承接省委组织部下达的行政执法干部“提能力、转作风、促发展”培训班。全年主体班次党校教育课程在总课时中占比20%以上，理论教育加党性教育课程占比70%以上，习近平新时代中国特色社会主义思想课程占比50%。有区委常委8人、副区级以上领导3人、单位一把手4人登上党校讲台。

在首届市委党校案例教学课程比赛上获评“优秀案例课”2门，在全市微型党课比赛中获三等奖，获全市“保密精品课”一等奖1门。省委党校系统（含社院）规划课题及专项课题申报9项课题，立项率100%，上年度省委党校系统课题结项9个，市委党校系统课题结项6个；省委党校系统理论征文比赛获奖率100%，连续5年获省级一等奖，获全市党内法规制度建设主题征文活动三等奖1项。着眼党校高质量发展出谋划策，获全省党校系统机关党建最佳成果奖、教学改革征文一等奖、后勤主题二等奖各1项，获区主要领导年度肯定性批示7篇，获全省党校系统优秀决策咨询二等奖1篇。

实施“名师工程”，切实推进“青年教师成长计划”，通过以赛代练，强化内力建设。成为全市首家参与青年教师培育工程县级单位。持续推动“内部竞合”机制，推动36人次参加省、市各级比赛，全体8名教师加入更新后的市委党校“五大学科团队”成员，10人次参加省委党校师资培训，获评全市党校系统“名师工作室”1项。贯彻全省师资培训“一盘棋”理念，年度各选派1名教师赴区委主题办挂职锻炼，省、市级各类师资培训覆盖全体教师。组织街道党校师资骨干培训，举办第二届“践行新思想，奋进新征程”街道党校精品党课大赛，以模块化建设契机，统合“区—街道”党校全体系，给予新碶街道党校等11个街道党校不同额度的补助，确保各街道党校“一校一品”稳步推进。

2023年区委党校办班一览表

表1

培训班名称	主办单位	办班日期	学员人数（人）
区管干部学习贯彻党的二十大精神专题研讨班	区委组织部、区委党校	3月6日至3月10日、3月13日至3月17日	892
2023年北仑区“打造中国式现代化港城示范区”专题进修班	区委组织部、区委党校	4月17日至4月21日、5月22日至5月26日、6月26日至6月30日、7月24日至7月28日、8月21日至8月25日、9月11日至9月15日	42

续表1

培训班名称	主办单位	办班日期	学员人数（人）
全国村党组织书记和村委会主任视频培训班北仑分课堂	中组部、区委组织部	4月24日至4月28日	178
北仑区（开发区）学习贯彻习近平新时代中国特色社会主义思想进修班	区委组织部、区委党校	4月24日至4月28日、6月12日至6月16日、12月11日至12月15日	165
2023年区级老干部读书会	区老干部局、区委党校	5月9日至5月11日	54
2023年北仑区干部周末专业化能力提升专题进修班	区委组织部、区委党校	5月13日　至6月9日、7月9日　至7月22日、8月27日至9月9日	148
北仑区第四期年轻干部培训班	区委组织部、区委党校	5月15日至5月19日、5月22日至5月26日、5月29日至6月2日、6月12日至6月16日、6月19日至6月21日	30
2023年“三个一号工程”专题培训班北仑分课堂	省委组织部、省委党校，区委组织部、区委党校	5月18日至5月18日	18
2023年度全区两新党组织书记示范培训班	区委组织部、区委党校	5月23日至5月25日	30
2023年社区党组织书记培训班	区委组织部、区委党校	5月29日至5月31日	86
北仑区政法系统学习贯彻习近平新时代中国特色社会主义思想专题研修班	区委政法委、区信访局、区委党校	6月5日至6月9日	60
2023年北仑区落实意识形态工作责任制暨新闻（网络）发言人培训班	区委宣传部、区委组织部、区委党校	6月13日至6月15日	100
2023年北仑区街道党校骨干师资专题培训班	区委组织部、区委党校	6月19日至6月21日	30
全区离退休干部党支部书记及社区银辉党支部书记示范培训班	区老干部局、区委党校	6月19日至6月21日	59
美姑县2023年第一期重大决策部署研讨班	美姑县委组织部、美姑县委党校	6月25日至7月1日	45
美姑县乡村振兴班（送教班）	北仑区委组织部、区委党校	8月1日至8月3日	55
全省行政执法队伍暨行政执法类公务员“提能力、转作风、促发展”专题培训班北仑分课堂	省委组织部、省司法厅	6月25日至6月29日、7月17日至7月21日、7月24日至7月28日	465
北仑区（宁波开发区）2023年依法治区暨法治政府建设研修班	区委依法治区办、区委党校	7月19至7月21日	66
2023年度全区民族宗教工作专题培训班	区民宗局、区社院	9月13日至9月15日	60
2023年北仑区党外人士（党外干部）履职能力提升研修班	区委统战部、区社院	9月18日至9月21日	43
区管干部学习贯彻习近平新时代中国特色社会主义思想主题教育读书班	区委组织部、区委党校	9月20日至9月22日、10月10日至10月13日、10月18日至10月20日	936
2023年北仑区团干部培训班	团区委、区委党校	9月25日至9月27日	42
北仑区2023年中青年干部培训班	区委组织部、区委党校	9月25日至11月10日	32
北仑区纪检监察干部全面从严治党能力提升研讨班	区纪委区监委、区委组织部、区委党校	10月25日至10月27日、12月11日至12月13日	149
北仑区民主党派基层组织负责人政治理论学习专题研讨班	区委统战部、区社院	11月1日至11月3日	42
北仑区区属国有企业领导班子培训班	区委组织部、区国资中心、区委党校	11月6日至11月8日	30
北仑区区管正职政治能力培育专题研讨班	区委组织部、区委党校	11月13日至11月17日	44
北仑区2023年区城应急管理体系和能力建设提升班	区委组织部、区安监委、区委党校	11月16日至11月18日	62

续表1

培训班名称	主办单位	办班日期	学员人数（人）
北仑区新提任区管干部党性教育培训班	区委组织部、区纪委监委、区委党校	11月20日至11月24日	59
2023年北仑区区属企业年轻干部培训班	区委组织部、区国资中心、区委党校	11月29日至12月1日	37
北仑区区直机关党组织书记素质提升研修班	区委组织部	12月13日至12月15日	76

2023年区委党校刊物发表、获奖学术论文及入选课题一览表

表2

课题名称	作者	发表刊物	获奖奖项	课题类别
《新时代铸牢中华民族共同体意识的“北仑模式”》	马晓庆、樊中泳	《中南民族大学学报（人文社会科学版）》2023年1月	核心期刊（北大核心、CSSCI）	
《提升北仑工业社区治理的路径与对策研究》	赵薇	《学子》2023年12月	普通期刊	
《文旅行业违法所得认定问题立法研究——以〈文化市场综合行政执法事项指导目录（2021年版）〉为蓝本》	张佳宁	《科学与生活》2023年1月	普通期刊	
《长三角地区推进数字普惠金融缩小城乡收入差距的SWOT分析及路径选择》	周嘉俐	《科学与生活》2023年1月	普通期刊	
《数字场景中的公共议题建构与政府回应逻辑研究》	黄之玦	《科学与技术》2023年1月	普通期刊	
《“八八战略”再深化：党建驱动城市“生活世界”塑造的实现路径与进阶逻辑——基于对宁波北仑“红领党建”十年实践的考察》	樊中泳		全省党校系统理论研讨会一等奖	
《红色文化保护地方立法研究——基于浙江省10部地方立法样本的考察》	张佳宁		全省党校系统理论研讨会二等奖	
《城乡社区建设中的政府注意力分配研究——基于“八八战略”实施以来的浙江省政策文本分析》	黄之玦		全省党校系统理论研讨会二等奖	
《新时代宋韵文化创新发展的路径探赜——以宁波市为例》	薄舜予		全省党校系统理论研讨会三等奖	
《依规治党的双重逻辑——基于跳出“历史周期率”的第二个答案视角》	池林刚		关于“贯彻二十大、奋进新征程”党内法规制度建设主题征文三等奖	
《“八八战略”再深化：党建驱动城市“生活世界”塑造的实现路径与进阶逻辑——基于对宁波北仑“红领党建”十年实践的考察》	樊中泳		全市党校系统理论研讨会二等奖	
《红色文化保护地方立法研究——基于浙江省10部地方立法样本的考察》	张佳宁		全市党校系统理论研讨会二等奖	
《城乡社区建设中的政府注意力分配研究——基于“八八战略”实施以来的浙江省政策文本分析》	黄之玦		全市党校系统理论研讨会三等奖	
《新时代党校红色教育基地服务体系与服务能力现代化的进阶逻辑与发展路径——以北仑张人亚党章学堂为例》	樊中泳		第七届全省党校（行政学院）系统后勤管理高质量发展专题培训班论文二等奖	

续表2

课题名称	作者	发表刊物	获奖奖项	课题类别
《"理念制度团队"：新时代基层党校打造省级精品课的三重逻辑——以北仑区委党校为例》	赵薇		2023年全省党校（行政学院）系统教学改革研究优秀论文一等奖	
《新业态新就业群体党组织建设研究》	池林刚			2023年度浙江省党校系统社会科学联合会规划课题
《铸牢中华民族共同体意识的浙江实践：基于对宁波北仑十年城市民族工作（2012—2022）的考察》	樊中泳			2023年度浙江省党校系统社会科学联合会规划课题
《构建宁波市老年健康服务体系的路径对策研究》	薄舜予			2023年度浙江省党校系统社会科学联合会规划课题
《提升北仑工业社区治理的路径与对策研究》	赵薇			2023年度浙江省党校系统社会科学联合会规划课题
《城乡社区建设的政府注意力分配研究——基于"八八战略"实施以来的浙江省政策文本分析》	黄之珠			2023年度浙江省党校系统社会科学联合会规划课题
《浙江省红色文化保护地方立法研究》	张佳宁			2023年度浙江省党校系统社会科学联合会规划课题
《现代社区公共服务精准化供给的行动机理与演进路径——以宁波市北仑区为例》	黄世楚			2023年度宁波市党校（社院）系统规划课题
《红色文化保护地方立法研究——基于〈宁波市革命遗址保护利用规定〉的立法后评估》	张佳宁			2023年度宁波市党校（社院）系统规划课题
《数字普惠金融弥合城乡收入差距——以长三角地区为例》	周嘉俐			2022年度宁波市党校（社院）系统规划课题
《铸牢中华民族共同体意识的基层实践：基于对宁波北仑十年城市民族工作（2012—2022）的考察》	樊中泳			2023年度浙江省社会主义学院系统课题

【区管干部学习贯彻党的二十大精神专题研讨班暨区委党校开学典礼】于3月6日举行。市委常委、区委书记、宁波开发区党工委书记潘银浩出席并作主题报告，区委常委、区委组织部部长周成钢主持。潘银浩强调，要深入学习贯彻党的二十大精神，坚定捍卫"两个确立"、坚决做到"两个维护"，在中国式现代化建设大场景中找准北仑定位、体现北仑特色、作出北仑贡献。全区党员干部要提高理论能力，增强政治本领；提高专业能力，增强业务本领；提高落实能力，增强担当本领；提高自律能力，增强拒腐本领。要切实把学习培训的成果转化为抓好工作的具体思路和举措，转化为狠抓落实、推动工作的强大动力，努力在中国式现代化港城示范区建设大场景中展现最强担当、最大作为、最美风采。各街道、区直机关各单位、开发区各部门的部分区管干部，北仑区"打造中国式现代化港城示范区"专题进修班、第四期年轻干部培训班等2个主体班次的参训学员参加研讨班。

【参与党校系统青年教师培育工程】9月，中国式现代化的理论逻辑与宁波实践理论研讨会暨宁波党校系统青年教职工培养项目导师进校院学术活动在市委党校举行。北仑区委党校成为全市唯一参与党校系统青年培育计划县级党校，与中央党校专家签约。

【获评省首批标杆引领类县级党校】12月，省委组织部、省委党校联合印发了《关于2023年我省县级党校（行政学校）分类建设复评情况的反馈意见》，确定北仑区委党校为浙江省首批"标杆引领类"县级党校。区委党校紧扣"为党育才"独特职能，首获全省党校系统精品课荣誉，推动教学理念的守正创新，"红色沉浸式教学""寻迹溯源教学"和"全面从严治党四位一体教学法"等创新理念不断涌现，张人亚党章学堂等三个教学基地入选省委组织部、省委党校习近平新时代中国特色社会主义思想现场教学示范点目录。厚植"党校姓党"主脉主轴，接连获全省党校（行院）系统成绩突出集体、全省党校（行院）系统“绿色学校”等荣誉，获全省党校系统机关党建最佳成果奖，特色党建品牌“育红”成果显著。

（撰稿人：董梦雅）

督考工作

【概况】 2023年，区委督考工作重点围绕学习贯彻中共中央总书记习近平重要指示批示精神，根据省、市要求并结合北仑实际，探索建立“第一议题”学习贯彻、“第一课题”调查研究、“第一责任”推进落实、“第一项目”督促整改、“第一事项”考核评价长效闭环机制，印发出台《关于进一步建立健全贯彻习近平总书记重要指示批示精神闭环落实机制的通知》，高质量督查推动习近平重要指示批示精神在北仑落地见效。全年组织召开区委常委会集体学习29次、学习内容186项，区委理论学习中心组专题学习会28次、99人次交流发言，全年围绕习近平关于深化改革扩大开放等重要指示批示精神，推动《北仑打造“地瓜经济”提能升级“一号开放工程”示范高地研究》等20个调研课题共计67项调研成果转化为一系列文件和一揽子政策措施。依托市区两级“数智督查系统”，高效办理各级领导批（指）示件和重点关注事项跟踪督办反馈工作。全年通过督查系统交办各类督查件1052件，其中省、市、区各级领导批示指示件902件，编发《督查专报》122期，确保上级决策部署及区委、区政府、宁波开发区党工委管委会各项工作落到实处。

【七张问题清单】 2023年，北仑全区上下克服评价体系多次调整等不利因素的影响，在各清单主管部门的努力下，全年累计新增省级问题23个，市级问题161个，省级分榜案例5个，市级典型案例12个，全区问题管控力指数由2022年第68名提升至第25名。

【督查检查】 谋划开展2023年督查检查考核年度计划研究制定工作，共安排全区性督查检查考核事项18项（其中督查14项、检查3项、考核1项），经区委常委会审议通过，围绕区委中心工作开展督查。做好省、市“八八战略”专项督查、信访工作联合督查以及亚运会筹办工作专项督查的协调对接、服务保障工作。配合做好国务院赴浙江开展推动经济持续回升督查调研工作，涉北仑1件重点交办问题线索按要求核查办理到位。抓好省、市减负工作落实、国务院“互联网+督查”留言线索办理（9件）和省、市媒体曝光问题整改落实（第一聚焦14期，其中2期为正面报道）。

【建议提案办理和民生实事项目建设工作】 督促全区各责任部门推进建议提案办理和省、市、区民生实事项目建设工作。承办市人大代表建议、市政协提案11件（主办件3件），区人大代表建议145件、政协提案143件，全部完成办理。2023年北仑区承接省民生实事项目十个方面47项任务；承接市民生实事项目十个方面40项任务；区民生实事项目共10项重点工作任务，项目总投资超26.59亿元。总体进展顺利。

（撰稿人：葛春雷）

史志工作

【概况】 2023年，区委党史研究室贯彻落实中央、省、市史志部门对史志工作要求、任务部署，强化史志宣教力度，持续推进党史、地方志工作。紧扣“八八战略”实施20周年时间节点，结合“八八战略在指引·我们的新时代”群众性主题宣传教育，开展“我家二十年八八战略在身边”系列宣讲活动30多场；发挥“蒲公英”全国宣讲品牌影响力点，推出“后浪·潮涌”青年理论系列宣讲。“后浪·潮涌”青年宣讲团用“夏夜故事会”的快闪形式奔赴街头巷尾，在宁波富邦世纪广场开展室外理论宣讲，用红色理论抢占“驻足时光”。

根据省委党史研究室组织编写《七条红色资源保护传承带》丛书（暂名）的要求，系统梳理北仑涉及七条红色资源保护传承带的历史和保护传承现状。筹划《党建引领四十载，砥砺奋进新征程——宁波市北仑区建区40周年回顾与展望（暂名）》图文集，组建编写组编写完成《锻造“硬核”力量，奋力建设现代化滨海大都市高能门户》北仑篇，为“八八战略”在北仑的实践历程存史立言。

张人亚题材电影《力量密码》于6月在宁波举行特别献映礼，7月初该片被中宣部列入2023年度文化产业专项资金“推动影视产业发展项目”支持项目。北仑本土出品抗战题材电视剧《虎胆巍城》创央视黄金档“收视王”。

按期完成《北仑年鉴（2023）》编纂出版工作。各街道志书编写全覆盖，其中7个街道完成街道志出版。鼓励有条件的村企业启动志书编写。

【资政工作】 按照省级党史课题丛书《一张蓝图绘到底——忠实践行“八八战略”全纪录》文件要求，北仑编写《锻造“硬核”力量，奋力建设现代化滨海大都市高能门户》一文，为“八八战略”在北仑的实践历程存史立言，全文1万多字，跨时两年完成。按照省委党史和文献研究室组织《浙江省七条红色资源保护传承带》丛书（暂名）的要求，系统梳理北仑区“七条红色资源保护传承带”的历史和保护现状，宁波市全市入围名录47个，其中北仑入围名录7个。编写《探索北仑改革开放发展历程和经验启示》专题入选《宁波史志》期刊。

【史志宣教工作】 省市史志平台录用7篇、“学习强国”全国平台录用3篇，浙江学习平台录用7篇。深入开展习近平新时代中国特色社会主义思想主题教育，推动学习宣传贯彻习近平考察浙江重要讲话精神走深走实，进一步营造牢记嘱托、感恩奋进、实干争先的浓厚氛围，按照《关于举办“打卡浙江红色名片主题宣传活动的通知》文件，落实“打卡浙江红色名片”主题宣传，开展红色故事征文活动，获省级优秀组织奖，其中两篇征文获优胜奖。

【志鉴编写】 完成《北仑年鉴（2023）》编写。实现街道志编纂工作全覆盖，7个街道完成出版，3个街道启动编写，提前完成街道志编纂于2025年前出版率达50%的要求。《北仑年鉴（2022）》获得第九届全国地方志优秀成果（年鉴类）三等奖。

【革命遗址保护利用】 争取市级资金补助，区内1家党史基地获市级革命遗址资金补助。并按照资金使用规定，按季度开展督促检查资金落实情况和绩效评估情况，提高革命遗址保护利用专项资金绩效。组织革命遗址树碑项目，全面普查北仑区59个革命遗址及其他33个遗址，按照2023年市级部门对革命遗址保护利用要求，9月中旬启动对区内各街道革命遗址的树碑或挂牌及标注二维码情况普查，查漏补缺，完成革命遗址、遗迹的树碑或挂牌，落实二维码标注全覆盖。

（撰稿人：郑春光）

档案工作

【概况】 2023年，北仑区档案工作全面落实“四个好”“两个服务”的目标任务，推动档案工作提质增效。北仑档案馆馆藏档案总量114297卷，363121件，资料18.37万册，电子档案620.08GB，照片档案17053张，数字录音、数字录像610.72GB，实物档案81件，馆藏纸质资料11684册。其中，开放档案165845件，开放档案目录文件级16.58万条。全年共接待档案利用者1866人次，利用档案1378卷，实现“异地查档、跨馆服务”65例，电子出证3例。编研档案资料2种，计27.6万字，其中公开出版1种25万字。全年新接收26家单位17895卷109965件档案，完成共同富裕示范先行、数字化改革、碳达峰碳中和等专题档案接收、归集，整理收集约13.2GB的数据。

【服务中心大局】 落实宁波开发区事业机构整合设置的通知精神，牵头做好各撤并机构相关档案的移交工作，成立档案处置领导小组，落实人员分片区指导撤销单位的档案整理。抓好重特大事件档案资料收集、管理和利用服务，做好主题教育、第19届亚运会（火炬传递宁波站）、女排奥运资格赛宁波站等重大活动档案收集归档及业务指导工作。聚焦优化营商环境、数字经济发展、乡村振兴等战略实施，开展婚姻等民生档案的进馆工作，抓好重特大事件档案资料收集、管理和利用服务，做好党史和北仑区情资料、重要人物档案的征集和编研工作。深化档案工作服务农村基层社会治理，加强基层档案收集、整理和利用，全区11个街道档案目录编制及重要纸质档案全文数字化工作有序推进。

【依法治档】 实施全区档案法治宣传教育“八五”规划，开展《中华人民共和国档案法》普法宣传，印制以漫画解读的新修订档案法的宣传手册。深入大碶街道九峰社区集中开展档案法宣讲。聚焦“大综合一体化”行政执法改革，健全完善档案行政执法体制机制，对立档单位档案工作的检查项目进行全覆盖。开展档案监督检查，依法查处违法行为，完成行政检查12次，依法开展档案服务领域信用监管。加强基层业务指导，结合国有企业改革，推进国有企业档案监管，推行《北仑区区直机关档案工作履责清单》，实地走访40余家单位检查指导档案的归档情况。

【档案事业发展】 推进“品牌创建年”活动，深挖档案资源特色，培育“仑档力量”档案品牌，完成北仑区档案事业发展“十四五”规划中期评估工作。加大档案安全工作监督检查力度，推进档案馆库房改造项目，做好新进馆档案2.5万卷（380米排架长度）的消毒工作；贯彻落实档案行业网络安全等级保护指导意见，完善软硬件设施设备，完成档案信息系统安全等保2.0测评。

【数字化改革】 推进数字档案馆（室）建设，推动机关单位全面建成省级规范化数字档案室，推进馆藏档案数据化工作，推动馆（室）藏传统载体档案电子目录实现全覆盖。推进数字档案系统迭代升级，建设完善北仑区数字档案管理服务系统。开展机关、团体、企事业单位档案室业务建设评价，完成10家省级示范化、规范化数字档案室创建以及14家省级档案室业务建设评价的创建验收。

【档案宣传】 围绕“八八战略”实施二十周年主题，举办“八八战略在身边，追寻足迹看蝶变”主题档案展；结合“6·9”国际档案日活动，到结对村开展以“走进档案”为主题的档案咨询服务活动，组织“红领巾走进档案馆”主题实践和主题征文活动，协助拍摄《走进档案馆寻红色根基》短视频。开展档案征集活动，加大民生档案收集力度，做好浙江省非物质文化遗产蛟川走书《包公传》、农民画家汪宝华档案资料捐赠。联合区政协教文委、大碶街道编纂出版《大风表东海》。

（撰稿人：王亚光）

北仑区人民代表大会

综 述

【概况】 2023年，区人大常委会在区委的坚强领导下，坚持以习近平新时代中国特色社会主义思想为引领，深入学习贯彻习近平考察浙江重要讲话精神，全面落实省、市、区委全会部署要求，聚焦高质量发展目标、共同富裕美好期盼和全过程人民民主实践，唯实励新、奋勇争先，较好地发挥了地方国家权力机关的职能作用。全年共召开常委会会议10次、主任会议16次，听取和审议专项工作报告42项，作出决议决定18项，开展专题询问1次、执法检查7次、重点调研9项、视察8次，圆满完成了区十届人大二次会议确定的目标任务。

【人事任免】 坚持党管干部与人大依法行使任免权相统一，全年依法任免国家机关工作人员94人次，补选区人大代表14名，保证了党委用人决策有效落实。

2023年区十届人大常委会人事任免情况一览表

表3

日 期	会 议	姓 名	任免职务
1月4日	区十届人大常委会第七次会议	张盛杰	任区科学技术局局长
		张红霞	任区人大常委会社会建设工作委员会副主任
		乐松毅	任区人大常委会大碶街道工作委员会副主任
		张思迪	任区人大常委会春晓街道工作委员会副主任
		彭晓晓	任区人民法院柴桥人民法庭庭长
		谢仁安	免区人大常委会城乡建设环境保护工作委员会副主任
		石补立	免区人大常委会农业和农村工作委员会副主任
		王曙辉	免区监察委员会委员
		严学军	免区人民法院立案庭庭长
		彭晓晓	免区人民法院民事审判二庭庭长
		周 瑾	免区科学技术局局长
3月30日	区十届人大常委会第九次会议	徐宏杰	任区民政局局长
		张 忠	任区应急管理局局长
		罗姬娜	任区人大常委会法制和监察司法工作委员会主任
		张 伟	任区人大常委会城乡建设环境保护工作委员会主任
		王国芳	任区人大常委会农业和农村工作委员会主任
		王宁山	任区人大常委会郭巨街道工作委员会主任
		顾海萍	任区人大常委会法制和监察司法工作委员会副主任

续表3

日 期	会 议	姓 名	任免职务
3月30日	区十届人大常委会第九次会议	黄素琴	任区人大常委会代表工作委员会副主任
		方红霞	任区监察委员会委员
		徐冰泽	任区人民法院民事审判二庭庭长、审判委员会委员
		马绪良	任区人民法院大榭人民法庭副庭长
		袁士增	任区人民法院小港人民法庭副庭长
		宛敏强	任区人民法院立案庭副庭长
		彭志伟	任区人民法院刑事审判庭副庭长
		郑旭波	免区人大常委会监察和司法工作委员会主任
		许振良	免区人大常委会城乡建设环境保护工作委员会主任
		汪红波	免区人大常委会农业和农村工作委员会主任
		柴建军	免区人大常委会郭巨街道工作委员会主任
		黄素琴	免区人大常委会监察和司法工作委员会副主任
		王宁山	免区人大常委会代表工作委员会副主任
		顾海萍	免区人大常委会代表工作委员会副主任
		周 凌	免区民政局局长
		徐宏杰	免区应急管理局局长
		袁士增	免区人民法院民事审判一庭副庭长
		高 拓	免区人民法院民事审判二庭副庭长
		马绪良	免区人民法院小港人民法庭副庭长
		徐冰泽	免区人民法院梅山产业集聚区人民法庭副庭长
4月27日	区十届人大常委会第十次会议	乐国伟	免区人大常委会霞浦街道工作委员会主任
5月31日	区十届人大常委会第十一次会议	吴希松	免区人民法院大榭人民法庭庭长
		王成勇	免区人民法院审判员
		顾幼芬	免区人民检察院检察员
		陈卫芬	免区人民检察院检察员
7月14日	区十届人大常委会第十三次会议	李海达	任区教育局局长
		卢国杰	任区司法局局长
		孙开用	任区人力资源和社会保障局局长
		汪越海	任区综合行政执法局局长
		穆大平	任区人大常委会办公室主任
		王明良	任区人大常委会代表工作委员会主任
		张友均	任区人大常委会社会建设工作委员会主任
		徐东明	任区人大常委会霞浦街道工作委员会主任
		杨先大	任区人大常委会城乡建设环境保护工作委员会副主任

续表 3

日　期	会　议	姓　名	任免职务
7月14日	区十届人大常委会第十三次会议	周　静	任区监察委员会委员
		丁澍森	任区人民法院梅山产业集聚区人民法庭庭长
		宋建侠	任区人民法院民事审判一庭庭长
		傅赛君	任区人民法院柴桥人民法庭副庭长
		刘叶思	任区人民法院梅山产业集聚区人民法庭副庭长
		张梦霞	任区人民法院民事审判一庭副庭长
		申　亮	任区人民法院民事审判三庭副庭长
		王明良	免区教育局局长
		汪越海	免区司法局局长
		付忠杏	免区人力资源和社会保障局局长
		张友均	免区综合行政执法局局长
		叶园平	免区人大常委会办公室主任
		钱宏儿	免区人大常委会代表工作委员会主任
		穆大平	免区人大常委会社会建设工作委员会主任
		周雨虹	免区人大常委会城乡建设环境保护工作委员会副主任
		方祖军	免区人民法院梅山产业集聚区人民法庭庭长、审判委员会委员
		李　瑛	免区人民法院审判委员会委员
		丁澍森	免区人民法院民事审判一庭副庭长
		宋建侠	免区人民法院柴桥人民法庭副庭长
		刘叶思	免区人民法院刑事审判庭副庭长
		傅赛君	免区人民法院民事审判三庭副庭长
9月21日	区十届人大常委会第十四次会议	涂学华	任区人民检察院副检察长
		卞　杰	任区人民检察院检察委员会委员、检察员
		胡　波	免区人民法院小港人民法庭庭长
		卞　杰	免区人民法院审判委员会委员、审判员
11月23日	区十届人大常委会第十五次会议	曾建祥	任北仑区副区长
		徐善君	任区市场监督管理局局长
		赵拉结	任区医疗保障局局长
		程知信	任区人大常委会大碶街道工作委员会主任
		邹世雄	任区人大常委会春晓街道工作委员会主任
		项　群	任区人大常委会代表工作委员会副主任
		王潇雅	任区监察委员会委员
		宋建侠	任区人民法院审判委员会委员
		汪　柱	任区人民法院审判员

续表3

日期	会议	姓名	任免职务
11月23日	区十届人大常委会第十五次会议	欧　林	任区人民法院审判员
		沈冬梅	免区市场监督管理局局长
		孙建荣	免区医疗保障局局长
		陈进元	免区人大常委会大碶街道工作委员会主任
		周庆海	免区人大常委会春晓街道工作委员会主任
		吴　维	免区人大常委会新碶街道工作委员会副主任
		邵　晨	免区人大常委会小港街道工作委员会副主任
		韩罗杰	免区人大常委会白峰街道工作委员会副主任

重要会议

【区十届人大常委会第七次会议】 于1月4日召开。区人大常委会主任贺威平，副主任陆亚芬、刘文科、朱晓雄、金艳、张如平、朱斌荣及委员共27人出席会议，朱斌荣主持会议。区委常委、副区长冯伟业，区检察院检察长吕益军，区监察委员会、区法院有关负责人列席会议。会议分别听取了冯伟业所作的有关任免议案的说明，区人大常委会办公室主任叶园平受主任会议委托所作的有关任免议案的说明，区监察委员会副主任胡峰印所作的有关免职议案的说明，区法院副院长杜宇所作的有关任免议案的说明，区委组织部常务副部长陆坚所作的有关上述议案所涉及的部分人事情况的说明。会议表决通过了人事任免事项。会议听取了叶园平受主任会议委托提请的《关于召开宁波市北仑区第十届人民代表大会第二次会议的决定（草案）》有关情况的说明。会议决定，区第十届人民代表大会第二次会议于2023年1月18日召开（召开日期如有调整，授权主任会议确定）。会议讨论通过了关于补选区十届人大代表的资格审查报告和区十届人大常委会代表资格审查委员会组成人员调整名单。会议讨论了《宁波市北仑区人民代表大会议事规则（修订草案）》，会议认为修订人民代表大会议事规则是深入学习贯彻习近平关于坚持和完善人民代表大会制度的生动体现，要坚持党对人大工作的全面领导，发展全过程人民民主，完善人大议事制度，确保各项决策部署落实到人大工作全过程各方面；要提升议事质量和效率，聚焦实际工作中面临的新情况新问题，实事求是；要积极总结提炼人大制度实践的有益经验和行之有效的机制做法，将其吸收到修订草案中。

【区十届人大常委会第八次会议】 于1月10日召开。区人大常委会主任贺威平，副主任陆亚芬、刘文科、朱晓雄、金艳、张如平、朱斌荣及委员共31人出席会议，刘文科主持会议。区委常委、常务副区长屠斌斌，区法院院长郑航捷，区检察院检察长吕益军，区监察委员会有关负责人列席会议。会议讨论了《政府工作报告（讨论稿）》。会议认为，2023年，区政府在市委、市政府和区委的坚强领导下，在区人大、区政协的监督支持下，全力统筹疫情防控、除险保安和经济社会发展，全面落实"六促六优"专项行动，经济社会发展总体实现"稳中有进"，《政府工作报告（讨论稿）》客观全面地总结了2022年取得的成绩，对2023年工作进行了安排部署，目标明确、主题突出、措施具体。会议同意将该报告作适当修改后提请区十届人大二次会议审议。会议讨论了区发改局受区人民政府委托所作的关于2022年区政府民生实事项目完成情况报告和2023年民生实事候选项目形成情况说明，讨论了2022年区政府民生实事项目实施情况评估报告。会议同意将上述报告提请区十届人大二次会议审议，将2023年民生实事候选项目提交区十届人大二次会议审议并票决。会议讨论了区政府2022年民生实事项目实施情况满意度测评办法（草案）和2023年民生实事项目投票表决办法（草案），同意将上述两个办法草案提请区十届人大二次会议依法表决通过。会议讨论了计划和预算报告，同意将上述两个报告作适当修改后提请区十届人大二次会议审议。会议讨论了《宁波市北仑区人民代表大会常务委员会工作报告（讨论稿）》，表决通过了区人大常委会2023年工作要点。会议建议，要充分发挥人民代表大会发展全过程人民民主的主要渠道作用，发展更加广泛、更加充分、更加健全的全过程人民民主，在密切联系人民群众上下功夫，在畅通社情民意渠道上做文章，奋力推动新时代人大工作高质量发展。会议同意将上述报告作适当修改后提请区十届人大二次会议审议。会议讨论了《宁波市北仑区人民法院工作报告（讨论稿）》和《宁波市北仑区人民检察院工作报告（讨论稿）》。会议强调，"两院"要继续深化司法体制综合配套改革，健全公正司法机制，不断提升司法服务效率效果，为北仑打造中国式现代化港城示范区提供更加有力的司法保障。会议同意将上述报告作适当修改后提请区十届人大二次会议审议。

会议讨论了区十届人大二次会议组织工作相关材料。会议通过了各代表团召集人名单、代表小组召集人名单、列席人员名单，同意将其他名单、办法提请区十届人大二次会议依法表决通过。会议讨论了区十届人大二次会议议程（草案）、日程（草案）、区十届人大二次会议各项决议（草案）、区十届人大二次会议提交议案截止时间的决定（草案），同意将上述草案提请区十届人大二次会议依法表决通过。会议听取和审议了区审计局局长陈建平关于2021年度审计查出问题整改情况的报告。会议书面审议了全区11个街道2022年预算执行情况和2023年预算草案报告及各人大街道工委初审报告。

【区十届人大二次会议】 于1月30日至2月1日召开。会议听取和审查了区政府工作报告；审查和批准北仑区2022年国民经济和社会发展计划执行情况及2023年国民经济和社会发展计划草案的报告，批准北仑区2023年国民经济和社会发展计划；审查和批准北仑区、宁波经济技术开发区（不含保税区、大榭开发区）2022年预算执行情况及北仑区（宁波经济技术开发区）2023年预算草案的报告，批准北仑区（宁波经济技术开发区）2023年预算；听取和审查区人大常委会工作报告；听取和审查区法院工作报告；听取和审查区检察院工作报告；听取和审议2022年区民生实事项目完成情况报告并进行满意度测评；审议和票决2023年区民生实事项目；选举胡斌、黄铭月为区第十届人民代表大会常务委员会委员；通过了《宁波市北仑区人民代表大会议事规则》。

【区十届人大常委会第九次会议】 于3月30日召开。区人大常委会主任贺威平，副主任陆亚芬、刘文科、朱晓雄、金艳、张如平、朱斌荣及委员共33人出席会议，金艳主持会议。副区长张海航，区检察院检察长吕益军，区监察委员会、区法院相关负责人列席会议。会议传达学习了十四届全国人大一次会议精神。会议强调，要坚持学深学透、跟紧跟进、笃信笃行，切实把思想和行动统一到大会精神上来，统一到党和国家的决策部署上来，全力以赴把大会精神落实到人大履职实践中、体现到实际成效上，努力以一流状态、一流作为、一流业绩，推动区人大工作始终走在省市前列。会议分别听取了张海航受区长王程委托所作的有关人事任免议案的说明，人大常委会办公室主任叶园平受主任会议委托所作的有关人事任免议案的说明，胡峰印所作的有关人事任命议案的说明，区委组织部常务副部长陆坚所作的上述议案相关情况说明，区法院副院长杜宇所作的有关人事任免议案的说明，监察和司法工委主任郑旭波关于提请任命人员法律知识考试情况的报告。会议表决通过了上述人事任免事项。会议听取了代表工委主任钱宏儿所作的关于市、区两位人大代表辞职报告相关情况说明，经过审议，表决通过了《关于接受李军请求辞去宁波市第十六届人民代表大会代表职务的决议》和《关于接受乐国伟请求辞去宁波市北仑区第十届人民代表大会代表职务的决议》。会议表决通过了《宁波市北仑区人大常委会关于全力助推谱写“双一流双示范”建设新篇章的决定》。会议听取和审议了区司法局局长汪越海所作的关于法治政府建设情况的报告。会议听取和审议了区人大常委会委员郑旭波所作的2022年规范性文件备案审查工作情况的报告。会议分别听取了副区长张海航受区长王程委托所作的关于提请审查批准2023年新增政府债务限额和预算调整方案的议案，区财政局局长叶奇丹所作的关于北仑区（开发区）2023年新增政府债务限额和预算调整方案的报告，经过审议，表决通过了《关于批准宁波市北仑区（宁波经济技术开发区）2023年新增部分债务限额和预算调整方案的决议》。会议表决通过了《关于批准2023年度宁波市北仑区人大常委会各街道工委工作计划的决议》。会议书面审议了市十六届人大代表北仑中心组2022年履职情况报告和关于宁波市北仑区美丽乡村建设工作情况的审议意见办理落实情况的报告。

【区十届人大常委会第十次会议】 于4月27日召开。会议以线上召开方式进行，区人大常委会主任贺威平，副主任陆亚芬、刘文科、朱晓雄、金艳、张如平、朱斌荣及委员共33人出席会议，朱晓雄主持会议。会议经过审议，以线上表决的方式，表决通过了有关人事免职事项。

【区十届人大常委会第十一次会议】 于5月31日召开。区人大常委会主任贺威平，副主任陆亚芬、刘文科、金艳、张如平、朱斌荣及委员共28人出席会议，张如平主持会议。副区长张海航，区法院院长郑航捷，区监察委员会、区检察院相关负责人列席会议。会议听取了郑航捷所作的有关人事免职议案的说明，区委组织部常务副部长陆坚所作的涉及区管干部的人事免职议案相关情况说明，区检察院副检察长倪联辉所作的有关人事免职议案的说明。会议表决通过了上述人事免职事项。会议听取和审议了自然资源和规划分局局长顾红麟所作的关于2021年—2035年国土空间总体规划编制情况报告，市规划设计研究院城市更新所所长熊璐所作的相关情况介绍说明，以及城建环保工委主任张伟所作的有关调查情况的报告。会议听取和审议了区卫健局局长张旭波所作的关于公立医院建设发展情况报告，以及教科文卫民宗侨外工委主任张勤勇所作的有关调查情况的报告。会议听取和审议了生态环境分局局长王涛所作的关于2022年度生态环境状况和生态环境保护目标完成情况报告，以及城建环保工委主任张伟所作的有关调查情况的报告。会议听取和审议了区人社局局长付忠杏所作的关于技能人才队伍建设工作情况报告，以及社会建设工委副主任张红霞所作的有关调查情况的报告。会议书面审议了关于公安分局反诈工作情况的审议意见办理落实情况报告、关于北仑区“双减”政策落实及教育质量提升情况的审议意见办理落实情况报告和关于北仑区土地管理工作情况的审议意见办理落实情况报告。

【区十届人大常委会第十二次会议】 于6月20日召开。会议以线上召开方式进行，区人大常委会主任贺威平，副主任陆亚芬、刘文科、朱晓雄、金艳、张如平、朱斌荣及委员共33人出席会议，朱斌荣主持会议。会议经过审议，以线上表决方式，表决通过了区人大代表辞职事项。

【区十届人大常委会第十三次会议】 于7月14日召开。区人大常委会主任贺威平，副主任陆亚芬、刘文科、朱晓雄、金艳、张如平、朱斌荣及委员共33人出席会议，朱斌荣主持会议。区委常委、常务副区长屠斌斌，区监察委员会、区法院、区检察院有关负责人列席会议。会议分别听取了区委常委、常务副区长屠斌斌所作的有关人事议案的说明，区人大常委会委员穆大平受主任会议委托所作的有关人事议案的说明，区纪委副书记、区监委副主任张建勇所作的有关人事议案的说明，区法院副院长杜宇所作的有关人事议案的说明，区委组织部部务会议成员周一杰所作的有关任免情况的说明，法制和监察司法工委主任罗姬娜关于提请任命人员法律知识考试情况的报告。会议表决通过了人事任免事项。会议听取和审议了区发改局局长鲍志荣关于2023年上半年国民经济和社会发展计划执行情况的报告，以及财经工委主任成维庆有关调查情况的报告。会议分别听取和审议了区委常委、常务副区长屠斌斌关于提请审查批准2023年第二次新增政府债务限额和预算调整方案的议案说明，区财政局局长叶奇丹受区政府委托所作的关于北仑区（宁波经济技术开发区）2023年第二次新增政府债务限额和预算调整方案的报告，穆大平所作的关于批准北仑区（宁波经济技术开发区）2023年第二次新增政府债务限额和预算调整方案的决议（草案）的说明。会议经过审议，表决通过了北仑区（宁波经济技术开发区）2023年第二次新增政府债务限额和预算调整方案。会议分别听取和审议了区委常委、常务副区长屠斌斌关于提请审查批准2022年北仑区决算草案报告和提请审查批准2022年宁波经济技术开发区（不含保税区、大榭开发区）决算草案报告的议案说明，区财政局局长叶奇丹受区政府委托所作的关于2022年北仑区、宁波经济技术开发区（不含保税区、大榭开发区）决算草案的报告和2022年北仑区非税收入及专项资金收支管理情况的报告，区审计局局长陈建平受区政府委托所作的关于2022年北仑区、宁波经济技术开发区（不含保税区、大榭开发区）预算执行和其他财政收支的审计工作报告，财经工委主任成维庆所作的关于北仑区、宁波经济技术开发区（不含保税区、大榭开发区）2022年决算的初审报告，穆大平所作的关于批准北仑区、宁波经济技术开发区（不含保税区、大榭开发区）2022年决算的决议（草案）的说明。会议经过审议，表决通过了2022年北仑区、宁波经济技术开发区（不含保税区、大榭开发区）决算。会议听取和审议了叶奇丹关于北仑区（宁波经济技术开发区）2023年上半年预算执行情况的报告，以及成维庆有关调查情况的报告。会议书面审议了2022年北仑区科技进步（含经费使用）工作情况报告和人大各街道工委2023年年中工作报告。

【区十届人大常委会第十四次会议】 于9月21日召开。市委常委、区委书记、宁波开发区党工委书记潘银浩出席会议并讲话。区人大常委会主任贺威平，副主任陆亚芬、刘文科、朱晓雄、金艳、张如平、朱斌荣及委员共30人出席会议，贺威平、陆亚芬分阶段主持会议。区委常委、常务副区长屠斌斌，区法院院长郑航捷，区检察院检察长吕益军，区监察委员会有关负责人列席会议。潘银浩代表区委作了讲话。潘银浩表示，2022年3月换届以来，区人大常委会和全体人大代表牢牢把握正确政治方向，紧扣中心工作，服务发展大局，紧贴民生需求，不少工作走在省市前列。潘银浩指出，甬江科创区是市委市政府作出的重大战略举措，对于促进北仑未来发展、提升城市建设、增进民生福祉具有极其重要的意义。潘银浩强调，完成2023年两会确定的各项目标任务，需要区人大常委会和全体人大代表的共同作为。要把牢正确政治方向，毫不动摇坚持党的领导；要聚焦发展首要任务，坚定不移服务中心大局；要拓宽联系群众渠道，与时俱进增强履职本领；要激发比拼焕新斗志，锲而不舍加强自身建设。潘银浩强调，区委将一如既往全力支持人大及其常委会依法行使职权、开展工作，全力支持人大代表依法履职；“一府一委两院”要自觉接受人大监督，严格执行人大决议，促进依法行政、依法监察、公正司法；全区各级各部门要积极支持人大依法行使职权，认真办理人大代表建议意见，全力营造尊重和支持人大工作的良好氛围。会议听取了办公室主任穆大平所作的关于《关于加快推进甬江科创区北仑片区建设的决定（草案）》有关情况的说明。会议经过审议，表决通过了《关于加快推进甬江科创区北仑片区建设的决定》。会议分别听取了郑航捷所作的有关人事免职议案的说明，吕益军所作的有关人事任职议案的说明，区委组织部常务副部长江智灵所作的有关任免情况的说明，法制和监察司法工委主任罗姬娜关于提请任命人员法律知识考试情况的报告。会议表决通过了人事任免事项。会议听取和审议了区经信局局长陈佩青所作的关于《浙江省民营企业发展促进条例》《浙江省促进中小微企业发展条例》《宁波市人大常委会关于促进民营经济高质量发展的决定》贯彻实施情况报告，以及财经工委主任成维庆关于执法检查有关情况的报告。会议分别听取和审议了区委常委、常务副区长屠斌斌关于提请审查批准宁波市北仑区2023年预算调整方案的议案和关于提请审查批准宁波经济技术开发区2023年预算调整方案的议案说明，区财政局副局长应容与受区人民政府和宁波开发区管委会委托所作的关于宁波市北仑区（宁波经济技术开发区）2023年预算调整方案的报告，成维庆所作的《关于批准宁波市北仑区（宁波经济技术开发区）2023年预算调整的决议（草案）》有关情况的说明。会议经过审议，表决通过了宁波市北仑区（宁波经济技术开发区）2023年预算调整的决议。会议听取了和审议了应容与所作的关于北仑区（开发区）2022年度行政事业性国有资产管理情况的报告、成维庆所作的有关调查情况的报告，书面审议了关于北仑区（开发区）2022年度国有资产管理情况的综合报告。会议听取和审议了区委社会建设委员会专职副主任鲍晓峰所作的关于北仑区“十四五”规划纲要实施情况中期评估报告、成维庆所作的有关调查情况的报告。会议书面审议了节能降耗工作情况报告。

【区十届人大常委会第十五次会议】 于11月23日召开。区人大常委会副主任陆亚芬、刘文科、朱晓雄、金艳、张如平、朱斌荣及委员共31人出席会议，刘文科主持会议。区委常委、区委组织部部长周成钢，区委常委、副区长冯伟业，区监察委员会、区法院、区检察院有关负责人列席会议。会议听取和审议了区政府办公室主任陆浩杰所作的代表建议办理情况报告，以及代表工委主任王明良所作的代表建议督办情况报告。会议听取和审议了区农业农村局局长袁波所作的关于村级集体经济发展情况的报告，以及农业和农村工委主任王国芳所作的有关调查情况的报告。会议听取了办公室副主任孙朝霞、财经工委副主任漆琦、农业和农村工委副主任应霞玲、大榭街道工委副主任应志平等4人的工作述职。会议分别听取了区委常委、副区长冯伟业受区长王程委托所作的有关人事议案的说明，穆大平受主任会议委托所作的有关人事议案的说明，区监察委员会副主任张建勇所作的有关人事议案的说明，周成钢所作的上述人事议案相关情况说明，区法院副院长杜宇所作的有关人事议案的说明，法制和监察司法工委主任罗娅娜关于提请任命人员法律知识考试情况的报告。会议听取了代表工委主任王明良所作的关于接受部分区人大代表辞职和开展补选工作的报告。会议经过审议，表决通过了《关于接受张如平请求辞去宁波市北仑区第十届人民代表大会常务委员会副主任和代表职务的决定》和《关于接受叶园平等请求辞去宁波市北仑区第十届人民代表大会代表职务的决议》，决定接受张如平请求辞去区十届人大常委会副主任和代表职务，同时接受叶园平等12位代表请求辞去区十届人民代表大会代表职务。

【区十届人大常委会第十六次会议】 于12月25日召开。区人大常委会主任贺威平，副主任陆亚芬、刘文科、朱晓雄、金艳、朱斌荣及委员共23人出席会议，朱晓雄主持会议。副区长曾建祥、区法院院长郑航捷、区检察院检察长吕益军、区监察委员会有关负责人列席会议。会议听取了办公室主任穆大平所作的关于召开区十届人大三次会议的决定（草案）的介绍说明。会议经过审议，表决通过了《关于召开宁波市北仑区第十届人民代表大会第三次会议的决定》。会议决定，宁波市北仑区第十届人民代表大会第三次会议于2024年1月中旬召开（召开日期如有调整，授权主任会议确定）。会议听取了代表工委主任王明良所作的关于区十届人大代表变动情况和补选代表资格审查报告（草案）有关情况的报告。会议经过审议，表决通过了《关于宁波市北仑区十届人大代表变动情况和补选代表的资格审查报告》。会议听取了王明良所作的关于区十届人大常委会议案审查委员会组成人员调整名单（草案）有关情况的报告。会议经过审议，表决通过了《宁波市北仑区第十届人民代表大会常务委员会议案审查委员会组成人员调整名单》。会议分别听取和审议了各街道2023年预算执行情况和2024年预算草案报告及人大各街道工委初审报告，区住建局、区教育局2023年部门预算执行情况报告及绩效评估报告并进行了预算绩效满意度测评，区人社局、区农业农村局2024年部门预算编制情况报告。会议听取和审议了区审计局局长陈建平所作的关于2022年度审计查出问题整改情况的报告，财经工委主任成维庆所作的初审报告。会议听取和审议了人大各街道工委2023年工作报告。人大郭巨街道工委、大榭街道工委作口头报告，其他街道工委作书面报告。会议经过审议，表决通过了人大各街道工委2023年工作报告。会议书面审议了《关于北仑区公立医院建设发展情况的审议意见》办理落实情况报告和《关于宁波市北仑区知识产权保护工作情况的审议意见》办理落实情况报告。

服务中心工作

【坚持党的领导】 2023年，区人大常委会牢牢把握坚持党的领导这一最高政治原则，坚决维护党总揽全局、协调各方的领导核心地位，确保人大工作与党的中心工作同频共振、同向发力。区委高度重视和支持人大工作，区委主要领导出席区人大常委会会议，走进人大代表联络站专题听取代表意见建议，多次就全区人大工作与时俱进发展作出批示、提出要求。严格执行《关于进一步健全向区委请示报告制度的实施办法》，就行权履职中的重大问题和重要事项向区委请示报告58项，自觉将人大各方面工作置于区委领导之下。坚持履行好区人大常委会党组在人大工作中“把方向、管大局、保落实”的职责，召开18次党组会议，有力推动人大工作高质量开展。依法规范人事任免，坚持党管干部与人大依法行使任免权相统一，全年依法任免国家机关工作人员94人次，补选区人大代表14名。

【高质量开展主题教育】 牢牢把握“学思想、强党性、重实践、建新功”总要求，高质量开展学习贯彻习近平新时代中国特色社会主义思想主题教育。将理论学习作为首要任务，坚持学原著、读原文、悟原理，深刻领悟习近平考察浙江重要讲话精神以及对“八八战略”实施20周年、“千万工程”等重要指示精神的特殊意蕴和丰富内涵。聚焦学习主题原原本本学、集中研讨学、持续跟进学，组织集体学习、交流研讨、专题教育、理论宣讲59次，切实用党的创新理论武装头脑、指导实践、推动工作。推进“循迹溯源学思想促践行”活动，狠抓政绩观、作风等专项问题检视整改，开展“联街道入村社、走企业访群众”活动，联动解决群众及企业急难愁盼问题36个。坚持把调查研究贯穿始终，科学确定调研课题，发放调查问卷1000余份，形成调研成果28项，整改问题13个，以高度负责的精神把主题教育抓出好效果。

【落实决策部署】 在服务全区改革发展大局中找准人大定位，坚决做到“党委有部署，人大见行动”。深入贯彻省委三个“一号工程”、市委“打造一流城市、跻身第一方阵”决策部署，迅速出台专项行动实施方案，梳理形成三方面19项任务清单。配合省人大常委会开展“交通强省 一流强港”专项调研，形成调研成果供区委区政府参考。助推“三件大事”落实落细，围绕文明城市创建、亚运会筹办中的薄弱环节、顽疾问题，统筹发挥人大职能优势和代表带头作用，广泛汇聚“讲文明、办展会、迎亚运”共识共为。紧扣区委战略目标，作出全力助推“双一流双示范”建设、加快推进甬江科创区北仑片区建设两项决定，确保区委决策主张通过法定程序转化为全区人民的共同意志。以“营造一流营商环境”“强化人才要素保障”等专题为切入点，部署开展4期“人大代表民生夜询会”，通过以问知政、以问督政、以问助政，推进解决问题21个。系统谋划“十四五”规划实施情况中期评估监督，形成“1+5”调研报告，精准推动规划落地实施。

监督工作

【概况】 2023年，区人大常委会召开常委会会议10次、主任会议16次，听取和审议公立医院建设发展、全区技能人才队伍建设、农村集体经济收入、共享法庭建设、科技进步工作等专项报告42项；作出全力助推“双一流双示范”建设、加快推进甬江科创区北仑片区建设等决议决定18项；开展养老服务体系建设情况专题询问1次；重点调研行政事业单位国有资产管理、托育事业发展、农业农村发展及配套设施建设用地等工作9项；专题视察教育“双减”政策及教育质量提升、农旅精品线建设、残疾人权益保障等工作8次；对2023年10件区政府民生实事票决项目和10件续建项目进行跟踪监督；对2023年8件区人大常委会重点督办建议进行督办。

【经济运行】 高度关注经济运行态势，依法听取审议国民经济和社会发展计划执行、政府重大投资项目安排报告，助力区域经济以进促稳、稳中有进。紧扣营商环境优化提升，开展“两条例一决定”实施情况执法检查，营造全社会支持促进民营经济成长壮大的浓厚氛围。促进完善高质量发展的财政支持体系，开展全口径、全过程预算监督，审议年度预算编制、上年度决算、债务限额及预算调整等工作报告。跟踪督查审计查出问题整改落实情况，对区教育局、区住建局的预算编制、执行和绩效情况进行重点审查，街道预算“阳光三审”继续巩固提升。听取政府债务管理情况报告，提出举债有度、用债有方、偿债有据等意见建议，进一步深化债务风险防范。在审议国资管理综合报告基础上，调研国有企业改革推进情况，听取行政事业性国资管理专项报告，实现国资监督从管“总体”向管“专项”延伸。深入贯彻《浙江省人大财经工作规则》，明确经济计划监督、预算审查监督、国有资产监督等重点内容，搭建形成“3+N”的人大财经监督制度体系。

【产业升级】 开展专精特新、开放型经济专题调研，推动优势产业向集群高质量发展。审议节能降耗工作报告，开展《宁波市再生资源回收利用管理条例》实施情况执法检查，推动节能减排和资源再造双向发力，助力区域经济健康可持续发展。紧扣打造高水平创新强区主线，听取科技进步和科技创新平台运行报告，督促政府强化政策引导和服务指导，加大优质科技人才引育力度，加快提升区内企业自主创新能力。锚定世界一流科创策源中心发展目标，制定出台助推甬江科创区北仑片区建设方案，精准划分实施阶段，明确10项重点任务，为找准创新能级、竞争能级、城市能级提升的关键路径建言献策。审议技能人才队伍建设报告，助力打造全市领先的技能人才生态区。

【城乡品质提升】 密切关注北仑区第一部“多规合一”空间规划的编制工作，审议分区国土空间总体规划（2021—2035年）编制报告，提出加强规划衔接、促进区域协同发展、系统推进全域国土空间综合整治等建议，为未来发展塑造新空间、构建新优势赋能助力。视察“两场一仓一中心”整治提升情况，作出视察意见，助推实现发展格局大重构、区域规划大统筹、发展空间大腾挪。持续助推乡村振兴“大战略”实施，围绕村级集体经济发展、农业农村建设用地、海塘安澜、流域防洪等方面开展监督调研。结合代表联络站点优化提升，有序推进乡村振兴助力站建设，形成大碶“品牌强农”、柴桥“产业兴农”、白峰“文旅助农”等一批亮点鲜明、各具特色的品牌阵地。着眼优化生态环境，听取审议年度生态环境报告，开展湿地保护法执法检查、生物多样性保护工作视察，持续促进绿色发展。关注生态环境安全，戚家山、大榭工委分别围绕大气污染防治和海洋环境保护等重点领域，因地制宜打造生态环境议事“一点一特色”，拓宽了关注生态环境的民主参与渠道。

【公共服务建设】 聚焦“朝夕美好”，紧扣《宁波市居家养老服务条例》实施，听取审议专项工作报告，专题询问养老服务体系建设工作，拟定九方面10条询问建议交区政府研究处理，助推形成适度普惠、服务精准、多元供给的养老服务格局。监督支持儿童友好城区建设、托育事业发展，推动“一米高度看城市”理念融入城市化发展进程。聚焦“体育强区”，立足全民健身国家战略主线，开展全民健身“两条例”执法检查，明确22个检查重点，助推解决群众“健身去哪儿”等民生问题。聚焦“和美教育”，围绕学校规划布局、师资配置、基础保障等内容做调查、出方案、提建议，为做好“减负”“提质”两篇文章把脉建言。聚焦“病有良医”，走访区人民医院、第二人民医院、第三人民医院、中医院等公立医院，提出强保障、补短板、提品质等意见建议35条，促进公共医疗事业健康、稳定发展。调研侨务、民族宗教工作，为共谋发展、共建和谐营造良好氛围。

【法治建设】 注重以法治之力维护社会安定、守护民生安宁，紧盯法治建设关键领域，审议法治政府建设、规范性文件备案审查报告，指导街道备案审查实现全覆盖，听取基层村（社区）警务建设报告，支持推动政府全面提高依法行政、依法治理水平。注重发挥人大、法检协同作用，听取“共享法庭”建设、未成年人检察报告，出台“代表联络站+共享法庭”“双员制+双员”运行办法，创新打造全省首个“海上共享法庭”（浙江自贸试验区宁波片区服务站），探索构建“代表+公益”双向互动机制，将司法服务延伸到基层社会治理最末端。深化“基层立法联系点+代表联络站”融合建设，成立“基层立法体验中心”。开展港区集装箱汽车管理立法调研，配合上级人大做好12部法规条例立法建议征集工作。认真做好干部任前法律知识考试、任职表态发言、颁发任命书、宪法宣誓等工作，切实增强选举任命干部的法治观念和人大意识。加强和改进人大信访工作，依法妥善处理群众合理诉求17件。区人大获评全市普法工作成绩突出集体。

【民生实事办理】 坚持以“民声”定“民生”，深化民生实事项目人大代表票决制。发动群众“点题”，出台人大参与民生实事项目征集和提出工作办法，开展“民生实事项目集中征集月”活动，实行广泛征集与集中征集相结合、线上“屏对屏”与线下“面对面”征集相结合，收集市区两级项目线索457条。依托代表“议题”，分层次、分领域召开座谈会15次，就68项重点线索建议开展专题调研，在广泛收集民情中充分体现民意。坚持人大“评题”，将民生实事项目监督列入年度监督工作计划，建立“项目征集—审议票决—进度监督—绩效评估”的全过程监督机制。由常委会领导分别领衔联系1~2个票决项目，通过专项督查、专题视察、专题询问会等形式，督促区政府及相关职能部门将实事办好，10个民生实事票决项目、10个续建项目已全部按期完成，落地率100%。

代表工作和建议案

【社情民意收集】 建设“代表微网回音格”履职场景，将人大工作触角延伸至“最小单元”，促进代表与群众全方位、全天候、全覆盖的双向联系。持续推进人大核心业务和工作力量“双下沉”，完善领导干部、人大代表和政府部门负责人进联络站接待工作机制，区委、区政府主要领导以代表身份带头进站接待选民，各级人大代表纷纷响应，全年走访选民2万余人次。拓展闭会期间代表履职路径，组织代表参加重要情况通报会，邀请389名代表列席区委、区人大常委会、“一府一委两院”和开发区管委会重大会议、重要活动，保障代表更好知情知政。常态化邀请群众线上线下参与立法调研、执法检查、履职评议，运用数字化手段多渠道、全方位收集反馈社情民意。全年共开展线上问卷调查21批次，征集意见建议1600余条。

【品牌矩阵建设】 聚焦制度分健全，出台《规范提升街道工委工作若干意见》和《街道人大工作规范化建设指引》，指导街道人大健全完善议事规则、联系选民、建议办理、执法检查、居民议事组织等制度，推动基层人大工作运行有序有效。聚焦阵地建优，完善基层单元“1+X”制度体系，加快联络站、立法联系点和专（工）委特色站点共建共促、融合发展。全面推广“联络站码”“代表码”，推动联络站迭代升级、提质增效。聚焦实践建功，鼓励基层人大实践创新，着力打造践行全过程人民民主基层实践样板。新碶街道工委“亲青民主体验”、霞浦街道工委“红色接待驿站”、春晓街道工委“企小二”议事、梅山街道工委“海岛智囊团”、郭巨街道工委民主协商说事等，小港街道工委“红领巾民主学堂”获宁波市人大工作创新奖。

【代表履职服务】 2023年，举办2期人大代表能力提升培训班，依托“致知学法苑”和“代表通——网上学堂”等平台载体，做好培训赋能结合文章，代表想履职、能履职、履好职的基础得到进一步夯实。发挥代表主体作用，开展“三强三促”代表主题活动，组织代表中心组、各代表小组“深入企业一线”“走进‘两院’”调研、视察43批次，举行人大代表宣讲40余场，代表履职舞台进一步拓展。加强代表履职全生命周期管理服务，开展代表履职登记、联系服务选民、年度述职、先进表彰，促进履职更加规范高效。紧盯代表建议“内容高质量、办理高质量”，落实建议提出前会商交流机制，形成常委会领导重点督办、专工委归口督办、代表工委常态督办、人大代表参与督办的“大督办”工作格局，组织建议督办27次，代表共参与206人次，区十届人大二次会议以来的145件代表建议均已按期办结。

2023年北仑区人大代表建议一览表

表4

案号	案由	建议人
建1	关于完善第三方考核检查工作的建议	王　英　张志良
建2	关于允许除夕夜、元宵夜燃放烟花的建议	张贤君
建3	关于进一步明确戚家山派出所设置方向和警力倾斜的建议	李建民
建4	关于缓解横河路、华山路高峰时段拥堵的建议	陈良宏
建5	关于加强高层住宅小区消防安全的建议	陈雪波
建6	关于缓解岷山学校等周边交通拥堵的建议	吴刚毅　屠胜君
建7	关于加大城中村消防安全执法力度消除火灾隐患的建议	徐贤军
建8	关于小浃江路（田洋乐社区段、高河塘社区段）和渡口南路（高河塘社区段）禁黄牌车的建议	黄红艳
建9	关于城市道路路面不平造成车辆损坏应明确各方责任的建议	霍元忠
建10	关于开设房屋码，落实房管员推进最小单元精细管理的建议	陈原益
建11	关于解决社区“空挂户”问题的建议	张维珍
建12	关于抓紧推进港口路拓宽工程的建议	张　勇
建13	关于进一步解决执行难问题的建议	张　均
建14	关于利用大榭现有资源禀赋、政府主导帮扶传统民营企业转型升级的建议	吴翰军　许海婴
建15	关于对大榭未来发展要有明确战略定位的建议	曹　君　张　忠
建16	关于适当增加电动汽车充电桩设置的建议	沈建萍　乐国伟
建17	关于增加公共收费汽车充电站建设的建议	严赛男
建18	关于对原二轻大厦进行重点环境整治的建议	王月铭
建19	关于抓住机遇、发挥优势、高质量构筑现代产业体系的建议	吴洪波
建20	关于建立我区酒店餐饮行业振兴政策，扶持和促进该行业健康发展的建议	李　晶
建21	关于推进北仑区生活性服务业品质化发展的建议	陈思怡
建22	关于鼓励中小微外贸企业抢订单、拓市场的建议	林银云
建23	关于建立港前服务行业标准，推动行业转型升级的建议	吴建明
建24	关于加快推进北仑高端压铸模具产业发展的建议	夏培娜
建25	关于利用国有房产优先保障社会公共服务事业的建议	任忠平　吴建明
建26	关于营造汽车产业升级换代良好生态体系的建议	贺频艳
建27	关于发展普惠金融助力共同富裕的建议	刘永红
建28	关于完善协和地块生产配套服务的建议	顾立波
建29	关于促进北仑区跨境电商发展的建议	林锦涛
建30	关于加快培育核心高端装备制造业，助力打造全球智造创新之都的建议	丰如男
建31	关于要求尽快修复因地铁（轨道）施工下沉道路的建议	霍元忠
建32	关于解决渡头董工业区历史遗留问题的建议	唐　西
建33	关于加强大工程前期调研及施工期监管的建议	胡松盛
建34	关于推广使用“信用+社区治理”数字化应用场景的建议	沃毅惠
建35	关于进一步做大做强做精北仑优势核心产业——压铸模具产业的建议	姚贤君
建36	关于加强对中小型企业扶持力度的建议	唐　西　方狄于

续表 4

案　号	案　由	建议人
建 37	关于加快推进中医院二期项目实施进度的建议	周剑峰
建 38	关于进一步挖掘大榭红色根脉底蕴、延续大榭特色文化活动的建议	戴军营
建 39	关于加快改建白峰中学教学楼及食堂的建议	周　宁　徐　炯
建 40	关于推进教育数字化改革基础设施建设的建议	姜奕群
建 41	关于加快推进梅山湾旅游度假区核心区建设工作的建议	周晓菠
建 42	关于出台广场舞管理规定的建议	张　林　邬旭芳
建 43	关于加快出台《北仑区文化领域人才引育办法》的建议	张　秧
建 44	关于打造大港社区钱塘江路工业特色游步道的建议	邱志峰
建 45	关于早储备，早培养，做好教育持续发展潜力的“压舱石”的建议	童全辉
建 46	关于做好民族团结、共画民族“同心圆”的建议	王馨怡
建 47	关于优化托幼一体，实现仑有善育的建议	邬旭芳
建 48	关于加强休闲旅游配套设施建设，促进我区旅游市场进一步发展和消费需求的建议	高明才
建 49	关于建立“一公里健身圈”的建议	王春绒　屠胜君
建 50	关于加快推进区人民医院创建三级甲等综合性医院的建议	徐春霞
建 51	关于通过影视产业提升城市文化名片的建议	管海竣
建 52	关于加强青年生育家庭保障的建议	黄铭月
建 53	关于恢复社区卫生服务站部分受限医疗服务职能的建议	王诗芳
建 54	关于加快落实民居类文保点保护整改的建议	张洁琼　曹伟东
建 55	关于在柴桥街道打造生物多样性研学体验馆的建议	张洁琼
建 56	关于加快整治农村“三线”混乱问题的建议	张培义
建 57	关于北仑职高增建或者扩建室内运动场所的建议	虞哲芬
建 58	关于推动校企合作促进产教融合的建议	梁　律
建 59	关于多举措支持医养结合高质量发展的建议	江　腾
建 60	关于沿河打造大碶城区片区 15 分钟文化圈的建议	林　洁
建 61	关于“双减”背景下切实减轻北仑区中小学教师额外负担的建议	曹春晓
建 62	关于加快推进庐南学校、吕鉴学校建设，促进教育均衡发展的建议	庄苏波
建 63	关于小港学达小学改建成九年一贯制学校的建议	宋海浩　徐龙海
建 64	关于扩建戚家山街道区域内义务段学校的建议	曹晓波
建 65	关于加快推进中医院二期项目的人才储备工作的建议	周剑峰
建 66	关于将大榭海港路往东延伸的建议	张银燕　孙恒慧
建 67	关于进一步提升大榭公共交通服务质量的建议	周　兵　邬安银
建 68	关于将霞浦街道凤凰社区列入未来社区建设的建议	沈建萍
建 69	关于在云台山路草坪内设置塑胶跑道的建议	沈建萍
建 70	关于尽快解决集卡“堵城”的建议	王善祥
建 71	关于对临港一路、临港二路进行综合整治提升的建议	吴洪义
建 72	关于加快推进新浦片老城区改造的建议	张永平
建 73	关于要求实施陈华村、书院村施家自然村整体拆迁的建议	周国洪

续表4

案号	案由	建议人
建74	关于新、老白洋线连接线末端改道的建议	汪拥军　姚伟东
建75	关于小区违章建筑拆建问题的建议	邬明基
建76	关于要求海口海陆拆迁规划调整的建议	王春明
建77	关于春晓市民广场二期建设的建议	周裕君
建78	关于329国道白峰段两侧排水沟渠升级改造的建议	周　宁　周建成
建79	关于“双减”背景下，公交公司“一校一策”优化农村线路运营方案的建议	姜奕群　杜乾辉
建80	关于新增873路公交白峰海口（小门工业区）站的建议	贝伟良　周卫民
建81	关于系统加强北仑海岸线环境治理，清除滩涂芦苇的建议	周卫民　贝伟良
建82	关于增设白峰街道上阳片区沿海中线交通安全设施的建议	李华伟　李飞龙
建83	关于在戚家山抓紧实施智慧停车项目的建议	吴绍民
建84	关于进一步优化甬城泊车收费标准的建议	顾静芬　楼叶伟
建85	关于炉渣等工业固体废物处理处置的建议	贺光慈
建86	关于加强北仑区海岸线卫生及环保管理的建议	邵　虹
建87	关于加快ETC智慧停车场建设的建议	刘永红
建88	关于推进北仑区新碶街道高塘片区整体拆迁的建议	陈　杰
建89	关于巩固“两场整治”成果、提升临港物流服务水平的建议	王　蕾
建90	关于加快推进危化品运输车辆专用停车场建设的建议	吴刚毅
建91	关于开通小浃江学校至红联地铁站的公交线路的建议	耿曼曼
建92	关于合理利用公共停车资源的建议	贝九良
建93	关于推进城中村全域改造，重构城市发展空间的建议	李　斌
建94	关于增强物业管理力量，提升基层治理能力的建议	王月铭
建95	关于运用数智赋能缓解老旧小区停车难问题的建议	胡志明
建96	关于尽快开通协和地块公交线路的建议	胡建科　张军飞
建97	关于提升北仑区域内老旧小区消防设施的建议	胡驶宇
建98	关于尽快将柴桥五马新李家地块列入拆迁的建议	胡永明
建99	关于万景山路沿线老旧小区加装天然气管道的建议	李俊玲
建100	关于发展北仑民营航运业的建议	周晓娜
建101	关于进一步完善小港区域公交路线的建议	黄红艳
建102	关于加快推进红联城区整体发展方向谋划的建议	张秀英
建103	关于要求增加大碶公交小巴线路的建议	蒋琼晶
建104	关于要求落实三产用地指标，发展壮大村级集体经济的建议	方狄于　姚　云
建105	关于打通断头路完善戚家山路网建设的建议	林贵祥
建106	关于设置戚家山街道联合园区内公交站点的建议	夏明姝
建107	关于设立梅山市政环卫管理中心的建议	俞云凯
建108	关于加快制定梅山新时期发展规划的建议	徐年军
建109	关于重视梅山基础性民生项目加快项目落地的建议	王群奋　周晓红　洪静波
建110	关于加强对霞浦街道东塘6村荒废土地管理监督和使用的建议	傅盈九

续表4

案　号	案　由	建议人
建111	关于提前谋划郭巨街道养殖塘地块防洪排涝规划的建议	张振夫　黄清河
建112	关于加快农村闲置宅基地及农房再利用问题的建议	张志良　蔡祖群
建113	关于修复加固阳东村马盘岙龙头溪坑的建议	李华伟　孙海亚
建114	关于打造永久片区高品质都市农业“千亩方”示范区的建议	胡玮亚
建115	关于将撤销行政村建制保留经济合作社纳入新农村建设保障资金的建议	史永苗
建116	关于加强内河水网非法电鱼打击处罚力度的建议	周美宏
建117	关于加大村级工业园区整治力度实现乡村振兴的建议	陆奇华
建118	关于明确落实秀美山川精品线大碶段管护责任的建议	乐君辉
建119	关于提升耕地生产能力的建议	王　洁
建120	关于坚持农文旅融合发展，加快建设“小浃江都市田园综合体”的建议	徐龙海　丁　莉
建121	关于加快实施干岙水库梅山引水工程的建议	王旭光　江　辉
建122	关于加快大榭街道工业社区建设及打造外来人员居住小区的建议	胡君芬
建123	关于园区整合后继续保留大榭现有特殊基本民生保障的建议	王善明　戴军营
建124	关于“在公共服务设施项目建设中植入儿童成长友好空间营造理念”的建议	胡美珍
建125	关于要求新建大榭婚庆礼堂的建议	戴军营
建126	关于打造大榭老年康复中心，探讨医养结合新模式的建议	朱菊美
建127	关于推进农村养老院建设的建议	刘　辉　刘振朝
建128	关于加强社区韧性建设助推城市高质量发展的建议	贺迪娜
建129	关于提升我区社区养老服务能力的建议	蔡知甬
建130	关于加强本土人才培育工作的建议	夏培娜
建131	关于建立养老机构医疗保障机制的建议	唐细华
建132	关于整合资源建立企业内部多层次职业培训基地的建议	钱卫中
建133	关于加强大碶街道公墓地建设的建议	王国强
建134	关于迁建或新建大碶敬老院的建议	陆迪尔
建135	关于提高居家养老服务专项资金使用绩效的建议	李红艳　张飞君
建136	关于恢复戚家山街道市场监督管理所实体化运作的建议	刘　翔
建137	关于进一步明确戚家山街道和小港街道行政区域界线的建议	李王蓉
建138	关于构建更加科学完善的食品保障体系的建议	水科磊
建139	关于梅山社区建设调整的建议	陈　波
建140[闭]	关于建立区域内高层次人才缺乏互动交流的平台的建议	陆搏超
建141[闭]	关于解决青年优先型的公共空间分布不平衡的建议	朱贤长
建142[闭]	关于郭巨峙北危货企业发展配套停车场建设的建议	黄清河
建143[闭]	关于尽快启动新碶街道淮河小学东西校区地下通道建设的建议	杨　艳
建144[闭]	关于尽快落实农业设施用地的建议	陈　杰
建145[闭]	关于解决大学生就业难企业招人难双难问题的建议	顾立波

（撰稿人：郑继三）

北仑区人民政府
宁波经济技术开发区管理委员会

综 述

【概况】 2023年，北仑区（开发区）实现地区生产总值2729.18亿元。完成财政总收入813.41亿元、一般公共预算收入413.48亿元。城乡居民人均可支配收入达到74642元，同比增长5.5%。城乡收入倍差降至历年最低。10项总量指标位居全市首位，5项总量指标保持全省第一。

2023年，一体推进三个“一号工程”，全面深化“六促六优”专项行动，有力有效应对各项超预期不确定因素冲击，经济社会保持平稳健康发展。顶格落地一揽子稳经济政策举措，兑现172.5亿元减税降费，惠企资金超65亿元。压铸模具产业集群获评国家中小企业特色产业集群，规上工业增加值连续六年全省第一，获得浙江省首批制造业领域最高荣誉“天工鼎”。自贸试验片区建设11项制度创新获评全省最佳案例。深化跨境贸易高水平试点，业务规模突破12万笔、530亿美元，获全省改革突破奖，外贸进出口总额占全国比重提升至1.09%。全年固定资产投资487.6亿元、同比增长6%，高新技术产业增加值、规上工业企业研发投入均居全市首位，捧获浙江省“科技创新鼎”。索宝蛋白成功上市。新增国家级专精特新“小巨人”企业9家、国家科技型中小企业601家，创新创业工作获国务院督查激励。组织开展第五次全国经济普查，高质量完成“十四五”中期评估。开建杭甬高速复线三期、轨道交通6号线，象山湾疏港高速建成通车。启动“千万工程”再深化三年行动，获评全国“平安农机”示范县。作为全省唯一县市区代表参加联合国COP 28主题边会并作典型发言。全市唯一两夺省治水“大禹鼎”金鼎，通过省三星级“无废城市”验收。长山社区入选全国示范性老年友好型社区。新改扩建幼儿园、中小学13所，新增学位超4000个、托位1831个，镇海中学甬江校区完成首届招生。圆满完成杭州亚运会火炬宁波站传递。获授省委省政府“平安牌”。

【经济建设】 顶格落地一揽子稳经济政策举措，兑现减税降费172.5亿元，惠企资金超65亿元，制造业中长期贷款、普惠小微贷款、民营企业贷款分别增长48.8%、37%、29.3%。加快建设芯港小镇、灵峰现代产业园、临港经济示范区等重大产业平台，大榭化工园区跻身全国高质量发展化工园区十强。加速推进数实融合，数字经济核心制造业增加值、互联网软件业营收规模保持全市第一，成为全省制造业领航企业评定培育和首批DCMM贯标试点区。稳步提升服务业质效，全区服务业增加值1380亿元、同比增长5%，成功入选浙江省首批数字贸易示范区。实现社会消费品零售总额465.67亿元、同比增长12.6%。

【改革开放】 全力推进自贸试验片区建设，11项制度创新获评全省最佳案例，宁波舟山港获批启运港退税政策，落地全省首单国际航行船舶保税液化天然气加注业务，落户全省首家融资租赁SPV公司，全国首创TradeGo数字提单系统和跨境电商出口前置仓“先查验后装运”监管新模式。建成“千万箱级”梅山港区，北仑成为全球唯一拥有双“千万箱级”吞吐能力港区的区域。深化跨境贸易高水平试点，业务规模突破12万笔、530亿美元、全国领先，获全省改革突破奖。建成全国首家中东欧跨境网购自提中心，落地亚马逊海外购首个前置保税仓，中东欧国家常年馆二期开业，跨境电商零售进口连续七年全国综试区单区第一。实现外贸进出口总额4501.62亿元，占全国比重提升至1.09%，全年实际利用外资26.96亿美元，获评全省“十佳开放平台”和“十佳外贸强区”。地下空间探索利用获得自然资源部支持，盘活存量土地187.93公顷，开发低效用地173.33公顷。完成国企六大板块重组整合，成立区产权交易中心，设立百亿创投母基金。成立全市首个合规指导中心，“一网通办”率提高到99%。

【动能后劲】 全面重塑招商引资、项目管理体制机制，新签约落地20亿元以上项目15个、总投资897.2亿元，实施亿元以上重大项目199个，全年固定资产投资487.6亿元、同比增长7%。争取专项债券32亿元、中央预算内投资1亿元，均创历史新高。高新技术产业增加值、规上工业企业研发投入均居全市首位，捧获浙江省“科技创新鼎”。北大宁波海洋药物研究院开园，中科海西创新中心、北航宁波创新研究院获批国家级博士后工作站，入选市级新型研发机构十强。新增国家企业技术中心2家、省级重点企业研究院2家，16个重大科技攻关项目获市级立项，数量全市第一。质量和知识产权保护工作获市政府督查激励，省政府质量奖实现零的突破。新入选院士1人、省“鲲鹏行动”计划顶尖人才1人，新增国家级重点人才29人、创历史新高，获评全省首批、全市首个外国高端人才创新集聚区。实有市场主体增至18.2万家。索宝蛋白成功上市。新增国家级专精特新“小巨人”企业9家、国家科技型中小企业601家，上榜省创新能力百强企业8家、市研发投入百强企业23家，“大优强”企业达22家，居全市首位。4个项目入选“创客中国”大赛500强、占全市三分之一，创新创业工作获国务院督查激励。

【城乡建设】 高起点编制1244功能片区规划体系，完善“一区四片、两轴联动”空间格局。科学布局“两场一仓一中心”，推动宁波舟山港国家物流枢纽项目，开工灰库、半山2个物流基地。杭甬高速复线三期、铁路北仑支线复线、轨道交通6号线开工建设，象山湾疏港高速建成通车，招宝山大桥北仑侧接线主线贯通。凤凰城、滨江新城、庐南等城市板块开发步伐加快，区文化中心动工。开展迎亚运城市三大提升行动，拆除违建165万平方米，改造积淹水点35处，更新综合管线18.6千米，改造完成老旧小区2个，通过省级验收未来社区7个，打造省级城乡风貌样板区2个，“精特亮”创建工作连续两年位列全市第一档次。建成海塘安澜工程4.5千米，获评全省幸福河湖建设优秀。启动“千万工程”再深化三年行动，新增省美丽宜居示范村6个，新增永久基本农田集中连片建设411.67公顷，播种粮食面积1966.67公顷，零整改通过国家农产品质量安全区监测评价，获评全国“平安农机”示范县。

【生态治理】 深入践行“两山”理念，获评“美丽浙江”考核优秀。扎实开展清洁生产审核创新国家试点，33项重大节能项目投产，腾出用能空间6.8万吨标煤，新增光伏并网量22万千瓦，建成新能源充电桩300个，入选省级减污降碳协同试点。完成钢铁行业清洁运输超低排放改造，全区空气质量优良率达92.8%。累计建成雨污水管网1929千米，污水处理能力达52.3万吨/日，再生水年供应量突破2000万吨，区控以上断面水质优良率达100%，获省治水“大禹鼎”金鼎。建成全市首个活性炭再生中心，危废安全处置利用率和污染地块安全利用率保持100%，通过省三星级“无废城市”验收。完成第二轮中央生态环境保护督察和省委专项督察反馈问题整改销号。与生态环境部共建全国首个环保设施向公众开放标杆区，连续四年公众参与案例获评“美丽中国，我是行动者”全国十佳。完成2万多千米蓝碳生态系统基础调查，全区生物多样性本底调查记录物种达2840种，梅山湾建成省级美丽海湾，入选全国海洋生态保护典型案例。

【民生事业】 推进“七优享”工程，完成十大民生实事，连续两年共同富裕考核全省优秀。帮扶重点人群就业2万人次，发放创业类贷款3000万元，新增城镇就业4万人以上。低保、特困供养、孤儿保障标准全线提高。筹建保障性租赁住房6428套。新增养老床位500张，爱心食堂扩至57家，长山社区入选全国示范性老年友好型社区。新增托育机构48家、社区婴幼儿照护点8个，新增托位1831个，顺利通过全省普惠托育试点验收，获评“儿童友好协同创新区”。新改扩建幼儿园、中小学13所，新增学位超4000个，通过全国义务教育优质均衡发展区实地评估。镇海中学甬江校区完成首届招生。医疗中心、人民医院应急医疗救治中心、中医院公共卫生楼等项目加快推进，人民医院获授国家级“创伤中心”称号，“健康浙江”考核连续五年优秀。跨省就医联网结算全面覆盖区内所有定点医疗机构，长期护理保险全面覆盖区内77万名基本医保参保人员。圆满完成杭州亚运会火炬宁波站传递。举办女排奥运资格赛、中国超级跑车锦标赛等高能级赛事。宁波中国港口博物馆获评省国际人文交流基地。新增城市书房4家、基层体育场地设施13个。完善最小治理单元工作体系，红梅、凌霄、岩河社区入选全省首批现代社区。深化“平安北仑”建设，扎实推进安全隐患大排查大整治，刑事、治安警情实现双下降，获授省委省政府“平安牌”。

（撰稿人：陈芳园）

重要会议

【区政府常务会议、开发区管委会主任办公会】 于1月4日召开。区委副书记、区长，宁波开发区管委会副主任、党工委副书记王程主持召开区政府第17次常务会议、开发区管委会第22次主任办公会议。会议审议了《政府工作报告（讨论稿）》等文件，审议并通过了《北仑区（开发区）支持企业稳岗优工促生产若干举措》。

会议审议了《政府工作报告（征求意见稿）》《关于北仑区2022年经济社会主要指标完成情况及2023年指标目标的汇报》《关于宁波市北仑区2022年国民经济和社会发展计划执行情况及2023年国民经济和社会发展计划草案的报告》《关于宁波市北仑区2022年预算执行情况的报告》《关于宁波市北仑区（宁波经济技术开发区）2023年预算草案的报告》等，决定按程序报区委审议。会议审议并通过了《北仑区（开发区）支持企业稳岗优工促生产若干举措》。会议还研究了其他事项。

【区政府第三次全体（扩大）会议】 于3月3日召开。区长王程主持，会上举行学法用法专题学习讲座，部署2023年全区安全生产和消防安全工作，部署2023年度人大建议、政协提案交办工作，讨论《2023年政府工作报告》任务分解。

区政府、开发区管委会班子成员，区人大、区政协相关领导，区政府、开发区管委会各部门（单位）及驻区垂直管理有关单位主要负责人，各街道办事处主任，特邀单位负责人，部分区人大代表参加会议。

会议邀请宁波市委党校政法教研部主任张萍副教授作“坚持全面依法治国，推进法治中国建设”的专题培训。会议指出，《政府工作报告》确定的各项重点工作是区政府向全区人民作出了庄严承诺，关键是要狠抓落实、兑现承诺。各部门、单位要树牢大局意识，坚持全局站位、整体推进，进一步强化一体运作，共同把各项工作任务落到实处；要坚持系统观念，一体认识、一体落实，全盘谋划、统筹推进，确保形成项目良性滚动推进机制；要突出问题导向，把空间综合整治列为头号工程，把产业转型升级列为头部课题，把群众急难愁盼当作头等大事，紧盯目标任务，确保把承诺的事情办实办好；要提升创新能力，增强“用项目谋划争取资金”的能力、“用市场办法解决问题”的能力，坚持创新性探索性引领性发展；要夯实工作作风，坚决树牢争先创优的标杆意识、舍我其谁的担当意识、拒腐防变的廉政意识，争分夺秒落地2023年政府各项工作任务，在“六促六优、三争三强”的大舞台上摘星夺魁，推动更多工作走向“全省一流、全国上游”。

【区食药安委2023年第一次全体会议】 于6月15日召开。区长王程在会上强调，要深入贯彻习近平总书记关于食品药品安全的重要论述，全面落实国家、省市有关会议精神，对照要求，对标先进，抓好落实，推动食品药品安全工作迈上新台阶、取得新突破。宁波开发区管委会副主任叶万档主持会议。

会议传达学习了国务院食安委第五次全体会议和2023年全省食品药品安全工作会议精神，审议了2022年区食品安全考评情况和2023年食品药品安全工作要点等有关文件。会议总结回顾2022年全区食品药品安全工作，部署2023年重点工作及浙江省食品安全示范区创建工作。

【公益推广团队成立一周年大会】 于7月2日召开。区大数据中心副主任张敏，北仑联通、阿拉宁波网代表等出席会议。会上，对过去一年表现突出的公益推广员进行了表彰，授予其“最美推广员”“优秀推广员”荣誉称号，对“浙里办”北仑频道及2023年度推广工作重心进行了介绍，并邀请公益推广员们进行座谈交流。

【区政府第四次全体（扩大）会议暨区政府廉政工作会】 于8月7日召开。区长王程主持召开会议总结上半年工作，剖析困难与不足，部署下半年重点任务，纵深推进政府系统党风廉政建设，为奋战三季度、决战四季度，加力巩固经济回升向好态势，牢牢守住安全发展底线，奋力完成全年经济社会发展各项目标任务打下坚实基础。区政府、开发区管委会班子成员，区人大、区政协相关领导，区政府、开发区管委会各部门（单位）及驻区垂直管理有关单位主要负责人，各街道办事处主任，区属国企主要负责人等参加会议。

王程指出，上半年，全区上下凝心聚力、攻坚克难，锚定创新深化改革攻坚开放提升“三大路径”，全力以赴推进改革发展稳定各项任务，经济指标“承压回稳”、动能升级“稳中蓄势”、民生优享“稳中提质”、争先进位“稳中有难”，取得了来之不易的“成绩单”。各级各部门要保持求变的清醒、鼓足求变的勇气、坚定求变的定力，主动跳出“舒适圈”，摆脱路径依赖，在破与立中乘势而上，用实干实绩走出困局、打破僵局、开创新局。

王程强调，要大力推进省市重点工程。三个“一号工程”和“十项重大工程”是省委、省政府划定的“主赛道”，也是北仑在省市两级展示全年工作成效的“主榜单”。各部门、各单位要集中精力、聚焦赛道抓好落实，全方位推进数字经济创新提质、营商环境优化提升、“地瓜经济”提能升级；要敢于锚定更高目标，对标对表，查漏补缺，全力拼抢争取最好结果。要不断加强政府系统党风廉政建设。各级各部门要紧密结合主题教育，以政治建设铸魂、以制度建设强基、以作风建设提效、以队伍建设聚力，深入推进政府系统党风廉政建设，巩固提升风清气正、务实高效的政务环境，迎难而上，奋起直追，努力交出更加精彩的高质量发展新答卷。

【全区标准化创新发展工作推进会】 于9月1日召开。区长王程出席会议并讲话，省市场监管局张克和、市市场监管局任翊娉等相关领导应邀参加会议，区委常委、常务副区长屠斌斌主持会议。

会上，区经信局、区民宗局、大碶街道、物流园区工业社区、宁波德业股份有限公司分别交流标准化工作情况；区市场监管局部署全区标准化创新发展暨城市标准化综合试点工作和地瓜经济“一号开放工程”标准化试点工作。王程指出，标准化是科技创新的“助推器”、产业转型的“风向标”、经贸往来的“通行证”和社会治理的“度量衡”。全区上下要以全省三项标准化试点为契机，按照省委、省政府的决策部署，全力推动北仑区标准化创新发展试点各项目标任务落到实处、取得实效，持续锻造北仑硬核竞争力，为全区推进“双一流双示范”建设作出更大贡献。

【区政府党组学习会议】 于9月15日召开。区长王程主持会议并讲话。市委第三巡回督导组成员，区委常委、常务副区长屠斌斌，区委常委、副区长冯伟业，副区长张海航、程展、丁俊杰、龚建波出席会议。

会议传达学习中央和省委、市委关于开展第二批学习贯彻习近平新时代中国特色社会主义思想主题教育有关文件会议精神，认真贯彻全区主题教育动员部署会议相关要求。会议指出，区政府党组是统筹政府工作的“指挥官”“领头羊”，要带头深入开展主题教育，高水平推进全区政府系统主题教育，以更高要求、更严标准、更实作风，带头抓理论学习、带头抓调查研究、带头抓推动发展、带头抓检视整改、带头抓建章立制，以上率下推动政府系统主题教育扎实开展，努力在以学铸魂、以学增智、以学正风、以学促干上取得实实在在的成效。

【中国（浙江）自由贸易试验区宁波片区工作推进会】 于10月11日召开。副市长李关定出席会议并讲话。市商务局局长、市自贸办主任张延，区委副书记、区长王程，全大市12个区（县、市）、功能园区管委会和24个市级相关部门负责人以及宁波舟山港集团分管负责人参会。市政府副秘书长华弼天主持会议。

会上，张延传达了习近平总书记就深入推进自由贸易试验区建设的重要指示精神、近期相关重要会议精神和宁波市实施自贸试验区提升战略有关情况，强调要认真贯彻落实习近平总书记对自贸试验区一系列重要指示精神，进一步提高政治站位，增强主责意识，凝聚各方合力，强化任务落实，加快推进自贸区各项建设任务，以更高标准、更严要求、更实举措推进宁波片区高水平建设、高质量发展。

王程代表宁波片区管委会汇报宁波片区建设情况。市相关职能部门就全市十大开放攻坚项目进展和宁波片区发展诉求进行发言。

李关定指出，2023年是全国自贸试验区建设十周年，也是全面实施自贸试验区提升战略的第一年，要牢记习近平总书记就深入推进自由贸易试验区建设作出的重要指示精神，把宁波片区的开发开放放到服务国家战略中去思考和推动，主动担当作为，突出特色优势，强力改革攻坚，深入推进制度型开放，加快形成更多具有宁波辨识度的改革创新成果，更好发挥自贸试验区示范作用。

【青年工作联席（扩大）会议】 于11月7日召开。会议学习传达上级青年工作联席会议精神，通报区青年发展综合指数情况，听取北仑区（开发区）“十四五”规划“青年专章”中期落实情况，对纵深推进区青年发展规划实施和青年发展型县域建设进行再部署、再动员。区委副书记、政法委书记方飞龙出席会议并讲话，区委常委、组织部部长周成钢参加会议，副区长张海航主持会议。

会议传达了上级青年工作联席会议精神和工作要求，发布了北仑区（开发区）青年发展型县域建设宣传片。周成钢通报了2022年北仑区青年发展综合指数情况，团区委汇报了北仑区“十四五”规划“青年专章”中期落实情况。新碶街道、凤凰城指挥部等5家单位分别作交流发言，区委组织部（人才办）、区住建局等6家单位作书面交流。

【区文物工作会】 于11月24日召开。区长王程出席会议并讲话。副区长张海航主持会议。近年来，北仑区坚持“保护第一、加强管理、挖掘价值、有效利用、让文物活起来”工作总要求，严格执行文物保护法律法规，全面提升文物保护管理利用水平，着力加强考古工作和历史研究，文物保护与安全工作取得了显著成效，不断推动北仑文物事业高质量发展。北仑区共有全国重点文物保护单位1处、浙江省文物保护单位7处、其他不可移动文物364处。

王程指出，珍视保护好文物，是必须扛起的政治担当和历史担当，海防遗址、革命史迹和历史建筑等珍贵文物在丰富人民群众精神文化生活方面发挥了重要作用，将为一代又一代北仑人传承理想、接续奋斗提供不竭的精神动力。珍视保护好文物，也是必须赓续的文明根脉和精神血脉，我们要以匠心精神把这些文化瑰宝守护好、传承好、利用好。

王程强调，各级各部门要深入学习贯彻习近平总书记关于文物工作重要论述和在文化传承发展座谈会上的重要讲话精神，全面落实全国、全省文物工作会议部署要求，推动我区文物事业高质量发展。要全力提升文物保护利用的能力水平，常态化开展安全检查，做到排查全面见底、隐患动态清零；要深度挖掘文物价值，促进文物与文博融合、文物与文旅融合，让文物讲故事、会说话。要强化责任落实、要素保障和宣传引导，各街道、部门要始终保持定力、密切协作，构建“大保护”“大融合”“大安全”的工作格局。会上，区文广旅体局负责人作《2022年北仑区文物保护工作报告》，区文物局负责人解读了《关于加强革命文物保护利用的实施意见》。

【区老干部座谈会】 于12月21日召开。区长王程主持，会上征求老干部对《政府工作报告（征求意见稿）》的意见和建议。副区长张海航出席会议。老干部王银泽、江国梁、张锡雄、王纪拉、王一鸣、颜力、谢开定、沈才林参加座谈会。

会上，王程首先对《区政府工作报告（征求意见稿）》的起草情况、基本框架、主要内容进行了介绍。与会老干部们对《区政府工作报告（征求意见稿）》给予高度评价，并围绕报告内容谈体会、说感受。老干部们围绕产业升级、城乡建设、民生保障、社会治理、文旅发展等方面，对《政府工作报告（征求意见稿）》和区政府工作提出了意见和建议。在认真听取老干部的发言后，王程对老干部们一直以来关心北仑区各项事业发展、支持政府各项工作表示感谢，希望老干部们一如既往地关心、支持区政府工作，进一步发挥经验优势、智力优势、威望优势，积极为北仑发展建言献策、再献余热。

【安全生产暨消防安全工作会议】 于12月29日召开。区长王程在会议上强调，要深入学习贯彻中共中央总书记习近平关于安全生产重要指示批示精神，全面落实中央、省、市有关会议部署要求，牢固树立安全生产红线意识，以“时时放心不下”的责任感，进一步查漏补缺、优化机制，确保全区安全生产和消防安全形势持续稳定。会议传达学习习近平对山西吕梁市永聚煤矿火灾事故作出的重要指示精神、省市主要领导相关批示精神及各级会议工作要求。区安委办、区消安委办通报了近期安全生产和消防安全形势，并部署下阶段重点工作。

王程强调，要认清形势、警钟长鸣，时刻绷紧安全生产这根弦，时刻瞪大眼睛，高度警觉警醒，切实加强应急值班值守，坚决守牢安全底线。要精准发力、标本兼治，常态长效狠抓风险隐患整治，以案为鉴，加强"举一反三"，以点及面，扫清盲点盲区，量质齐抓，提升整治实效。要系统集成、动真碰硬，从细从实拧紧各方责任链条，通过建强基层能力、加强铁腕执法、细化监管责任，全面压实安全生产各方责任，确保以高水平安全保障高质量发展。

（撰稿人：卢　洪）

建议　提案办理

【建议办理】 2023年，区政府共收到区十届人大二次会议期间代表建议139件；收到闭会期间建议6件，全部办理完结。10月份调级认定，145件建议中，A类（已解决）106件，占全部建议73.1%；B类（列入解决）6件，占4.13%；D类（留作参考）1件，占0.7%。A类、B类建议占建议总量的95.17%，同比提高1%。区政府及部门高度重视人大建议办理工作，区府办、区督考办、开发区管委会办公室会同区人大常委会代表工委，进一步强化通力协作，根据建议内容和各单位工作职责进行精准高效交办。针对一些涉及面广、推进落实情况复杂的少部分建议，则通过会议座谈协调以及"三办"共同会商的形式确定主办单位。所有件均第一时间在"北仑区建议提案办理系统"进行交办。各承办单位紧紧围绕代表们的高质量意见建议，紧密结合区委、区政府中心工作，紧扣"六促六优"专项行动，切实将其作为贯彻落实上级各项决策部署以及全力推进"双一流双示范"建设的重要载体，作为推动全区高质量发展的关键抓手，围绕建议诉求保质保量开展办理落实工作，有力推动提升办理实效。

【区政府领导领办建议】 区长王程带头示范，把代表建议办理工作作为倾听民声、广纳民意的重要渠道，作为推进科学决策和工作落实的重要抓手，就重点领办建议和分管部门主办的建议多次听取办理情况汇报，并召开领办建议座谈会，推动建议办理工作高质量落实到位。各分管区领导对各自领办的建议均高度重视，多次开展调研或召开座谈会，实时关注办理进度、质量和态度，及时协调处理难点问题，直接推动代表建议办理落实。8件区政府领导重点领办建议均已办理落实。会议期间代表团活动结束当晚，人大代表工委交办代表审议发言共35件，区督考办立即分解并督促相关部门"马上办"，各相关部门领导直接办理、迅速回应，形成即办即结机制。各相关部门基本均在一天内联系代表完成答复。

2023年区政府领导重点领办区人大代表建议一览表

表5

案　号	案　由	建议人	主办单位	领办区领导	督办主任
建8	关于小浃江路（田洋乐社区段、高河塘社区段）和渡口南路（高河塘社区段）禁黄牌车的建议	黄红艳	公安分局	龚建波	徐孟杰
建16	关于适当增加电动汽车充电桩设置的建议	沈建萍	发改局	屠斌斌	钟　磊
建21	关于推进北仑区生活性服务业品质化发展的建议	陈思怡	商务局	任锦群	沈　健
建27	关于发展普惠金融助力共同富裕的建议	刘永红	地方金融监管局	程　展	何菊花
建50	关于加快推进区人民医院创建三级甲等综合性医院的建议	徐春霞	卫生健康局	王　程	陆浩杰
建59	关于多举措支持医养结合高质量发展的建议	江　腾	卫生健康局	张海航	胡海辉
建89	关于巩固"两场整治"成果、提升临港物流服务水平的建议	王　蕾	开发建设综合局	冯伟业	徐健钢
建114	关于打造永久片区高品质都市农业"千亩方"示范区的建议	胡玮亚	农发公司	丁俊杰	顾晓明

【提案办理】 2023年，区政府共收到区政协移交的十届二次会议期间提案165件，经提案审查委员会审查，立案143件，不立案22件，并案处理后为136件。另有闭会期间提案5件。全部办理完毕。经前期办理和10月份调级认定，141件提案中，A类（已经解决）112件，占全部提案的79.43%；B类（列入解决）26件，占18.44%；C类（暂缓解决）3件，占2.13%。A类、B类提案占提案总量的97.87%，同比提高1%。

【聚焦重点难点增强提案办理实效】 2023年，区科技局通过提1028《关于提升我区制造业创新能力的建议》等提案的办理，依托各平台累计引进高新科技项目146个，推动双创平台提档升级建设，智能装备综合体获评省级产业服务综合体绩效优秀，宁波唯一。2023年获宁波市高新领域"揭榜挂帅"项目16项；实施区级关键核心技术攻关项目8项。如区商务局通过提1040《关于进口跨境电商产业发展的相关建议》办理，积极推动区进口跨境电商产业实现更高质量发展。共审批10家企业申报2023

年市跨境电子商务发展专项资金（第一批）市级资金451.63万元；12家企业申报中央资金1076.06万元。探索自贸区“线上购买+保税仓展示”新模式，依托龙头企业在区内建设直播电商优势产业集群，形成了以进口分拨、国际采购配送和第三方物流为特色的保税物流服务体系。现有公共海外仓企业10家，共计经营公共海外仓28个，分布于全世界11个国家23个城市，总面积48.74万平方米。

2023年区政府领导重点领办区政协委员提案一览表

表6

案　号	案　由	提案人	主办单位	领办区领导	分管主任
提1001	关于大力培育专精特新企业打造单项冠军强区的建议	工商联组	经信局	王　程	陆浩杰
提1040	关于进口跨境电商产业发展的相关建议[并]	经济二组陈奇科	商务局	任锦群	沈　健
提2001	关于发展都市农业推进产村融合促进共同富裕的建议	农业农村组	农业农村局	丁俊杰	顾晓明
提3001	关于高品质建设三河六岸六道促进幸福北仑的建议	城建资源环境组	公共项目建设管理中心	冯伟业	徐健钢
提3025	关于完善和支持我区新能源汽车公共充电事业发展的建议[并]	李　挺　严玲玲　徐丹丹　屠君飞　张佳誉　陈　铖	发改局	屠斌斌	钟　磊
提5006	关于打造高技能人才高地为建设制造业强区提供人才支撑的建议	民族宗教和无党派人士组	人力社保局	程　展	何菊花
提6004	关于加强“15分钟”品质文化生活圈基层服务能力的建议	唐　静　陈仁宽　邱　红	文广旅体局	张海航	胡海辉
提8011	关于优化城区道路隔离设施的建议	林益红	公安分局	龚建波	徐孟杰

（撰稿人：葛春雷）

合作交流与对口支援

【概况】2023年，北仑区对口支援和区域合作的结对地区是东西部协作四川省凉山州美姑县、吉林省延边州汪清县，省内的云和县、青田县，对口支援新疆库车市阿拉哈格镇喀拉尕其艾日克村、西藏比如县白嘎乡、重庆市万州区钟鼓楼街道、湖北省黄冈市罗田县，宁波开发区结对安徽蚌埠经济技术开发区。

【产业合作】2023年，北美产业园智慧管理服务中心开工建设、牛牛坝石斛基地正式投产。云北木玩智创空间项目一期顺利落成、二期项目人才公寓已开工建设。北仑—云和“产业飞地”项目一期已于11月底全部交付使用。宁波蚌埠微电子产业园共建；东西部协作提供财政援助资金6000万元，实施项目14个，项目已全部启动。帮扶云和县资金256万元，实施项目7个，帮扶青田县资金128万元，实施项目2个，资金已完成拨付。

【消费帮扶】青田特产农产品亮相北仑区消费品展销会；三江购物股份有限公司与蚌埠种植、养殖企业签订采购协议，打通甬蚌生鲜农产品供应链；北仑首个街道级帮扶驿站——新碶街道对口帮扶驿站揭牌运营。全年实现四川省消费帮扶收益达1.9亿元。

2023年北仑区11个街道与四川省凉山州美姑县11个乡镇结对一览表

表7

案　号	北仑区乡镇（街道）名称	美姑县乡镇（街道）名称
1	柴桥街道办事处	新桥镇人民政府
2	白峰街道办事处	觉洛乡人民政府
3	小港街道办事处	候播乃拖镇人民政府
4	大碶街道办事处	洪溪镇人民政府
5	梅山街道办事处	典补乡人民政府
6	郭巨街道办事处	合姑洛乡人民政府
7	春晓街道办事处	巴普镇人民政府
8	戚家山街道办事处	候古莫镇人民政府
9	大榭街道办事处	美姑县拉马镇人民政府
10	霞浦街道办事处	美姑县龙门乡
11	新碶街道办事处	美姑县牛牛坝镇人民政府

2023年北仑区30家企业与美姑县30个村结对共建一览表

表8

序　号	北仑区企业名称	美姑县村（社区）名称	序　号	北仑区企业名称	美姑县村（社区）名称
1	宁波北仑新碶街道资产经营管理公司	四俄千村	16	宁波金缸缸套有限公司	子史村
2	宁波市北仑新碶房地产开发实业公司	北辰社区	17	宁波市北仑食品有限责任公司浙江国进建设有限公司	采红村
3	海天塑机集团有限公司	耿木村	18	宁波经济技术开发区热电有限责任公司	龙窝村
4	宁波盛威卓越安全设备有限公司	苏洛村	19	宁波华美达机械制造有限公司	依吾古村
5	宁波北仑小港镇资产管理公司	竹洛村	20	宁波爱乐宝模塑科技有限公司	龙头湾社区
6	宁波北仑春杰农业开发有限公司	古拖村	21	宁波天翔货柜有限公司	特波觉村
7	宁波新华昌运输设备有限公司	依觉村	22	宁波环海重工有限公司	依波窝村
8	宁波市北仑勤业机械制造有限公司	特洛村	23	永泰运化工物流股份有限公司	阿居曲村
9	宁波市北仑甬薪缸套厂	尼普莫村	24	宁波港鑫东方燃供仓储有限公司	华岗村
10	宁波景升明诚汽车科技股份有限公司	依千村	25	宁波市北仑大碶经济开发有限公司	瓦洛千哈村
11	宁波博信机械制造有限公司	农作村	26	宁波市北仑大碶市场服务有限公司	九口村
12	宁波英之源农业科技开发有限公司	勒觉村	27	宁波海伯集团有限公司	西甘萨村
13	宁波斯贝科技缸套有限公司	罗布采噶村	28	宁波沃特龙环保科技有限公司	采竹村
14	宁波缸套厂有限公司	瓦以村	29	宁波北仑韵达强盛货物运输代理有限公司	洛洛村
15	宁波大榭开发区天山缸套有限公司	树布村	30	宁波市北仑区同盛物业管理服务部	塔古村

2023年北仑区与美姑县学校一对一帮扶一览表

表9

序　号	北仑区学校名称	美姑县学校名称	序　号	北仑区学校名称	美姑县学校名称
1	北仑区蔚斗小学	牛牛坝镇小学	3	北仑区长江中学	巴普镇初级中学
2	北仑区中心幼儿园	美姑县幼儿园	4	北仑区泰河中学	美姑县中学

【医教帮扶】 北仑—美姑教育医疗科技人才“组团式”帮扶经验做法被《中国组织人事报》选录。《宁波北仑“加减乘除”共谱东西部协作“山海曲”》被省对口工作简报录用。开展“东西部协作强基计划”和“医疗质量万里行”活动，提升医技人员诊疗和服务水平，北仑区挂职美姑县人民医院院长陈忠在《四川新闻联播》频道亮相；由北仑区选派、任美姑县中学校长的刘信态代表北仑区和美姑县中学在教育部主办的2023年国家乡村振兴重点帮扶县被帮扶高中阶段学校领导人员培训班上作为浙江省和四川省的唯一代表发言，分享北仑经验做法。

【社会帮扶】 2023年，建设仑美健康饮水工程，为四川省美姑县学校食堂、教学楼、宿舍等区域安装直饮热水器，改善学校饮水条件；发送价值83万元儿童节礼物；宁波职业技术学院“1369”慈善义工大队师生赴美姑县开展为期一周的艺术文化支教活动，为40余名彝族学生带去文化艺术类体验课；由北仑生态环境分局捐建的环境自动监测站正式进入试运营阶段，助力云和梯田AAAAA景区创建。

民生实事工程

【概况】 2023年，全区20个民生实事票决项目（10个新建、10个续建）中。分别为北仑区人民医院应急医疗救治中心、镇海中学甬江校区项目、临港经济示范区配套学校、“一老一小”幸福提升、集卡车辆智序管理、青少年学生健康关爱、老工业园区排涝系统改造提升、大碶小学扩建工程、畅心出行停车提效、新碶街道社区卫生服务中心城关分中心、淮河小学东校区新建工程、人亚学校新建工程、北仑区中医院公共卫生楼工程、城湾幼儿园工程、北仑区未来社区建设、北仑区水库、山塘维修加固项目、新碶小学扩建工程、深化“千万工程”建设新时代美丽乡村提升农村环境三年行动、北仑区医疗中心工程、浙师大附属芦江书院二期。

【“一老一小”幸福提升】 2023年，开展老年人健康体检项目筛查50000例，对大榭街道颐养院、白峰养老服务中心进行改造提升，开展养老护理员培训项目；新增托育机构6家，新增托位260个，针对全区学龄前儿童、在籍小学生开设“亲青课堂”托管班，提供托管服务5000人次。全年完成老年人糖尿病筛查60856例，肝癌筛查60391例；完成大榭街道颐养院改造提升及白峰养老服务中心适老化改造，新增持证养老护理员400人；新增托育机构20家，新增托位965个；开设“亲青课堂”托管班168班次，服务5031人次，提升北仑区“一老一小”优质服务供给水平。

【关爱青少年学生健康】 2023年，对学校普通教室进行灯光改造，更换为护眼照明设备，对全区符合条件的教室更换可躺课桌椅，实现教室条件达标学校一年级可躺课桌椅更换率100%。全年完成1667间教室灯光改造、5012套（张）可躺课桌椅更换，为广大学生营造更加舒适、健康、绿色的学习生活环境，保障青少年健康成长。

【老工业园区排涝系统改造提升】 2023年，新建应急排涝雨水泵站及雨水闸门井，旨在解决松花江路、金沙江路、井冈山路、长白山路等路段台风季节内涝严重的问题。全年建设完成应急排涝雨水泵站及雨水闸门井，完成管道维修25处，零星积水点改造28处。松花江路、金沙江路、井冈山路、长白山路等路段台风季节内涝严重的问题有效缓解。

【浙师大附属芦江书院二期建成投用】 项目位于柴桥街道学子路与盟光路交叉路口西北侧，现浙师大附属芦江书院内，在拆除原有小学部宿舍楼、食堂基础上，原地新建教学楼、综合楼等建筑，新建总建筑面积6579.36平方米，改建后芦江书院为24班完全小学。2023年9月投入使用。

2023年北仑区政府民生实事票决项目建设计划一览表

表10

序号	项目名称	建设年限	2023年建设计划	分管领导	责任单位
1	北仑区人民医院应急医疗救治中心	2022—2025	地下室结构完成	冯伟业　张海航	区公建中心 区卫健局
2	镇海中学甬江校区项目	2023—2025	普通高中部分开工建设	冯伟业　张海航	区公建中心 区教育局
3	临港经济示范区配套学校	2023—2025	开工建设	冯伟业　张海航	区公建中心 区教育局
4	“一老一小”幸福提升	2023	新增托育机构6家，新增托位260个；老年人健康体检项目筛查50000例	张海航	区卫健局
			对大榭街道颐养院、白峰养老服务中心进行改造提升；开展养老护理员培训项目	丁俊杰	区民政局
			针对全区学龄前儿童、在籍小学生开设“亲青课堂”托管班，提供托管服务5000人次	张海航	团区委
5	集卡车辆智序管理	2023	制定实施中心城区重型半挂牵引车限制通行方案，对相关限行设施进行改造；建设霞浦物流园区集卡车辆预约系统	冯伟业	区交警大队
			对太河路、泰山路等10个交叉口进行改造，治理交通拥堵	冯伟业	区交通局
6	青少年学生健康关爱	2023	完成学校普通教室灯光改造1400间；更换可躺课桌椅4500套	张海航	区教育局
7	老工业园区排涝系统改造提升	2023	新建应急排涝雨水泵站及雨水闸门井，进行排水设施改造	丁俊杰	区综合行政执法局
8	大碶小学扩建工程	2023—2024	开工建设	冯伟业　张海航	区公建中心 区教育局
9	畅心出行停车提效	2023—2024	改造规范现有车位100个，新增停车位3500个	丁俊杰	区综合行政执法局
10	新碶街道社区卫生服务中心城关分中心	2023—2024	主体建成	冯伟业　张海航	区公建中心 区卫健局

2021—2022年北仑区政府民生实事票决项目续建计划一览表

表11

序号	项目名称	建设年限	2023年建设计划	分管领导	责任单位
1	淮河小学东校区新建工程	2022—2023	基本建成	冯伟业	区公建中心　区教育局
2	人亚学校新建工程	2022—2025	主体结构基本完成	冯伟业	区公建中心　区教育局
3	北仑区中医院公共卫生楼工程	2022—2023	基本建成	冯伟业	区公建中心　区卫健局

续表11

序号	项目名称	建设年限	2023年建设计划	分管领导	责任单位
4	城湾幼儿园工程	2021—2023	基本建成	冯伟业	区公建中心　区教育局
5	北仑区未来社区建设	2022—2023	完成岩河未来社区项目建设，通过省市验收	冯伟业	区住建局
6	北仑区水库、山塘维修加固项目	2022—2023	完成新路岙、宣化堰、紫薇岙水库，庙后岙、城司蛟、倒基、西岙山塘实施维修加固等	丁俊杰	区农业农村局
7	新碶小学扩建工程	2020—2023	基本建成	张海航	区公建中心　区教育局
8	深化“千万工程”建设新时代美丽乡村提升农村环境三年行动	2021—2023	根据北仑区深化“千万工程”建设新时代美丽乡村提升农村环境三年行动考评要求，抓细农村环境长效管理，抓实农村生活垃圾分类，全力推进“三个北仑”建设和“两整两提”行动再提升，到2023年底，全区农村村容村貌实现新蝶变，农村环境水平达到全省新时代美丽乡村标准	丁俊杰	区农业农村局
9	北仑区医疗中心工程	2021—2023	基本建成	张海航	区公建中心区卫健局
10	浙师大附属芦江书院二期	2021—2023	项目建成	张海航	区公建中心区教育局

2023年宁波市政府民生实事项目北仑区目标责任一览表

表12

序号	项目名称	2023年建设计划	分管领导	区级责任单位
1	（一）养老服务方面	新（改、扩）建3家公办养老机构，其中建成2家	丁俊杰	区民政局
2		建设标准化老年食堂15个，完善城乡老年助餐服务网络	丁俊杰 叶万档	区民政局 区市场监管局
3		65岁以上户籍老年人流感疫苗接种3.05万人	张海航	区卫生健康局
4		打造“老年科普工程”品牌，全年开展老年智能手机、健康和反诈防骗等科普培训0.9万人次以上		区科技局（区科协）
5	（二）医疗卫生方面	完成3家基层医疗卫生机构慢性病一体化门诊建设	张海航	区卫生健康局
6		新（改、扩）建4家规范化村级医疗卫生机构	张海航	区卫生健康局
7		全面实施长期护理保险制度，实现覆盖全市所有行政区域和所有医保参保人员，参保人数达到73.73万人	张海航	区医保局
8	（三）食品安全方面	完成5家重点农贸市场“浙食链”应用上线，实现重点食用农产品100%上链；开展重点农贸市场标准化检测室建设；对重点农贸市场卤肉食品和冷冻食品经营环境提质升级	叶万档	区市场监管局
9		创建2家“四个一批”（党建引领、绿色环保、文明典范、智慧市场）农贸市场	叶万档	区市场监管局
10	（四）教育助学方面	新（改、扩）建幼儿园1所，增加幼儿园学位230个	张海航	区教育局
11		新（改、扩）建中小学1所，新增中小学学位380个	张海航	区教育局
12		开设“亲青课堂”暑托班班次116个，服务小学生3480人次	张海航	团区委
13	（五）帮困扶弱方面	低收入农户综合性保险投保人数1734人	丁俊杰	区农业农村局
14		全市27座大中型水库水源涵养林补偿标准提高到150元/亩，面积约133万亩；其他公益林继续执行原补偿标准，面积约204万亩。（北仑区205281亩）		资规分局
15		全市低保月标准达1225元以上（全市统一标准）	丁俊杰	区民政局
16	（六）婴幼儿托育方面	新增3岁以下婴幼儿托位500个，其中普惠性托位300个	张海航	区卫生健康局
17		创建12家妇女儿童驿站		区妇联

续表12

序号	项目名称	2023年建设计划	分管领导	区级责任单位
18	（七）就业创业方面	城镇新增就业3.2万人，零就业家庭保持动态清零，零工市场区（县、市）全覆盖，离校未就业高校毕业生帮扶全覆盖	程　展	区人力社保局
19		通过分散按比例就业、集中就业、公益性岗位就业、辅助性就业等渠道，新增残疾人稳定就业35人		区残联
20	（八）社会安全方面	产业工人安全和消防技能提升培训6.5万人次	丁俊杰	区应急管理局
21		应急（安全）宣传教育参观体验33万人次		区应急管理局
22		完成10个避灾安置场所规范化建设		区应急管理局
23		完成100个微型消防站基础建设“提档升级”		消防救援大队
24		为25艘海洋渔业船舶安装统一功能样式的“插卡式AIS”防碰撞设备		区农业农村局
25		配备智慧影像告警系统35套		公安分局
26		配备“溺水预警多跨平台”1套		公安分局
27		配备“4件套”救生设备+警示提醒宣传牌106套		公安分局
28		配备水上救援装备1套		公安分局
29		设置户外嬉水专区2处		公安分局
30		北仑区（县、市）平台IP化升级改造：完成163个行政村应急广播IP终端全覆盖；完成46个地质灾害易发点视播结合终端覆盖及反馈管理		区文广旅体局
31	（九）环境整治方面	改造提升雨污合流管1千米		区住建局
32		推进6个村（社区）生态洗衣房建设		生态环境分局
33		全市建设提升18个生物多样性保护可持续性利用基地（体验地）和12个生态文明教育基地（北仑区4个）		生态环境分局
34		完成山塘整治2座		区农业农村局
35		改造升级灌溉面积100亩以上机埠泵站、50亩以上堰坝水闸共计2座		区农业农村局
36	（十）交通出行方面	新增或更新新能源公交车10辆		区交通局
37		完成新改建农村公路2.4千米		区交通局
38		按标准完成9条人行道净化工程		区综合行政执法局
39		实施10个路口慢行交通一体化建设		公安分局
40		新增10千米交通绿波带		公安分局

2023年浙江省政府民生实事项目北仑区目标责任一览表

表13

序号	项目名称	2023年建设计划	分管领导	区级责任单位
1	（一）教育助学	新改扩建公办中小学校1所，新增学位240个	张海航	区教育局
2		符合条件的义务教育段随迁子女在家长常住地100%保障入学，义务教育段随迁子女就读公办学校达95%以上	张海航	区教育局
3		为5.5万名义务教育段学生开展正脊筛查	张海航	区教育局
4		完成成人初高中学历提升1408人，完成大专及以上学历提升4404人	张海航	区教育局
5		开展职业教育培训5146人次	张海航	区教育局
6		90%以上乡镇街道建有老年大学，培育老年教育示范校1所	张海航	区教育局

续表13

序号	项目名称	2023年建设计划	分管领导	区级责任单位
7	（二）医疗卫生	新建ICU床位20张	张海航	区卫生健康局
8		新改扩建规范化村卫生室（社区卫生服务站）4个	张海航	区卫生健康局
9		为13884名老年人免费接种流感疫苗	张海航	区卫生健康局
10		为14940位高危人群筛查大肠癌	张海航	区卫生健康局
11		长期护理保险参保人数达73.73万人	张海航	区医保局
12		惠民保参保人数达19.33万人，惠民保赔付率达75%	张海航	区医保局
13	（三）养老帮困	为18个村社居家养老服务照料中心配置智能服务终端	丁俊杰	区民政局
14		新增认知障碍照护专区床位80张	丁俊杰	区民政局
15		新增持证养老护理员73人	丁俊杰	区民政局
16		完成重要公共服务场所无障碍改造11个	丁俊杰	区残联
17		康复救助孤独症儿童79人	丁俊杰	区残联
18		新增残疾人稳定就业30人	丁俊杰	区残联
19		建成养老机构“阳光厨房”10家	叶万档	区市场监管局
20	（四）婴幼儿托育	新增2个托育机构，新增托位300个，新增普惠托位180个	张海航	区卫生健康局
21	（五）就业创业	开展职业技能培训2.2万人次以上	程展	区人力社保局
22		新增技能人才0.59万人	程展	区人力社保局
23		新增高技能人才0.29万人	程展	区人力社保局
24		建成零工市场2个	程展	区人力社保局
25	（六）城乡宜居	新建筹集保障性租赁住房0.53万套（间）	冯伟业	区住建局
26		打造城乡风貌样板区1个	冯伟业	区住建局
27		新改建城市公园1个	丁俊杰	区综合行政执法局
28		新改建农村生活污水处理设施7个	冯伟业	住建局
29		建成省级高标准垃圾分类示范小区17个	丁俊杰	区综合行政执法局
30	（七）交通出行	农村公路新改建1.6千米	冯伟业	交通局
31		农村公路完成养护20.2千米	冯伟业	交通局
32		提升陆岛码头泊位、候船设施、公交化运营渡口3座	冯伟业	交通局
33	（八）文体旅游	新增“15分钟品质文化生活圈”45个	张海航	区文广旅体局
34		新增城市书房4家	张海航	区文广旅体局
35		新增文化驿站2家	张海航	区文广旅体局
36		新增乡村博物馆5家	张海航	区文广旅体局
37		新建五星级文化礼堂6家	宋林权	宣传部
38		新建省级基层体育场地设施13个	张海航	区文广旅体局
39		新建“环浙步道”32千米	张海航	区文广旅体局

续表13

序号	项目名称	2023年建设计划	分管领导	区级责任单位
40	（九）便民服务	跨省门诊慢特病直接结算医院达6家	张海航	区卫生健康局
41		跨省住院费用直接结算率达60%	张海航	区医保局
42		新增民生药事服务站2家	叶万档	区市场监管局
43		创建城乡放心农贸市场5家	叶万档	区市场监管局
44		法律援助市域内100%通办	丁俊杰	区司法局
45	（十）除险保安	更新改造灌溉设施2座	丁俊杰	区农业农村局
46		整治病险山塘2座	丁俊杰	区农业农村局
47		整治病险水库1座	丁俊杰	区农业农村局

（撰稿人：孙　科）

外事工作

【概况】 2023年，聚力省三个“一号工程”，聚焦“双一流双示范建设”，统筹全区外事重要任务，完善工作机制体制。制订全区国有企业人员因公出国（境）审批流程和党政事业人员因公出国（境）预审制度，强化落实重要外事接待任务的请示报告制度。

全区获批因公出国团组共5批27人，实际出访4批21人。其中国企团组5人、随市团组7人。

赴新加坡、马来西亚招商团组促进一个在谈项目339万美元外资到位。赴德国、意大利招商团组引资3000万美元。赴智利、巴西经贸团组推进了铌、铁、铜等3个矿石项目，与葡萄酒、牛肉、大豆等相关的4家企业达成扩大进口规模和品类意向。

【外事服务】 2023年，受理力劲科技、海天精工、弘讯科技等18家企业外国人来华邀请函办理以及答复70家企业来华邀请函办理咨询。协助申洲公司、宁波康大美术画材有限公司、海天华远机械有限公司办理因公出国护照。邀请宁波市外事服务中心负责人到北仑专题讲解APEC商务旅行卡用途特点、办理材料及流程等，与参会的36家北仑企业代表面对面建群，为企业答疑解惑、纾困解难。会同北仑出入境管理中心组织召开企业恳谈会，会上对企业提出的诉求和建议逐一进行解答，并向企业宣传推介简化公文书跨国流转程序的附加证明书。

【涉外管理】 2023年，完成全区常住外籍人士情况调查报告，区内有常住境外人员690余名，比上年同期增加300余名。邀请外籍居民Erdem Ozturk为玉兰社区居民带来“阿拉学英语，全面迎亚运”趣味英语课。有10位外籍人士参加“茶花友谊使者”的评选。联合相关部门对“走出去”企业、工程项目（机构）基本信息排摸和备案。完成亚运火炬传递活动和国际女排赛事涉外安全保障工作。协助市外办处理3起涉外案（事）件。

【国际友城交流】 5月，邀请美国诺福克市友城理事会理事张琪教授到区访问，交流两地在教育、文化和港口等方面的合作意向。8月，为诺福克市友好姐妹城市协会邮寄了一批北仑地方特色礼物作为友城协会筹资义卖品，同时也邮寄了中国（浙江）自由贸易试验区宁波片区宣传手册，进一步促进经贸交流合作。12月，通过宁波怡人玩具有限公司牵线，对接罗马尼亚阿夫里格市建立友好交流合作。

【外宾接待】 2023年，共接待10批外宾。在市外办的帮助下，顺利完成越南西宁省省委副书记阮孟雄带队的越南西宁投资促进团到北仑考察接待工作。配合市外办完成蒙古国总理奥云额尔登、丹麦驻上海总领事魏鸣珂、马尔代夫拉穆环礁委员会代表团、俄罗斯伊尔库茨克市代表团等重要外宾的接待任务。

（撰稿人：王盛盛）

电子政务建设

【概况】 2023年，区大数据中心在“1+4+N”掌上办事推广模式基础上拓展服务新内涵，开展“浙里办”北仑频道宣传推广三大行动，“高频应用增量提质行动”“公益推广扩面提升行动”“赋能营商环境优化提效行动”，助力全域营商环境再优化。“浙里办”北仑频道用户注册超83万人，“一网通办”率达99.73%。激活用户超1.6万户，日活率84.58%，上架应用26个。

【项目统筹管理】 2023年，安排统筹经费8000万元；完成市信息化项目管理系统对接和专家入库。迭代更新实有人口、实有法人等基础库；完成宁波城市大脑北仑分平台数据资源体系八个专题库建设，促进数据跨地区、部门、层级融合治理。优化全区数字资源、资源配置和资源运行“一本账”。加强部门应用和数字资源监管指导，全年下发问题清单43次，督促部门及时整改。完成全区95个应用、3793个数据目录、6个组件、云资源建档编目，要素完整。

【电政项目建设】 2023年，评审通过项目建设方案45个，批复资金6294万元，30个项目竣工验收。支撑儿童友好、智序港城、智慧蛙等全区重点项目，其中进口商品管服系统助力北仑区开展全省GM2D县域先行试点区建设，"智慧实验室"应用纳入省生态环境厅试点，"绿满港城"公众参与数字化场景得到生态环境部宣教中心试点支持。开发"大数据分析模型+大脚板工具"，赋能区人口决策、社区治理，提升综合智治实战实效水平。累计形成400万人口底库。创新推出"定点医保服务线上签"服务；打造企业专属画像，形成政策企业匹配星级机制；构建北仑全量企业档案库，建立企业数据分析模型。落地应用场景6个，归集企业数据17万条。凭借"政企'云客厅'，赋能经济决策力"的数字政府创新实践案例获得2023智慧中国年会"数字能力领先奖"。

【平台建设】 2023年，城市运营展示中心实现集多功能展陈、会议于一体的数字化标杆地；视频融合平台共享监控视频3万余路，在城市治理、亚运火炬传递、女排奥运资格赛中有效赋能；数字孪生北仑以三维倾斜摄影和超实景地图融合数据展示北仑风貌。深化政务信息系统信创改造。整合原梅山、大榭、甬保片区政务外网。保障视联网会议277场，4K点位升级改造35个，全区视联网点位361个，覆盖区、街道、村社。融合地理空间数据及业务数据，完善孪生底座，建立融合图层共享机制，推动部门多跨协同。

【数据要素赋能】 2023年，归集数据目录1340余条，数据3亿条；开展"一数一源一标准"治理和数据高质量认证，完成76类高频数据治理，确定权威字段477个。推动申请国家数据，成功申请全国志愿者信息、专业技术人员职业资格证书信息等6个接口，支撑"青年北仑"智治和区域人口动态感知等应用。加大对区级部门公共数据开放力度，新增开放清单53条；探索各类数据融合创新，谋划北仑特色公共数据授权运营和市场化流通利用场景。

【政务服务网】 2023年，"浙里办"北仑频道用户注册超83万人，百万人口日活跃数3.98万人，上架应用12个，各项数据居全市前列，相关报道在《人民日报》、浙江潮新闻、《宁波日报》等媒体刊登。"一网通办"率99.73%，已提交优化建议工单72条，初审通过56条，采纳15条。网上可办2148项，移动可办1942项，政务服务2148项。协同办公平台和电子公文正常运行。保障门户网站运行安全稳定。做好浙政钉平台维护。"浙政钉"北仑站用户超1.6万，上架应用26个。

（撰稿人：倪　慧）

政务服务

【概况】 2023年，北仑区政务办（交管办）不断促进政务服务和公共资源交易管理"迭代更新"，推进营商环境优化升级"一号改革工程"，盯紧业务受理、办理环节和全省高频事项TOP40工作创新，逐一走访对接涉及部门相关工作。运用数字化改革思维优化审批流程，探索"股权转让一件事"创新。全年共受理办结个人全生命周期"一件事"8.9万件，企业全生命周期"一件事"41万件。

量身定制"一企一策"审批方案，将平均审批时限从规定的15个工作日缩短至5个，工程竣工平均提前1个月以上，平均节省小型项目建造成本15万元以上，相关工作经验刊登在2月浙江省改革《竞跑者》。深化"标准地+承诺制"改革，全面推广工业用地标准地"7+X"指标体系。创新推出"绿岛在线"数字化应用场景，累计为200多家企业开展线上服务。

【自贸区服务】 围绕自贸区建设工作，全年服务企业4000余户次。启动"一站式"国际贸易综合服务窗口、投资项目审批服务中心、24小时不打烊"数智政务"专区建设。探索设置创设公益法务专窗，配置8名公职律师的咨询团队，提供专业的法律咨询意见200余条。出台《北仑区简化市场经营主体住所（经营场所）登记手续的实施办法》，通过全省首创"联系地址+正负清单"住所登记模式，放宽住所登记条件，降低市场准入门槛，登记"使用联系地址方式流动经营"的个体工商户75家，白名单区域内申报经营主体186家。

【公共资源交易监管】 2023年，全面贯彻落实《宁波市公共资源交易管理条例》，加强全区工程建设项目招投标集中统一监管，共备案审查工程招标项目129宗，项目预算金额51.88亿元。推进招投标领域突出问题专项治理工作，查处串通投标案件3起。根据"双随机、一公开"，对2020年以来的招标项目开展自查自纠，对47个项目进行排查，排查共发现问题98个。严格落实评标专家"一标一评"制度，2名评标专家因违反评标专家行为准则给予信用扣分处理。

【优化交易营商环境】 2023年，推进"容缺受理机制"服务大项目建设，采用"承诺制+容缺办"方式，为项目快速落地提供保障，为青年教师公寓工程等16个重大民生工程实施容缺受理服务，平均每个项目进度提早20天。提升政府采购集中采购服务水平，严把采购文件编审关，共完成集中采购项目68项，采购总额10878万元，合计节省资金2178万元。实施营商环境无感监测指标提升，对照交易效率、合同信息公开率、评标专家依法抽取率等指标评价标准确保落实到位。

【服务窗口创优】 持续推进"午间值班""周日直通车""上门服务""绿色通道""潮汐窗口"等特色服务，开展创优美环境、优良秩序、优质服务、让群众满意的“三优一满意”活动。注重培育政务服务典型，评选优胜办理区、优胜窗口、服务标兵、文明服务之星。不断提高窗口人员业务能力，对新进人员和已取得一级资格的工作人员全面开展业务能力考级、复测。完善政务服务评价机制，把企业和群众体验感和获得感作为评价硬核标准。全面规范“好差评”管理制度，实行季通报、月梳理、日反馈，督促部门认真做好问题分析和差评整改，做到初次差评件3个工作日内必回访必办结。

【政务服务标准化建设】 组织开展省、市级示范型便民服务中心创建提升工作，借助政务服务数字化改革成果，织密政务服务智能终端服务网络，构建基层“15分钟办事圈”，提升政务服务均等化、普惠化、便捷化和智慧化建设水平。全区已部署上线自助终端61个网点74台，8点位实现“24小时”对外开放。

【民商政务服务】 实现企业注销简办易办，普通注销材料简化至5份，简易注销材料简化至2份，实现企业注销“零成本”。完善市场主体歇业制度政策体系，优化歇业备案“一件事”，将社保、医保等信息纳入一件事，避免多跑腿。深化不动产登记、交易和税费缴纳“一网通办”改革。探索试点商品房二手房“在押过户”，探索不同银行之间的“抵押权转移登记+商品房转移登记+抵押权变更登记”模式。

（撰稿：袁正强）

文明创建工作

【概况】 2023年，全区共评选北仑好人80名，获评“宁波好人”16名、“浙江好人”2名、市道德模范2名、省级1名，完成2021—2022年道德模范、“身边好人”事迹汇编。“红领大集”党员初心实践志愿服务项目获浙江省志愿服务项目大赛铜奖，“车轮上的守护者”——红蚂蚁集卡司机关爱志愿服务项目获得浙江省青年志愿服务项目大赛金奖，“幸福生活有点甜”北仑区村民互助共富工坊志愿服务项目获得宁波市志愿服务项目大赛优秀奖。灵峰工业园区、张人亚党章学堂获评“浙江有礼·四个一百”典型案例。由宁波市北仑区文化馆、新碶街道文化站选送的作品《潮涌东方 礼迎亚运》以全场最高分喜获“舞动浙里礼迎亚运”浙江省全民健身主题广场舞集中展演活动“最佳风采奖”。

【全国文明城市创建】 2023年，开展“最干净小区、最美楼道”、最美村庄评选、“最美上学路”建设等活动，顺利完成2022年全国文明城市补测、全国文明典范城市实地调研、省城市文明程度的迎检工作。用好“甬文明”平台，出台“最美网格员”评选激励政策，累计整改日常巡查问题45.8万个、群众随手拍问题3075个，整改率99.97%。开展迎亚运城市文明大提升行动，在高速公路出入口、城市主干道、商业综合体、公园广场、景区景点等48个点位，开展立体化矩阵式宣传，累计布设迎亚运主题灯杆旗3551幅、宣传海报2348张、户外电子屏538处、景观小品23座路、名牌灯箱319处、亚运吉祥物14处、迎亚运主题公益广告172条次，举办各类迎亚运主题活动331场次。广泛开展“亚运有我 幸福同行品”文明迎亚运全民互动答题活动，举办全区亚运知识竞赛。

【新时代文明实践规范化建设】 贯彻《宁波市全面深入推进新时代文明实践中心建设工作的实施意见》，发挥区新时代文明实践中心的示范引领、统筹指导功能，组织开展文明实践所站专项检查，下发新时代文明实践提示单10期，督促各实践中心、所、站制定月度工作计划，常态化开展学习实践科学理论、宣传宣讲党的政策等五类文明实践活动，承办“文明有礼迎盛会 善行北仑暖港城”宁波市新时代文明实践主题日活动。探索建立新时代文明实践所市场化、社会化运营模式，推动区新时代文明实践中心、新碶街道文明实践所、霞浦街道新浦社区文明实践站等7个阵地购买社会服务负责阵地运营。开展“随手做志愿”全民志愿行，We志愿平台累计注册人数16.47万人、组织数1644个，开展活动5144场，参与服务11.4万人次，举办区志愿服务项目大赛，3个志愿服务项目分获市志愿服务大赛银、铜奖。

【志愿服务体系建设】 2023年，志愿浙江与We志愿App数据互通，发布活动12297个，参与活动39552人。其中参与志愿服务时长最长志愿者杨美妃2023年度时长达14304.64小时。常态化开展文明建设、垃圾分类、阳光助残、生态建设、平安巡防、社区服务、应急救援、无偿献血、五水共治、关爱服务等志愿服务。举办2023宁波市首届“志愿促共富”公益集市，协助召开宁波市市直单位及企业志愿服务培训班，举办以“浙江有礼·帮有礼”为主题的三五学雷锋志愿服务主题月活动，学雷锋志愿服务主题月参与志愿服务活动人数达3162人次，活动时数达6979.45小时。

【公民道德建设】 2023年，贯彻落实《宁波市新时代公民道德建设实施意见》，擦亮“爱心北仑·尚德港城”品牌。深化未成年人思想道德建设，广泛开展“扣好人生第一粒扣子”“新时代好少年”等主题教育实践，评选2023年度区级“新时代好少年”50名，推选获评市级新时代好少年3名，组织“新时代好少年”走进区文明实践中心、社区假日学校等巡回宣讲12场。开展“我们的节日·精神的家园”主题活动，精心组织举办“迎亚运 享健康”2023年宁波市全民龙舟联赛、“我们的节日·中秋”暨“薪火艺蕴 山海情”中秋晚会等特色活动，弘扬传统文化。

【精神文明创建】 2023年，实施文明单位、文明家庭、文明校园、文明村动态管理机制，启动新一轮区级文明单位评选和服务窗口文明创优行动，摸清“三区合并”底数，完成4所省级文明校园的申报、复评及转评工作，完成107家市级及以上文明单位和17个省级文明村的申报、复评工作，评选区级“最美村庄”17个、省级文明村3个、省级文明单位3个、省级文明家庭2户。摸排制定2024—2026年度文明单位、文明村创建培育库（拟培育全国文明单位1个、省级文明单位4个、市级文明单位7个、全国文明村3个、省级文明村8个、市级文明村10个）。开展“浙江有礼·宁波示范·美仑美奂”北仑区服务窗口文明创优行动，共评选北仑区政务服务中心等44家先进单位。

（撰稿人：张　勇）

机关事务管理

【概况】 2023年，区机关事务管理局机关编制14人，实有10人；机关服务中心编制15人，实有12人（与局机关合署办公）；公车中心编制11人，实有14人；北仑山宾馆前身是区政府招待所，实有在编事业职工19人。全局共有区管领导干部5名、科级干部11名，正科级领导职数5名，副科6名。

【办公用房管理】 2023年，解决3家新成立单位办公用房安置工作。主要涉及开发区服务业发展中心、开发区化工产业安全生产管理服务中心、北仑区青峙化工园区管理服务中心，共计用房30余间，使用面积750余平方米。完成50家单位100余名转隶人员进驻北仑行政中心办公的服务保障工作；如期完成各开发园区机构融合后保留的5家单位办公用房安排使用审批工作；完成10家单位新增机构人员办公用房使用安排工作；按照政策标准和程序做好办公用房统一调配、使用监管、房产处置、维修改造审批等工作，不断提升管理效能。对13家单位办公用房及个人专用休息室进行抽查复核且立整立改。完成对15家单位办公用房分隔改造、新增、调整等具体事项核定审批工作。对局管重大资产（房产）进行一房一档一册集中统一管理，建立和完善管理台账，过程管理涉及的变动痕迹、文档及时存档更新，权证率97%。配合完成功能园区机构融合涉及资产盘点、政策解释、沟通协调、移交调拨、报废处置、公物仓建设等工作。完成全区党政机关办公用房数字化平台建设工作，基本覆盖全区乡镇街道、区级机关及下属行政单位，形成全区党政机关办公用房动态管理一张网。

【机关后勤服务】 2023年，以区政府大院为试点，秉持节约、高效原则，打造智慧大院，逐步实现智能化管理，着力为机关干部提供优质服务保障，解心中所惑，排心中所难。以人为本，推出自提柜服务。自提柜项目完成竣工验收并正式投入使用。用餐人员可根据个人时间，错峰取餐，对于到点未取人员，亦会点对点发送短信给予提醒。优化机关食堂日常管理服务，把好食材采购、验收、存储、检测、加工、出品关口，在就餐人员管理、采购管理、财务管理、食品安全管理方面不断提升制度化、规范化管理、加强食品安全管理，落实农残检测、食品溯源、定期盘库、索证索票等制度，创建安全放心食堂。

【物业管理】 持续推动物业标准化管理。完善《北仑区机关事务管理局物业服务监管与考核办法》，并成立物业管理服务考核监督小组，实行谁考核谁负责的监管机制，每月台账汇总存档形成闭环，作为年底物业服务总评重要依据。全面梳理细化物业管理服务各岗位、各环节操作规范，配套完善监督考核标准和流程，以标准化管理提升机关物业服务水平。

【公务用车管理】 2023年，根据《党政机关公务用车管理办法》，严格监督全区党政机关公务用车、事业单位业务用车日常管理使用，巩固拓展公务用车制度改革成果，构建规范、高效、节约、透明的新型公务用车制度体系。进一步树牢节约节俭意识，严格实行“非必要不派车”原则。根据车龄车况实际，有计划分步骤推进车辆更新购置，优化配备结构。顺利完成梅山、大榭、保税片区公务用车调整工作。调整后，北仑区（开发区）保留应急保障用车110辆（2016年党政机关车改时核定106辆，此次功能园区调整保留4辆）、老干部服务用车4辆（现有1辆）。应急保障用车指标减少52个。积极开展护航亚运会、公车做示范活动。抽调5辆柯斯达、5名驾驶员配合宁波市机关事务管理局保障第三届中东欧博览会及投资贸易洽谈会等。全年，应急、调研用车共计5500余次，行驶里程40万余千米。

（撰稿人：孙樱之）

政协北仑区委员会

综　述

【概况】 2023年，区政协深入学习贯彻习近平总书记考察浙江重要讲话精神，在中共北仑区委的坚强领导下，全面发展协商民主，深入助力“六促六优”再深化、“三争三强”再攀高行动，扎实开展“平台品质提升年、履职能力提升年”活动，增强服务意识，为北仑深入推进“双一流双示范”建设作出政协应有贡献。

2023年，区政协党组坚持第一时间、第一议题学习贯彻习近平总书记重要指示批示精神，围绕习近平总书记考察浙江重要讲话精神和“八八战略”实施20周年重要批示精神等开展研讨交流。严格执行重大事项请示报告制度，全年向区委请示报告6次。召开区政府、开发区管委会与区政协重点工作协商对接会，共同研究协商监督调研计划，邀请区级领导出席重要履职活动60人次。开展学习贯彻习近平新时代中国特色社会主义思想主题教育和“大走访、大调研、大服务、大解题”“联镇街入村社、走企业访群众”活动，深入一线解难题、想办法、出实招，全年形成课题调研成果15项，破解基层难题28个，主题教育成果在《人民政协报》头版“主题教育专栏”作了专题报道，市政协主要领导和区委、区政府主要领导分别作出批示予以肯定。贯彻落实习近平新时代中国特色社会主义思想学习座谈会制度，开展委员读书活动20场次。开展委员荐书活动，举办“书香政协·委委道来”4期。助力“书香社会”建设，建立“崇学书房”5个、“崇学书柜”5个，推动崇学书柜走进图书馆等公共文化空间，与四川省凉山州美姑县政协开展“书香政协·仑美一起读”活动，两地政协共建崇学书房。

【协商闭环管理机制】 2023年，聚焦北仑“六促六优”再深化、“三争三强”再攀高专项行动，就构建现代服务业体系增强竞争新优势，臻心惠企·助力中小企业高质量发展，优化青年技能人才成才成长环境，“三河六岸六道”品质提升，推动非遗物质文化遗产活态传承，大力培育“专精特新”企业打造制造业“单项冠军”强区等问题开展6场专题协商，落实协商闭环管理机制，向区委、区政府和宁波开发区管委会领导报送协商专报8期，获区委、区政府主要领导批示6次，与区委督考办联动开展协商“回头看”活动2次。将重点提案督办与专题协商、委员视察和民主监督有机结合，推动提案办理全周期闭环管理。有效探索提案转化途径，联合区检察院建立委员提案与检察建议衔接转化工作机制。

【推进委员工作室建设】 2023年，出台《关于推进委员工作室建设的实施办法》，指导15家委员工作室（会客厅）完成“三位一体”建设，全年开展协商议事、志愿服务、团结联谊等活动180场次。港航委员会客厅持续为“锻造港口硬核力量”建言助力，成功创建省级五星级委员会客厅。“臻心汇”委员工作室成功创建市级委员工作室。扩大基层协商覆盖面，开展民生议事堂、“协商驿站”活动59场，创新“委员直播”“委员夜谈”等议事模式，委员“线上+线下”收集民意、反映诉求，有力破解基层民生难题200个。守护“最美上学路”、港航物流高质量发展助力营商环境优化等协商活动得到《人民政协报》、人民政协网等媒体宣传报道。

【社情民意信息考评机制】 2023年，研究制定“平台品质提升年、履职能力提升年”实施方案。修订完善先进界别组、先进街道委员联络委评选表彰办法。建立社情民意信息考评机制，组建信息员骨干队伍，实现数量和质量的“双提升”。《关于推进综合保税区功能创新与自贸区改革相衔接的建议》获省政协领导的批示肯定，《关于我区贯彻落实省促进民营经济高质量发展32条措施一点建议》获区委主要领导批示。举办履职能力提升培训班，分两批组织委员到省委党校四明山分校开展培训，有效提升委员队伍整体素质。广大政协委员勇担社会责任，积极参与东西部协作、结对帮扶、慈善公益、志愿服务等活动，受各级地方党委、政府表彰，陈彩虹委员家庭获评全国最美家庭，米娜瓦尔·艾力委员荣获中国青年志愿者优秀个人奖，周天伦委员获评浙江好人，有3名委员获得区道德模范及提名奖。

重要会议

【概况】 2023年，召开全委会1次（区政协十届二次会议）；召开专题常委会会议8次，分别对重要人事事项、提案办理工作、服务业高质量发展暨数字经济发展、营商环境优化提升等开展协商并提出意见与建议；召开党政领导参加的“请你来协商”重点协商活动6次，分别就构建现代服务业体系、助力中小企业高质量发展、优化青年技能人才成才成长环境等开展重点协商。

【区政协十届二次会议】 于1月30日至2月1日在北仑行政服务中心举行。会议应到委员246人，实到委员237人。区政协主席王建波代表政协第十届宁波市北仑区委员会常务委员会作工作报告；区政协副主席贺波在会上作区政协常委会提案工作报告；6位委员作大会发言交流。会议期间，全体委员通过收看视频直播方式列席区十届人大二次会议，听取和讨论区长王程所作的《政府工作报告》，听取法院、检察院等其他有关报告，并就经济社会各项事业中的重要问题开展协商议政，建言献策。市委常委、区委书记、宁波开发区党工委书记潘银浩等领导参加委员联组讨论，听取意见与建议。会议以无记名投票的方式和等额选举的办法，选举周瑾、徐行芬为区政协第十届委员会常务委员。会议审议并通过区政协十届二次会议决议。

【区政协十届五次常委会会议】 于1月4日召开。区政协主席王建波主持会议并讲话。区政协副主席胡军、汤黎明、胡立辉、贺波、郭志昂、张阳，秘书长邱海国出席会议。会议审议通过了关于召开政协第十届宁波市北仑区委员会第二次会议的决定。会议还审议通过了区政协十届二次会议议程（草案）等。

【区政协十届六次常委会会议】 于1月10日召开。区政协主席王建波主持会议并讲话。区政协副主席胡军、汤黎明、胡立辉、贺波、郭志昂、张阳，秘书长邱海国出席会议。会议听取区人民法院、区人民检察院工作情况通报，并审议通过区政协十届二次会议相关事项。

【区政协十届七次常委会会议】 于1月30日召开。区政协主席王建波主持会议，区委常委、组织部部长周成钢作有关人事事项说明。区政协副主席胡军、汤黎明、胡立辉、贺波、郭志昂、张阳，秘书长邱海国出席会议。会议协商了区政协常委候选人人事情况，选举办法（草案）和总监票人、监票人建议名单。

【区政协十届八次常委会会议】 于1月31日召开。区政协主席王建波主持会议，副主席胡军、汤黎明、胡立辉、贺波、郭志昂、张阳，秘书长邱海国出席会议。会议审议了区政协十届二次会议选举办法（草案）、总监票人名单、区政协常委候选人名单、区政协十届二次会议决议（草案），决定提请第二次全体会议予以通过；会议审议通过了监票人名单。

【区政协十届九次常委会会议】 于4月13日召开。区政协主席王建波主持会议，区政协副主席胡军、汤黎明、胡立辉、贺波、郭志昂、张阳，秘书长邱海国出席会议。会议传达学习全国两会精神、学习《中国人民政治协商会议章程》，传达区委《2023年深化“六促六优”专项行动方案》，通报《区政协2023年度协商监督调研计划》等重点工作。会议还审议了有关人事事项。

【区政协十届十次常委会会议】 于6月7日召开。市委常委、区委书记、宁波开发区党工委书记潘银浩出席会议并讲话。区政协主席王建波主持会议，主席会议全体成员出席会议。会议围绕服务业高质量发展暨数字经济发展开展协商，与会的5位委员分别从“做强初级产品大宗贸易、发展总部经济、做大做强货运数字平台、推进企业数字化转型和发挥行业数字化、工业互联网平台作用”等方面展开发言，并与列席会议的区相关部门负责人当场进行协商。会议在区政协掌上履职平台同步直播。会议还传达学习了省政协主席黄莉新到北仑调研时的讲话精神。

【区政协十届十一次常委会会议】 于9月22日召开。会议围绕“加快落实民营经济31条，进一步优化北仑营商环境”开展专题议政性协商。区政协主席王建波主持会议并讲话，区委常委、常务副区长屠斌斌应邀参加会议，区政协副主席胡军、汤黎明、胡立辉、贺波、郭志昂、张阳，秘书长邱海国出席会议。会上，与会的常委、委员围绕本次协商专题，从不同视角开展建言献策并与相关部门负责人面对面进行协商。会议传达学习了全省政协主席暑期读书会暨市、县（市、区）政协工作经验交流会精神，还协商决定了有关人事事项。

【区政协十届十二次常委会会议】 于12月22日召开。区政协主席王建波主持会议并讲话，区委常委、副区长冯伟业应邀参加。区政协副主席胡军、汤黎明、胡立辉、贺波、郭志昂、张阳，秘书长邱海国出席会议。会议围绕2023年度提案办理情况开展协商；听取法院、检察院工作情况通报；审议通过区政协十届三次会议相关事项及人事事项。

政治协商

【概况】 2023年，区政协构建选题、调研、协商、监督一体化协商体系，深化“区政协总平台+街道分平台+界别微平台”架构，推动协商向基层延伸。全年聚焦区域党政要事、民生实事、社会难事开展专题协商，举办“请你来协商”重点活动6场；专委会、界别组和街道联络委分别牵头做好“界别微平台”和“街道分平台”的协商活动，不断扩大协商参与面。聚焦加强山海协作、共促文旅产业发展议题，到云和县开展跨区域协商，助力北仑—云和两地山海协作“升级版”。打造“智慧政协”平台，委员线上线下同步参与主题议政超1500人次，提出意见建议2200条。

2023年区政协“请你来协商”活动一览表

表14

时　间	议　题	区委、区政府参加领导
1月31日	构建现代服务业体系增强竞争新优势	市委常委、区委书记潘银浩，副区长、管委会副主任（兼）任锦群
3月23日	臻心惠企·助力中小企业高质量发展	区委常委、副区长屠斌斌
5月23日	优化青年技能人才成才成长环境	副区长程展
7月12日	“三河六岸六道”品质提升	区委常委、副区长冯伟业
11月16日	大力培育“专精特新”企业 打造制造业“单项冠军”强区	区委副书记、区长王程
11月22日	推动非物质文化遗产活态传承	副区长张海航

【构建现代服务业体系】 1月31日，区政协开展年度首场“请你来协商·助力‘六促六优’再深化、‘三争三强’再攀高”活动，围绕“构建现代服务业体系，增强竞争新优势”展开协商。市委常委、区委书记、宁波开发区党工委书记潘银浩，副区长、宁波开发区管委会副主任任锦群出席活动。活动由区政协主席王建波主持，区政协主席会议全体成员参加。在活动现场，7位委员围绕补齐人才短板、推动数字经济服务业发展、打造产业投资资金、加快“两业融合”、引入知名消费品牌、推进制造服务业、营造电商环境等主题开展建言献策和协商。

【助力中小企业高质量发展】 3月23日，区政协围绕“臻心惠企·助力中小企业高质量发展”这一主题举行“请你来协商·助力‘六促六优’再深化、‘三争三强’再攀高”活动。区政协主席王建波出席活动并讲话，区委常委、常务副区长屠斌斌应邀参加本次活动。5位区政协委员围绕完善企业服务体系、加大对中小企业融资支持力度等主题开展献言献策和协商。

【优化青年技能人才成才成长环境】 5月23日，区政协举行“请你来协商·助力‘六促六优’再深化，‘三争三强’再攀高”活动，围绕“优化青年技能人才成才成长环境”开展专题协商。区政协主席王建波出席活动并讲话，副区长程展应邀参加。协商活动现场，与会的委员、专家代表和技工代表群策群力，围绕加大政策支持力度、发挥区域优势引才、行业龙头带动示范、注重人才精神奖励、拓展技能人才范畴、强化资源统筹整合等方面展开深层次的探讨与协商。

【“三河六岸六道”品质提升】 7月12日，区政协举办“请你来协商·助力‘六促六优’再深化‘三争三强’再攀高”活动，围绕北仑区域“三河六岸六道”品质提升开展专题协商。区政协主席王建波出席活动并讲话，区委常委、副区长冯伟业应邀参加。座谈会上，6位委员围绕生态岸线营造、河道水环境治理、绿化运营维护、防汛安全设施建设、生物多样性保护、沿河文化传承保护等方面集思广益，提出许多好的建议与对策，供区政府相关职能部门决策时参考。

【培育“专精特新”企业】 11月16日，区政协举行“请你来协商·助力‘六促六优’再深化、‘三争三强’再攀高”活动暨重点提案专题协商会议，围绕大力培育北仑区域“专精特新”企业，打造制造业“单项冠军”强区开展专题协商。区委副书记、区长王程出席活动并讲话，活动由区政协主席王建波主持，区政协主席会议全体成员参加。在协商会议现场，5位市、区委员结合自身工作，围绕“专精特新”企业培育、智能生产、申报评选、知识产权保护、可持续发展等主题分别发言，并与区政府相关职能部门负责人开展协商。

【非物质文化遗产活态传承】 11月22日，区政协围绕“推动非物质文化遗产活态传承”这个主题，举办“请你来协商·助力‘六促六优’再深化、‘三争三强’再攀高”活动。区政协主席王建波出席活动并讲话，副区长张海航应邀参加。在开展面对面协商过程中，6位委员结合自身工作，围绕非遗传承人的队伍建设、非遗项目品牌建设、推进优秀传统文化进校园、发挥校外教育阵地作用、推广电商直播模式助推传承、建设特色非遗街区等作专题发言并与在场的北仑区非遗传承人代表交流了非遗工作体会。活动同步在掌上履职平台面向区政协全体委员开展图文直播，扩大了参与面和影响力。

民主监督

【概况】 2023年，区政协深入贯彻落实习近平总书记对“千万工程”重要批示精神，围绕深化“千万工程”、建设美丽乡村情况联动开展专项集体民主监督，聚焦城市有机更新、无废城市建设、新能源汽车公共充电配套设施建设、森林游步道安全保障、老旧小区适老化改造等议题开展民主监督、委员视察，推动相关部门切实把群众最关切的事办实、办好、办出成效。

【城市有机更新】 3月17日，区政协聚焦城市有机更新与文明典范城市创建开展视察与民主监督，区政协副主席胡立辉参加活动。调研组实地走访了新碶街道星阳未来社区、红梅邻里中心等已投入运行或在建项目，现场听取了区住建局对北仑城市更新推进工作情况的介绍，了解未来社区建设、旧城街区改造等好的经验与做法，并就当前存在的主要困难、下一步重点工作开展了深入的交流。随后，委员们还调研了北仑区新时代文明实践中心，听取并了解文明典范城市创建工作过程中的相关情况。

【森林游步道的安全保障】 4月25日，区政协部分委员走进北仑植物园，就"森林游步道的安全保障"话题开展委员视察与民主监督活动。区政协副主席汤黎明、贺波参加活动。委员们针对植物园内落石枯树较多、缺少指示标识和安全提醒等问题，提出明确管理主体、打造数字文旅并强化游步道日常管理的建议。

【建设美丽乡村】 6月9日，区政协主席王建波带队到郭巨街道开展"深化'千万工程'、建设美丽乡村"专项集体民主监督，助推"千万工程"迈向纵深和美丽乡村建设高质量发展。副区长丁俊杰、区政协副主席汤黎明、秘书长邱海国参加。调研组先后走访了福民村和大岭下村，详细了解村内生态环境建设情况，并与紫微岙精品民宿负责人深入探讨旅游业在带动乡村发展中的作用。在随后召开的座谈会上，区农业农村局、郭巨街道办事处作情况介绍。5名委员结合本职工作，围绕美丽乡村建设提出了意见与建议。

【禁毒工作】 6月25日，区政协组织部分委员到新碶街道文化站开展禁毒工作专项民主监督活动。北仑禁毒大队相关负责人带领委员们参观了禁毒和反诈宣传展，对毒品种类、防范方式等进行了详细介绍。在随后召开的座谈会上，委员们详细了解全区禁毒工作推进情况，并就加强禁毒工作、建设平安北仑献计献策，展开相互探讨与交流。

【新能源汽车公共充电配套设施建设】 6月28日，区政协围绕"新能源汽车公共充电配套设施建设"这个主题，开展对重点提案办理的民主监督活动，区政协副主席胡军参加。委员们实地查看了太河路、明州路东南侧停车场和凤凰城项目一期地下停车场充电桩现场，详细了解公共充电配套设施项目的建设进展、设施运行与维护及资金筹措等情况。在随后召开的座谈交流会上，政协委员结合实地监督情况就加快推进公共充电配套设施建设、提升民生服务保障水平提出许多好的意见与建议。

【制造业单项冠军中小企业】 7月26日，区政协对区域有制造业"单项冠军"之称的中小企业作视察与民主监督活动，区政协副主席汤黎明参加活动。制造业"单项冠军"的培育遴选，是工信部组织开展的一项全国性优质企业培育行动。"单项冠军"是指长期专注于制造业某些细分产品市场、生产技术或工艺国际领先、单项产品市场占有率位居全球前列的企业。委员们先后实地走访了宁波菲仕技术股份有限公司、宁波勋辉电器有限公司，详细了解企业在产业发展、技术优势、产品市场占有率等情况。座谈会上，与会企业围绕如何练好内功、如何申报"单项冠军"等内容与委员们展开了深层次的探讨与交流。

【老旧小区适老化改造】 9月5日，区政协围绕"老旧小区适老化改造"主题开展民主监督活动，区政协副主席贺波参加。委员们实地查看了新碶街道艺碶空间、星阳未来社区、红梅邻里中心等场所，详细了解老旧小区改造工作中适老化设施规划设置、升级迭代及管理使用等方面情况。在随后召开的座谈交流会上，委员们与区住建局、区民政局、新碶街道和红梅社区等单位负责人，结合实地监督情况，共同分析了北仑区老旧小区适老化改造现状、面临的问题，就如何加快推进老旧小区适老化建设、提升养老服务保障水平等开展协商建言。

【无废城市建设】 9月13日，区政协组织部分委员开展对"无废城市建设"的民主监督活动，区政协副主席胡立辉参加。委员们实地走访调研北云飞创现代产业园、北仑沃隆环境科技有限公司、绿润环境科技（宁波）有限公司，了解小微工业园区绿岛固废集中收集设施运行情况、小微收运单位建设情况等。座谈会上，区生态环境分局、区综合行政执法局等职能部门相关负责人介绍了北仑区无废城市建设工作的整体推进情况，委员们就当前北仑区在无废城市建设中存在的问题、发展方向等展开讨论，并提出许多好的建议与意见。

【山海运动街道建设】 9月13日，区政协组织部分委员赴春晓街道，开展"礼迎亚运——推进山海运动街道建设"委员视察与民主监督活动，区政协副主席张阳参加。委员们沿杭州第19届亚运会火炬传递宁波站路线先后走访了梅山湾沙滩公园、万博鱼度假区、春晓城市会客厅等地。在随后召开的座谈会上，与会委员们围绕区域公交线路优化、非遗元素融合、宣传推介等提出针对性的意见建议。

【关注森林活动】 11月3日，以"关注森林健康，推进拔点清面"为主题的关注森林活动暨全区"关注森林"工作会议在柴桥街道举行。区政协主席、区关注森林组委会主任王建波出席并讲话，区关注森林组委会成员单位负责人、区政协各街道联络委主任、映山红委员工作室委员等参加。全体与会人员实地走访了北仑林场瑞岩寺林区、岭下村和街道花农客厅，听取了林场负责人的工作介绍，参观古树现场和生物多样性研学展厅。会议通报了全区"关注森林"工作开展情况，柴桥、白峰两街道负责人作会议典型发言。委员们纷纷建言献策，呈现出对关注森林活动的重视与支持。

参政议政

【概况】 2023年，区政协围绕"新能源产业发展""加快推进工业园区绿岛建设""推进北仑普职教育高质量协调发展"等方面开展调查研究。围绕科创平台"栽树工程""两场一仓一中心"建设、缓解高中段教育资源供需矛盾等多项人民群众普遍关心的问题，在现场、在一线进行协商讨论。全年累计向区委、区政府报送社情民意专报8期、调研建议10余篇。召开全区政情通报会，请区长王程通报2023上半年经济社会发展情况和下半年思路举措。组织十届区政协委员履职培训，提升委员的综合素质和履职能力，加强委员队伍建设。

【山海协作、共促旅游产业发展】 4月18日，围绕"加强山海协作，共促文旅产业发展"主题，北仑·云和两地政协专题协商活动在丽水市云和县木玩政协委员会客厅举行。北仑、云和两地委员就山海协作，共促旅游产业发展畅所欲言，在产业赋能、民宿经济、旅游招商等方面提出了许多新理念、新思路。北仑区政协主席王建波、云和县政协主席章作飞、宁波开发区管委会副主任应优辉与两地部分政协委员一起参加活动。

【"两场一仓一中心"建设】 4月21日，围绕北仑区域物流行业开展的集装箱堆场、集卡停车场，仓储和集卡司机综合服务中心建设，区政协在港航委员会客厅开展"请你来协商"活动。区委常委、副区长冯伟业，区政协副主席胡立辉，部分区政协委员及有关职能部门负责人参加活动。宁波开发区开发建设综合局负责人到会通报了北仑区开展"两场一仓一中心"建设情况。6名委员根据会前调研就相关问题提出建议与意见，并与区相关职能部门结合工作开展情况，作深入、细致的现场交流。北仑区已建成投用横浦、峙南、梅山3个临时集卡停车场，限行区集卡违停已全面禁止，"集卡围城"问题得到有效缓解，整治工作已取得阶段性成效。

【科创平台"栽树工程"】 4月28日，区政协围绕科创平台"栽树工程"主题，在宁波保税区金融科技产业园开展"请你来协商"活动。"栽树工程"旨在通过引进国内著名高校等科研院所，在北仑区域建立相关学科科创平台，对高端人才集聚和产业高质量发展起到强大的支撑作用。区政协副主席张阳，科技一组、科技二组的部分委员及区相关职能部门负责人参加活动。活动中，7名委员针对北仑区域科创平台能级还不够高、企业创新意愿还不够强、全社会研发投入还不够大等问题提出建议。并寄希望北仑区持续深化科技体制改革，深耕科创"栽树工程"，激活地方产业能转化更多的科技创新成果。

【缓解高中段教育资源供需矛盾】 5月25日，区政协就缓解北仑区域高中段教育资源供需矛盾问题，开展"请你来协商"活动，区政协副主席胡军参加。本次活动，委员们针对北仑区准备利用和扩大大榭中学、柴桥中学的教育资源来缓解供需矛盾的对策，还实地考察了大榭中学和柴桥中学，详细了解大榭中学高中段复招工作、柴桥中学扩建工程进度等情况，并对具体落实的有关措施展开协商。

【儿童友好城区建设】 7月20日，区政协围绕儿童友好城区建设开展"请你来协商"活动，区政协副主席张阳、部分政协委员和区委宣传部、区妇联、区教育局等有关部门负责人参加此次活动。活动中，区妇联介绍北仑区儿童友好城区建设有关情况，委员们与相关部门负责人通过面对面的交流，就儿童友好城区建设中若干问题作了深层次的探讨与协商。

【调研工业社区（园区）】 8月10日，区政协部分委员到白峰街道调研工业社区（园区）运行情况。区政协副主席胡立辉参加。委员们先后到万洋众创城、永泰化工物流股份有限公司和小门工业社区，实地参观万洋众创城园区布局、园区企业经营情况。与社区工作人员一起就如何为辖区内企业排忧解难的问题，开展探讨与协商。

【全区政情通报会】 8月18日，区政协召开全区政情通报会。区委副书记、区长王程到会通报上半年全区经济社会发展情况，区政协主席王建波主持会议，区委常委、统战部部长吴艳芳，区政协副主席汤黎明、贺波、张阳，秘书长邱海国出席会议。部分在北仑省、市政协委员，全体区政协委员，各民主党派、无党派人士代表，以及区政协全体机关干部参加。

【委员工作室建设】 2023年，区政协15家委员工作室（会客厅）完成"三位一体"建设，全年开展协商议事、志愿服务、团结联谊等活动180场次。港航委员会客厅与市物流协会等4家单位建立合作关系，倾情服务"卡哥卡嫂"，创建"漫商量"品牌，持续为"锻造港口硬核力量"建言助力，成功创建省级五星级委员会客厅。"臻心汇"委员工作室积极反映企业心声，推动实施"早餐入户"行动，惠及企业员工4000人次，成功创建市级委员工作室。"善行北仑""益企议事"等13个委员工作室热心社会公益活动，立足自身特色开展参政履职活动，成为委员联系服务界别群众的重要平台。

【民生议事堂建设】 2023年，区政协聚焦民生，开展民生议事堂"助解急难愁盼 增进民生福祉"专题协商议事活动。围绕营造"烟火气"园区、智慧停车管理、美丽城镇建设、农文旅融合发展、无物业小区治理、文明城市创建等议题开展民生议事堂、"协商驿站"活动59场，通过"委员直播""委员夜谈"等议事模式，收集民意、反映诉求，有力破解基层民生难题200个。民生议事堂建设和所开展的活动，得到《人民政协报》、人民政协网等媒体宣传报道。

提案工作

【概况】2023年，区政协坚持以习近平新时代中国特色社会主义思想为指导，深入学习贯彻习近平总书记考察浙江重要讲话精神，在中共北仑区委的坚强领导下，在区政府、开发区管委会的大力支持下，深入助力“六促六优”再深化、“三争三强”再攀高行动，围绕北仑经济与社会发展的重大问题和涉及群众切身利益的实际问题，积极运用提案建言献策，共提出提案173件，经审查立案148件，并案处理后为141件，其中集体提案21件。提案分别送交61家部门和单位办理，已全部办复，建议采纳落实率达到97.87%，解决了一批群众关心、基层关注的问题和诉求。

2023年北仑区政协十届二次会议委员提案一览表

表15

案号	案由	提案人
提1001	关于大力培育专精特新企业打造单项冠军强区的建议	工商联组
提1002	关于优化北仑东部片区资源配置，更好发挥“两场建设”成效的建议	郭巨联络委
提1003	关于推动梅山湾海洋旅游发展的建议[并案]	提案工委、曹康平
提1004	关于发展梅山红桥夜市经济提升梅山湾旅游度假区人气的建议	胡芬芬
提1005	关于抢占新能源汽车产业制高点的建议	提案工委
提1006	关于试点环线早晚高峰公交免费的建议	张绪运
提1007	关于后疫情时代更好支持民营小微企业脱困和发展的建议	提案工委
提1008	关于推进后疫情时代北仑影视文化旅游产业发展的建议	徐巧妮
提1009	关于深化延链强链补链助推我区新材料产业高质量发展的建议	王　阳
提1010	关于加强北仑中小企业公共服务建设补足营商环境服务短板的建议	吴克汀
提1011	关于北仑东部区域开通公交环线和快线的建议	王勇军
提1012	关于打造北仑特色餐饮的建议	刘朝辉
提1013	关于进一步加强我区校地融合发展的建议	吴克汀
提1014	关于进一步优化北仑仓储物流产业布局，加快宁波临港散乱区块清理的建议	董　波
提1015	关于提升小港装备园区交通配套设施的建议	李雪梅
提1016	关于优化中心城区和小港核心片区（地铁站）公交线路的建议	张兴赟
提1017	关于新增轨道交通2号线二期后通段公交红联站点的建议	戚家山联络委
提1018	关于北仑山周边区块规划调整及土地置换的建议	虞剑英
提1019	关于提升北仑旅游知名度的建议	胡　双
提1020	关于进一步促进北仑区压铸模具产业高质量发展的建议	贺莹蕾
提1021	关于创建市场化专业化集成电路引才招商模式的建议	陈彩虹
提1022	关于设立区级大型科研仪器共享中心的建议	祝旭初
提1023	关于提升我区工业服务业的建议	王秀美
提1024	关于加快推进我区平台经济发展的建议	刘建军
提1025	关于打造北仑区数字孪生与元宇宙平台及应用和推广的建议	陈冰凌
提1026	关于抓紧补齐北仑电商环境建设的建议	贺卿峰、杨丽霞
提1027	关于进一步优化我区营商环境的建议	邵依善
提1028	关于提升我区制造业创新能力的建议	工商联组
提1029	关于强化我区商业租赁市场监管，加大个体工商业扶持力度的建议	周应贵

续表15

案　号	案　由	提案人
提1030	关于让“631”项目企业与其他企业一样享受政府政策红利的建议	陈予善
提1031	关于优化小港装备产业园区公共交通的建议	金胜男、戴　翔
提1032	关于进一步优化营商环境的建议	李　斌
提1033	关于优化中小学实行课后服务后公交班车运营的建议	杨薇维
提1034	关于我区快递行业发展的相关建议	郭义全
提1035	关于推动建设北仑企业研发飞地的建议	贺少杰
提1036	关于推动万人沙滩海鲜排档建设，及时承接春晚网红流量的建议	杨丽霞、王忆俊
提1037	关于进一步推进制造服务业发展的建议	倪　宾
提1038	关于加强我区科创平台建设的建议	科技一组
提1039	关于提升北仑区数字经济发展的建议	张晋楚
提1040	关于进口跨境电商产业发展的相关建议[并案]	经济二组、陈奇科
提1043[闭会期]	关于把梅山隔离板房改成为港口配套，为“两场一仓一中心”提供保障的相关建议	胡芬芬
提1044[闭会期]	关于规划建设芯港小镇5G信息技术检测中心的建议	科技组
提1045[闭会期]	关于开通中河路地铁站—九峰山—瑞岩寺公交线路的建议	经济科技类
提2001	关于发展都市农业推进产村融合促进共同富裕的建议	农业农村组
提2002	关于柴桥街道花木产业转型升级的建议	柴桥联络委
提2003	关于加大对农业从业人才政策支持力度的建议	林中侃
提2004	关于美丽乡村一村一品文旅品牌提升的建议	王进忠
提2005[闭会期]	关于提升我区游步道建设的建议	陈奇科、翁雪峰、何传领、陈奇科、张国擎
提3001	关于高品质建设三河六岸六道促进幸福北仑的建议	城建资源环境组
提3002	关于推进未来社区创建与老旧小区改造有机结合补齐社区养老“短板”的建议	社会法制组
提3003	关于提升城市品质加强城市夜景建设的建议	郑超云
提3004	关于黄山路部分路段预留绿化恢复正常行车道的建议	周　平
提3005	关于在梅山岛（街道）内合理设置道路停车泊位的建议	吴友旺
提3006	关于坚持多方联动提升小区服务管理水平的建议	社会法制组
提3007	关于加快推进城中村改造建设共同富裕现代化先行区的建议	城建资源环境组
提3008	关于在我区公共场所试点推广直饮水点的建议	张昌恩
提3009	关于加强我区未来社区建设管理的建议	徐　锋
提3010	关于将霞浦街道凤凰社区列入未来社区建设的建议	严玲玲、徐丹丹
提3011	关于在北仑区工业园区主干道增加货运（集卡）司机流动厕所的建议	徐丹丹、周浩慈
提3012	关于加强迎春社区停车场管理的建议	李　娟
提3013	关于改善北仑核心城区与柴桥街道陈华公铁立交桥沿线交通拥堵情况的建议	顾大公
提3014	关于推进滨海市民广场二期建设的建议	张佳誉、屠君飞
提3015	关于解决行政中心附近停车难问题的建议	陈剑君

续表15

案　号	案　由	提案人
提3016	关于缓解北仑城区停车难的建议	祝旭初
提3017	关于增扩季景路机动车道的建议	陈灵国、林小文
提3018	关于优化我区长租公寓租赁市场管理的几点建议	金　鑫
提3019	关于结合轨道交通建设，进一步推进城市地下空间开发的建议	曹宏华
提3020	关于进一步完善公共厕所设施补齐短板的建议	谢蕾盈
提3021	关于加强和改进高层民用建筑消防安全管理的建议	谢蕾盈
提3022	关于城区车位错时共享提升周转效率的建议	蔡晓馨
提3023	关于规划推进柴桥货运枢纽基地的建议	方正云
提3024	关于建立国有企业主导、市场化运作的区域停车管理系统的建议	李　敏
提3025	关于完善和支持我区新能源汽车公共充电事业发展的建议[并案]	李　挺、严玲玲、徐丹丹、屠君飞、张佳誉、陈　铖
提4001	关于进一步推进老旧柴油车辆淘汰的建议	吴旭升、徐　娜、金　锴、周民海、曹明耀、金　鑫、郑　颖、李　敏、吕薇娜、石科伟
提4002	关于加强臭氧污染防控的建议	林建云
提4003	关于降低绿化香樟树结果对环境影响的建议	李贞河
提4004	关于建设慢生活步道促进宜居北仑的建议	张大位
提4005	关于促进我区商品混凝土搅拌配合比智能调控的建议	卢青法
提5001	关于医养结合助力养老高质量发展的建议	韩　磊
提5002	关于老有所养、幼有所育打造老幼复合型社区活动室的建议	韩　磊
提5003	关于加强技工教育支持力度，促进区域技能人才队伍建设的建议	张　豪
提5004	关于促进我区爱心食堂高质量发展的建议	赵燕儿
提5005	关于我区医务人员免费畅游区内国有景区的建议	吴鸿珠
提5006	关于打造高技能人才高地为建设制造业强区提供人才支撑的建议	民族宗教和无党派人士组
提5007	关于加强公办养老机构体制建设的建议	赵松阮
提5008	关于提高老龄化背景下“颐养”产业发展的规范化、法制化、科技化的建议	童艳铮
提5009	关于进一步提升养老机构与日间照料中心服务水平的建议	徐　娜
提6001	关于实施“幸福妈妈”计划助推我区儿童友好社会支持体系建设的建议	工商联组、总工会共青团妇联组
提6002	关于缓解我区高中段教育资源供需矛盾的建议	周敏英
提6003	关于保证中小学生充足午休时间的建议	单文坡
提6004	关于加强“15分钟”品质文化生活圈基层服务能力的建议	唐　静、陈仁宽、邱　红
提6005	关于推进北仑文旅产业甬舟一体化发展的建议	郑　颖、徐　娜、金　锴、周民海、曹明耀、吕薇娜
提6006	关于进一步落实“双减”政策的相关建议	陈奇科
提6007	关于切实解决“双减”政策带来新挑战的建议	陈秀云
提6008	关于公立幼儿园开展普惠托育服务，助力推进儿童友好城市建设的建议	邵立伟
提6009	关于解决老年人看病难问题的建议	石旭兆
提6010	关于提升学校食堂后勤管理的相关建议	刘朝辉

续表15

案　号	案　由	提案人
提6011	关于进一步加强建立疫情防控预警机制的建议	林雪凤
提6012	关于多举措支持医养结合高质量发展的建议	医卫组
提6013	关于城市更新、新农村建设过程中建立实景三维影像资料采集工作机制的建议	张兴赞
提6014	关于全力培植北仑籍文化名人标识体系的建议	文艺体育新闻出版组
提6015	关于为60岁以上老人免费开展胸部CT肺部疾病筛查的建议	吴鸿珠
提6016	关于重视家庭教育助力“未来公民”健康成长的建议	王张敏、唐　静
提6017	关于统筹抓好后疫情时代药品流通管理和医疗资源供给保障的建议	顾添春、肖朝阳、陈仁宽、俞忠伟
提6018	关于加快推进北仑“数字健康”的建议	高彦鹏
提6019	关于扩大区内急救中心建设的建议	陆静静
提6020	关于“双减”政策后加强课后服务的建议	史佩强
提6021	关于加强二级以上公立医院重症医学科建设的建议	胡高波
提6022	关于加快推进北仑区中医院二期项目人才储备工作的建议	王文元
提6023	关于进一步加强家庭教育的建议	官婷婷、俞忠伟
提6024	关于关爱多动症儿童助力孩子健康成长的建议	官婷婷、俞忠伟
提6025	关于普及家庭教育概念与提升其影响力的建议	戴淑漫
提6026	关于推进医养康养结合向社区居家延伸的建议	谢蕾盈
提6027	关于补齐短板提升院前急救能力的建议	李铁红
提6028	关于加强急诊科室合理就医的建议	张　璐
提6029	关于推进北仑区医疗建设的建议	王　斌
提6030	关于加强对新冠感染医学指导及自我康复保障的建议	石小俊、李铁红
提6031	关于完善现有校园欺凌预防和处理体系的建议	徐　娜、傅建立
提6032	关于提升宁波滨海国际合作学校办学品质的建议	刘　飞
提6033	关于改进中小学生午休设施建议	周凌云、许言午
提6034	关于加大教育投入的建议	王　琛
提6035	关于开展集邮文化进校园活动的建议	卢青法
提7001	关于“弘扬传统文化精神，深植宗教爱国情怀”的建议	释门一
提8001	关于解决广场舞噪声扰民问题的建议	柳　勋
提8002	关于机关事业单位对外部门试点AB岗错峰上下班的建议	李新标
提8003	关于新业态下加大私房烘焙业监管力度的若干建议	总工会共青团妇联组；韩　磊、张　璐、陈奇科
提8004	关于加强对防护消毒用品等防疫应急物资质量安全监管的建议	俞群芳
提8005	关于加强对北仑集卡司机群体服务与管理的建议	刘智慧、米娜瓦尔·艾力
提8006	关于加强北仑区新交付住宅小区违规装修、野蛮装修执法力度并简化执法流程的建议	霞浦联络委
提8007	关于加强政府网络应对能力建设的建议	陈仁宽、顾添春、唐　静、邱　红
提8008	关于设立电梯强制报废年限及加强管理的建议	虞雷军
提8009	关于加强企业合规制度工作助推北仑高质量法治建设的建议	吴克汀、张　静

续表15

案号	案由	提案人
提8010	关于加强学校周边小商超、小餐饮卫生健康和食品质量监管的建议	柳　勋
提8011	关于优化城区道路隔离设施的建议	林益红
提8012	关于新建商品房批量抵押登记业务自助办的建议	吕　治
提8013	关于加强学校放学时段周边道路管理的建议	朱　蕾
提8014	关于解决顾国和中学西侧太和路与华山路路口交通安全隐患的建议	张国擎
提8015	关于协同社会力量共同规范宠物管理的建议	戴淑漫
提8016	关于“双减”背景下推行智慧化服务破解晚托班孩子接送难的建议	王　琛、徐智富
提8017	关于我区中心城区燃放烟花爆竹“禁改限”的建议[并案]	余　清、周天伦、胡振立
提8020[闭会期]	关于发挥企业主体作用完善工业社区治理的建议	曹　炜

【提案办理工作民主评议会】 9月20日，区政协召开2023年度提案办理工作民主评议会，会议对区综合行政执法局、区市场监督管理局、区文化和广电旅游体育局3家单位的提案办理工作开展民主评议。评议会上，3家被评议单位负责人分别通报了2023年度提案办理工作情况，并就相关问题作出了说明。随后，与会的区政协委员对3家被评议单位的提案办理工作展开民主评议。经现场评定，3家被评议单位的评议结果均为优秀。

文史与宣传联谊工作

【概况】 2023年，区政协坚持“大团结、大联合”，为各民主党派、工商联和无党派人士搭建协商议政平台，经常性走访联系党外知识分子、非公有制经济人士和新的社会阶层人士，加强与港澳委员和民族宗教界代表人士的沟通联络，会同区委统战部举行聚心聚力“双一流”、笃实笃行“双示范”各界人士中秋茶话会，畅叙情谊、共话发展。区政协主席王建波带队到浙江省丽水市云和县、四川省凉山州美姑县两地开展交流联谊，共叙山海情。完成区政协书画院、茶文化促进会换届。广泛宣传政协工作，在“北仑政协”微信公众号开辟“一把手谈实干争先”“区政协常委谈履职”等栏目，充分展现委员履职风采。全年在“学习强国”学习平台、《人民政协报》、《联谊报》、《宁波日报》、甬派等各级媒体刊发报道150篇，获评市政协“好新闻”2篇。

【文化交流】 8月23日，区政协主席王建波一行到四川省凉山州美姑县开展两地政协交流合作活动，并在美姑县举行“书香政协·仑美一起读”仑·美崇学书房挂牌及赠书仪式，美姑县政协主席贺雪冰，县委副书记廖天平及县相关部门、组织负责人参加。为支持美姑文化建设，王建波代表北仑区政协将采购的一批书籍及电子阅览设备，赠送给美姑县图书馆。

【文史工作】 2023年，区政协以文聚人心、以史增共识。联合区委宣传部等部门承办“大风音乐节”暨纪念周大风100周年诞辰系列活动启动仪式，编撰出版《大风表东海——人民音乐家周大风百年诞辰影音集》，全书选用近300张周大风的珍贵老照片和70首作品，相关活动得到省政协《联谊报》人文周刊头版整版报道。与区传媒中心合作播出视频节目《北仑闲话》37期，深受新老北仑人喜爱，收看量突破50万人次。征集书画作品参加市政协系统助力“打造一流城市、跻身第一方阵”书画作品巡回展、践行“八八战略”同心奋进谱新篇书画作品展。

【中秋茶话会】 9月27日，北仑举行各界人士中秋茶话会，共叙乡情亲情友情，共祝祖国繁荣昌盛。市委常委、区委书记、宁波开发区党工委书记潘银浩出席并讲话，王程、贺威平、方飞龙等出席，王建波致辞，吴艳芳主持。潘银浩代表区委、区人大、区政府、区政协和开发区管委会，向全区广大政协委员、各民主党派、工商联、无党派人士、各人民团体、社会各界人士和企业家朋友致以节日的问候和美好的祝愿。

【社团组织】 9月21日，北仑区政协书画院七届一次会员大会召开，区政协主席王建波出席会议并讲话，区政协副主席张阳参加。会议听取并审议北仑区政协书画院第六届理事会工作报告，审议通过《宁波市北仑区政协书画院章程》，选举产生第七届北仑区政协书画院领导班子，郑莉当选新一届院长。10月11日，北仑茶文化促进会召开换届会议。区政协主席王建波出席会议并讲话，区政协副主席贺波参加。会议审议通过了北仑茶文化促进会第二届理事会工作报告、财务报告，并选举产生了第三届理事会领导班子，贺波当选新一届理事长。

（撰稿人：段　激）

中共北仑区纪律检查委员会
北仑区监察委员会
宁波经济技术开发区纪检监察工委

综　述

【概况】 2023年，全区纪检监察机关在市纪委、市监委和区委的坚强领导下，忠诚履职、担当尽责，各项工作成效明显。在市对区党风廉政建设和反腐败工作考核中位居市第一等次。全区涉纪信访和检举控告量大幅下降，涉纪信访的办理质量居省榜首。全年获市级以上集体荣誉和领导批示23项，获评中纪委新闻传播中心宣传工作先进单位。政治监督、容错纠错、检举控告、构建亲清政商关系等工作获评省级优秀或指导性案例4个，全周期警示教育、重大巡视问题整改等工作2次获市委主要领导批示肯定，浙江自贸区宁波片区协作等工作6次获市纪委主要领导批示肯定，清廉建设等工作3次获区委主要领导批示肯定。中央纪委、省纪委教育整顿督导组对北仑纪检监察工作给予充分肯定。

【建设清廉高地】 制定《2023年监督推动清廉北仑建设纵深推进的工作方案》，召开全区清廉建设推进会，开展清廉单元“一品牌一示范点”建设，对16个清廉单元建设成果集中展示，“张人亚党章学堂—灵峰工业社区线”入选省级“清风廉路”廉洁文化精品线，巩固全域清廉社会生态建设。开展年轻干部“青廉成长”行动，推行“8+N”廉洁教育“套餐”，组建“青清宣讲团”开展宣讲130余场次，覆盖2100余人次。推进清廉工业社区标准化建设，完善“亲清政商指数”评估体系，多维度反映涉企部门和工业社区服务企业的满意度，清廉工业社区标准化建设试点项目获省级立项，相关做法获评全省纪检监察系统特色亮点工作，入选全省第四届基层纪检监察工作十大创新案例，被《经济日报》报道。

重要会议

【区委反腐败协调小组会议】 于1月11日召开。区委常委、区纪委书记、区监委主任王恩胜主持会议并讲话。区委常委、区委组织部部长周成钢，区法院院长郑航捷，区检察院检察长吕益军出席会议。区委反腐败协调小组成员单位相关负责人参加会议。会议听取了区纪委、区监委、区委组织部、区法院、区检察院、区公安分局、区司法局、区审计局等成员单位关于2022年以来反腐败工作开展情况的汇报，研究部署下一步工作，会议审议并通过《中共宁波市北仑区委反腐败协调小组工作规则》。

【区纪委九届三次全体会议】 于2月8日召开。市委常委、区委书记、宁波开发区党工委书记潘银浩出席会议并讲话，区委常委会和区有关领导出席会议，区相关部门主要负责人参加了会议。全会由区纪委常委会主持。全会审议并通过了区委常委、区纪委书记、区监委主任王恩胜代表区纪委常委会所作的《全面学习贯彻党的二十大精神，以全面从严治党新成效为奋力推进“双一流双示范”建设提供坚强保障》工作报告。

【九届区委第三轮巡察工作动员部署会】 于3月8日召开。会议深入学习习近平新时代中国特色社会主义思想和习近平关于巡视工作重要论述，全面贯彻落实党的二十大精神和中央、省、市、区纪委全会精神，认真落实中央、省、市、区委关于巡视巡察工作决策部署，对九届区委第三轮巡察进行动员部署。区委常委、区纪委书记、区委巡察工作领导小组组长王恩胜，区委常委、组织部部长、区委巡察工作领导小组副组长周成钢出席会议并讲话。

【区漠视侵害群众利益问题专项治理部署会】 于3月23日召开。区纪委副书记、区监委副主任胡峰印出席会议并讲话。会议传达省、市漠视侵害群众利益问题专项治理工作会议精神，全面部署北仑区2023年开展漠视侵害群众利益问题专项治理工作。会议强调，各项目牵头单位要扛起主体责任，发挥职能作用，围绕目标任务，倒排工期，以项目化管理推进；各相关派驻纪检监察组要全程跟进监督，及时发现并解决专项治理工作中存在的问题。

【九届区委第四轮巡察工作动员部署会】 于7月25日召开。区委常委、区纪委书记、区监委主任、区委巡察工作领导小组组长王恩胜作动员讲话。区委常委、组织部部长、区委巡察工作领导小组副组长周成钢传达区委书记专题会议精神，宣布九届区委第四轮巡察党组织名单及授权任务分工。九届区委第四轮巡察成立4个巡察组，将对区委政研室、区应急管理局、区农业农村局、区财政局、区审计局、区住房与城乡建设局、区市场监督管理局、区公共项目建设管理中心8个部门开展巡察工作。

【区漠视侵害群众利益问题专项治理工作推进会】 于8月23日召开。区纪委副书记、区监委副主任胡峰印出席会议并讲话。会议对自3月份“区漠视侵害群众利益问题专项治理部署会”召开以来的工作作了简要回顾，并指出下一步工作中要注重提高认识、紧扣时间节点、强化结果运用，全区确定的10个治理项目牵头单位要从谋长远、利全局的高度，去推动专项治理治出成果、治出实效。区教育局、区公安分局、区民政局等10家牵头单位进行汇报交流，各派驻纪检监察组就监督推动专项治理工作作补充发言。

【清廉北仑建设推进会】 于12月8日召开。区委常委、区纪委书记、区监委主任，宁波开发区党工委委员、纪工委书记王恩胜出席会议并讲话。会议强调，要紧盯清廉之责，深化清廉之治，营造清廉之风，打造清廉之景，推动清廉单元在全域提升。小港街道党工委、区农业农村局、新碶街道大港工业社区、灵山书院等4家单位相关负责人作大会交流发言。

重要活动

【区委巡察组反馈巡察情况】 经区委同意，自5月中旬始，区委巡察组分别向区医疗保障局、区机关事务管理局、区交通运输局、区经信局、区人社局、区检察院、柴桥街道及下辖村（社区）、梅山街道及下辖村（社区）等8家单位党组织反馈了九届区委第三轮巡察工作巡察情况，并就如何落实反馈意见、抓好整改工作提出具体要求。

【基层公权力大数据监督平台】 8月10日，区纪委、区监委召开基层公权力大数据监督平台2.0版操作员培训活动，全区11个街道相关业务部门审核人员，各村、社区负责公权力大数据监督平台操作系统管理的380名工作人员参加本次活动。平台的技术保障中心负责人传达了2.0版平台使用的有关要求，对新老系统迭代升级作了具体要求，对新平台数据录入的注意事项进行再提醒，围绕新平台界面功能、事项流程、监督一点通操作等进行了具体讲解，并以实例演示村（社区）6大高频事项的新增操作和浙政钉手机端的审批程序，确保公权力大数据监督平台的运行质量与效果。

【越剧《走马御史》走进北仑】 5月18日至19日，由宁波市演艺集团制作、宁波市小百花越剧团演出、并以廉洁文化为主题的原创越剧《走马御史》在北仑影剧院上演，为北仑区带来一场文化底蕴深厚的“清廉”盛宴，全区党政机关、事业单位、国有企业共1100余名干部职工观看演出。《走马御史》取材于《宋史・陈禾传》，讲述了北宋宣和年间，明州鄞县走马塘（今宁波市鄞州区走马塘村）人陈禾身为御史，却不畏权势、清正廉洁、忠贞报国的故事，唱响了一曲反对奸佞祸国、捍卫人间正道的正气歌，是一次非常接地气的廉洁教育活动。

党风廉政建设

【概况】 大力纠治“四风”，开展违规吃喝、违规收受礼品礼金专项整治，常态化开展正风肃纪检查，查处违反中央八项规定精神问题41起66人，党纪政务处分45人，通报曝光9起9人。把严的基调一贯到底，有案必查、有腐必惩，党纪政务处分185人，留置6人，移送司法机关16人。坚持抓早抓小，全区运用“四种形态”批评教育帮助和处理596人次，占比分别为66.1%、24.3%、4.6%、5%。

【做实做细政治监督】 2023年，聚焦习近平总书记重要讲话和重要指示批示精神以及总书记考察浙江重要讲话精神贯彻落实情况，紧盯区委“六促六优”专项行动等重点工作，运用“一线监督法”开展监督检查135次，发现并督促整改问题61个，问责不担当不作为干部10人，推动北仑营商环境“无感监测”指数居全市前列，政治监督案例被评为全省政治监督十佳案例。

【协助区委加强政治生态分析研判】 严格执行《中共中央关于加强对“一把手”和领导班子监督的意见》，推行“一单一图一函一表”工作机制，开展“五张责任清单”落实情况综合评估685人次，发现并督促整改问题38

图为《走马御史》演出时的剧照

个。区纪委主要负责人员与新任党组织“一把手”开展“三交底”廉政谈话35人次，下发清单100份；开展主体责任检查295家次，发现并推动整改问题246个，推动管党治党政治责任全面落实。

【浙江省清廉学校建设示范学校】 4月8日，浙江省教育厅公布了第二批浙江省清廉学校建设示范校名单，北仑区华山小学获评浙江省清廉学校建设示范学校。2023年，华山小学围绕打造“勤廉并重”的新时代党建高地和清廉建设高地目标，推进全面从严治党，压实责任链条，丰富建设内涵，强化正风肃纪，全覆盖构建清廉学校建设体系，打造清廉浙江优质教育单元，以“清廉华山”精神浸润学校工作的方方面面并取得显著成效。

【公布漠视侵害群众利益问题专项治理项目】 4月11日，区纪委、区监委会同区教育局、公安分局、区民政局、区人社局、资规分局、生态环境分局、区住建局、区农业农村局、区市场监管局、区医保局等10家单位，通过公众平台公布了2023年度北仑区对区中小学食堂采购问题、电信网络诈骗问题等10个开展专项治理项目，以便于接受群众监督。

【全区涉纪信访连续四年大幅下降】 2023年共受理信访举报87件，其中检举控告41件、重复举报6件，同比分别下降16.3%、24.1%、40%，检举控告量全市最少，涉纪信访办理质量综合评价在全省90个区县市中位居第一，北仑涉纪信访处置案例获评全省处理质量评价优秀案例，初次信访举报标准化体系获市纪委主要领导批示肯定，在全市推广。

【入选省纪检监察系统2023年度政治监督“十佳案例”】 11月25日，区纪委监委推荐的《聚焦“烦恼指数”精准监督 全力护航中小企业“办大事”》入选浙江省纪检监察系统2023年度政治监督“十佳案例”。自2023年初以来，北仑区纪委监委聚焦区域营商环境优化，提升“一号改革工程”重点任务，以企业“烦恼指数”为小切口，紧盯热点难点问题，以“双找”（即“找出存在的问题、找出履职不到位的人”）为目标，深入一线开展政治监督，全力护航中小企业发展，助力优化区域营商环境。全年为企业推动解决各类问题239件，完成惠企资金兑付71亿元，居全市第一；营商环境“无感监测”指数保持全市第一、全省前列；“亲清政商指数”推动构建亲清政商关系获评全省纪检监察系统特色亮点工作。

4月26日，北仑区年轻干部“青廉成长”行动暨大碶街道“青清廉影”青年廉洁文化节活动举行

干部教育监督管理

【概况】 深入学习贯彻习近平新时代中国特色社会主义思想和党的二十大精神，开展区纪委常委会“第一议题”学习24次，推行“周课堂、旬研讨、季交流”机制，参加省市“纪检讲坛”16期，开展专题研讨8场36人次，组织“循迹溯源、重温嘱托、感恩奋进”现场学习，党员集体过“政治生日”活动5批100人。常态化开展导师带徒、实战练兵，举办综合业务全员培训班2期。完成89名区、街道两级监察官首次等级确定，举办宪法宣誓、干部荣退、新进干部入职、业绩交流等活动，开展暖心慰问、上门家访29人次，纪检监察干部队伍战斗力凝聚力向心力明显增强。

【年轻干部“青廉成长”行动】 4月26日，北仑区年轻干部“青廉成长”行动暨大碶街道“青清廉影”青年廉洁文化节活动举行，宁波开发区党工委委员、纪工委副书记李金平为在场年轻干部带来一堂“廉首课”。活动中，青廉情景剧、脱口秀、短视频等节目轮番上演，从不同角度诠释了年轻干部对如何做好人生选择，端正权力观、树正纪法观的深刻思考，倡导年轻干部学廉、思廉、践廉。

【机关党委组织“七一”主题党日活动】 6月30日，区纪委监委机关党委组织各支部党员干部在长山清风馆开展了“凝心铸魂守初心，纯洁思想铸忠诚”主题党日活动，区委常委、区纪委书记、区监委主任，宁波开发区党工委委员、纪工委书记王恩胜出席活动并为全体党员干部上“七一”专题党课，他要求纪检监察干部始终用习近平新时代中国特色社会主义思想凝心聚魂，开展检视反思、保持亲清关系、坚持严管厚爱，做有担当、有温度、有原则的干部。

（撰稿人：黄子彰）

民主党派　工商联

民革北仑区基层委员会

【概况】 2023年，民革北仑区基层委员会下设4个支部，有党员61人，其中女党员26人，新发展党员2人。党员中本科及以上学历56人，副高及以上专业技术职称21人；任职省人大代表1人，任职市人大代表1人，任职市政协委员2人，任职区政协委员8人。党员周天伦获得2023年北仑区道德模范提名奖，被评为2023年浙江好人，沈琼被评为2023年宁波好人；周天伦、葛继空家庭获评2023年北仑首届慈善家庭。陶春风被评为2023年民革全省社会服务工作先进个人，陶春风、李新标、沈琼、叶颖来等4人被民革市委会评为2023年度先进党员，王勇军被民革市委会评为社情民意信息工作先进个人；叶颖来、沈琼被民革市委会评为参政议政先进个人，解海林再次入选宁波市应急专家库。

【参政议政】 2023年，区民革基层委聚焦教育、经济和城市建设、共富等领域，在市、区两级政协大会上提交提案9件。其中，陈秀云撰写的《关于切实解决"双减"带来新挑战的建议》在区十届二次政协会议上交流发言；王勇军委员撰写的《完善中小企业服务体系 助推中小企业发展》在政协常委会会议上交流发言。全年完成区委统战部调研课题4篇；王勇军、郑颖和傅根强共同撰写的《关于统筹建设宁波湾向东滨海走廊的建议》在市里立项。基层委全年累计撰写社情民意25篇，其中王勇军和陈秀云共同撰写的《关于加快完善解决移民管理队伍青年民警"回乡团圆计划"的提案》被全国政协录用，贺建良撰写《关于进一步优化和完善残保金政策助力企业发展和残疾人有效就业的建议》报送民革中央青年工作委员会；沈琼的《关于乡村振兴视域下农村适老化改造路径的研究》、王勇军的《关于优化我省高速公路通行收费，为全国推动共同富裕提供省域范例的建议》和方宇舟的《关于当前我国房地产行业出现提前还贷潮的建议》被民革省委会录用；李新标的《关于体现市花价值把杜鹃花列入宁波市花的建议》等多篇社情民意被市委会录取。

【社会服务】 2023年，民革北仑区基层委继续加强政府部门和社区结对，发挥党员特色优势，走进北仑农业农村局调研"北仑现代农业和水利建设成果"，联合大碶街道横河工业社区开展"企企联防"安全消防共建活动；组织实施大榭街道"桑榆海霞"绿叶牵手——健康同心圆系列活动。一支部携手民革李惠利医院支部大榭医院开展义诊活动等。二支部深耕农户帮扶结对，持续开展低收入农户慰问和蔬菜采收购，帮助低收入农户提高收入，全年累计销售蔬果、蜂蜜等农产品过万元。薛潇涵利用自身专业积极面向全区开展音乐公益培训10余次，参与学校、社区等社会指导30余次；李颖开展家校社协同共育工作，关注青少年心理健康问题，开展授课20场、活动50余场，受益家长达1000人次。三支部组织党员开展走进春晓街道双狮村等"民法典·走乡村"活动，傅根强党员持续做好公益法律讲座，助力乡村法律普及；周天伦带领基层党委和支部党员，先后组织参与近30次的社会公益活动。全体党员积极参与民主党派慈善一日捐活动，并参与捐款捐物等慈善活动。

（撰稿人：李新标）

民盟北仑区基层委员会

【概况】 2023年，民盟北仑区基层委员会下设5个支部，有盟员121人，其中女盟员50人，发展新盟员5名。盟员中本科及以上学历113人，副高及以上专业技术职称69人；任职区人大代表3人，任职区政协委员15人。基层委坚持集体领导和个人分工负责相结合的制度，完善领导班子内部议事和决策机制，完成科技机关支部的届中改选工作，支部委员会班子成员进行了届中调整，陈启美当选为支部主委，管琛华、李吉当选为支部副主委，沃孝盈、付玉晓当选为支部委员；卢凌旻担任民盟北仑区基层委员会委员。抓好基层组织自身建设，获评盟省委2023年度十佳特色基层组织（组织建设类）；加强阵地建设，"盟员之家"获得浙江省五星级"盟员之家"称号。

【参政议政】 2023年，盟员参加区委召开的重要会议，围绕区委工作报告、重要决定，区政府工作报告等积极建言献策，参加政情通报会、工作座谈会、"请你来协商"等协商会议，围绕经济社会发展、两场整治、自贸区建设等重大事项开展民主协商，提出相关意见建议。基层委牵头组织举办“实施‘地瓜经济’提能升级‘一号开放工程’”为主题的第六期“议政沙龙”专题调研活动。充分调动盟员的积极性和主动性，紧紧围绕民生热点问题，深入开展调研，助力经济社会发展和文明城市创建工作，完成《关于推进北仑文旅深度融合的产业发展模式研究》《关于推动固废污染防治工作的实践与思考》《关于进一步深化长期护理保险试点的报告》等8篇调研课题，其中《关于宁波市林业碳汇开发政策体系构建与流程优化的建议》和《关于提升我区义务教育阶段学校课后服务水平的对策研究》被评为区委统战部2023年度优秀调研成果。盟员蒋波被北仑区委全面依法治区委员会办公室聘为法制监督员。

【社会服务】 2023年，参与助力共同富裕行动，持续推进与小港街道，白峰街道，贝碶村、田洋乐等村社的协作共建，共同谋划助力共富项目，积极帮助社区解决难题，认领了田洋乐社区老年人健康保健咨询服务项目，开展白峰街道“峰和日丽”助力共富活动；教育一支部为迎春社区的建设发展献计献策，并积极参加社区垃圾分类入户宣传等活动；教育三支部则利用职业学校优势，为社区居民和企事业单位提供文化、娱乐、社交、技能培训等服务；科技机关支部与中国人民解放军92721部队某中队签订结对共建协议，深入开展军盟合作、共建活动。持续开展“珍珠基金”一对一对精准帮扶助学行动、送教活动、“送医下乡”、“黄丝带”帮教行动、“与法同行”等社会服务活动，2023年，共计送教授课30余节次，开展惠民帮扶21次，服务学生、群众650余人次。邬红波荣获民盟中央“黄丝带帮教”工作先进个人称号，蒋波被民盟浙江省委会评为社会服务先进个人、2022年度宁波好人。

【建言献策】 2023年，民盟北仑区基层委员会围绕区政府中心工作和群众关注的热点问题，扎实开展调查研究，积极建言献策，担任人大代表、政协委员的盟员先后提交了《关于做好垃圾全过程闭环收运，创造美好家园环境的建议》《关于加快推进临港经济示范区松花江路以东区域城市更新力度的建议》《促进家政服务业提质扩容面临的困难及建议》《关于社区养老服务业面临的困难及相关建议》《关于倡导开办社区食堂的建议》《心系北仑，以教育之力共筑美好未来》《关于建立网格化管理的心理危机防范机制的建议》《关于完善公共场所AED配置提升院前急救能力的建议》《关于加快推进北仑区城市道路基础设施建设的建议》《关于加强我区青少年心理健康教育的建议》《关于青少年文化产品的有效开发和优质发展的建议》《关于加强中等成人教育提质发展的建议》《关于区内国资参股基金促进产业发展的建议》等12件建议、提案，并于区两会期间在审议政府工作报告和联组讨论中做了大会发言。全年完成社情民意141篇。裘淑真盟员的《房土两税征收中面临三个“不明确”问题》被民盟中央和全国政协双录用，近30篇被盟省委录用，多篇被盟市委采用。裘淑真获评盟中央社情民意先进个人。

3月5日，民盟北仑区基层委与田洋乐社区开展协作共建活动

【本职建功】 2023年，盟员在盟务工作和各自的岗位中获得各级各类荣誉，盟员裘小春荣获水利部表彰，荣获“全国节水先进个人”荣誉；盟员沈帧荣获浙江省优秀盟员称号；盟员朱天宇、沈帧等5人荣获宁波市优秀盟员称号；盟员邵丹玮在核心期刊《生物学通报》上发表了多篇论文，在宁波市高中生物选考命题比赛中荣获市一等奖；王岩获得全国职业院校教师教学能力大赛二等奖，宁波市教育规划课题一等奖，其编写的《物流单证作业实务》被列为国家“十四五”规划教材；徐觉晓撰写的论文《“旅游+非遗”人才培养助力乡村振兴的“仑职实践”》获得宁波市教育科学规划课题一等奖，《非遗女红钩编课程与中职劳动教育结合的实践探索》获得宁波市劳动教育优秀论文三等奖，《中职旅游专业“帐篷经济”的技能教学改革探究》获得浙江省优秀论文三等奖；董飞红编写的《服装cad》被列为国家“十四五”规划教材；盟员蔡雨霞老师撰写的论文《ATP物理模型制作在科学思维提升上的应用》荣获宁波市三等奖；滕雪莲获得北仑区优秀教师荣誉称号。在区委统战部举行的纪念中共中央发布“五一口号”75周年暨“同心向党·奋斗有我”主题征文活动中，盟员沈帧撰写的《忆初心，共奋进，创未来》获得三等奖；盟员王岩、干延囡撰写的《知行合一，敬业乐群，做职教改革奋进者与学生成长引路人》和《薪

火世代相传，共筑美好未来》获得优秀奖。

（撰稿人：虞哲芬）

民建北仓区基层委员会

【概况】2023年，民建北仑区基层委员会下设6个支部，有会员107人，其中女会员38人，新发展会员4人，转出2人，本科及以上86人，副高及以上21人。任职宁波市人大代表2人，宁波市政协委员2人，区人大代表3人，区政协委员19人。在市委会基层组织考核中，一支部、六支部被市委会评为先进支部，二、三、四、五支部被市委会评为优秀支部。

【参政议政】2023年，在区两会期间，民建会员共提交《关于加快推进我区平台经济发展的建议》等33件提案。吕薇娜作了《关于高品质建设三河六岸六道 促进幸福北仑的建议》大会发言。林中侃等会员撰写的《关于发展都市农业促进共同富裕的建议》等4件提案被采纳为书面交流材料。金锴撰写的《关于加快北仑快速路网建设件的建议》、韩磊撰写的《关于进一步推进我区避灾安置场所规范化建设的建议》、杨丽霞撰写的《关于优化课后服务推进“双减”提质增效的建议》、翁雪峰撰写的《关于促进我区高新技术企业高质量发展的建议》、周民海撰写的《关于建立我区农村房屋建筑全生命周期管理机制的建议》、李斌撰写的《关于优化和提升新碶大港社区内企业土地使用的建议》等6个提案被评为区政协十届一次会议优秀提案，占优秀提案数量的46%。在市政协委员履职评价中，李斌排名第一。

【社会服务】2023年，民建北仑区基层委员会与新碶街道、春晓街道及牡丹社区等11个基层党组织深入开展协作共建，关注基层工作重心，关心民生热点实事，携手推进公益集市、假日学校、关爱老年人、关心退伍老兵、帮扶特殊人群等公益活动。多名企业家会员坚持设立奖学金，助力优异学生再进步。鼓励在校大学生、校友创业，设立专项基金。法律、医疗专业会员长期开展普法宣讲、法律咨询、义诊服务等活动，为民众解忧排困。关注志愿服务，企业家在新碶街道设立“逐光志愿项目爱心扶持基金”。积极参与民建宁波市委会小桔灯活动，为无偿捐献器官的困难家属送去温暖。关注社区困难农户，在台风来临前帮助采收销售农产品。文艺专业会员发挥特长，积极开展小提琴、舞蹈等社会公益培训活动。响应山海协作倡议，在丽水市松阳县十年助学项目圆满结束后，到云和县开展扶贫助学专题调研，与云和县二中合作，再次启动山海助学项目，帮助困难学生无忧上学。积极帮扶四川省凉山州美姑县农户销售农产品。长期与西部困难学校保持联系，及时送去衣物、学习用品等生活物资。甘肃积石山地震后，企业家会员热心捐款，帮助灾区群众渡过难关。多位会员长期组织无偿献血公益活动。据不完全统计，全年会员捐款捐物金额达到570.88万元。“海和森”共富工坊获评2023年浙江省定向招工式“共富工坊”优秀实践案例。中小企业服务中心持续开展法律服务活动，与北仑农商银行签订战略合作协议，共建党建联盟，合力打造“党建+金融”品牌，“为民建会员企业集体授信10亿元信贷规模，提供‘整企授信’‘整厂授信’等服务，建立专属“企服顾问”和“金融管家”机制，被《全国政协》、《人民政协报》、民建中央等宣传报道。在市委会社会服务工作评比中，北仑三支部被评为社会服务先进集体，汪红雷、昝星萍、朱钢、钱勋被民建市委会评为社会服务先进个人。昝星萍家庭获评北仑区首届慈善家庭，朱钢家庭被全国妇联评为全国最美家庭。

【建言献策】2023年，完成调研报告八篇，社情民意被民建市委会录用26篇、市委统战部录用3篇、市政协录用3篇、民建省委会录用14篇、省委统战部录用2篇、省政协录用1篇、民建中央录用5篇、全国政协录用1篇。陈奇科获评民建中央2023年反映社情民意信息工作先进个人，李斌获评民建省委会2023年优秀信息员，吴克汀执笔的《民建利用经济界别特色发挥中共领导下政党协商独特作用研究》获宁波市政协“践行全过程人民民主、推动人民政协专门协商机构建设”征文评选三等奖。

【思想宣传】2023年，民建北仑区基层委员会及各支部认真组织开展“凝心铸魂强根基 团结奋进新征程”主题教育活动，分别与江北、镇海、高新区等基层组织开展了政治学习、企业调研、课题交流等专题活动，北仑各支部之间也组织了多次联学互动活动，共同推进基层组织能力提升。在张人亚党章学堂成功举办了民建会员“青年说”主题活动。在民建浙江省委会新闻宣传工作评比中，吴秀琴获评优秀宣传员、陈奇科撰写的通讯文章获评年度好新闻，金锴策划拍摄的主题视频获评优秀短视频。在宁波市委会新闻宣传工作评比中，金锴获得先进个人一等奖，陈奇科、吴秀琴获得二等奖，杨鹊、施添添、王巍获得三等奖。组织会员参加区委统战部组织的纪念中共中央发布“五一口号”75周年暨“同心向党·奋斗有我”主题征文活动，多篇文章获奖。李斌撰写的《民建人，民建情，全力以赴贡献一份光和热》被民建中央刊物《民讯》录用。三支部会员、全国三八红旗手、全国双学双比女能手顾静芬担任杭州亚运火炬手。

（撰稿人：金　锴）

民进北仑区支部

【概况】2023年，民进北仑区支部共有会员49人，其中女会员27人，新发展会员4人。会员中本科及以上学历48人，副高及以上专业技术职称18人；任职市人大代表1人，市政协委员2人，区人大代表2人，区政协委员

7人。由汤黎明任支部主任委员，王洁、王张敏、张小岩任支部副主任委员。2023年支部被民进浙江省委会评为“优秀基层组织”，汤黎明主委被民进浙江省委会评为“优秀基层组织负责人”。支部报送的“以音乐为媒 传先贤之声——纪念周大风先生百年诞辰系列活动”被民进宁波市委会评选为“特别奖”。会员张冬彦、陈沈洁、邱博京获评“宁波民进2023年度会务工作先进个人”；会员王洁、张冬彦获评“宁波民进‘开明先锋’”；会员陈嘉玮被宁波市教育局评为“宁波市第十六届中小学教坛新秀”，被北仑区教育局评为“北仑区中小学艺术先进个人”；会员胡颖凯被北仑区消防安全委员会评为“北仑区2023年度热心消防公益事业先进个人”；会员吴兆敏、张原被北仑区教育局评为“北仑区第19届艺术节“优秀指导教师”；会员吴兆敏获北仑区教育局授予的“2023年区小学音乐优质课一等奖”，获第三十一届“张世柏”奖育金；会员朱激文在2023年浙江省中等职业学校职业能力大赛中获“教师教学能力比赛项目”三等奖。

【参政议政】 2023年，民进北仑区支部组织全体会员开展了“同心共富”乡村振兴调研暨教育实践活动、围绕“探索中小企业发展新路径”牵头组织开展第八期“议政沙龙”主题活动。支部致力于把调研落到具体的建言献策上，向市、区两会提交建议和提案15件，向民进市委会提交社情民意6篇，成果获得上级的肯定，如姚炽青的《建议允许老年人生前购买墓穴》被省委会录用，童红霞的建议《重视学校心理健康教育，保障青少年心理健康》获省委书记彭佳学批示，支部关于《北仑区域新一轮国土空间发展规划思路研究》获评全区民主党派基层组织优秀调研成果，人大代表曹君提交的《关于舟山港集装箱堆场的建议》被评为年度优秀建议。

【社会服务】 2023年，民进北仑区支部与戚家山街道党工委、鹰山社区党支部结对共建，协商促进了鹰山路停车位重新规划、蔚斗小学门口规范停车、华都公寓凉亭改造、万兴茗苑枯树清理等十余件重难点问题的解决。支部积极致力于儿童友好社区建设，如六一儿童节，支部联合社区开展了党建共建进校园慰问活动；暑假期间，多名会员助教社区假日学校；积极参与“红领集市”惠民服务活动等。支部还发挥中模云产业帮扶，助力区内外模具企业高质量发展。2023年7月，央视《“专精特新·制造强国”调研行》重点关注了天正模具，会员张小岩接受央视专访。会员们关心社会，助力发展，胡颖凯荣获年度热心消防公益事业先进个人称号，童红霞在聚焦推进甬舟教育一体化高质量发展论坛中作主题分享，并多次赴象山等偏远乡村学校进行指导，陈嘉玮参加宁波市“教育共富·送教下乡”、王张敏参加北仑区名优骨干教师送教下乡，均深受好评。

（撰稿人：陈沈洁）

农工党北仑区基层委员会

【概况】 2023年，农工党北仑区基层委员会下设3个支部，有党员97人，其中女党员42人，新发展党员1人。大学及以上学历占到了77%(大学65人、研究生8人、工程博士2人)；副高及以上专业技术职称占65%；任职区人大代表2人，任职区政协委员9人。舒国斌、陈富星参加“北仑区卫生健康系统第五届职工运动会”游泳比赛分别获一金一银及双银的好成绩。汪海峰牵头搭建了北仑区肿瘤质控中心平台，为区域肿瘤质控的发展建设做出贡献。

【参政议政】 2023年，积极参加区委、区政府召开的重要会议，积极参与专题民主协商，区两会期间，基层委中的代表委员，紧紧围绕市委、区委中心工作和群众关注的热点难点问题，深入调查研究，积极建言献策，共提交了《关于增强中小学生心理健康辅导的活动建议》《关于在大碶街道人行道上建设塑胶跑道的建议》《关于儿童青少年健康管理的相关建议》《关于加强公众急救技能培训，提升社会急救能力建设的建议》《关于成立全区标准化代谢性疾病管理中心的建议》《关于完善公共泊车管理 提升城市幸福感的建议》《关于加快我区老年人门诊陪诊体系建设的建议》《关于提升我区在校青少年心理健康权益保障的建议》《关于提升我区疾控中心实验室能力的建议》《关于助力高标准农田建设的建议》《抢抓演唱会经济新机遇以新爆点带动新增量》《关于深化药品药材集中带量采购若干建议》《创新银发旅游新业态培植消费新动力》《关于培植北仑籍文化名人标识体系的建议》等15件建议、提案，同时在审议政府工作报告和联组讨论中作大会发言。

【社会服务】 2023年，为了实现共同富裕的目标，以满足群众需求为出发点，充分发挥党派的能力和优势，加强与霞浦街道党工委和郭巨街道党工委的协作共建。依托医疗卫生系统党员的专业优势，发挥农工党“慢性病防控基地”的辐射作用，努力打造“为健康加分”峰南颐养同心共富项目，为峰南社区老年人制定慢病防控方案，着重解决老人看病难的问题，有效提高慢性病的早期发现、早期干预和早期治疗的比例，取得显著成效。全年组织党员积极参与郭巨街道峰南社区的义诊活动3次，为社区居民提供医疗服务和健康咨询，致力于提升峰南社区老年人的健康水平，减轻慢性病对生活的影响，安享幸福的晚年生活。4月22日，组织党员参加了区委统战部组织的“同心助共富·同行新征程”社会服务义诊活动，为打造同心共富基地贡献力量。

【建言献策】 结合区委中心工作开展，成立相关课题调研组，先后就“一老一小”民生问题、区域医疗服务能力提升等，组织开展专题调研和专项民主监督，并撰写《北仑人民医院创建三甲医院工作优势与短板分析》《关于提升"银发"群体门诊陪诊体系调查分析》《关于儿童友好城市建设中应提升我区在校青少年心理健康权益保障的建议》《推进北仑区养老体系建设的建议》等4篇课题调研报告。发动党员认真撰写社情民意信息，尤其针对常态化疫情防控积极建言献策，党员的参政履职能力得到有力提升。

（撰稿人：石小俊）

致公党北仑区综合支部

【概况】 2023年，致公党北仑区综合支部有党员35人，其中女党员16人，新发展党员1人。党员中本科及以上学历34人，任职市政协委员1人，任职区政协委员4人。支部被中国致公党浙江省委员会评为2023年度宣传思想工作先进集体，被中国致公党宁波市委员会评为2023年度社会服务工作先进集体和参政议政工作先进集体，支部党员林小文和刘青青被中国致公党宁波市委员会评为2023年度优秀党员，支部党员戴益民被中国致公党宁波市委员会评为2023年度组织工作先进个人。

【参政议政】 2023年，致公党北仑区综合支部聚焦经济发展、环境优化、教育提升等领域，向市、区人大、政协会议提交建议和提案4件，其中市政协委员许红琴向宁波市政协提交《关于以高质量消费体验释放文旅经济潜力的建议》提案；区政协委员林小文、张丽萍向北仑区政协提交《关于构建互联网大数据下基础教育评价体系的建议》《关于优化我区智慧旅游促进消费的建议》提案；区政协委员林益红向北仑区政协提交的《关于进一步优化城区道路隔离设施的意见建议》提案获评优秀提案。

【社会服务】 2023年，支部在大碶街道组织开展了助力共富——公益助农活动；致公党北仑区综合支部党员林小文、黄柳羿利用休息时间走进工业社区和渡头董社区，为假日学校的学生们带去公益课；支部党员汪东良和林冠斌积极参与区委统战部"同心助共富·同行新征程"服务进基层社会服务活动，为群众义诊。

【建言献策】 致公党北仑区综合支部2023年度共申报调研课题9篇，其中有6篇获得市委会立项，撰写15篇社情民意，内容涉及经济、教育、医疗、交通、文旅、环境提升、产业发展等多个领域。

（撰稿人：林佳毅）

九三学社北仑区基层委员会

【概况】 2023年，九三学社北仑区基层委员会下设3个支社，共有社员84人，其中女社员26人，新发展社员8人。社员中本科以上学历82人，副高及以上专业技术职称60人；任职区人大代表2人，任职市、区两级政协委员10人。2023年基层委获评全省社会服务先进集体，社员潘越、王朝加获评全省社会服务先进个人，周瑾、屠秋月等17人被九三学社市委会评为九三学社宁波市地方组织成立四十周年先进个人。张兴赟、陈程、郭迪甬分别被九三学社市委会评为宣传工作先进个人、组织建设工作先进个人、社情民意信息工作先进个人。潘越被中共凉山州委宣传部授予"凉山好人"称号，获中共美姑县委组织部表彰为振兴帮扶工作先进工作队员。王文博获宁波市高层次人才"拔尖人才"认定，王加白被评为宁波市名师。

【参政议政】 强化社员履职意识，发动社员积极开展课题调研，共提交调研报告7篇，12名市、区两级政协委员、人大代表提交建议提案13篇，向社市委和区委统战部报送社情民意信息10余篇。郭迪甬撰写的《关于将消防纳入1+8大综合执法一体化改革的建议》《建立防台抗台智能化综合信息指挥系统的建议》《警惕桌面下的"类审批"破坏营商环境》和余瑞升撰写的《为"资格认定"被迫"假离婚"，我市人才购房补贴政策急需"打补丁"》，被社市委调研信息录用。

牵头开展"助力中小企业高质量发展"专题协商，为加快构建高质量发展的现代化产业体系建言献策，得到区政府、区政协领导的点赞。通过调研区共享法庭建设和运营情况，助力提升法治营商环境；通过调研未来社区适老化改造、"两场一仓一中心"、新能源充电基础设施建设等活动，反映社区、企业在生产生活中面临的具体问题，得到政府部门的重视。基层委发动骨干社员参加社市委、区委统战部组织的资政建言活动，基层委多次组织大调研、大走访、大解题、大服务活动，到宁波匠心快速成型有限公司调研科技创新，到"大茂记乡旅"共富工坊调研乡村振兴，到浙江液化天然气公司调研清洁能源等。通过参加"请你来协商"、民主议事堂等活动，主动倾听社区、百姓声音，及时提出意见建议，供党委、政府决策参考。

【社会服务】 2023年，充分发挥九三社员人才荟萃、智力密集优势，做好社会服务工作。5月9日，在"五一口号"发布75周年、九三学社宁波市地方组织成立40周年之际，基层委组织40多名社员到北航宁波创新研究院开展"助力产学研深度融合"调研活动，探讨和交流如何发挥九三社员的科技界别特色，助力北仑产学研用深度融合。组织社员到灵峰工业社区开展科技服务，依托甬九同心·科创园社会服务基地平台，面向园区并辐射全区相关企业，举办知识产权保险、高价值专利培育、品牌服务指导等多种形式的社会服务活动。以线下和线上相结合的方式，为50多家企业搭建了科技合作、知识产权服务的桥梁。医卫社员朱志明、葛超等积极参加各类义诊服务，二支社组织医生送医上岛到梅山街道开展义诊活动。社员冯波常态化

5月9日，基层委组织社员赴北航宁波创新研究院开展“助力产学研深度融合”调研活动

开展公益活动，牵头组织药品、疾控健康宣传活动40多次。社员郭慧利用专业特长，组织开展土壤污染共防治天然果蔬“放心摘”活动，邀请群众代表走进农场，宣传土壤安全知识。社员王静面向非洲、斯里兰卡、马来西亚等“一带一路”国家学员开展计算机应用与信息安全培训服务。更多社员借助岗位优势和专业技能，为各类群体开展农业技术培训、航空航天知识科普、电工基础知识培训、青少年身心健康讲座等。

（撰稿人：黄燕波）

工商业联合会

【概况】 2023年，区工商联深入贯彻落实中共中央总书记习近平关于促进民营经济发展的重要指示精神，按照上级决策部署，紧扣党委、政府中心工作，充分发挥工商联桥梁纽带作用，深入开展“走企连心”专项行动，切实以优化服务体系“小切口”，赋能民营经济“大发展”。申洲、海天集团企业入选2023年度中国民营企业500强榜单，继峰、拓普企业入选2023年度中国制造业民营企业500强榜单。区工商联荣获全国“五好”县级工商联称号。《宁波市北仑区厚植清廉民企建设沃土》《宁波北仑区启动新生代企业家成长计划》等相关经验做法获《中华工商时报》宣传报道。组织开展第三届“浙江商会周”，组织线上线下宣传培训、交流联谊、沙龙座谈活动10余场，开展“走企连心”专项行动，分行业、分领域、分类别对企业特别是中小企业进行走访调研，走访调研企业近200家，组织企业参与填写调研问卷逾500次，形成《北仑区外贸行业形势严峻亟待解决》《北仑区反映医疗企业发展问题急需重视》《宁波市北仑区紧扣民营经济服务“小切口”创新推动营商环境“大提升”》等多篇调研报告。

【创新涉企司法服务】 创新探索“合规建设”新路径，率先在全省涉案企业合规工作中建立由区检察院、区工商联等9家单位联合成立的第三方管理委员会，多维建立《涉案企业合规第三方机制案件办理规程》等合规制度机制，全市率先布局企业合规建设，成立全市第一家企业合规指导中心，创新形成集刑事合规、行政合规、自主合规“三位一体”的企业合规工作“北仑路径”，切实优化营商环境。创新打造“法雨春风”新名片，成立律所联合党支部，在全区成立5个律师顾问团，实现与全区各商协会结对全覆盖，常态化为各商协会企业提供点对点的法律支持，助力企业提高法治意识。

【加强新生代企业家培养】 创新探索护航新生代企业家健康成长新路径，加强对新生代企业家队伍的建设与培养，组织开展“之江同心·薪火仑传”——北仑区新生代企业家成长计划，以“北仑对青年企业家友好，青年企业家在北仑有为”为目标，聚焦“服务非公有制经济高质量发展、服务非公有制经济人士健康成长”两条主线，涵盖“传承、提升、拓展、担当、健康”五大系列等活动，打通民营企业家之间“新老”传承通道，深耕民营企业家“青蓝接力”工程。

【清廉民企建设】 通过党建引领、阵地建设、典型培育等形式，助力营造亲而有度、清而有为的政商关系，贝发集团、龙星物流获评市清廉民营企业创建工作先进单位。召开清廉民企建设培训会，执委企业参与清廉民企创建，成功培育区级清廉民营企业示范单位16家，《宁波市北仑区厚植清廉民企建设沃土》被《中华工商时报》头条刊登。

【基层商会建设】 多渠道营造各类商会组织的凝聚力和向心力。推动大榭商会成立，指导梅山街道、新生代等基层商会按期换届。加快异地商会建设，成立北仑区应城商会，指导杭州经济建设促进会北仑分会顺利换届。建立在外区商会考核评价机制，出台《北仑区在外异地商会（经济促进会）建设和发展补助经费管理办法》，向有关部门争取补助经费支持异地商会建设发展。持续强化商会规范建设，实现“五有五好”商会全覆盖，区餐饮协会荣获2023年度全国“四好”商会称号，区新生代企业家联谊会荣获浙江省“四好”商会称号。

（撰稿人：杨　琳）

群众团体

北仑区总工会

【概况】 2023年，区总工会全面贯彻落实习近平新时代中国特色社会主义思想，坚持和加强党的全面领导，紧紧围绕中心大局，以产业工人队伍建设改革和工会改革为主线，全面强化职工思想政治引领、维护职工合法权益、竭诚服务职工群众，团结动员全区广大职工群众为推动高质量发展建设共同富裕先行区作出工会贡献。3月，北仑区产业工人队伍建设改革工作联席会议办公室被省委、省政府表彰，获评2022年新时代浙江产业工人队伍建设改革成绩突出集体。

2023年，全区有工会2519家，工会会员414210人，其中新建工会315家，新增会员31494人。全年新建集卡司机、快递小哥、汽车销售、商圈导购等新业态就业群体工会21家，发展会员6618人。

【政治引领】 持续开展"中国梦·劳动美"主题宣传教育和"学习二十大·奋进向未来"系列活动，开展"学习二十大·线上知识大闯关"有奖竞答3期，参与职工1万余人。深化"守好红色根脉·班前十分钟活动"，选树市级优秀领讲员15名、优秀案例3个、优秀宣讲文案3篇。举办北仑区工会干部党的二十大精神、新工会法和基层工会干部业务培训班2期。加强"推优入党"，择优向党组织推荐工会会员136名。召开北仑区"五一"先进表彰大会，对各类先进集体和个人进行表彰。开展"共富路上·职工说"基层宣讲系列活动，组织劳模工匠、道德模范、基层工会干部和优秀青年职工等宣讲员进社区、进企业、进校园开展系列宣讲活动，全年共计开展28场，参与职工3500余人。全市工会宣网工作会议和2023年劳模工匠宣讲"五进"启动仪式在北仑举行。举办"共筑梦 开新局"北仑区职工合唱展演、北仑区（开发区）首届职工篮球联赛、"共富路上·劳动光影"摄影大赛、"好声音"职工歌唱大赛等各类文体活动250场；举办"产业工人读书专场""同读一本书""寻访阅读榜样"等活动25场次，评选"十佳阅读阵地"10个、"阅读之星"20位，新增市级阅读团队5个。

【技能竞赛】 建立以16个工业社区技能竞赛为主体，街道、社区、企业相衔接的三级竞赛体系，开展省级技能竞赛1场、市级竞赛1场、区级竞赛41场、"小三级"竞赛250余场、"安康杯"竞赛活动26场，共覆盖产业工人40000余人。推荐评选省五一劳动奖状1个、省工人先锋号4个、省五一劳动奖章获得者3名、市工人先锋号7个、"宁波市首席工人"2名、"宁波市技术能手"5名。

【创建工匠学堂】 整合统筹区内全日制职业院校、大型企业培训中心、社会培训机构等资源，建立"工匠学堂联盟基地"4家，建成覆盖全区11个街道16个工业社区67家"工匠学堂"的"一心多体"产业工人素质提升体系。依托"订单班+实训基地+校企产业院"产教融合模式，全年培训产业工人2万余人次，开展全区职工技能培训论坛等各类学习交流活动10场次。推荐"宁波工匠"12名，评选表彰"北仑工匠"20名。评选通过省级创新工作室1家、市级2家，命名区级劳模工匠创新工作室8家。

【爱心驿站建设】 推广和规范全区工会户外劳动者爱心驿站和妈咪暖心小屋建设，制定《北仑区户外劳动者爱心驿站建设管理办法》，对驿站作用发挥进行分级管理和经费补助，博地户外劳动者服务驿站获评全国"最美工会户外劳动者服务站点"。完成工人文化宫主体功能恢复，建成"中心—站—点"三级联动文体活动矩阵，依托"仑工U课"微信小程序，开展各类"公益乐学""公益培训"等250余场次。制定出台《北仑区职工阵地建设三年规划（2023—2025）》，打造职工文体活动"15分钟服务圈"建设。

【构建和谐劳动关系】 举办能级工资集体协商工作和劳动关系"三员"能力提升培训班13场、座谈会9场。开展协调劳动关系进社区、企业32次、劳动规章制度法律体检进企业19家、法律咨询和普法活动22场。区劳动争议联合调解中心共接待咨询4549批次，现场咨询3316人次，立案调解51件，涉案金额356.47万元。构建"工会+N"多部门联动机制，受理并成功仲裁前调解案件30余件。开展"锋领企服·心理护航"职工心理健康进企业活动54场，服务职工1600余人。

【普惠共享服务】 投入经费120万元

开展元旦春节期间送温暖等各类慰问活动8批次，慰问全区职工10000余人、医护人员5400人、各级劳模33人、留工优工重点企业12家。开展2023年“春风行动”暨就业援助月活动，举办“线上+线下”送岗位服务8场，155家企业送出岗位380个。职工医疗互助保障参保人数超20万人，全年医保报销5709人次、总金额467万元；投入资金14万余元，赠送全区货车司机、快递小哥特种病互助保障7000余份；投入10万元为1000名非北仑户籍女职工开展“两癌”筛查体检。落实工会经费减负降本政策，全年减缓1252家，减缓工会经费9144.3万元。职工学历提升补助工作，发放补助19.2万元。做好高温慰问工作，累计慰问单位、企业240余家，慰问金额160万元。

（撰稿人：朱梦柔）

共青团北仑区委

【概况】 2023年，北仑区有各级共青团组织2356个，其中基层团委65个，团工委15个，团总支81个，团支部2193个；有共青团干部3025人，共青团员27006人，其中学生共青团员4494人，农村社区共青团员7899人，机关事业单位共青团员2199人，国有企业共青团员600人，非公企业共青团员10828人，其他领域共青团员986人。

2023年，团区委组织推动团员和青年主题教育走深走实，开展“循迹溯源”研学活动20余场，建立“团区委书记班子成员+街道团工委书记”结对指导工业社区机制，组建团员青年骨干小组有序推动企业领域团员和青年开展理论学习，相关工作经验在第5期《团中央第三指导组联系地区重要信息动态》上刊发。

推进全国青年发展型县域建设试点，推动出台《关于深化打造“青年北仑”的若干意见》，发布北仑区青年发展型县域建设宣传片，在团中央“青年发展型县域试点专题研讨班”、团省委“青年发展型市县建设专题研讨班”上作典型发言。拓展青年建言献策渠道，开展“青年人才发展”人大民生夜询会和“优化青年技能人才成长成才环境”政协请你来协商活动，开展“亲青民主”、“青联思享汇”、“青”听会等活动20场。升级提优浙里办“青年北仑”专区项目，加快布点“家门口青少年宫”3家、“青年人才驿站”5家，举办青年人才大型招聘会，开展“青年才俊北仑行”、大学生社会实践、“云聘万岗”等活动，深化“亲青恋”“打卡吧青年”“港城印记”等青年品牌活动30余场。

打造多元化高品质的青年社会参与项目，带动引领“志愿之城”成为北仑城市名片，全力保障亚运会火炬传递和女排奥运资格赛，累计发动志愿者1万余人次。北仑团区委获评2023年浙江省志愿服务工作突出贡献集体，北仑区志愿者协会获评杭州第19届亚运会（宁波赛区）城市优秀志愿服务团队。米娜瓦尔·艾力、“百姓cha话汇”志愿服务助力公益诉讼项目分获第十四届中国青志愿者优秀个人奖、优秀项目奖。“车轮上的守护者”红蚂蚁集卡司机关爱志愿服务项目获2023年浙江省青年志愿服务项目大赛金奖。

【共青团宁波市北仑区第十二次代表大会】 于2月29日召开。市委常委、区委书记潘银浩出席开幕式并讲话。共青团宁波市委书记马荧波代表共青团宁波市委到会祝贺并向大会致辞。区领导贺威平、方飞龙、王恩胜、宋林权等出席会议。大会听取了共青团宁波市北仑区第十一届委员会所作的工作报告，选举产生共青团宁波市北仑区第十二届委员会委员常委，黄铭月当选为书记。

【共青团城市基层组织改革省级试点】 5月15日，共青团浙江省委发文公布，凌霄社区被列为共青团城市基层组织改革省级试点，“长桌派”青年议事平台入选浙江共青团基层组织改革和建设案例选编。

【中国少年先锋队宁波市北仑区第九次代表大会】 于5月26日召开。市委常委、区委书记潘银浩出席开幕式并讲话。团市委副书记、市少工委主任张军到会祝贺，区领导贺威平、王建波、方飞龙等出席。大会听取了中国少年先锋队宁波市北仑区第八届工作委员会所作的工作报告，选举产生了中国少年先锋队宁波市北仑区第九届工作委员会委员常委，王明良、黄铭月当选为主任。

【北仑区域化团建共建启动仪式】 于6月6日举行。首批区域化团建联席会议成员单位浙江省海港集团团委、宁波市发改委团工委、宁波海事局团委、宁波边检站团总支、宁波海关缉私局团委、宁波大学团委、宁波职业技术学院团委和北仑团区委的代表，共同按下了启动按钮。仪式现场，《北仑区域化团建共建工作指引（2023年）》和《北仑区域化团建共建年度重点工作清单（2023年）》发布，北仑区域化团建共建示范阵地揭牌。

【北仑区青年联合会第七届委员会全体会议】 于8月28日召开。市委常委、区委书记潘银浩出席并讲话。团市委副书记俞欢欢，区领导王建波、周成钢、王恩胜、潘卫华、屠斌斌、陆亚芬等参加。大会听取了北仑区青年联合会第六届委员会常务委员会所作的工作报告，选举产生了北仑区青年联合会第七届委员会常委，黄铭月当选为主席。

【荣誉】 2023年，全区有2名青年分获“全国优秀共青团员”“全国青年岗位能手”称号；1个集体获评全国青年文明号；17名青年获评省青年工匠；3个集体获评全国红领巾中队；1个集体获评省优秀少先队集体，2名个人分别获评省优秀少先队员和优秀少先队辅导员。2家企业分别获评“2023年宁波市示范性青创农场”和“2023年度宁波市级青创农场”，1名青年农创客获得2023年宁波市青年助力乡村振兴带头人“宁波青牛奖”。

（撰稿人：张超婷）

北仑区妇女联合会

【概况】 2023年，区妇联以儿童友好城区建设、家庭文明建设、妇联组织建设、妇女全面发展等为重点，推动全区妇女儿童事业持续健康发展。荣获“儿童友好协同创新区”称号，被列为“家长教育素养提升计划项目宁波实验单位”，在第三届中国儿童友好行动研讨会交流发言，成功举办了宁波市儿童友好城市建设现场会暨北仑儿童友好实践研讨会，在全市推广北仑经验。儿童友好城区建设工作获省妇联主席何杏仁、宁波市副市长朱欢批示。陈彩虹家庭获评“全国最美家庭”。

2023年11月24日，宁波市儿童友好城市建设现场会暨北仑儿童友好实践研讨会在北仑举行

【宣传引领凝聚“她力量”】 2023年，举办“我家这十年·奋进新时代”“八八战略在身边”系列宣讲12场，“潮起港城·竞芳华”纪念三八国际妇女节主题活动12场，《习近平走进百姓家》故事分享会、红船女儿宣讲团“六进”、巾帼村播等100余场，“我们的节日”主题活动300余场。红色景山基地、小门村家风馆入选首批市级巾帼爱国主义教育基地。北仑妇联公众号推送宣传报道500余篇。

【儿童友好城市建设】 2023年，出台《北仑儿童友好医院建设指南》和《北仑区儿童友好校外活动场所建设指南》。投资1500万元，建设儿童友好3条精品线及19个点位大型儿童游乐设施，凤凰山儿童公园投入使用。改建结合，优化儿童成长空间，新增儿童友好社区6个、乡村3个、学校7所、医院3家、场馆4个、街区3个。关爱赋能，护航儿童身心健康，实施“儿童心苑”项目，开展活动170余场，守护儿童心理健康。北仑儿童友好数智系统投入使用。举办益童爱儿童友好公益市集、小北带你游北仑、“校园事学生议”、试点项目设计展演等活动26场。11月24日，宁波市儿童友好城市建设现场会暨北仑儿童友好实践研讨会举行，国家发展和改革委员会社会发展司副司长彭福伟、中国儿童中心主任苑立新、省妇联副主席俞国娟、市委副书记钟关华、区委书记潘银浩等领导出席并讲话。

【和美家庭活动】 着力推进最美家庭联盟工作，举办家庭文化月活动，启动美丽课堂、最美夕阳灶间、和美家庭等六大项目。集中开展《中华人民共和国家庭教育促进法》宣传，成立区家庭教育讲师团，探索家校社共育机制，启动大榭街道“睦邻少年+”、郭巨街道海娃、小港街道“小城大爱向未来”、柴桥街道“薪少年”家校社共育联盟。新增省级最美家庭1户、市级最美家庭9户、市级书香家庭4户。开展“3·8维权周”“反家庭暴力”“妇女权益保障法”等各类宣传100余场。出台《关于建立妇女权益保护公益诉讼配合协作机制的意见》《进一步加强北仑区儿童权益保护工作的实施方案》。举办“仑青有你·一城一爱”大型青年婚恋交友活动，常态化开展公益红娘服务，助力青年北仑建设。实施关爱患癌困难妇女、老妇女主任、特殊儿童等项目，共计救助296人，发放救助金79.7万元。

【助发展促共富】 充分发挥女企业家协会、女能手协会、厨娘分会积极作用，举办“巾帼共富集市”主题活动，带领妇女创业创新。借区女企业家协会成立之机，会员单位再为“芳华筑梦”慈善公益基金注资100万元，用于困难妇女儿童救助帮扶。“蚂蚁”共富工坊入选首批省级巾帼共富工坊。“卡嫂”工坊等6家工坊获评首批市级巾帼共富工坊，解决老漂族、卡嫂等群体家门口就业、灵活就业、增收致富的需求。高质量推进“美丽庭院”创建，举办“同心共富迎亚运，千万庭院绽新颜”活动，新增市级最美庭院8户，区级美丽庭院创建示范村、特色带各6个。完成北仑区妇女、儿童发展“十四五”中期监测评估工作。

【固本强基】 2023年，举办基层妇联主席培训班，274名街道、村（社区）妇联主席参加。落实妇联执委赋能成长计划，实施项目领办、轮值主席等制度，深入开展“四必访四必应”活动，促进执委履职。成立快递、互联网、交通运输行业妇联，指导区消防大队、大榭消防支队、农商银行、女企业家协会成立妇联组织，在16个工业社区建立妇联组织，织密“横向到边、纵向到底”的妇联组织网络。建强区枢纽型女性社会组织，百灵鸟公益联合会获评市级最美女性社会组织，“小板凳”亲子阅读获评最佳社会组织项目。引领女性岗位建功，新增巾帼文明岗市级16个、区级25个。区妇女儿童活动中心常态化开展维权咨询、亲子阅读等公益培训课程，共计414场，服务妇女儿童1.25万人次。

（撰稿人：张　莉）

北仑区科学技术协会

【概况】 2023年，区科协扎实推进科学普及、学会建设、智力引进等工作，不断厚植创新发展动能，指导申报的灵峰、大港2个工业社区入选“科创中国·宁波创新基地”，“浙江北仑大麦科技小院”获评国家级“科技小院”，“钟观光纪念馆”获评浙江省科学家精神教育基地，“社区科技志愿服务的探索与创新”项目入选省科协“浙里科普”创新示范试点，7家社区入选宁波市社区科普工作示范试点，数量居全市第一。区科协获评浙江省科协“2023年全国科技工作者日活动优秀组织单位”。

【院士工作站建设】 先后组织邀请贺泓等7位院士来仑开展“院士北仑行”活动，促成高端人才智力与企业深度开展产学研合作，新建区级院士工作站1家，市级院士工作站（科创中心）2家、市级博士创新站4家，评选区级示范院士工作站（科创中心）3家、区级示范博士创新站5家，组织开展阶段性评估以及指导建站单位参加市级考核，全区9家市级院士工作站考核均获通过，其中宁波钢铁有限公司院士工作站获市级年度考核优秀；修订完善《北仑区院士工作站、院士科技创新中心建设管理办法》《北仑区博士创新站建设管理办法》，规范加强平台载体管理。

【“科创中国”创新基地建设】 灵峰、大港工业社区入选“科创中国·宁波”创新基地，并与省机械工程学会签约。会同区压铸模具协会组织“2023年度宁波压铸产业高峰论坛暨北仑模具科技周”活动，邀请行业巨擘、学术权威、知名专家共聚“宁波北仑”，围绕“新能源、超大型、一体化、创新性”等行业热点，共谋产业发展，赋能压铸模具高质量数字化转型。宁波甬强科技有限公司入选“科创中国”新锐企业榜单。

【科普宣传工作】 2023年，认定海天文体中心等区级科普基地（场馆）3家，新增科普画廊5座，新增春晓明月湖社区等3个市民群体科学素质提升试点社区。“全国科普日”期间，在横杨社区举办北仑区主场活动启动仪式，共计开展科普“五进”、助力教育“双减”、《浙江省科学技术普及条例》宣传等活动78场，累计受益2万余人。全年完成“老年科普工程”培训12813人次。先后举办“3·23”世界气象日暨北仑区儿童友好气象研学基地授牌开营仪式、宁波“中国航天日”青少年科普活动暨2023年宁波市国防科工大讲堂启动仪式、“奇思妙想 童梦剧场”科学儿童剧等活动，持续激发青少年好奇心、想象力，增强科学兴趣和创新意识。

【科技志愿服务】 加强科技志愿服务队伍建设，推动科协资源与新时代文明实践中心、基层党群服务中心深度融合。深化学苑社区慢病医防融合科技志愿服务点建设，拓展开设“珍珍家庭药箱工作室”、健康科普营养“云厨房”等品牌项目，并复制推广至全区7个村（社区），让更多群众享受“家门口”便捷医疗服务。“社区科技志愿服务的探索与创新”项目入选省科协“浙里科普”创新示范试点。

（撰稿人：牛鸣川）

北仑区归国华侨联合会

【概况】 2023年，北仑区侨联深入学习贯彻党的二十大精神和第十一次全国归侨侨眷代表大会精神，深刻领会习近平总书记关于做好新时代党的统一战线工作的重要思想和关于群团工作重要指示精神，紧紧围绕区委、区政府中心工作，强化创新性谋划、找准突破性抓手、打造标志性成果，深入推进实施全区“侨助先行·侨界示范”五大行动，先后举办“智汇北仑·精英领航”第四届港澳台侨青年英才创业创新论坛，设立第三批“海外人才联络站”美国站、首批4个“侨助共富”示范基地、4个“港澳台及海外留学生实习基地”授牌，聘任1名“海外引才大使”和7名“青年北仑海外推荐大使”。举办“同心迎亚运 同行共奋进”第四届“学子归来 共话未来”留学生创业创新沙龙等活动。挖掘“宁波帮”历史底蕴和乡贤资源，协调落实资金210万元打造740平方米“宁波帮·帮宁波”家园北仑分园，吸引更多北仑籍“宁波帮”和“帮宁波”人士投资兴业、报效桑梓。坚持以亲缘、地缘、业缘为纽带，积极穿针引线、牵线搭桥，主动做好侨界招商引资、招才引智工作。累计协助引进甬商回归项目11个，总投资达213.87亿元。

【政治引领侨联工作】 2023年，区侨联把贯彻第十一次全国归侨侨眷代表大会作为首要任务，积极开展“侨心向党·同心奋进”主题活动，把“红色基因”注入到基层侨联组织各项载体及活动中。坚持以“党建带侨建、侨建促党建、活力再呈现”为抓手，积极创新践行新时代基层侨务工作“345”模式，立足“党建带侨建”，构建“三位一体”组织体系；立足“侨建促党建”，健全“四级网格”服务体系；立足“活力再呈现”，推行“五优”综合评价体系。工作经验被市委统战部《统战工作简报》转发，并获市委常委、区委书记潘银浩批示肯定；将张人亚党章学堂、李氏家族纪念馆、瑞庐（顾宗瑞纪念馆）、“博士书屋”等作为华侨文化交流基地分别向省市申报。

【新乡贤工作】 2023年，坚持国内海外、老侨新侨“两个并重”，挖掘智力、财力“两种资源”，推进海外工作、新侨工作“两个拓展”。坚持以“乡贤、乡情、乡愁”为纽带，持续推进“新乡贤+”回归工程。首次在北京举办“乡音乡情寄乡愁，同根同源同奋进”北仑“乡贤聚力”座谈会。邀请包括中科院院士贺贤土在内，来自各行各业、各条战线30多位乡贤代表共话桑梓、共叙乡情、共谋发展。指导白峰街道成立乡贤联谊会，推进实施“百侨帮百村”“侨助工坊”等项目建设，积极做好“侨助共富”文章，并在全市“百侨帮百村”工作会议交流经验。指导郭巨街道古镇莲园以莲花为“媒”，用“流量”振兴乡村，用侨资源“撬”动乡村共富，成为北仑乃至宁波新晋火热“网红打卡地”。

【侨胞情系家乡】 2023年，以“凝聚人心、增进认同、深化交融”为目标，开展“情系家乡·共向未来”港澳台侨青年北仑“寻根行”“同心迎亚运·携手向未来”港澳青年浙江行宁波站活动走进北仑等活动。“爱乡楷模”王明康长女王慧飞捐资200万元在柴桥街道用于建造“王明康共富楼”项目。香港宁波同乡会捐资助建的全区首个复合式城市书房等同心共富项目落地。区实验小学与香港保良局朱正贤小学、宁波大学附属春晓实验学校与香港海怡宝血小学缔结姊妹学校。侨胞王慧飞捐赠500万元的宁波工程学院“王明康楼”于4月6日揭牌；孙周月琴捐资助建的梅山月琴书院落成、郭巨大涂塘村文化礼堂揭牌、柴桥实验小学“奖育奖学金”颁发；严信才捐资200万元设立的区实验小学“奖育奖学基金”颁奖；侨胞叶杰全捐赠1000万元助建的宁波大学梅山校区叶杰全楼、叶袁玉卿会堂落成。王明康夫人乐雪芳、女儿王慧飞分别出资850万元、650万元助建宁波大学海洋学院科研大楼、海运学院行政大楼项目。新碶街道侨联副主席虞旭涛获评“全国归侨侨眷先进个人”，申洲国际集团控股有限公司董事局主席马建荣获评第十二届“中华慈善奖”捐赠个人和“浙江省爱乡楷模”，香港北仑青年联谊会常务副会长胡裔康、副会长戴振平获第三届宁波市港澳台侨杰出人物“友好大使奖”，港胞胡秀莲被浙大推荐为“省爱乡楷模”。

【助侨护侨】 2023年，开展“助侨直通车·侨企大走访”活动，深入伊特赛、盛威国际等重点侨资企业，力劲科技、震雄机械等重点港资企业，以及小港街道装备产业园区“侨胞之家”等地开展走访调研，累计走访企业30余家，收集困难问题20余条，帮助解决留抵退税等困难和问题10余个。常态化做好市侨联与郭巨街道“联镇街入村社”包联结对协助服务工作。坚持“以人为本、为侨服务”宗旨，开展“侨干代您看家人”中秋暖侨等活动。延伸“侨助联盟”服务手臂，增加“侨助联盟”会员单位5家、服务项目10个。成立全市首支“之江同心·侨助亚运”志愿服务队，并在各街道设立分队。依托同心圆社会服务中心，扩大“侨心助力团”为侨服务志愿者队伍规模，围绕中心开展各类志愿服务。连续5年举办以“知侨法、护侨益、聚侨心”为主题的侨法月宣传活动，承办“同心迎亚运·侨法伴我行”2023年宁波市侨法宣传月启动仪式，并成立全市首支“之江同心·侨助亚运”志愿服务队，常态化开展系列“暖侨行动”。指导大碶街道侨联成立“涉侨法律服务站”，免费开展法律咨询、诉讼指引、法律援助、纠纷化解等服务。

【侨胞之家建设】 2023年，新增省级五星级“侨胞之家”3家、四星级“侨胞之家”4家。指导推进新碶、柴桥、霞浦街道“精品侨联组织”，新碶、霞浦、梅山街道及新碶玉兰社区、小港装备产业园区“精品侨胞之家”建设，并通过市级验收。探索基层侨务“微网格化”建设模式，推进基层侨联“五优”工作目标管理评估，承办全省基层侨联组织建设现场推进会北仑分会场活动。在全区范围开展侨情调查，掌握侨务工作基数。加强基层侨联干部业务培训，推荐参加全省统战系统侨务干部和省市基层侨联干部培训班。按照“服务侨胞有真情、凝聚侨胞有载体、团结侨胞有骨干、活跃组织有品牌、维护侨益有能力”的“五有”目标，进一步倾注心血建好“侨胞之家”，饱含真情当好“侨胞之友”，切实成为海外侨胞和归侨侨眷的“贴心人”，成为侨务工作的“实干家”。大碶街道、小港装备产业园区“侨胞之家”基层组织建设经验，先后接待兄弟侨联10批次500余人次观摩交流。

（撰稿人：陈未鸣）

北仑区文学艺术界联合会

【概况】 2023年，区文联下属10个文艺界协会，共有会员1305名。全年新增国家级协会会员7人，省级协会会员15人，市级协会会员40人，区级协会会员41人。会员中，有国家级协会会员68名、省级协会会员203名，市级协会会员508人、区级协会会员526人。其中新增西泠印社理事1名、入选浙江省造型艺术青年人才“新峰计划”培养对象1名、“新峰计划”后备人才培养对象1名，入选“宁波市青年文艺之星”2名。大碶街道东岙村、柴桥街道河头村、郭巨街道福民村、梅山街道梅中村被命名为全市首批“艺术赋能村”，梅山舞狮传承人沈海迪被评为全省首批“艺术乡建”带头人；区民间艺术协会获评省民间文艺家协会工作先进集体，区音乐家协会获评全市首批文艺家协会“双强”达标党支部，区摄影家协会王汉静获评省摄影优秀志愿者。

围绕杭州亚运会、八八战略在浙江实施20周年等主题组织开展文艺创作活动。舞蹈《潮涌东方》亮相全国广场舞大会，获浙江省广场舞展演活动最佳风采奖和大赛金奖；布艺画《艺起迎亚运——祖母花香囊挂饰》，编织《中国风 亚运情》入选“艺起迎亚运”浙江省民间工艺主题创作精品展。凌晓军作词的交响乐《港通天下》在国家大剧院演出；毛伟峰、谢比丽、姜子越漆艺作品《海丝千年·宁波风光》获第十一届中国（浙江）工艺美术精品博览会金奖、第九届浙江民间文艺“映山红奖”；赵宇《岭上》《双生》《离岸流》《莫先生其昌》《阿育王的遗产》分别在《江南》《小说月报》《天涯》《作家》《美文》刊登；梅瑜新作《南塘老街》获第二届陈伯吹儿童文学创作大赛桂冠奖，《星星点灯》《麻雀女孩》在《儿童文学》刊登；万述才书法作品入选中国书法年展全国行书、草书作品展；邵峰书法作品在浙江书法展示中获青年书法陆维钊奖、首届浙江省隶书大展奖；王汉杰书法作品获第十一届“浙江书法奖·沙孟海奖”优秀奖；胡成明作品《渔船》入展第六届全国漆画展；歌曲《向海而歌》《海风吹过了小镇》获浙江省第二十二届群众音乐大赛金奖；舞蹈《桥吊班的司机》获浙江省第三十三届群众舞蹈大赛金奖；朱文鑫、应和晃作品“水到渠成”入选浙江省第五届综合艺术双年展；王忠康、王宁二胡作品《如意》获第十五届浙江中国非遗博览会金奖。区音协创作《采茶舞曲组歌》（之一）入选浙江省文化发展基金扶持项目；报告文学《大港工匠竺士杰》、大漆壁画《港通天下》入选2023年宁波市重点文艺扶持项目；微纪录片《海派宋韵》入选宁波市青年文艺人才“春蕾计划”创作扶持项目。《力量密码》7月1日全国公映，入围多伦多国际电影节第5届“中国电影展”；在张人亚党章学堂开设“文艺党课”基地，邀请市曲协创作四明南词《初心·火种》，在第十三届全国小戏小品曲艺大展获评“最佳剧目”。

开展文化惠民活动。全区各街道文联和协会组织开展“群众文化艺术节”、“八方来音”声乐赛、“全民嗨皮节”、海洋民俗文化节、世界读书日等活动，在新碶街道“艺碶空间”、柴桥街道“观澜客厅”建立“文艺之家”，使之成为基层文艺工作者开展学习交流和享受文化大餐的阵地。在区百姓艺术空间、春晓街道三山粮站、梅山街道“半坡疏影”等举办北仑区老艺术家书法美术作品展、“阿拉摄影节——第十二届宁波摄影十佳”、“北仑中青年书法家梅山诗词书法作品展”等活动。开展“相约花海·遇见蓝海”短视频大赛，共收到100余幅作品，网络点播超500万人次。鼓励文艺志愿者到基层送文化、种文化，市、区两级文艺志愿者走进春晓街道、小港街道、柴桥实验学校等开展书画笔会、送戏曲、农民画传承、送春联、拍摄全家福等惠民活动。服务双拥工作，组织区书法家协会文艺志愿者与大榭街道“八·一八”爱国拥军联合会合作，将立功匾牌以书法作品形式呈现，送到每位立功的南海守礁官兵家中，延续大榭岛群众与南海守礁官兵35年的情谊。组织会员开展送文艺进机关、进村社、进企业、进学校等活动，承办首届机关职工艺术节书画培训、“美仑美奂”书法美术摄影展等活动，邀请市文化促进会专家到北仑讲述民间祭祀与民俗节庆，推动“大咖面对面·文艺志愿红”深入群众。

【区文联三届四次全委会】 于2月24日召开。会议听取了区文联2022年度工作报告，对召开区文联四届代表大会相关事项进行了商议。会议选举何鸣为区文联委员、专职副主席。

【区文联第四届代表大会】 于3月1日召开。市委常委、区委书记、宁波开发区党工委书记潘银浩出席大会并讲话；省文联副主席、市文联主席、党组书记杨劲到会祝贺。大会审议通过了区文联三届委员会工作报告和修改后的《宁波市北仑区文学艺术界联合会章程》，选举产生了北仑区文联第四届委员会和文联领导机构，胡军当选为新一届区文联主席。

【摄影工作坊启动】 4月29日，由浙江省摄影家协会和中共北仑区委宣传部联合主办、北仑区文联承办的“潮涌东方看北仑”汤南南艺术空间介入工作坊启动仪式在北仑举行。本次工作坊历时7天，由中国美术学院跨媒体学院副教授汤南南担任总导师，与16名学员共同完成摄影作品的创作、研讨和交流活动。

【纪念周大风百年诞辰系列活动】 于7—11月在北仑区举行。活动内容主要有2023北仑大风音乐节、周大风100周年诞辰主题光影秀、《大风表东海》新书发布、《采茶舞曲》联名茶发布、创作《采茶舞曲组歌》等，同时，在北仑区设立古琴文化传承教育基地等。

【北仑·美姑两地艺术文化交流活动】 于7—9月分别在北仑与四川省凉山州美姑县举行，活动的主题为“美仑艺彩”。7月，两地视觉艺术作品展先在美姑县举行，区文联向美姑县捐赠了30件参展作品，区诗词学会和书法家协会向美姑县荞麦花开支教助学协会捐赠爱心善款4万元。9月，两地视觉艺术作品展在北仑举行，共展出两地艺术家100余幅作品，涉及书法、美术、摄影、漆工艺，同时还开展“美仑艺彩”北仑·美姑漆艺研修交流活动。

【孙宁水彩画作品展】 于8月18—29日在北京中国美术馆7号展厅展出，全部作品出自北仑本土画家孙宁之手。作品展主题为“积步丹青”，共展出水彩画作品35幅。主题以人物、风景、静物等类型为主，借用中国传统的民间蜡染工艺，探索水彩画表现的新形式，透视出孙宁艺术探索的学术意义。

【区第五届美术书法摄影作品展】 于10月20日至11月12日在区百姓艺术空间展出。作品展主题为庆祝改革开放四十五周年和八八战略在浙江实施二十周年。经专家评审，作品展共评出“群星奖”作品15件、“提名奖”作品30件，获奖入展作品共126件。

（撰稿人：彭素虹）

北仑区残疾人联合会

【概况】 2023年，完善残疾人社会保障和服务体系，提升残疾人综合服务水平。全年共发放残疾人生活补助金540万元，享受人数5800人。发放城乡居民医疗保险（50%补助）248万元，享受人数6300人。发放职工养老保险、职工医疗保险和城乡养老保险（50%补助）560万元，享受人数1700人。为安置残疾人企业办理农业贷款8家、金额8400万元。发放接受高等教育的残疾人大学生免除学费、住宿费补助及残疾人家庭子女补助金55.4万元，享受人数139人。为残疾人办理意外伤害综合保险1.5万人、金额45万元。加大残疾人家庭无障碍改造力度，年度改造项目目标65户，实际完成73户，完成率为112.3%。落实残疾人证办理审核，全年共办理残疾人证业务2100起，其中新办522人，变更103人，挂失71人，迁出141人，迁入3人，注销1200人，跨省通办120人。通过联系区卫健部门，会同残疾评定专家上门服务评定130人。

2023年，落实省政府民生实事工程项目。完成区域内公共场所无障碍改造项目。年度任务指标数为11个，实际完成16个，完成率为145.5%。确保残疾人稳定就业。年度残疾人稳定就业任务数30人，实际完成36人，完成率为120%。2023年，全区本地居民中有持证残疾人14335人，劳动年龄段持证人数3048人，已实现就业1966人，就业率为64.5%。完成"康复救助孤独症儿童"任务，通过市民生实事评估验收组验收，完成率为120%。

2023年，规范"残疾人之家"建设，实现全区"残疾人之家"全覆盖，其中新碶、大碶和梅山街道分别建有"残疾人之家"2家。全区残疾人托养机构建设覆盖率为100%。完成残疾人辅助器具的适配，与区康复中心合作，通过进村、进社区、进家庭的方式，为每一位有辅助器具需求的残疾人进行适配，全年辅助器具适配841人，完成率为281.27%；全区精神病人服药完成率为103.56%。

2023年，精准开展康复工作。为区域各类有康复需求的残疾儿童提供儿童康复补助，补助资金350.57万余元。组织孤亲协会开展丰富多彩的亲子活动，组织儿童康复机构和康复中心的专业人员开展业务培训各2次共培训5人。

2023年，区域残疾人就业实现多元化发展。向爱心企业推荐残疾人就业安置110人。探索社会资源助残，利用"助众·春风里"学院培育残疾人新技能，依托宁波市春林职业培训学校市定点培训机构，开展残疾人职业技能培训195人。通过深入基层，对区域内3家工业社区开展残疾人安置及保障金政策宣讲。对网上企业申报的残保金抵备案资料进行审核，全年审核通过的企业有378家，惠及残疾职工1555人。

2023年，召开区残联第七届主席团第二次会议，完成主席团成员调整和挂职副理事长推选。组织残疾人代表参加宁波市残疾人联合会第八次代表大会、亚残运会开幕式等。组织专门协会、阳光助残大队开展各类助残活动10次。组织开展残疾人文体活动，落实文化助残"五个一""六进"工程。组织开展区域残疾人健身季乒乓球活动、"全国助残日"活动、第17次全国特奥日活动、无障碍观影以及残疾人冰雪运动季等活动，惠及人数1000人。

【数字化管理】 2月21日，区残联邀请省专家对区内13家"残疾人之家"的管理人员开展数字化运营、规范化管理培训会，以此提高区残疾人管理工作人员的专业素质与业务技能。"残疾人之家"数字化综合管理平台能实现数字化考勤系统与台账模块有机集成，线上生成日常运营管理台账，区、街道可对"残疾人之家"运行情况实行实时监管，有效实现"残疾人之家"的管理数字化、流程一体化、监管可视化。

【"爱耳日"义诊活动】 3月3日是第24个全国爱耳日。区残联、区人民医院在人民医院一楼门诊大厅内开展了"科学爱耳护耳，实现主动健康"为主题的爱耳日义诊活动。区人民医院耳鼻喉科、新生儿科、产科等专家团队为市民提供义诊服务。专家们对前来参加义诊的市民进行认真的健康检查，并就现场居民提出的健康问题给出了科学的指导意见和建议，还为居民提供免费测量血压、血糖等服务。区残联相关工作人员在现场介绍残疾评定和残疾人优惠政策，为符合条件的听障人士免费验配助听器。

【残疾人专场招聘会】 3月12日，"众助·春风里——2023年春风行动暨就业援助月"北仑残疾人专场招聘会在区人力资源市场举行。前来求职的残疾人与企业招聘人员可以现场面对面交流，了解岗位招聘条件和薪资待遇等情况。专场招聘会由区残联、区人力资源和社会保障局联合举办。有峻凌电子（宁波）有限公司、宁波优尼电动牙刷有限公司、宁波骐阳工业科技有限公司等16家企业参加，提供文职、操作工、客服、勤杂工等残疾人就业岗位86个，满足不同专业、不同类别残疾人多样化求职需求。当日共吸引240余名残疾人到场咨询、应聘岗位，通过现场洽谈交流，共有114人达成初步就业意向。

【宣清松到北仑调研】 3月22日，省残联副理事长、党组成员宣清松一行到北仑调研残疾人工作，重点了解2023年度北仑区助残工作在教育就业维权领域、省政府民生实事项目推进、民生保障政策落实等情况。宣清松一行实地考察了郭巨街道"残疾人之家"的运作情况，听取了运行机构负责人对"残疾人之家"建设和服务内容的详细介绍，并参观休闲活动室、康复训练室、辅助性就业室等相关活动场所。

【关注孤独症儿童】 3月28日，在第16个"世界孤独症关注日"来临之际，区残联孤独症人士及亲友协会在九天岙休闲农庄组织了一次以"巧手做青团，浓浓星关爱"为主题的美食制作活动。来自区内20个星宝家庭、区儿童康复机构特教老师和助残志愿者参加了关注日的活动。

【农村残疾人实用技术培训】 11月1日，区农村残疾人实用技术培训在“众助·春风里”学院开班。全区有26名残疾人及残疾人家属代表参加了培训。培训邀请花木专家沃科军结合实例讲解农村种植（花木栽培）以及农作物病虫害防治技术，并实地参观柴桥花农客厅、花木种植基地和花木种植体验场，与种植户进行面对面交流学习，对残疾人在从事农业种植过程中所遇到的难题和疑问进行了详细的解答，提升残疾人在农村开展种植业的实用技术水平。

（撰稿人：赵　静）

北仑区红十字会

【概况】 2023年，区红十字会践行党和政府人道工作领域的助手角色和职责，完成全年工作目标。新建大榭街道红十字会；新增小港长山社区、大碶高田王社区、柴桥上史村、大榭海信社区4个市级“红十字博爱家园”。全区已累计建成11个街道红十字会、104个村社红十字会、15个红十字博爱家园。2023年，全区有注册成人会员21747人、团体会员14个、学生会员1.2万人，成人会员数量占常住人口比达2.47%；全年会费收缴率达100%。区卫健局、宁波钢铁有限公司获省红十字会表彰，4名会员和志愿者获评全国红十字系统先进个人。

【区红十字会第五次会员代表大会】 于3月1日召开。市委常委、区委书记、宁波开发区党工委书记潘银浩出席大会并讲话；市红十字会党组书记、常务副会长许伯强到会祝贺。大会审议通过了区红十字会第四届理事会工作报告；选举产生了区红十字会第五届理事会、监事会，聘请潘银浩、王程为区红十字会名誉会长；选举张海航为区红十字会会长。

【救灾救助】 2023年，修订《北仑区红十字会自然灾害应急预案》；提高线上人道筹资能力，参与“5·8”人道公益日和“99公益日”活动，全年网络筹资总额达到123.7万元，累计参与2万人次。参与对口支援和浙川东西部协作，涉及资金与物资共138.6万元，其中四川省凉山州美姑县154.76万元、浙江省丽水市云和县5万元、其他地区7.98万元。2023年，全区红十字会系统募集社会捐赠款物价值404万元，其中资金202万元、物资价值202万元；支出各类款物346万元，其中资金144万元、物资价值202万元，受益超2.3万人次。

【救护培训】 2023年，共培训救护员6452人，心肺复苏持证人员4081人，普及83422人次。通过“救在身边”系列专项行动，“党委领导、政府主导、部门协作、社会动员”的应急救护培训长效工作机制得以建立并不断完善；新增20台AED，新建或升级改造3个行业部门级应急救护培训基地和7个街道培训基地。全区新增1个名师工作室、38名二级师资、3名一级师资、17名二级师资；1名一级师资完成复训，新考取师资考官4人；北仑《“四举措”提升救护培训工作质量》入选2023年度宁波市红十字会系统十佳工作案例。

【生命关爱】 2023年，持续做好造血干细胞捐献、器官（遗体、组织）工作。新增造血干细胞捐献志愿者116人，捐献3例，其中1人年内两次捐献；新增人体器官（遗体、组织）捐献志愿者897人，全区累计登记5922人。实现人体器官捐献11例，角膜捐献9例，遗体捐献1例。全年累计器官捐献74例，角膜捐献59例，遗体捐献15例；25名捐献者家庭青少年受益省、市人体器官捐献者困难家庭孩子“小桔灯”助学项目；“生命之恋”三献工作室自主开展器官捐献志愿者线下登记活动6次，协助区红十字会开展器官捐献宣传月活动，为100名线下、线上志愿者提供咨询和登记服务。

【人道传播】 2023年，讲好红十字故事，营造“红十字”品牌效应。红十字会系统人道传播等工作经验在宁波市宣传工作培训会上作交流发言，并获2023年度中国红十字会总会报刊宣传先进集体三等奖。2023年，区红十字志愿服务指导中心承办全市红十字青少年夏令营和市红十字志愿服务工作培训暨扶持项目汇报路演活动。区红十字应急救护志愿服务队全年受邀参与各类赛事和活动应急救护保障28场；“健康同行·关爱女性”专项救助项目获评浙江省红十字捐赠工作成绩突出公益项目。

【红十字青少年与志愿者】 2023年，承办了第九届宁波市红十字青少年夏令营；召开区红十字志愿服务工作会议，表彰了一批星级志愿者和优秀志愿者，全年累计发展红十字志愿者5020人，占常住人口比达5.71%以上；开展志愿服务活动1720次，总计服务时长170578小时，志愿者参与54497人次。新碶街道党工委加强对红十字志愿服务工作的领导，在街道的博爱志愿服务中心建立党支部和联合工会组织。中国红十字会总会一级巡视员、中华志愿者协会副会长姚立新在省、市红十字会领导陪同下，对北仑区高质量推进红十字青少年和志愿服务工作开展调研。全区已建成学校红十字会51个，发展青少年会员1.2万人。

（撰稿人：李　娟）

港口 口岸

综　述

【概况】 2023年，宁波舟山港完成货物吞吐量13.24亿吨，同比增长4.9%，连续15年位居全球第一；完成集装箱吞吐量3530万标准箱，同比增长5.9%，稳居全球第三；北仑境内港域（北仑港区、大榭港区、穿山港区、梅山港区）作为宁波舟山港的重要组成部分，完成货物吞吐量4.74亿吨，同比增长6.6%，完成集装箱吞吐量3159万标准箱，同比增长5.8%。全年累计挂靠2万标准箱及以上集装箱船超350艘次，接卸全球最大的40万吨矿船近50艘次。

至年底，宁波舟山港集装箱航线总数稳定在300条以上，其中，"一带一路"航线达130条。海铁联运班列增至25条，业务辐射16个省市（自治区）、65个地级市。

【亚运火炬在梅山港区传递】 9月12日，杭州第19届亚运会火炬传递来到宁波站。火炬传递宁波站路线以"滨海宁波，扬帆世界"为主题，传递路线总长12.7千米，以中国港口博物馆为起点，途经梅山湾沙滩公园、梅山湾大坝、梅山湾游步道、吉利汽车梅山制造基地、梅山综合保税区，最终到达宁波舟山港梅山港区集装箱码头收火，其中梅山港区段总长1.8千米。宁波舟山港3位职工参与宁波站火炬接力。

【宁波片港区全部实现口岸开放】 11月8日，国务院批复浙江省人民政府，同意宁波舟山港宁波港域口岸扩大开放，扩大穿山等三个港区开放面积58.13平方千米，标志着宁波舟山港宁波港域八大港区全部实现口岸开放。

【获中国港口协会科学技术奖多项荣誉】 12月11日，中国港口协会在官网发布"2023年度中国港口协会科学技术奖评审结果公告"，梅东公司的"数字孪生技术在超大型集装箱码头的智慧化研究与应用""传统岸桥远控自动化改造关键技术的研究与应用"获二等奖；北三集司的"基于车联网的流动机械远程监控系统应用研究"、大榭集司的"基于规则引擎的中心化集卡调度系统（TCS）"获三等奖。

【双"千万箱级"单体集装箱码头】 12月14日，宁波舟山港梅山港区集装箱吞吐量达900.09万标准箱，属开港以来年箱量首次突破"900万"。梅山港区6号至10号集装箱码头工程三阶段顺利通过竣工验收，标志着梅山二期工程全部通过竣工验收。至此，宁波舟山港成了全球唯一拥有双"千万箱级"单体集装箱码头的港口。

【高压岸电全覆盖全投用】 12月28日，中远海运"天秀河"轮顺利靠泊大榭港区集装箱码头2号泊位，码头高压岸电取代船上柴油发电机为"天秀河"轮供电，标志着大榭集司高压岸电正式投用，也意味着宁波舟山港集装箱港区实现高压岸电全覆盖全投用。

港　区

【概况】 2023年，北仑有4个港区，分别为北仑港区、大榭港区、穿山港区、梅山港区。港区内有生产性泊位65个、非生产性泊位26个。至年底，建成、投入运行的万吨级以上泊位62个，其中北仑港区20个、大榭港区13个、穿山港区18个、梅山港区11个。泊位中有10万吨级以上的有26个。全年完成货物吞吐量4.74亿吨，同比增长6.6%，完成集装箱吞吐量3159万标准箱，同比增长5.8%。

【智慧港口建设】 10月12日，梅山港区规划配置的108台远控龙门吊全部投产。11月17日，交通运输部公布了第一批14个港口功能优化提升交通强国专项试点项目名单，宁波舟山港传统集装箱、干散货码头智慧化改造项目入选。

【绿色港口建设】 5月1日，国家重点研发计划项目——"水运港—船多能源融合技术及集成应用"示范工程光伏分项在宁波舟山港穿山港区成功并网发电。10月13日，梅山低碳码头示范工程风光储一体化项目在梅西滚装码头开工。12月25日，国内首艘油电并联式混合动力全回转拖轮"甬港拖80"轮在宁波舟山港交付。12月28日，宁波舟山港集装箱港区实现高压岸电全覆盖全投用。

【世界大船频繁光顾港口】 4月2日，新晋全球最大集装箱船、载箱量24346标准箱的“地中海伊琳娜”轮靠泊穿山港区。6月2日，全球最大集装箱船姊妹船“地中海米歇尔卡佩里尼”轮首航首站靠泊穿山港区。至年底，宁波舟山港全年累计挂靠2万标准箱及以上集装箱船超350艘次。

【连续7年超亿吨】 10月16日，随着矿石公司中宅码头完成对“吉山丸”轮上9万吨哈杨粉的接卸，该公司2023年累计完成货物吞吐量10003.1万吨，较上年提前7天破亿吨。这也是该公司连续第7年货物吞吐量破亿吨。

【码头运行优化】 9月13日，北一集司本部码头和北仑山码头监管区合并，启动码头一体化生产，集卡从北一集司本部码头至北仑山码头可减少运输路程近4千米，平均每自然箱作业效率提升15分钟。

【全球首艘双翼动力风帆超大型油轮靠泊】 8月2日，全球首艘双翼动力风帆超大型油轮“新伊敦”轮，在宁波实华45万吨原油码头完成13.6万吨原油接卸作业后顺利离泊。

【滚装生产业务突破】 3月6日，宁波舟山港顺利完成最大批次外贸出口新能源汽车滚装作业；3月26日，宁波舟山港完成最大批次挖掘机滚装外贸出口；6月1日，宁波舟山港梅西滚装生产业务系统（二期）正式上线。

【跨境电商物流产业园项目】 8月17日，在毗邻宁波舟山港梅山港区集装箱码头的数智梅山堆场，宁波舟山港首个跨境电商物流产业园建设项目——中国（宁波）跨境贸易数智枢纽港项目（一期）正式迈入试运营阶段。

【宁波舟山港实现首单国际航行船舶保税液化天然气试加注】 6月14日，“海洋石油301”轮在梅山港区码头为“达飞联合”轮完成首单国际航行船舶保税液化天然气试加注，标志着宁波舟山港成为全球少数具备“船到船”同步加注国际保税液化天然气服务能力的港口。本次加注量达9400立方米，可满足船舶连续航行里程超1万海里，覆盖单次中国到欧洲的航程。

【宁波舟山港梅山港区9号泊位获批临时对外启用】 8月14日，长荣海运旗下东南亚航线的集装箱船舶“长育”轮在完成装卸作业后，驶离宁波舟山港梅山港区集装箱码头9号泊位。这是该泊位获批临时对外启用后完成的首次国际航行船舶作业，为梅山港区建设千万箱级单体集装箱码头进一步夯实基础。梅山港区9号泊位长412.5米，水深17.1米，设计靠泊集装箱船舶等级为15万吨级（水工结构按靠泊20万吨级集装箱船设计），于2022年6月10日投入试运营。

2023年北仑港域各港区货物吞吐量一览表

表16　　单位：吨

	北仑港区	大榭港区	穿山港区	梅山港区
总计	153638291	76478959	173000518	70563597
其中：转口	38137124	14237246	59491048	
内：船过船		2997	18818530	
煤炭及制品	3444066		2531369	
焦炭				
石油	3214918	39062581	29628	
原油	343302	39062581		
成品油	2511516			
天然气、液化气	18977			
金属矿石	55128525		56322787	
铁矿石	55128525		56322787	
钢铁		154744		
钢材		154744		
生铁				
矿建材料			121635	

续表16

	北仑港区	大榭港区	穿山港区	梅山港区
砂			91467	
水泥				
木材				2510
原木				
非金属矿石	1213722	6686		
磷矿石				
化肥及农药				
盐				
粮食	837846			
散粮	338755			
小麦				
玉米	8020			
黄豆	491071			
大米				
机械、设备、电器	1609		757	10352
化工原料及制品	5131208	551592		
橡胶				
纯碱				
化学纤维				
有色金属		9671		
轻工、医药产品	38552	3107		
纸及制品		3107		
日用工业品				
糖				
农、林、牧、渔业产品	6076	798	4642	4193
棉花				
其他货类	84621769	36689780	113989700	70546542
水				
其中，集装箱重量（吨）	84536250	36689780	113989700	69771975
滚装船汽车重量（吨）				774567
滚装船汽车吞吐量（标辆）				465000.00

注：以上数据仅统计宁波舟山港集团在北仑区域所辖港区码头

2023年北仑港域泊位基本情况一览表

表17

			北仑港区	大榭港区	穿山港区	梅山港区
生产用码头泊位	泊位个数（个）		22	13	19	11
	长度（米）		6601.4	4736.5	6164	4400.04
	万吨级以下（个）	1万至3万吨级	1	2	3	—
		3万至5万吨级	2	—	1	—
		5万至10万吨级	12	5	9	2
		10万吨级以上	5	6	6	9
		5000至1万吨级	1	—	—	—
		3000至5000吨级	1	—	—	—
		1000至3000吨级	—	—	—	—
		1000吨级以下	—	—	—	—
非生产用码头泊位个数（个）			8	5	11	2

注：以上数据仅统计宁波舟山港集团在北仑区域所辖港区码头

（撰稿人：赖剑人）

海　关

【北仑海关】 助力自贸区创新发展。保障华东最大液化天然气保税仓扩容，服务保税液化天然气首次“船—船”加注和跨关区加注，全年进口量达103万吨，同比增长100%，入选市“地瓜经济”提能升级“一号开放工程”首批最佳实践案例。整合优化各项监管流程，实现保税液化天然气进口“并联操作”，整体作业时间压缩70%以上。实施进口大宗散货“无感顺势监管”，提升口岸验放速度与码头周转效率，获评中国（浙江）自由贸易试验区宁波片区制度创新优秀案例。优化入境船舶检疫模式，实施全天候检疫，全年非工作时间登临船舶473艘次，占全部登临船舶数量的28%。支持液化天然气登陆和加注中心建设，服务全省首次国际航行船舶保税液化天然气燃料加注及跨关区加注，宁波舟山港成为全国第三个、全球第五个具备液化天然气加注服务能力的枢纽港。推动烟花爆竹处置销毁常态化，有效消除安全隐患。保持打私高压态势，开展“国门利剑”联合行动，深化关警定期会商机制。发挥稽查“长牙齿”作用，构建辖区企业核查监管联动共管机制，查获关区稽查领域首起进境固废案件。筑牢国门生物安全屏障，在全国海港口岸首次检出奥密克戎XBB.1.22变异株。

【保税区海关】 研究制定“全维度”智慧监管平台、“全链条”保税物流数字监管、“全周期”进口跨境监管三个框架方案，对“智慧结转 共享空间”保税转非保模块、跨境“码上查”功能、智慧报关厅等8个子场景先行先试并取得阶段性成果。突出创新驱动助力跨境电商等新业态健康发展，运用智能安全锁加强销毁货物途中监管，率先开展跨境电商零售进口税款电子支付试点，支持跨境商品“多单合一”发货模式，取得“双11”全国跨境电商零售进口单区七连冠。“随心购”跨境商品组套销售模式获评2023年自贸试验区宁波片区制度创新优秀案例。推广高新技术货物布控查验模式，助力高新技术企业减免关税268.2万元、增值税34.9万元。完成宁波关区特殊监管区域内首票内销选择性征税业务。推动“智关强国”行动落地，制定实施方案和8大类39项重点工作分工，编制工作月报，加强督导。支持仓储企业“数字化仓库”建设，监管保税物流进出境货物349.7亿元，同比增长40.7%。创建总署“智慧综保区”试点单位，制定21条支持浙江自贸试验区建设任务清单，获评自贸试验区“业绩突出集体”。推出中东欧博览会参展货物“展转保”便利举措，监管中东欧国家进出口货物总值4.9亿元，同比增长18.9%。

【大榭海关】 参与智慧海关建设、“智关强国”行动。迭代升级安全智能锁，在拼箱转场等业务场景投入使用第四代安全智能锁1600把；拓展智能施验封作业，完成梅山码头、龙星仓库智能施封建设，实现集装箱码头全覆盖、拼箱仓库首应用；优化业务流程，打通作业上下游环节，施验封总体时间压缩至20秒，有效降低口岸物流监管成本；深化“箱脸识别”在危险品动态监管中的应用，提升危险品集装箱识别准确度。推动“大蟹法眼”实战平台建设，在现有物流数据分析合作机制的基础上，联动各业务科室和缉私部门，建立情报会商机制，推进线索情报联合研判查处。运用云擎、先期机检物流链大数据模型构建，开展物流链智能分析,自主布控429票,查获190票,查获率44.3%,查获知识产权侵权、危险品、仿真枪、固体废物等走私案件74起。深化“三单”比对,推进精准研判,累计比对近9000票,查获各类案件19起。12月8日,通过对转关货物自主风险研判,一天之内连续查获4起道具箱走私情事。严防口岸外来物种入侵,检出检疫性有害生物15种次,并在进境船舶中检出宁波口岸首例番茄褐色皱纹果病毒。强化非贸渠道外来物种截获,首次截获禁止进境物。开展“国门利剑2024”联合行动和相关专项行动,持续打击洋垃圾、象牙等濒危物种及其制品等走私,打击涉检及虚开骗税等违法犯罪。密切关注行业性风险,依托贸易调查及云擎等大数据分析平台,为稽查作业精准制导,开展贸易调查10起,移交缉私部门行政立案2起,完成行政大要案1起。应用关警协同作战模式,全员打私能力持续提升,移交线索刑事成案11起。

【梅山海关】 参与海关总署智慧海关建设《统筹方案》《条线方案》《场景方案》会审工作,牵头完成海关总署“进口食品境外生产企业注册管理业务场景”方案起草,形成征求意见稿。参与完成海关总署《进出口食品安全风险评估模型优化与应用研究》课题工作。开展进口食品安全智慧监管实战化先行先试,参与宁波海关“智慧食安”平台建设,推动平台在梅山海关率先落地。推动国际集拼数字化改革试点,优化国际集拼管理系统与企业WMS实现准确严密对接,增加龙飞物流作为新增集拼数改试点。2月,梅山海关智能施封功能应用上线,在实现自动验封的基础上,充分利用5G技术等数字化功能,实现施验封“全自动、可追溯”,各类转关、转场集装箱随到随施、随到随验,减少现场拥堵,顺畅“梅山港区”与宁波舟山港集疏运体系衔接融合。持续推广“智能施验封”应用,共完成智能施封7.41万自然箱,自动验封31.38万自然箱。率先上线运行宁波海关“智慧食安”系统,进一步推进“远程检疫”“方舱检疫”等无接触检疫模式。上线非保货物“先进区后入账”“区港联动”核注清单等系统功能6项,有效提高卡口通行效率。做好再生金属查验场地标准化建设,完成贝位设置、摄像头安装,实现智慧查验实战化平台对再生金属查验场地的全覆盖。推进“水水中转”“直装直提”等便利通关模式,梅山港区进出口货物集疏运能力有效提升。落实进出口危险品检验模式改革,开展“打击进出口危险品伪瞒报”专项行动。强化知识产权海关保护,开展“国门利剑2023”等专项行动保持打私高压态势。

【企业信用培育】 2023年,北仑海关致力于培育优质企业,扩大高级认证企业(AEO)企业队伍,为企业增信赋能。通过实地政策宣贯、调研走访等,准确定位企业认证需求,提高信用培育转化率;创新信用培育手段,启用企业信用培育辅助系统,帮助企业直观了解海关高级认证体系,提升培育成效;整理现有AEO企业的亮点做法,作为案例展示、推荐,为企业开展认证准备提供实证依据,起到“示范引领”作用;聚焦“专精特新”企业、制造业单项冠军企业、“大优强”企业、省级重点产业链供应链白名单企业等,作为重点培育对象,开展优先培育。全年共开展信用培育300余家次,为21家企业提供重点信用培育服务,通过认证1家,AEO企业总数达到23家。

【服务大宗资源进口】 2023年,北仑海关落实原油、铁矿等大宗资源进口“先放后检”便利措施,畅通现场查验与实验室检测样品传递通道,执行“即送即检”,对石油气等商品快检快放。实施船舶“一次登临”工作模式及铁矿“船—船”直卸等监管模式,检疫、鉴定、查验一体化监管,提升港口泊位、堆场利用率和货物验放效率。运用大宗商品重量鉴定智慧监管系统,缩短重量鉴定作业时间。相关做法获评中国(浙江)自由贸易试验区宁波片区制度创新优秀案例。全年宁波口岸实际监管进口原油、铁矿、液化天然气、煤炭等大宗商品共计11617万吨,货值3004.5亿元。其中,铁矿石进口5587.5万吨,同比增长6.04%。

【“国门绿盾2023”行动】 2023年,北仑海关开展“国门绿盾2023”行动,加强境外植物疫情信息收集和风险研判,强化对高风险来源地、重点高风险商品的检查力度,依托动植检业务专家开展检疫要点实务培训,提升现场关员筛查识别能力及检疫精准性。充分发挥初筛鉴定室专业能力,加大智能化动植检设施设备应用,严防非洲猪瘟、高致病性禽流感、红火蚁、松材线虫等重大动植物疫情疫病传入传出,共截获检疫性有害生物35种659种次,一般性有害生物600种10304种次,其中检疫性截获种次占整个宁波口岸的87.3%。全国口岸首次截获Stizocera juati天牛、三条扇野螟,宁波口岸首次截获南瓜实蝇、Mephritus blandus天牛。

【支持跨境电商业态创新发展】 2023年,保税区海关探索跨境电商监管新模式,支持跨境电商业态持续高质量发展,累计审核放行跨境电商网购保税进口货物总值237.7亿元,同比增长10%,占宁波关区80.5%。聚焦跨境电商网购保税监管领域突出风险,系统梳理商品准入、质量安全、税收征管、三单造假走私、实货监管5个领域风险节点,分步实现监测预警、建模分析、统计查询等功能。推行“跨境电商网购保税进口包裹出区嵌入式监管”模式,优化跨境电商进口申报清单布控查验指令触发方式和监管业务流程,实现查验包裹精准分拣,有效提升查验作业效率,降低监管风险。开发应用“跨境商品组套销售系统”,支持企业将不同税号的商品自由组合、24小时线上申报,提升通关效率,全年应用系统申报订单42.7万票,货值7034.9万元。基于该系统的“随心购”跨境商品组套销售模式获浙江自贸试验区宁波片区制度创新优秀案例。推行跨境电商零售进口税款电子支付等税款征收便利化措施，通过“单一窗口”或“互联网+海关”平台实现跨境电商零售进口税款缴纳，51家企业开通税款电子支付，占缴税企业90%以上，总税款电子支付比例达99%以上。

【支持集成电路产业发展】 2023年，保税区海关持续推进惠企减负政策，走访区内集成电路生产企业，指导企业梳理免税进口商品清单，发挥企业海关协调员作用，收集保税设备解除监管、内销征税等方面问题48项。定期向企业宣讲减免税享惠政策，收集、分析、处置和反馈归类疑难问题，提供线上零距离单证预审核服务，审核征免税证明50份，货值943.79万美元，减免关税274.98万元、增值税35.75万元。召开生产加工、仓储企业和贸易企业现场会，聚焦企业规划与市场波动，理顺金关二期系统业务逻辑，完善实单申报流程，建立全程跟踪反馈机制，指导宁波群志光电有限公司完成宁波关区特殊监管区域内首票内销选择性征收关税业务。推动高新技术货物口岸查验创新，将进口口岸货物转至企业目的地进行查验，避免高新技术货物损坏风险，压缩查验时间，降低查验成本，提升通关效率，26票异地报关高新技术产品受惠，总货值6700余万元。完善AEO企业培育机制，用好企业信用管理系统等监控平台，制发内控处置单13条，督促企业合规经营，开展集成电路企业“一对一”信用培育50余次，宁波群丰骏电子科技有限公司成为宁波北仑港综保区内首家海关高级认证企业。

【中东欧博览会商品“展转保”业务】 2023年，第三届中国—中东欧国家博览会举办，为支持扩大中东欧商品进口渠道，便利参展商将展览品留在国内继续展览和销售，保税区海关提前谋划，利用海关特殊监管区域“保税仓储”政策，推出“展转保”便利措施并制定针对性监管方案，主动服务，畅通关企沟通渠道，密切与会展企业、区内仓储企业联系，指定专人负责办理通关手续，支持中东欧博览会剩余展品转入海关特殊监管区域保税存储。6月22日，保税区海关顺利验放首票中东欧博览会“展转保”商品，商品为1900瓶保加利亚鸡尾酒。“展转保”业务模式为中东欧博览会展览品提供了多种处置方式，争取更多回转时间，有利于扩大中东欧博览会溢出效应。全年宁波保税区对中东欧国家进口4亿元，同比增长20.1%。

【“打击进出口危险品伪瞒报”专项行动】 2023年，大榭海关开展“打击进出口危险品伪瞒报”专项行动。强化危险品风险监控，加强对出口烟花爆竹等危险品全球流向、境内来源等物流规律研判，推进舱单、报关单、提单三单数据比对，综合运用云擎、先期机检对查获伪瞒报行为涉及的关联企业、类似手法开展深挖扩线、串并分析；依托履职能力提升强化现场查发拦截，组织专项小组广泛搜集危险品查发案件信息和危险品监管热点事件，及时掌握风险变化、研判查验重点，开展相关法律法规、管理条例的学习，提升现场查验关员商品知识和查验技巧；建立风控、缉私、物流、稽查多元联动机制，比对分析报关单及随附单证、电子底账、物流轨迹等数据，筛选高风险危险品伪瞒报企业，落实稽查专项行动打击行业违法违规行为。2023年全年查获伪瞒报危险品47票。

【支持汽车产业发展】 2023年，梅山海关规范进口汽车检验管理工作，推广落实进口机动车检验第三方采信制度，完成机动车检验289批、577辆，货值2.10亿元。设立中信港通“一站式监管”出口汽车装箱场地，完成出口汽车装箱1.9万辆，其中新能源汽车1.1万辆。牵头协调梅西码头开展汽车装箱作业，8月30日，首批198辆新能源车采用特种框架箱方式完成装箱出口，全年采用滚装船方式出口汽车6.1万辆，其中新能源汽车1.2万辆，采用装箱方式出运1359辆，其中框架箱198辆。全年出口汽车88361辆，价值113.4亿元，其中出口电动载人汽车38822辆，价值58.4亿元。

【促进外贸保稳提质】 2023年，梅山海关做好杭州亚运会服务保障工作，设立绿色通道，保障2票亚运物资高效通关，保障火炬传递相关工作圆满完成。助力梅山国际冷链项目获批海关综合性指定监管场地，推进浙江蓝雪食品进口肉类指定监管场地升级为海关监管场所。推进新能源车装箱“一站式”监管模式落地，出口汽车装箱场地完成装箱1.99万辆，运用“三度工作法”（机制保障“有力度“，服务企业“讲精度“，模式优化“提速度”）案例获评浙江省“一号开放工程”首批最佳实践案例。开展浙江省首次液化天然气供船口岸申报监管，液化天然气船对船加注5艘次、保税油跨关区直供业务72.94万吨。协助海关总署对4个国家5种产品开展风险评估。创新“一仓多能”国际集拼监管，相关做法获评浙江自贸试验区宁波片区制度创新案例。复制应用“先查验后装运”监管模式至全国首家跨境电商出口前置仓，贸易额21.5亿元。支持综保区内企业用好仓储货物按状态分类监管政策，拓展国内国际市场，监管进出区核注清单申报6.24万票。推进梅山综保区管理一体化信息平台开发建设。做好“十四五”期间支持减免税优惠政策服务工作，梅山首家“维修类航空器材”减免税项目企业完成备案。

（撰稿人：陈　曦　代　鹏　付茂华　应　俊）

海　事

【概况】 2023年，北仑区域设有海事监管机构4家，分别是北仑海事处、大榭海事处、穿山海事处和梅山海事处。各个海事机构围绕“稳定、巩固、提升”工作主线，聚焦“争创五个一流，实现五个有为”奋斗目标，勇挑大梁，争做表率，辖区安全发展的格局更加优化，服务经济发展的成效更加凸显，新一轮高质量发展的基础更加坚实。全年办理船舶进出港报告362836艘次，国际船舶进出港查验19998艘次，实施水上巡航4614.97小时，巡航里程49512海里，船舶安全检查1810艘次。

【北仑海事处】 辖区货物吞吐量（不含集装箱）为10867.23万吨，其中外贸货物吞吐量为6475.84万吨，内贸货物吞吐量为4391.39万吨。原油接卸量为2260万吨，成品油吞吐量为576.74万吨，矿石吞吐量为5471.5万吨，煤炭吞吐量为1740.49万吨。集装箱吞吐量7911900标准箱。强化辖区船舶动态全掌握基础，督促辖区业主码头做好深蓝智享船期计划管理上报。对处内的现场信息表进行逻辑更新，尝试将重点头部企业船舶、长期到岗的老旧危化品船等船舶纳入重点关注对象进行自动筛选。做好辖区通航秩序全规范研究，撰写《宁波北仑海事处三项举措突破瓶颈 保障台塑园区丙烷脱氢项目顺利投产》报区委办录用。推进监控手段应覆盖全覆盖升级，完成台塑码头船岸监控更新计划，30个新增CCTV探头上线并对照原有监控覆盖情况做好点位展示优化，为电子执法工作提供更扎实基础。抓牢船籍港管理全掌控思路，持续推进“船管强基计划”“船员强基计划”，不间断发布实操指导视频和安全张贴画助力航运企业落实主体安全责任，实时跟进新注册航运公司体系管理。夯实集装箱管理全延伸格局，完成深蓝智享VGM智能查处新功能开发，进一步提高查违纠违执法效能。深化大气污染全治理理念，做好宁波海事局船舶大气污染物排放监测中心功能更新上线测试，同时结合亚运专项活动强化大气环境及水环境现场监督，开展便携式船舶尾气分析仪实操教学并现场取样检测。应用“船舶交通组织一体化”改革成果，配合开展海上交通“空港式”管理，高峰期宁波舟山港主航道船舶通行效率提升33%，北仑港区船舶靠泊准点率提升近20%。实时掌握物资储备状况、进港计划，以重要民生、生产物资船舶和全球班轮为重点，开辟绿色通道建立重点物资保供机制，最大限度保障重点物资安全畅通。2023年辖区电煤接卸1255万吨、同比增长2.8%，化学品接卸451万吨、同比增长4.3%。

【大榭海事处】 全年保障9.3万艘次船舶、1.2亿吨货物、343.6万标准集装箱进出港，101.7万人次旅客平安出行；保障4480.5万吨原油、428.5万吨LPG、508.6万吨化学品水路安全运输。全年总计开展各类船舶检查5194艘次；涉污涉危申报备案11.7万项，危防审批5.9万项；立案调查655起，罚款金额843.1万元，全年“零复议”“零诉讼”“零舆情”；事故四项指标保持低位，水上交通安全形势总体平稳。坚持“消违治本126”系统治理思路，突出执法刚性，下定大决心、找准突破口、敢啃硬骨头，实现整治力度和队伍士气双提升，一年上一个台阶，接续获得“无长期违章船舶辖区”“无长期违章辖区”两块牌子。专题向北仑区政府汇报辖区隐患情况，推动属地强化涉海涉渔执法联动，处置涉渔“三无”船舶38艘，相关工作获区主要领导批示肯定。强力推动17艘长期停航采砂船“去存量”，处置率超75%，困扰全局20多年的采砂船管理问题基本得到妥善解决。以滨海砂场、仰岛湾非法宕口为突破口，深夜蹲点查获“华兴16”轮，首次促成行刑衔接、罚款逾百万，有力震慑非法砂石作业行为，辖区顽存10多年的违规砂石宕口实现销号清零。

【穿山海事处】 辖区集装箱吞吐量835.68万标准箱，货物吞吐量12817.43万吨（其中危险货物吞吐量1370.75万吨、煤炭吞吐量312.2万吨）。国际航线船舶查验754艘次，危险品审批3678项，船舶在港区水域安全作业备案96项。实施船舶安全检查228艘次，发现缺陷1638项，单船平均缺陷7.2项，滞留10艘次。船员违法记分19人次82分。集装箱现场核查133箱次。行政处罚立案450起，处罚金额483.15万余元，已结案的平均处罚金额达1.41万元。共完成各类综合执法任务4343个，检查船舶2432艘次，发现并处理违章3964个。组织巡航373次，巡航时间426小时，巡航里程10475海里；陆域巡查1064次，巡查里程2.13万千米，巡查时间1037.72小时。发布静态预警信息138次。践行“消违治本126”系统治理思路，深化落实“六个全”战略目标，实施风险隐患动态跟踪和销号管理机制，北三1#、中宅2#、海湾重工泊位前沿水深不足，峙北“浙仑渔07901”等4艘渔船长期碍航，外地渔船无序防台等5项隐患实现关闭。深入落实“商渔共治2023”专项活动要求，推动属地街道完成“浙仑渔07902”等3艘渔船拆解，实现峙北涉渔安全隐患治理重点突破。依托深蓝智享系统开发基层海事处首个“数字化值班管理平台”，发挥智慧化监管系统在规范标准、追溯检索等方面的优势，推动值班工作实现互联互通、高效运转。深化落实“VTS+海巡艇”动态联动执法机制，创新推出航经客船“一水两域三时段”网格化监管模式，编制《航经客船监管指南》，根据峙南峙北两域地理水文差异，针对交通流密集、恶劣天气及非工作时间三类时段实行客渡船重点分级管控，提升航经客船精细化管理水平，共点验提醒航经客船3008艘次，保障7条客渡运航线、23艘客渡运船舶安全营运。

【梅山海事处】 辖区港口完成货物吞吐量6977万吨，同比增长15.6%；集装箱吞吐量944.5万标箱，同比增长15.2%；滚装汽车吞吐量46.5万辆，同比增长1%。保障船舶进出港92336艘次，国际航行船舶进出口查验4755艘次；组织海上巡航786次，巡航里程20234海里，巡航时间2682小时；组织陆上巡查944次，巡查里程13399千米，巡查时间4023小时；开展船舶现场监督1527艘次，FSC检查801艘次。全年共查处行政违法案件514件，同比持平；共处罚金527.9万元，同比下降27.7%。全年保障游艇俱乐部接待游客共计28805人次。辖区未发生等级以上水上交通安全事故，水上交通安全形势总体稳定。集中开展风险隐患排查整治，聚焦航经客运、商渔防碰撞、港区涉危涉污作业、重大水工项目等重点风险源，标定11大类24项风险和1项隐患，针对性实施65项管控治理措施，有效解决辖区非法砂石宕口隐患，结合CCTV夜间轨迹回放和现场滚动排查，实现砂石船靠泊辖区洋沙山宕口违规作业行为零发生。推动地方协同治理，协同北仑区涉海涉渔专委办开展常态化联合执法，推进建立三无船涉渔活动、沿岸非法砂石宕口和商渔船套用AIS等常态化联合执法机制，指导梅东码头制定三无船定期巡查、举报和清理机制，联合梅山街道、春晓街道、港航、海洋管理等部门开展三无船整治“清港行动”，促成康达船厂海阳76、海阳86及1艘无名船成功拆解。强化集装箱管理全延伸，全年共查处VGM违章案件290起，查处船载危险货物集装箱积载隔离违章案件4起，查处危险货物集装箱危险货物谎报瞒报案件8起。

2023年北仑海域海事监管一览表

表18

机构	船舶进出港报告（艘次）	国际航行船舶进出口查验（艘次）	实施水上巡航（小时）	巡航里程（海里）	危险品船舶检查（艘次）	发现查处和纠正违章（项）	船舶安全检查（艘次）
北仑海事处	49642	6782	733.99	11368	755	6446	491
大榭海事处	183403	2262	772.98	7435	1089	7019	290
穿山海事处	37455	6199	426	10475	602	1805	228
梅山海事处	92336	4755	2682	20234	129	5384	801

【浙江省首个新能源汽车装箱专用堆场投产运行】 2月7日，在宁波梅山保税港区中信港通国际物流有限公司新能源汽车专用堆场内，一辆本田纯电动汽车在集装箱装箱检查员的监装下安全装入集装箱内，标志着宁波舟山港首个新能源汽车专用装箱堆场正式启动装箱作业。梅山海事处成立专班主动对接企业，指导企业配备具有资质的危险货物集装箱装箱检查员并完成危险货物申报系统的企业人员信息报送，针对“一箱两车”“一箱三车”装箱方案中存在的积载系固等问题提供了技术支持和解决路径，确保专用堆场如期投入使用。

【深夜出艇救助受伤工友】 2月17日凌晨0时21分，大榭海事处值班室接到求助电话，白峰街道内神马岛上的一家企业员工因操作失误被划伤，创口较深，急需离岛转运就医。接报后，大榭海事处立即启动应急救助预案，值班人员第一时间乘坐“海巡07132”艇赶赴现场救助。0时45分，受伤工人安全及时转运至对岸神马渡口，第一时间上车送医。该工人在就医包扎后，情况稳定。

【查获一起燃油硫含量超标行为】 3月27日，北仑海事处通过船舶尾气排放综合监测系统及时查获一起燃油硫含量超标行为。事发当日，海事值班人员在值班时通过船舶尾气排放综合监测系统发现：北仑矿石码头和台塑码头附近水域硫氧化物含量异常，疑似有船舶使用不符合标准的燃油，对港区环境造成污染。经对靠泊和航经该区域船舶的全面排查，北仑海事处对靠泊作业的某外籍散货船下达了现场核查指令，由执法人员上船对该轮使用的燃油进行取样，并送第三方检测机构进行硫含量测定。经检测，该轮燃油硫含量超过《船舶大气污染物排放控制区实施方案》的相关要求，海事部门立即通知该船停止使用取样批次的燃油，接受进一步调查。这是该处试点运行该监测系统后，查获的首例燃油硫含量超标行为。为保证能够及时有效检测进出北仑港区船舶尾气排放情况，北仑海事处在前期充分科研论证基础上，依托核心港区自然条件，结合航道情况、码头分布、监管距离等多种因素，在台塑码头、信润码头布置5处岸基固定式嗅探设备，实现了对由金塘水道西口进出港船舶尾气排放监测100%全覆盖。

【20万吨级超大型集装箱船舶常态化夜航】 4月11日，载重吨达20万吨的“中远海运宝瓶座”轮靠泊梅山港区6号泊位，标志着宁波舟山港核心港区20万吨及以上大型集装箱船舶常态化夜航首航成功，宁波舟山港港口航运效率与吞吐能力进一步提升。梅山海事处会同宁波舟山港集团公司、大连海事大学等单位开展宁波舟山港20万+载重吨集装箱船舶夜航安全专题研究，通过系统分析现有大型集装箱船舶航行、引航、助操及靠离泊支持条件，参考实船靠离泊操纵经验积累，分析宁波港域核心港区通航环境条件，促成宁波舟山港开启20万吨级超大型集装箱船舶常态化夜航。20万载重吨集装箱船舶的常态化夜航将大幅缩短该类型船舶在港非生产性停泊时间，显著提高宁波舟山港航道、泊位的利用率，使宁波舟山港航运更加高效、快捷，极大提升宁波舟山港综合竞争力。

【海上溢油应急联合演习】 6月2日，宁波港域海上溢油应急联合演习在宁波实华码头前沿水域举行。本次演习模拟大榭港区某靠泊油轮，因船舶与码头擦碰造成约5吨原油泄漏，随后在溢油围控过程中，因不明原因引发船舶起火事故。事件发生后，遇险船舶和码头方第一时间开展自救，同时报告地方政府和海事部门。接到报告后，宁波海事局按预案要求组织应急清污力量开展溢油综合处置。随后，海事部门紧急调用应急力量进行海上消防、卸载转驳、水面溢油回收等处置，宁波港域联防体和大榭联防体成立联合指挥部，调用相关应急设备至事故现场，使用大型应急卸载泵对破损油舱内残余“货油”进行转驳，通过收油设备进行海面油污的回收与清除作业，并同步利用码头消防设施及大马力消拖两用船进行灭火作业。经过一个小时的紧张处理，海上火灾被彻底扑灭，溢油清除完毕，应急任务圆满完成。本次演习涉及溢油围控、海上消防、应急卸载、海面污染物清除等8个科目，涵盖了海上溢油突发事件处置的全部流程，共调用拖轮、应急清污船、辅助作业船、海巡艇等船舶11艘，出动叉车、吊车、平板车等运输车辆5辆，来自20多家单位共150余人参与演习，展示了专业高效的应急处置能力，切实加强了宁波港域溢油应急力量建设和溢油应急处置指挥体系建设。此次演习由宁波海事局、宁波舟山港股份有限公司组织，宁波大榭海事处、宁波油港轮驳有限公司、宁波实华原油码头有限公司、宁波甬洁溢油应急服务有限公司、宁波海安环保技术贸易服务有限公司、宁波港域联防体成员单位、大榭联防体成员单位等共同参与。

【社区水上交通安全宣教基地】 7月7日，由北仑海事处推动承办的水上交通安全宣教基地在大碶街道灵峰工业社区正式挂牌成立，系宁波市首家以社区为单位的水上交通安全宣教基地。年初，两家单位共同签署党建结对共建协议，通过开展水上安全知识学习、涉水涉海文化体验等“平安小舟”水上交通安全宣教志愿服务活动，增强社区员工及子女的水上安全意识，提高自护自救能力，为水上安全保驾护航。此次成立水上交通安全宣教基地便是协议内容之一。

【亚运火炬传递宁波站水上安保任务】 9月12日，杭州第19届亚运会火炬传递宁波站活动在中国港口博物馆启动，最终到达宁波舟山港梅山港区集装箱码头，全程历时约3.5小时。为确保此次火炬传递活动顺利进行，梅山海事处切实扛牢主场主责，提前1个月组织方案学习，多次牵头对接公安、港务等有关单位讨论安保细节，确定协调机制运行，做好后勤服务。联合多部门开展5次全流程、全要素、实战化演练，提前关注潮水、码头前沿水深变化，做好安保路线模拟、突发应急演练，为赛时扁平、高效、有序运行夯实保障基础。火炬传递当天，梅山辖区2艘海巡艇提前4小时开展巡航警戒，做好辖区船舶流量态势研判，驱离碍航渔船，确保重点水域通航秩序良好稳定。

（撰稿人：王庭轩　黄　欢　许梦点　白金月）

6月2日，宁波港域海上溢油应急联合演习在宁波实华码头前沿水域举行

边防检查

【概况】 2023年，驻北仑出入境边防检查机关坚持聚焦发展，积极融入地方建设发展大局，为口岸开发开放和驻地经济社会发展贡献边检力量。聚焦优化边检手续流程、创新边检服务举措，通过为涉外企业提供7×24小时全天候出入境服务，创新开展国际航行船舶“一次性”办结和“移泊免办”手续，推行“网上办、预约办、码上办”等一系列措施，有效解决企业窗口办理、多头办理等待时间长、运营成本高等瓶颈问题，大幅度降低航运企业和作业单位时间成本和经济成本。聚焦服务民生产业发展，不断深化跨境贸易便利化改革，推动浙江省首个国际航行船舶保税液化天然气（液化天然气）加注项目落地，助力穿山“绿能港”码头累计接收液化天然气突破4000万吨。全年共检查出入境（港）船舶22563艘次、人员501176人次；换班船员7957人次；推进边检手续无纸化申报，缩短报检时间9516小时（一次性办结手续）；开通生产作业绿色通道125次，高效完成38786辆整车出口勤务；办理行政案件187起。

【查处一起船员涉嫌走私案件】 3月1日，驻北仑出入境边防检查机关联合北仑海关查处1起船员涉嫌走私案件，现场查获电脑主板、进口机械表及高档香水等物品，金额总计约人民币5万元。

5月5日，联合开展以“平安口岸反诈先行”为主题的反诈宣传活动

【联合开展反诈宣传活动】 5月5日，驻北仑出入境边防检查机关与北仑公安分局、港航公安分局在宁波远洋运输股份有限公司“新明州102”轮国际航行船舶上联合开展以“平安口岸反诈先行”为主题的反诈宣传活动，提升船员防诈拒骗意识与反诈识骗能力，进一步筑牢口岸反诈防线。

【保障75000吨石英砂轮首航】 5月20日，承载着75000吨石英砂的印尼CAPE船“青岛”轮靠泊矿石公司北仑操作分部1#泊位。驻北仑出入境边防检查机关坚持主动作为、靠前保障，优化船舶靠泊监管方案，第一时间开通“专项绿色通道”，优先保障货轮通关效能，为企业节省成本百余万元。印尼CAPE船“青岛”轮整船装载的石英砂价值超过7000万元。

【保障新晋全球最大集装箱船首靠】 6月2日，新晋全球最大集装箱船“地中海米歇尔卡佩里尼”轮靠泊穿山港区，驻北仑出入境边防检查机关提前谋划部署、主动靠前服务，依法高效办理出入境手续，确保该轮顺畅通关。

【保障外贸整车出口业务】 2023年，驻北仑出入境边防检查机关聚焦梅山口岸梅西码头整车进出口特色勤务，坚持关口前移，深化堆场、口岸限定区域、在港船舶“三区一体”的大区域管理边检勤务模式，定制整车进出口边防检查勤务“五个套餐”，全力保障全年外贸整车出口38786辆。

（撰稿人：周红仙）

6月2日，新晋全球最大集装箱船“地中海米歇尔卡佩里尼”轮靠泊穿山港区

军　事

征兵工作

【概况】 2023年，区征兵办坚持向战为战鲜明导向，紧盯大学毕业生征集比例和兵员征集质量，扎实抓好征兵宣传、体检、政考、廉洁征兵等各个环节，科学组织役前教育管理，持续落实与每名新兵谈一遍心制度，创新组织赠予“从戎之剑”暨新兵出征仪式云直播活动，连续7年实现零退兵。区政府连续4年被评为全省征兵工作成绩突出单位。

【征兵宣传】 区征兵办精心制定征兵宣传工作方案，会同区委宣传部、教育局等部门扎实开展征兵宣传，部领导带队到高校开展国防教育暨征兵宣讲，激励广大优秀适龄青年献身国防热情。创新征兵宣传方法手段，建立村（社区）、街道、区“三位一体、上下联动”宣传机制，印制征兵宣传海报10000份，制作发布《向梦想出发》征兵宣传片，积极向浙江征兵公众号报送新闻稿件，被刊用3篇。

【廉洁征兵】 区征兵办及时调整健全廉洁征兵监督员队伍，组织联审联考培训会，系统梳理各级廉洁征兵相关规定要求，制定“十条具体措施”下发各街道武装部与征兵工作相关单位执行。2月和8月，部领导分三个小组对各街道开展廉洁征兵检查，始终保持廉洁征兵强劲态势。

【新兵入伍仪式】 3月15日，区民兵训练基地举行新兵入伍仪式。仪式在庄严的国歌声中拉开序幕，退伍老兵代表为新兵配缎带、戴红花，向入伍新兵赠送“从戎之剑”，新兵在“依法服兵役”横幅上集体签名宣誓，退伍老兵代表、新兵代表分别作寄语和表态发言。仪式全程在自媒体平台直播，全体新兵家长线上收看。活动组织严密、形式灵活、反响强烈，点击率上万。

民兵建设

【概况】 2023年，以迎接民兵建设“十四五”规划中期检验评估为抓手，着力推进调整布局、优化结构、训练落实、完善保障，扎实开展潜力调查、部署准备、优化结构布局、调整配备人员、预建党组织、清点落实装备、集合点验民兵、组织检查验收等工作，高标准组织开展实战化基地化训练，在军分区群众性岗位练兵比武中荣获4个单项课目第二名、总分第二，创下历史最佳成绩，11月，以全市第一的高分通过军分区全面过硬民兵应急连达标考核。

【民兵整组】 2023年1月，区人武部以军地联合部署的方式展开潜力调查工作，围绕兵员、企业、协会、通用装备，涉海企事业单位以及网络、无人机等新兴领域，全面摸清辖区民兵编组潜力，为民兵合理编组、干部配备、装备预征预储打下扎实基础。3月，深入学习贯彻全省普通民兵融合抓建现场会精神，修订完善普通民兵建设方案。4月，召开全区民兵整组工作任务部署会，联合下发《北仑区“十四五”时期民兵建设任务分工》和《关于做好2023年民兵工作的通知》，明确组织领

7月13日，比武练兵活动

2月29日，在北仑区人武部举行基干民兵集合点验大会暨出入队仪式

导、工作任务、阶段划分及标准要求，高标准迎接宁波军分区、省军区综合考评验收。

【民兵训练】 坚持按纲施训、实战实训，着重加强武器装备操作使用和重点分队重要岗位人员训练，突出基础训练、专业技能训练、任务行动训练，扎实开展任务分队基地化训练，高标准承办全省民兵防空分队跨区联训，圆满完成基础课目教学训练考核任务，考核课目合格率达100%。结合参加军分区第四届岗位练兵比武，重点突出专业课目训练、实战化课目训练，锤炼提高应急分队行动能力。2023年，区人武部被省军区表彰为战备训练先进单位。

【基层规范化建设】 2023年，贯彻基层规范化建设要求，按照“硬件升级、软件提档、融合结合、实用为先”的思路原则，全面推进街道武装部、村（社区）民兵连部规范化建设。区人武部领导走访调研各街道武装部，深入一线摸清基层规范化建设底数。打造街道武装部、村（社区）民兵连规范化建设样板，高标准推进上级赋予的民营企业民兵连试点编建任务，以点带面推动全面过硬民兵应急连建设。

【点验核准考评】 2023年，按照省军区《民兵集合点验指导手册（2023年修订版）》要求，规范点验流程，全面严格组织街道武装部、行业系统和成建制民兵分队集合点验。其中，区人武部统一组织部分分队集中点验，4批次现场点验民兵分队，全覆盖督导街道武装部集中点验，现场考核打分，考评分数作为年度武装工作考核重要依据；其他分队由各街道武装部采取电话、视频点验的方式落实，区人武部派员现场督导。接受省军区验收组视频检查考评。

国防动员和人民防空

【国防动员大项任务】 2023年，为探索区域国防动员支援保障力量作战运用路子，根据东部战区命令，区人武部和区国动委编组军地联合指挥组，全程参与“东部动员—2023”演练。8月，组织区民兵专业队伍，参加宁波综合仓库“联勤使命-2023B”演练，开展与部队联合挂钩训练。9月，动员区民兵防空分队参加战区“东部联合-2023E”实兵演练，完成动员集结、人装编配等课目训练。9月，动员区民兵网络分队参加战区陆军“深网-2023”网络攻防行动。以防台防汛为背景，组织区民兵应急连开展任务行动训练。

【军事设施保护工作】 区委、区政府坚持把军事设施保护融入双拥共建工作，强化军事设施保护意识，营造群管群护良好氛围，2023年在浙江液化天然气三期项目、青峙化工园区供电线路迁建改造工程、北仑昆亭至鄞州经济开发区电力线施工、宁波港口岸穿山等3个港区扩大开放等8个重大项目建设规划时，能及时征求相关部队意见，科学统筹军事设施保护与地方建设的矛盾。6月16日，为深入贯彻新颁布的《中华人民共和国军事设施保护法》，全面掌握军事设施保护现状，推动解决历史遗留问题，区人武部专门召开军事设施普查工作协调会，驻北仑部队和区国动委有关人员参加。军事设施普查工作由区人武部牵头，按照“启动准备、工作部署、组织实施、验收总结”的步骤组织实施，8月底接受军分区检查验收。

【人防工程】 2023年，完成易地建设审批项目19个，应建防空地下室的民用建筑项目报建审批14个；竣工验收项目17个。在建“结建”工程62个。推进北仑中心城区停车场暨青年SPORT港项目建设。

（撰稿人：李文明　李雨桐）

法　治

政法工作

【概况】 2023年，区委政法工作以习近平法治思想为指导，以主题教育为牵引，以平安护航杭州亚运维稳安保工作为主线，牢固树立“大平安、大治理、大维稳”理念，坚持底线思维、突出严防严守、强化联动协同，以基层治理深化年活动为抓手，以风险闭环管控大平安机制为基础，社会秩序平安稳定。全区接报警情、刑事立案、交通死亡人数分别同比下降10.83%、14.09%、12.9%。

2023年，始终把贯彻落实《中国共产党政法工作条例》作为队伍建设的重中之重，组织常态化政治督察，健全完善党领导政法工作运行体系，严格执行政治督察制度，举办政法干警政治轮训培训班，强化干警政治“三力”，落实重大事项请示报告制度，推动党领导政法工作的运行体系顺畅高效。把严的基调、严的举措、严的氛围贯穿始终，严格执行新时代政法干警“十个严禁”、防止干预司法“三个规定”等制度，健全和落实政治督察和纪律作风督查巡查机制，确保司法公正。

【维稳安保工作】 2023年，杭州亚运会、亚残会举行期间，成立区委书记、区长任双组长的区亚运会维稳安保工作领导小组，高标准搭建护航亚运维稳安保指挥部及工作专班，各街道和重点部门成立相应机构，形成了全区一盘棋的工作格局和“上下联动、左右互动”指挥体系。严格落实每日会商研判制度，以顶格标准、满格状态，统筹推进护航亚运总体安保和火炬传递及时处置各类异动性、指向性、行动性线索，下发限期整改通知单，护航亚运会举办。

【基层社会治理】 2023年，实施“基层治理深化年”行动，全面深化“村民说事”制度。推动信访、调解、公正、仲裁、诉讼等多种纠纷解决方式融合，试点非警务事项协同处置机制，推出“随警解纷”，建立“金天解”联动机制，探索试行“交所合一”，建成共享法庭173家，各级调解组织成功调解各类矛盾纠纷11181件，成功率为99.96%，其中街道、村社矛盾纠纷化解量占9成以上，切实做到矛盾化解在基层一线。

【社会平安建设】 2023年，出台《落实平安建设领导责任制工作办法》和《平安重点任务“红线”警示制度》，完善警示、通报、约谈等责任督导和追究机制，全年约谈专项工作牵头单位和相关街道主要负责人，下发警示单39张，倒逼工作落实。推进扫黑除恶常态化工作，持续净化社会治安环境，社会治安主要指标不断提升，电信网络诈骗案件受立案数下降8.8%，完成6处上级挂牌点段、23处亡人事故点段以及205处道路安全隐患点位治理，平安指数提升明显。

【法护营商环境】 2023年，区委政法工作主动融入营商环境优化提升“一号改革工程”工作大局，创新打造自贸区法治保障中心，全省首创自贸区法治服务中心（企业合规指导中心），试点建立市新能源汽车产业知识产权刑事保护中心，全国首创“商秘体检”计分保险模式。同时，全领域优化法治服务，打造“15分钟司法服务圈”，举办“我为群众讲法”的线上普法直播活动，实现11个街道公民法治素养观测点全覆盖，培育2个公民法治素养观测点精品项目。推进智慧矫正规范化发展，成功举办全省“学历技能再提升、教育帮扶促共富”现场会。

（撰稿人：乐其伟）

公　安

【概况】 2023年，北仑公安分局面对安保维稳和护航发展“双重责任”，勠力同心、双线作战，圆满完成了杭州亚运会、亚残运会重大安保维稳任务，有力维护了社会安全稳定。2023年全年接有效警情177478起，刑事立案4013件，交通死亡54人，分别同比下降10.83%、14.09%、12.9%，采取刑事强制措施3251件，移送起诉1630件，行政处罚9129件，分别同比上升24.14%、27.94%、77.43%。分局获评杭州亚运会、亚残运会安保先进集体、全省执法质量优秀单位，治安大队获评2023—2024年度全国维护青少年权益岗创建单位、全省公安机关护航平安亚运工作成绩突出集体，交警大队车管所获评2019—2023年度全省政法系统先进集体。13个集体、354名个人受到表彰奖励。

【打击侵财犯罪】 2023年，北仑公安分局对民生领域违法犯罪持续保持高压严打态势，全区盗窃类刑事案件、“两抢”类案件分别同比下降36.81%、66.67%，传统侵财案件强制措施、移送起诉数、行政处罚数分别同比上升11.18%、24.19%、34.17%，累计处理盗抢团伙17个，其中3人以上盗窃团伙14个。

【扫黑除恶】 2023年，北仑公安分局严格落实警情核查机制，共排摸梳理疑似涉黑涉恶警情1920起，接收上级交办及群众举报线索18条，实名举报人见面率达100%；累计完成涉黑恶十类案件嫌疑人强制措施206人、移送起诉180人，分别同比上升6.19%、12.50%，涉黑涉恶七类刑事案件同比下降27.05%。

【打击网络电信诈骗】 2023年，北仑公安分局持续推进一级反诈中心建设，组建专职预警反制队伍、专职街道宣防队伍，累计开展宣传活动110余次，印发宣传品9万余份，共处置预警信息13.76万条，成功劝阻潜在受害人471人次、劝阻金额2741.94万元，分别同比上升94.62%、248.22%。全区电诈发案2403起，同比下降9.73%；采取刑事强制措施504人，同比上升60.00%；线上资金返还539.41万元，线下追赃挽损1890.82万元。成功劝阻一起39.2万元的案例获公安部通报表扬，预警劝阻做法在全国第四期刑侦大讲堂上作经验交流。

【专项整治黄赌违法犯罪】 2023年，北仑公安分局在全市“利剑4号”扫黄禁赌专项行动中，采取黄赌刑事强制措施223人，整治黄赌治安乱点14个，侦办黄赌案件、打击处理人数分别同比上升29.69%、85.83%。

【打击涉毒犯罪】 2023年，北仑公安分局成功破获“2022-141”公安部毒品目标案件，捣毁制毒窝点7个，累计抓获违法犯罪嫌疑人119人，缴获毒品安钠咖20.37千克、咖啡因37.67千克，彻底捣毁一互联网制贩毒团伙。

【打击经济犯罪】 2023年，北仑公安分局深化打防经济犯罪专项行动，破获专案数、抓获人员数、追赃挽损数分别同比增长22.3%、15.4%、199.6%，共受理各类经济犯罪案件67起，立案53起，破案28起，抓获犯罪嫌疑人61人，移送起诉46人，挽回经济损失0.5亿元。侦破假冒“新秀丽”商标案件成功获批2023年“省标”案件。

【“昆仑2023”行动】 2023年，北仑公安分局扎实推进“昆仑2023”专项行动，按照“打源头、端窝点、摧网络、断链条、追流向”的思路，对跨区域、系列性、团伙性食药环案件实施全链条打击。全年共破获食药环案件27起，强制措施65人，移送起诉46人，其中3起食药环专案获批2023年“省标”案件。

【道路交通管理】 2023年，北仑公安分局实现区域道路交通安全事故稳中有降，道路交通安全有序。共查处交通违法行为与87万余起，交通事故死亡人数54人，同比下降12.9%。查处危化运输车辆各类交通违法1848起，侦办违反危化品管理条例行政案件35起，罚款157万元，行政拘留20人。

【危险物品管控】 2023年，北仑公安分局围绕杭州亚运安保工作，严厉打击涉枪涉爆违法犯罪活动。共排查易制爆、剧毒、放射性物品等从业单位2040家次，发现并整改各类问题隐患908处，对76家危爆单位作出行政处罚。安全完成烟花爆竹销毁工作，共销毁C级组合烟花59箱，A、B级礼花弹1417枚。

【信访工作】 2023年，北仑公安分局落实信访工作领导包案督办制度，成功化解公安部、省公安厅交办的3批次36件积案，综合化解率为100%，其中实体化解29件，化解率为80.56%，呈现交办件逐年减少、化解率大幅上升、新增积案有效控制的良好态势。

【户籍管理】 2023年，北仑公安分局共受理户籍业务72863件，全国身份证业务78729件，涉企审批类业务54468件，办结率100%，群众满意度达100%，实现服务质量和效率的“双提升”。全区共设立“一窗通办”窗口20个、通拍点位12个，累计录入长三角相片库343524张，推动跨部门人像信息共享。

【交通信号灯管理】 2023年，北仑公安分局对全区588个信号灯、173台信号控制机进行改造，迭代升级2.0版信号灯控制系统，实现全域联网率100%。积极推进潮汐车道和主城区10个路口慢行交通一体化建设，新增10千米交通绿波带，完成7处拥堵路段、点位治理，并携手区交通部门开通一路环学校微公交线路。

（撰稿人：程　腾）

检　察

【概况】 2023年，区检察院共批准逮捕各类刑事犯罪嫌疑人410人、提起公诉1009人。打击故意杀人、故意伤害（重伤）、抢劫、强奸等严重恶性暴力犯罪35人。严惩损害群众切身利益犯罪，起诉“盗抢骗”“黄赌毒”“食药环”等多发性犯罪446人。严查司法工作人员相关职务犯罪，立案查办协警渎职犯罪案件4件4人。贯彻落实宽严相济刑事政策，全年不批捕125人，不捕率28.5%；不起诉397人，不起诉率33.8%。同时对不起诉案件开展行政处罚必要性审查，及时提出有针对性的检察意见，避免出现“不刑不罚”情况，对掩饰隐瞒犯罪所得、逃避商检等不起诉案件，共向公安、海警等部门发出检察意见书155份，监督行政机关及时作出相应行政处罚。加大司法救助力度，办理司法救助47件，发放救助金56.1万元。依法妥善处理群众信访举报129件，化解最高人民检察院交办的服刑人员信访积案2件。

【刑事检察】 深化刑事立案、侦查监

督，推动侦查监督与协作配合办公室实质化运行，提前介入、引导侦查“717专项行动”涉缅北电信网络诈骗系列案、贾某某特大职务侵占案等重大疑难案件30余件。严格落实“一案双查”机制，用好用足自行补充侦查机制，追诉洗钱犯罪案件3件3人，全市领先。严把案件事实关、证据关、法律适用关，对移送罪名不当的依法予以纠正，高质效履行好刑事检察法律监督职能。办理的罗某抢劫案，通过自行补充侦查，在原先入户盗窃手机的事实基础上，查明暴力抗拒抓捕关键情节，改变起诉罪名为抢劫，后被判处有期徒刑十年。加强刑事审判监督，综合运用抗诉、纠正意见等监督手段，及时纠正定罪量刑明显不当、审判程序瑕疵等问题。加强刑罚执行和监管执法监督，开展“雷霆2023”、禁止令执行等专项监督，办理案件13件，促进刑事执行规范有序。

【民事行政】 紧盯社会热点和民生突出问题，开展诉讼主体失格专项监督、劳动报酬虚假诉讼监督、限制高消费人员乘坐飞机高铁执行监督等各类民事监督活动，办理案件66件。针对被执行人已死亡，法院仍采取信用惩戒措施等情形，制发检察建议10件。办理一起劳务合同纠纷再审监督案，监督法院主动纠正生效判决，跟进法院及时删除当事人失信信息，解冻其名下银行账户并进行执行回转，联合法院共同化解矛盾，实现案结事了人和。常态化开展依法护航法治化营商环境、护航民生民利等专项监督活动，办理各类监督案件12件。针对履职中发现的行政管理源头性、普遍性问题，综合运用检察建议、会商研讨等形式，提出可行性建议5件。针对货运车辆一年内多次超限运输违法行为未被吊销营运证问题，制发检察建议，督促行政机关依法履职，促进货运行业的健康发展，消除交通安全隐患。

【公益诉讼】 聚焦社会热点、民生痛点深入排摸线索，开展违规使用“生鲜，促进依法行政，助力法治政府建设灯”专项监督，督促职能部门完成全区农贸市场的肉摊、冰鲜摊等摊位生鲜照明设施整改，推动生鲜市场文明规范经营。聚焦生态环境和资源保护，就当事人违法占用农用地提起民事公益诉讼，当事人缴纳恢复植被和林业生产条件所需费用共计66万元。聚焦国有财产保护，成功办理督促税务机关追缴土地使用权转让税款行政公益诉讼案，挽回国有资产损失7700余万元，获得省委常委、市委书记彭佳学批示肯定。

【关爱未成年人成长】 严惩侵害未成年人犯罪，共批准逮捕侵害未成年人犯罪22人，起诉25人。加强涉罪未成年人教育感化挽救，落实社会调查、附条件不起诉、犯罪记录封存等制度，共帮助14名涉罪未成年人回归社会和校园。全面深化未成年被害人“一站式”办案救助机制，实现对被害人的综合救助和全面保护。继续推动防范侵害未成年人犯罪入职查询和从业禁止制度落实，推进酒店、酒吧、网吧等不适宜未成年人进入场所综合系统治理。

【提升自贸区法治保障】 打造以“检察为主体，集司法、行政及企业多方融合”的自贸区法治保障中心，构建“实体+数字”融合式、一站式服务模式。举办了企业合规座谈会、女企业家协会活动、北仑现代服务业发展集团主题教育活动、吉利汽车合规誓师动员大会等活动50余场。法治保障中心等工作列入区委常委会2023年工作要点、“六促六优”行动2023年重点工作以及2023年北仑区推进自贸试验区提升发展工作要点；获评全市政法系统服务保障民营经济示范岗，2023年全区“自贸试验区最佳制度创新案例”；荣登“2023宁波品牌百强榜”之营商环境品牌榜TOP 20；被宁波市委政法委发文全市推广。

【法治护航营商环境】 依法惩治侵犯企业合法权益犯罪，共起诉职务侵占、合同诈骗等各类破坏营商环境犯罪41件54人，帮助企业挽回经济损失1300余万元。牵头成立全省首个企业合规指导中心，全面启动集刑事合规、行政合规、自主合规于一体的企业合规工作，推动企业依法守规经营。依托长三角一体化检察协作平台，会同上海浦东新区检察院，办理了全市首例跨省涉案高新技术企业合规整改案件，该企业各项经营已步入正轨。法治护航营商环境做法获得省委主题教育第十三巡回指导组组长批示肯定，并在全区全面深化改革工作会议上作经验交流。

【涉案款e缴通】 全国首创“涉案款e缴通”数字应用，实现涉案款缴纳“最多跑一次”或“一次都不跑”。通过该应用缴纳涉案款金额超过1500万元，该应用在全市检察机关第二届数字监督模型竞赛中荣获“数字检察好应用”一等奖，并入选2023年全国政法智能化建设智慧检务创新案例。

（撰稿人：郑琳燕）

法 院

【概 况】 2023年，区法院共受理各类案件11253件，收案数同比下降1.05%；共审结各类案件11326件，同比下降2.45%；未结案数973件，同比下降6.98%，同期结案率100.65%，同比下降1.44%。一线法官人均结案数251.69件，其中民商条线人均结案数217.6件。刑事条线人均结案198.25件，行政条线人均结案124.6件，执行条线人均结案595.6件。

2023年，新收一审刑事案件757件，审结767件，判处罪犯987人。严惩严重暴力犯罪和扰乱公共秩序犯罪，审结故意杀人、故意伤害、抢劫、强奸、聚众斗殴、寻衅滋事等犯罪案件63件84人。始终保持法治反腐高压态势，审结贪污、受贿、挪用公款等职务犯罪案件14件22人。深入探索涉案企业合规改革，出台《涉案企业合规第三方评估监督机制相关案件办理规程（试行）》。提升认罪认罚从宽制度适用成效，906名罪犯悔罪后依法从轻减轻处罚。持续深化以审判为中心的刑事诉讼制度改革，“四类人员”出庭作证65次，普通程序案件出庭率达100%。规范处置涉案财物494件。一审民商事案件6939件，审结6984件。审结涉继承、婚姻、赡养抚养等家事纠纷583件。审结劳动争议356件，为务工人员追回劳动报酬1743万元，成功化解涉121人系列劳资纠纷。依法从重判处侵害未成年人权益案件25件27人，会同检察机关试行涉未成年人案件支持起诉机制，化解涉未成年人纠纷9件，“浙里春风·童护航”教育实践基地入选区第二批儿童友好建设项目。

兑现群众胜诉权益。首次执行案件2968件，执结2968件，执行到位约5.7亿元。聚焦“切实解决执行难”目标，开展“执者四无”专项行动，执毕146件、和解82件，执行到位9072万元，拘留17人，罚款23人。

【防范化解重大风险】 深化“断卡”行动，从严从快审结电信网络诈骗犯罪105件172人，涉案金额3405万元。严密防控金融风险，妥善化解信用卡纠纷、金融借款纠纷354件。依法保障“住有宜居”，有序推进华夏如院、寰海府等小区群体性纠纷化解工作，维护辖区房地产市场平稳健康发展。严格落实“有信必复”工作要求，切实发挥申诉信访智办智治平台作用，信访积案实现全部清零。坚持信访工作法治化，以寻衅滋事罪判处闹访人员3名。持续做好杭州亚残运会等重大活动除险保安，紧盯“三环节一场所”，以闭环管控全力防范重大风险。

【优化法治化营商环境】 依法平等保护企业及企业家合法权益，审结涉企案件4305件，两案入选全市典型案例。紧盯“无感监测”要求，组建买卖合同快审快执团队，以服务港口经济发展为着力点，深化涉港口事项执行“一件事”改革，发起协作事项97件，反馈率100%，入选营商环境“微改革”省级项目库。慎用查封、冻结、扣押等保全措施，推行诉前保全集中办理，强化财产保全必要性审查，依法驳回保全申请5件。

【服务自贸试验区建设】 健全涉外纠纷专业化审判机制，审结涉外、涉港澳台案件81件，竭力护航国内国际双循环。积极参与自贸区国际商事海事法律服务保障中心建设，着力打造国际商事纠纷解决优选地。加强知识产权“三合一”审判，审结知识产权案件160件，依法打击一批侵害企业商标权的犯罪行为。审结全市首例知识产权刑事附带民事公益诉讼，判令被告支付惩罚性赔偿金。深化良性互动，联合多部门签署加强知识产权协同保护合作框架协议，构建一体化保护大格局。

【助力产业结构升级】 充分发挥破产审判在完善市场主体救治和退出、促进市场要素集聚方面的作用，妥善办理破产案件48件，处置房屋15.5万平方米、土地2.8公顷，盘活资金约4.7亿元。优化互联网司法职能，审结涉电商等数字经济纠纷97件，推动新业态健康发展。审结环境资源类案件28件。

【诉源治理】 贯彻“抓前端、治未病”理念，形成法院和职能部门“双中心”的解纷场域，诉前化解和民事可调撤率达89.1%，同比提升4个百分点。坚持和发展新时代“枫桥经验”，深化“一庭一品”，打造“花乡花解”“暖企”等特色品牌，柴桥法庭相关工作获评全市创建“枫桥式人民法庭”精品案例。推进属地纠纷属地解，以人民法庭为支点，联合街道、派出所建立“矛盾‘金天解’”联动机制，获评2023年度区共同富裕十佳实践案例。完善基层共建共治网络，推进特色“无讼无访”村社建设，开发应用“无讼数据决策系统”，推行“凉亭调解”“流动调解”等解纷模式，有效降低万人成讼率。

【普惠均等诉讼服务】 深化全域数字法院建设，持续推进在线诉讼，利用“人民法院在线服务”平台网上立案5994件，在线开庭、质证、调解1.1万件，送达诉讼材料6.9万份，让群众切实感受到“指尖诉讼、网上解纷”的便利。以覆盖全区各村社的173个共享法庭为支点，健全实质化运行机制，全面融入“141”基层治理体系，通过共享法庭调处矛盾纠纷1452起，协助送达、查人找物等813次。加强特设共享法庭建设，在人大代表联络站、行业协会等新设共享法庭14个，满足多样化司法需求。开发上线“立案一键查”应用，立案效率同比提升20%，相关经验获宁波中院领导批示肯定。深化数智执行，开发执行财产节点智能管控应用，入选2023年浙江省政法工作现代化创新引导项目。

【诉讼诚信建设】 持续加大虚假诉讼打击力度，开展专项督查，依托“虚假诉讼协同智治”应用加强预警，处罚38件46人。严厉打击扰乱诉讼秩序行为，对危害法院机关安全及扰乱办公秩序的4人处以拘留、罚款，切实维护司法权威。深入开展打击拒执专项行动，移送涉嫌拒执犯罪案件53件，刑事立案39件、判刑7人。加强对恶意诉讼和无理缠诉行为的规制，经滥诉联合甄别，认定2人构成滥用诉讼权利，依法不予受理其起诉。积极应用诚信诉讼“五色码”，细化认定27类不诚信诉讼行为与2类正向激励，不断完善司法诚信建设体系。

【拓宽外部监督机制】 深化代表委员联络工作，主动联络市、区两级人大代表、政协委员164人，参加法庭旁听庭审、见证执行。完善人民陪审员工作，健全合议庭评议规则，进一步强化司法民主。自觉接受人民群众监督，持续深化司法公开，举办公众开放日、新闻发布会等活动10余次。

（撰稿人：齐　慧）

司法行政

【概况】 2023年，区司法局围绕区委、区政府中心工作，以问题为导向，补短板、抓落实、求提升，以法治保障“‘六促六优’再深化、‘三争三强’再攀高”为主题，奋力建设“一流强港”和“一流强区”，助力北仑打造“中国式现代化港城示范区”和“高质量发展建设共同富裕示范先行区”。小港街道调解委员会获评全国模范人民调解委员会，全省首创自贸区法治服务中心（企业合规指导中心），高水平承办全省社区矫正学历技能“双提升”现场推进活动，相关工作经验受到司法部和省司法厅的高度关注与认可，并在中央、省、市各级媒体报道，春晓街道获评“宁波市法治建设示范街道”。

【法治北仑】 持续完善全面依法治区协调议事机构运行，深入开展习近平法治思想“八进”工作，建立健全常态化学习机制。组建一支100人的法治监督员队伍，全市首创建立法治监督员工作站。组织召开全区依法治区委员会会议，印发2023年法治北仑建设工作要点。强化各级法治理念和主要负责人履行法治建设第一责任人职责意识，推进法治工作向长远发展，确保各项任务要求落地落实。牵头全区优化法治化营商环境专项行动，推动十大标志性改革项目之一的涉企服务“三中心”建设，企业合规指导中心及行政合规促进机构成立。

【依法行政】 健全重大行政决策工作机制，部门编制决策比例达87%。街道行政执法证持证率明显上升，持证率达69%。推进法治化街道改革，全年各街道开展合法性审查行政规范性文件、重大行政决策、重大行政执法决定、行政协议、合同等8000余件。积极发挥行政复议主渠道作用，2023年，区政府新收行政复议案件204件，调撤率47.37%。行政诉讼败诉率控制在5.26%。区政府及其部门、街道负责人出庭应诉率达到100%。

【法治宣传】 2023年，全区普法责任清单和重点项目表，推进“数字普法”，组织开展“开学法治第一课”、“法助共富 法护平安”、国家安全日、亚运会等主题普法宣传活动。举办“亲清直通车・政企恳谈会”专场活动，举办“我为群众讲法”线上普法直播活动。在浙里办“e乡北仑”设置“民法典”内容。实现11个街道公民法治素养观测点全覆盖，培育2个公民法治素养观测点精品项目。制作《浙江省促进中小微企业发展条例》宣传折页3000份，开展条例直播和小视频拍摄，帮助企业化解法律风险，解决法律问题。12月3日，在北仑银泰城凤凰厅举办“大力弘扬宪法精神 建设社会主义法治文化”北仑区2023年“12・4”国家宪法日暨法治北仑建设集中宣传活动，全区20家普法成员单位参加。

【公共法律服务】 出台《北仑区（开发区）加快推进律师行业高质量发展实施意见》，上海日盈（宁波）律师事务所、上海市光明（浙江自贸区）律师事务所顺利落户，共引进专职律师、实习律师8名。引导律师积极参与海事海商、企业合规等领域法律服务。新增执业律师37名、实习律师14名，律师万人比达到2.7。全年提供法律咨询服务1763人次，接听12348电话咨询20578人次，受理法律援助案件997件。提供认罪认罚法律帮助1017件，受理审查起诉阶段法律援助辩护案件63件。通过网上受理等功能，实现法律援助申请“就近办”“市域通办”，按规定推进法律援助“市域内100%通办”进度，2023年承办市域内通办案件83件，其中结案53件。

【社区矫正】 积极适应监管对象大幅上升工作考验，2023后依法办理入矫305人、解矫227人、审前调查、执行地变更262人次，撤销缓刑6人次、收监执行1人，再犯罪率低于0.5%。严格落实集中大走访等制度，排查矫正对象2500余人次，心理帮扶6人次，集中教育2800人次，开展司法所督查5批次，收监1人，确保社区矫正安全稳定。认真实施省司法厅关于“学历技能再提升、教育帮扶促共富”工程部署，实现在矫对象初高中覆盖率91%、大专以上学历提升率11%、技能培训覆盖率98%、新增就业基地5家。推进《社会组织参与社区矫正社会工作服务规范》省地标制定工作。

【人民调解】 围绕亚运安保重点任务，开展矛盾纠纷大排查、大化解工作，有力维护辖区平安稳定。全年，区三级共排查7081次，排查出矛盾纠纷1605件，排查矛盾纠纷均化解。全区各级各类调解组织共调解成功各类矛盾纠纷11181件，其中街道村居矛盾纠纷化解量占8成以上，促成大量矛盾化解在基层一线。重塑“诉调融合”新模式，打造“1+1+11+N”诉调对接机制，有效降低一审民商事案件收案数量。

（撰稿人：董　琳）

农业 农村

综 述

【概况】 2023年，全区实现农林牧渔业总产值13.50亿元，按可比价计算，同比增长5.8%，其中，农业10.92亿元，同比增长2.6%；林业0.22亿元，同比增长46.4%；牧业1.17亿元，同比增长37.7%；渔业0.32亿元，同比增长24.9%；农林牧渔服务业0.87亿元，同比增长3.1%。

2023年，以集群集聚方式，推进农村产业发展。白峰阳东生态农业田园综合体项目整体工程，累计投入6500万元建设的“千亩方”都市农业示范区项目一期工程完工。“北仑花卉”入选浙江省“土特产”百强第二批名录，新认定绿色食品4个、各级农业龙头企业9家，创建市级优质农产品基地1家。建设完成省级农机服务中心4个、省级全程机械化应用基地5个、省级农机创新试验基地1个，新建农业标准化设施大棚39832平方米。顺利通过国家农产品安全县动态监测评价，成为无需整改的县（市、区）。农业安全“1+11+N”三级网格监管体系作为全省典型案例写进省农业农村厅动态监测专题报告。

2023年，围绕宜居宜业，打造和美乡村。对全区190个村（社）、15条重点线路及30个沿线田园片区开展专项考评。在全市农村人居环境评估考核中，多项工作得分名列前茅。启动“‘千万工程’再深化和美共富新启航三年行动”，成立北仑区和美乡村专家智库，确定未来三年重点打造“一轴两翼三线”6条美丽乡村风景带、23个风貌整治重点村、10个特色产业重点村（片区）的工作目标。出台《北仑区“百花香百村”行动方案》，启动城湾木槿、河头杜鹃、三山月季等11个花卉特色试点村建设，一期如期完工。开展城湾村木槿主题七夕活动、福民村紫微岙乡村音乐节等活动，以花卉元素开展“河小花”等特色IP形象设计，推动花卉经济发展。

2023年，抓实农村基层治理，拓宽农民共富路径。针对北仑区域上年经营性经济收入低于100万元的46个村，落实6.17公顷建设用地用于发展村级集体经济项目，并确定项目合作协议和备忘录，让46个村每村每年可提升经营性收入8万元以上。推进全国村级议事协商创新实验试点，确保“村民说事、对账理事、网格治理、下沉议事、合力谋事”五项制度全部落实。开发“对账理事”数字化项目，有助于提升乡村治理服务能力。推动农村集体资产管理的制度化、规范化、信息化建设，扎实做好对农村“三资”监管工作。

2023年，加强宅基地管理，盘活闲置资源。全区农村有宅基地数量9.8万宗，农民提出建房书面申请238户，发放乡村规划建设许可证196户，涉及村集体土地面积24560平方米。全区可盘活闲置农房总计1823宗，累计利用闲置农房、宅基地兴办各类民宿59家。北仑区农村闲置资源盘活工作获评省级集体经济巩固提升工作成绩突出集体。

【农业病虫害智慧生态防治（智慧蛙）】 2023年，北仑区农业病虫害智慧生态防治数字化项目（智慧蛙）于8月17日获批，审定概算投资153.08万元。该项目主要用于北仑区水稻、茶叶病虫害性诱剂防治和病虫害智能化监测及预测预报。主要内容包括：建设千亩水稻、茶叶性诱剂防治基地，通过建立多个监测点，利用昆虫性诱智能测报系统，监测二化螟、稻纵卷叶螟和茶尺蠖害虫发生趋势；利用小气候采集系统获取小气候数据，监测农业病害发生趋势及方向。该项目在宁波市2023年数字乡村论坛“智慧农业绘就千万工程新图景”大会上作经验交流，并获2023年“天翼杯”宁波数据开放创新应用大赛三等奖。

【闲置资源盘活利用】 2023年，大碶街道杨岙村以开展“千万工程”为契机，培育闲置农房盘活利用经营主体，重点推进村内溪坑旁1460平方米集体土地入市，并支持农村集体经济组织、返乡人员和有实力、有意愿、有责任的企业有序参与利用农村闲置农房和闲置宅基地，将其打造成高端民宿“云闲杨岙”。通过开发乡村旅游、文化创意、养生养老、农事体验等产业为农民增产增收，也为返乡青年提供就业岗位。

种植业

【概况】 2023年，全区实现农业产值10.92亿元，同比增长2.6%。粮食作物播种面积1356公顷，总产量8727吨。蔬菜及食用菌种植面积1689公顷，总产量46455吨。瓜果类种植面积321

公顷，总产量8314吨。

【粮食安全考核】 2023年，北仑区直面粮食生产保供任务重、可用耕地面积少、粮食生产功能区种粮属性低等问题，以切实提升粮食生产能力为目标，推动粮食生产功能区整治工作，把粮食生产任务落实到村到田。全区全年完成粮食作物播种面积1356公顷，粮食总产量8727吨；油菜播种面积363公顷，油菜产量687.05吨；大豆播种面积47公顷，大豆产量121.47吨，各项生产指标均超过市下达的粮食安全考核评价目标。

【双孢蘑菇获省金奖】 11月30日，2023年度浙江精品食用菌评选活动在杭州举办，全省共有17个品种、53个食用菌产品参赛。经专家根据食用菌的外观、气味、品质等方面进行现场打分，最终评选出金奖产品17个、银奖产品17个。北仑区选送的白峰双石蘑菇专业合作社生产的双孢蘑菇获金奖。

【北仑番茄闯入浙江擂台赛】 5月5—6日，2023年“浙江农业之最”番茄擂台赛在宁波镇海举办，这是“浙江农业之最”创建以来首次举办的番茄擂台赛。来自全省各地的22种精品番茄参评。现场分樱桃番茄、中大果型番茄两个类别进行比拼。经专家组最后评定，由北仑绿土蔬果种植场选送的精品番茄闯入前三，分别获中大果型番茄可溶性固形物含量评比二等奖、综合品质评比三等奖。

2023年北仑区农作物播种面积和产量一览表

表19

指标名称	播种面积（公顷）	总产量（吨）
粮食作物	1356	8727
一、谷物	1197	8080.09
其中，夏收谷物	182	880.82
其中，秋收谷物	1015	7199.27
（一）稻谷	1015	7199.27
1.早稻	468	2865.77
2.中稻和一季晚稻	347	2951.56
3.双季晚稻	199	1381.94
（二）小麦	182	880.82
1.冬小麦	182	880.82
2.春小麦	0	0.00
（三）玉米	0	0.00
（四）其他谷物	0	0.00
1.谷子	0	0
2.高粱	0	0
3.大麦	0	0
其中，青稞	0	0
4.燕麦	0	0
5.荞麦	0	0
6.其他	0	0
二、豆类	67	173.02
其中，夏收豆类	25	64.89
（一）大豆	47	121.47
（二）绿豆	0	0

续表19

指标名称	播种面积（公顷）	总产量（吨）
（三）红小豆	0	0
（四）其他豆类	20	51.55
三、薯类	92	474.10
其中，夏收薯类	92	474.10
（一）马铃薯	90	465.48
（二）甘薯	1.7	8.62
经济作物	2430	–
一、油料	406	835.34
（一）花生	41	144.96
（二）油菜籽	363	687.05
其中，冬油菜籽	363	687.05
（三）芝麻	2.4	3.33
（四）胡麻籽	0	0.00
（五）葵花籽	0	0.00
（六）其他油料	0	0.00
二、棉花	0.3	0.40
三、生麻	0	0.00
（一）生黄红麻	0	0.00
（二）生苎麻	0	0.00
（三）生大麻	0	0.00
（四）生亚麻	0	0.00
（五）其他麻类	0	0.00
四、糖料	0	0.00
（一）甘蔗	0	0.00
（二）甜菜	0	0.00
五、烟叶（未加工烟草）	0	0.00
其中，烤烟（未去梗烤烟叶）	0	0.00
六、中草药材	11.5	23.80
其中，人参	0	0.00
甘草	0	0.00
枸杞	0	0.00
白术	0	0.00
菊花	0	0.00
元胡	0	0.00
浙贝	0	0.00

续表19

指标名称	播种面积(公顷)	总产量(吨)
铁皮石斛	10.5	20.50
七、蔬菜及食用菌	1688.9	46455.02
(一)叶菜类	491	10696.96
其中,芹菜	110	3670.98
油菜	303	5282.15
菠菜	51.7	1185.50
(二)白菜类	351	11784.82
其中,大白菜	96	3878.67
(三)甘蓝类	69	2227.24
其中,卷心菜	58	1886.88
(四)根茎类	115	3582.88
其中,白萝卜	91	2726.75
胡萝卜	11	350.11
生姜	4.2	120.38
榨菜头	2	128.20
(五)瓜菜类	147	6452.56
其中,黄瓜	70	2993.58
南瓜	24	838.75
冬瓜	36	1926.71
(六)豆类	105	1887.18
其中,豇豆	24	533.94
四季豆	66	1062.89
(七)茄果类	144.7	3698.62
其中,茄子	47	1250.53
辣椒	23.8	514.97
西红柿	66	1736.80
(八)葱蒜类	44	1078.64
其中,大葱	15.3	451.31
蒜头	14	278.03
(九)水生菜类	30.9	1335.90
其中,莲藕	6.6	216.50
(十)其他蔬菜	189	3326.83
(十一)食用菌	–	383.39

续表19

指标名称	播种面积（公顷）	总产量（吨）
1.干品	–	18.00
其中，香菇	–	18.00
黑木耳	–	0.00
2.鲜品	–	365.39
其中，鲜蘑菇	–	112.44
金针菇	–	4.75
八、瓜果类	321	8313.97
（一）西瓜	246.4	6873.89
（二）香瓜（甜瓜）	35.9	688.13
（三）草莓	28.7	556.25
（四）其他	10.1	195.70
九、其他作物	1.3	–
其中，青饲料	0.6	–
十、特种农作物	0	0
其中，花卉	–	–
鲜切花	–	31255
盆栽观赏植物（包括盆景）	–	181590
香料原料	0	0
其中，花椒	0	0
八角	0	0

林特产业

【概况】 2023年，全区花卉苗木种植面积3693公顷，产值5.77亿元。茶园种植面积348公顷，采摘面积299公顷。茶叶产量315吨，产值0.1亿元。果园种植面积893公顷，产量1.74万吨，产值2.11亿元，主要种植产品有葡萄、杨梅、柑橘。

【北仑茶叶获市金奖】 2023年，北仑区组织区域茶叶生产单位参加各项展示展销和评比活动。在宁波市第六届红茶产品质量推选活动中，宁波海和森食品有限公司选送的“海和森红茶”获金奖；在宁波市首届创新茶类“茶王赛”中，宁波市北仑孟君茶业有限公司、宁波市北仑天恩茶业有限公司选送的“三山玉叶”和“贵雅”均获金奖。

【第六届宁波市盆景艺术文化展】 于11月3—5日在北仑富邦广场举行。来自宁波大市范围内的230件经精心打理的盆景作品在现场展示。展会期间，还举行了园艺师盆景现场制作表演和造型技能竞赛，展会累计销售60万元。

【“北仑花卉”入选省名优百品榜】 2023年，经北仑区自荐、宁波市推荐、专家评选、浙江省审核公示，“北仑花卉”入选省名优“土特产”百品榜，成为北仑区入选该榜的第一个产品。

养殖业

【概况】 2023年，全区畜牧业产值1.17亿元，同比增长7.53%。生猪存栏1.6万头，生猪出栏4.1万头，能繁母猪存栏2157头。家禽存栏9.8万羽，牛存栏453头，羊存栏1922头。禽蛋产量257吨。全年屠宰检疫生猪23.2万头，菜牛6007头。全区渔业产值0.43亿元，同比增长7.5%。全区小型海洋捕捞渔船15艘。水产品捕捞总产值0.20亿元。水产养殖经营户24家，养殖总面积45公顷，海水以青蟹、蛏子、南美白对虾等养殖品种为主，淡水以四大家鱼、小龙虾、澳洲小青龙等养殖品种为主，养殖水产品总产值0.23亿元。

【动物疫病防控】 2023年，北仑区将高致病性禽流感、口蹄疫、高致病性蓝耳病、猪瘟、小反刍兽疫纳入动物疫病防控"先打后补"范围。鼓励养殖场自主采购疫苗、自主免疫，中小散户由政府购买免疫服务。建立起"规模养殖场常年程序免疫，散养户集中免疫与日常补免相结合"的工作机制，落实防疫主体责任，形成北仑区域新的重大动物疫病防控体系。

【屠宰检疫技能比武】 2023年，北仑区畜牧兽医总站强化屠宰检疫队伍建设，选派一批政治素质高、业务能力强的检疫人员到不同岗位上轮岗锻炼，实施"一专多能"人才培养计划。在2023年宁波市生猪屠宰检疫技能操作大比武中，北仑区畜牧兽医总站派出的检疫人员团队获团体二等奖。

农业机械

【概况】 2023年，全区拥有各类农业机械13022台（套），总动力97640千瓦，其中2023年新增各类农业机械292台（套），受益用户291户，发放补贴资金201.99万元。全区主要农作物综合机械化率达到88.25%。全年机收水稻1666公顷。

【省级多元化农机基地】 2023年，经区农机管理部门考察并推荐7家农业企业（宁波市北仑粮食集团有限公司、宁波市农之者农业服务有限公司、宁波市北仑孟君茶业有限公司、宁波北仑芳野瓜果研究开发有限公司、宁波聚富农业有限公司、宁波天恩茶业有限公司、浙江芦江园家庭农场有限公司）参与创建"省级农机服务中心""省级全程机械化应用基地""省级农机创新研究试验基地"。经各企业共同努力，创建工作顺利通过省级审核与考评，成功完成创建任务。这将对周边小微农企产生带动和示范作用，有助于发展地方特色产业，提高全区农业全程机械化生产水平。

【农机年检】 2023年，区农机管理部门严格按照农机检验的有关技术要求把好每一道年度检验关，实行"谁检验、谁签字、谁负责"的责任倒查制度。对年检中发现的改装、拼装拖拉机、联合收割机，一律要求恢复原样，坚决杜绝存在故障的拖拉机上路。至8月，完成拖拉机、联合收割机的年检，全区159台各类拖拉机、联合收割机参与年检，其中158台通过年检，年检率达到99%以上。

2023年北仑区农业机械拥有量一览表

表20

指标名称	计量单位	数量	指标名称	计量单位	数量
农业机械总动力	千瓦	97640		千瓦	394
其中：1.柴油发动机动力	千瓦	65816	三、植保机械动力合计	台	966
2.汽油发动机动力	千瓦	11272		千瓦	184
3.电动机动力	千瓦	20552	机动喷雾（粉）器	架	92
一、耕作机械动力合计	台	2872		千瓦	92
	千瓦	14615	四、排灌机械动力合计	千瓦	703
大中型拖拉机	台	53		千瓦	20354
	千瓦	2968	农用水泵	台	5382
大中型拖拉机机引配套农具	台	317	节水灌溉机械	套	26
农用小型拖拉机	台	356	五、农副产品加工机械动力合计	台	1217
	千瓦	36		千瓦	2324
小型拖拉机（手扶）	台	82	粮食加工机械	台	114
机引配套农具	台	39	油料加工机械	台	11
机动水稻插秧机	台	550	棉花加工机械	台	2
	千瓦	9	果蔬加工机械	台	27
二、收获机械动力合计	台	492	茶叶加工机械	台	905
	千瓦	8	六、设施农业		
联合收割机	台	630	温室	平方米	2117840
	千瓦		连栋温室	平方米	1032840
机动脱粒机	台			台	5402

续表20

指标名称	计量单位	数　量	指标名称	计量单位	数　量
七、运输机械动力合计	台	71	八、其他农业机械	台	150
	千瓦	703		千瓦	10000
农用运输车	辆		推土机	台	10
	千瓦			千瓦	1051
运输型拖拉机	辆	71			

佳必可食品有限公司厂房鸟瞰图

农业产业化

【概况】 2023年，全区有农业龙头企业30家，其中省级4家、市级18家。工商登记在册的农民专业合作社83家，市级示范性农民专业合作社2家，注册家庭农场117家，市级示范性家庭农场26家，省级示范性家庭农场11家。持续推进数字农业工厂建设，成功创建省级数字农业工厂1家，市级数字农业工厂2家，市级数字化种养基地3家，北仑区清泰水果专业合作社获评宁波市十佳数字农业工厂。新增宁波索宝蛋白科技股份有限公司为省级骨干农业龙头企业；新增宁波绿盈后勤服务有限公司、宁波楠山果蔬配送有限公司2家市级农业龙头企业。通过院地合作、项目引进等方式，与浙江省农业科学院、江西省林业科学院等机构深入合作，开展农业技术开发与推广示范工作，着力解决农业转型升级发展难题和关键技术问题。已成立2个博士工作站，有专家29人（其中博士20人，正、副研究员职称15人），分别涵盖农业规划、种子科学、数字农业等23个农业产业领域。

【宁波佳必可食品有限公司】 7月13日，宁波市人民政府办公厅公布2022年宁波创业创新风云榜上榜名单，宁波佳必可食品有限公司入选“2022年度宁波市乡村振兴十强农业龙头企业”名单，受到宁波市政府表彰。该公司地处宁波开发区小港联合区域内，是一家以水产类罐头食品加工和冷冻为主的中外合资企业。

【区农创客发展联合会】 12月7日，北仑区农创客发展联合会正式成立，首批会员共有52人，大会选举产生了北仑区农创客发展联合会会长、副会长、秘书长、副秘书长和首届理事会。北仑区已培育了393名农创客，其中创业类农创客有57名，市级农业龙头企业1家，年销售额超过1000万元的农创客主体有2家。农创客在农村创业创新，带动了当地农民致富，在农村经济发展中发挥着重要的示范引领作用。

12月7日，区农创客发展联合会成立大会现场

2023年北仑区农业龙头企业一览表

表21

序号	企业名称	等级	企业类型	主营产品	产值(万元)
1	宁波佳必可食品有限公司	省级	生产加工	水产品罐头	33175
2	宁波市北仑食品有限责任公司	省级	生产加工	畜产品加工	21957
3	浙江蓝雪食品有限公司	省级	生产加工	水产制品	16497
4	宁波索宝蛋白科技股份有限公司	省级	生产加工	大豆蛋白系列产品研发、生产、销售	41545
5	宁波杰顺生物科技有限公司	市级	生产加工	农副产品植物提取物	14670
6	诚通凯胜生态建设有限公司	市级	服务组织型	绿化工程、苗木种植	10087
7	捷胜海洋装备股份有限公司	市级	生产加工	渔业捕捞装备	3787
8	宁波阿拉酿酒有限公司	市级	生产加工	青梅、果酒、黄酒等	7078
9	宁波天鼎生物科技有限公司	市级	生产加工	葡萄籽多酚植物提取物的研发和生产	4703
10	宁波海和森食品有限公司	市级	生产加工	水产品、茶叶	5357
11	宁波市北仑峰城水产冷冻有限公司	市级	生产加工	水产制品	1300
12	宁波中瑞生物科技有限公司	市级	生产加工	饲料加工	9670
13	宁波中药制药股份有限公司	市级	生产加工	姜黄提取物	13889
14	宁波市北仑通州农业水产发展有限公司	市级	生产加工	水产制品	1410
15	宁波纽康生物技术有限公司	市级	生产加工	昆虫信息素诱芯	8500
16	宁波丽盛生态农业有限公司	市级	产业融合型	花卉种植	1024
17	宁波佳禾生态科技有限公司	市级	服务组织型	花卉种植	652
18	宁波市北仑区农业投资集团有限公司	市级	生产加工	粮食生产加工收购	71900
19	宁波市森盛和美食发展有限公司	市级	服务组织型	食材配送	6340
20	贯华供应链管理有限公司	市级	生产加工	饲料生产、加工、销售	5024
21	宁波绿盈后勤服务有限公司	市级	服务组织型	食材配送	15644
22	宁波楠山果蔬配送有限公司	市级	服务组织型	农副产品收购、配送	7515
23	汇绿园林建设发展有限公司	区级	服务组织型	苗木种植	61149
24	宁波市北仑孟君茶业有限公司	区级	生产加工	茶叶加工	518
25	宁波市北仑区柴桥农业服务公司花木分公司	区级	服务组织型	花木种植	1673
26	金光食品(宁波)有限公司	区级	生产加工	大豆加工	234800
27	宁波玉健医药有限公司	区级	生产加工	中药材植物提取、营养强化剂	37000
28	宁波乐嘉丰鲜食品配送有限公司	区级	服务组织型	农副产品收购、配送	6889
29	宁波市圣鲜源食品有限公司	区级	生产加工	肉类生产、销售、配送	4668
30	宁波市北仑粮食集团有限公司	区级	生产加工	粮食收购、加工、销售	863

【区首届农产品嘉年华活动】 于12月30日在北仑富邦广场举行。活动以北仑地产农产品为主、对口协作帮扶地区的产品为辅，现场设立7个专栏、250余种具有北仑当地乡村特色的农产品。活动持续3天，现场累计销售各类农产品价值45万元。

综合服务管理

【概况】 2023年，着力开展政务2.0事项配置和政务网维护工作，全面提升综合服务管理水平。窗口共办理行政许可事项304件，其中农业窗口77件、水利窗口227件；培育农村学法、用法示范户142人，农村覆盖率达92.20%；完成执法案卷审查56件，开展重大案件讨论5起，举办听证2起，获评区级优秀案卷1宗、行政复议案件1宗，无行政诉讼案件。全区创建省级绿色高品质农业科技示范基地1家（宁波市北仑春盛农业科技有限公司）、省级低碳农场1家（宁波市瑞信生态牧业有限公司），遴选科技示范主体69家。全年创建省级绿色高品质农业科技示范基地13家、省级低碳农场2家，培育全区农业转基因生物主体4家。新入选宁波种质资源库（场）3家，完成复评1家。

【农业自然灾害防治】 2023年，北仑区农业自然灾害防治数字化项目（护农通）一期于2022年12月开工，2023年7月通过验收，总投资34.6万元；项目二期于2023年12月14日获批，审定概算投资139.08万元。该项目是通过卫星遥感、无人机测绘、视频监控等设备技术建立新的地图，可以协同应急管理局、气象局、市场管理局、金融保险机构等部门，对全区种（养）殖灾前抢收、灾中救援、灾后重建等建立数字化抗灾服务平台，实现抗灾服务一键通等。

【农民培训】 2023年，完成农村实用人才培训239人、普及性培训763人、高素质农民培训40人；2人入选省级“乡村工匠”，6人入选市级“乡村工匠”，4人参加部级乡村产业振兴带头人培育“头雁”项目培训，1人参加省委组织部和省农业农村厅联合举办的农村实用人才带头人培训，8人参加宁波市乡村振兴领军人才培训，1人参加省农艺师学院培训。“2023年北仑区粮蔬果绿色高质量发展高素质农民培训”于6月26日在嘉兴举办，全区农业种植大户、家庭农场主和专业合作社负责人等40人参加培训。围绕农业绿色发展、设施更新、农作物栽培、产品营销、粮蔬果新品种种植等内容有针对性地安排授课，并实地参观考察了相关农业基地和企业。

农渔业行政执法

【概况】 2023年，全区共开展农业领域执法检查379次，检查各类农业生产、经营主体382家次，出动执法人员775人次，共监督抽检农业投入品56批次，全年共立案30起，共计罚没款5.3529万元。开展农村宅基地合法性认定20起。调查处理农业生产事故1起，挽回农户经济损失0.2万元。建立农药废弃包装物回收点位235个，回收农资废弃包装物269.3吨，处置率均为100%。海洋与渔业领域共立案18起，其中渔业案件16起，移送公安1起，海洋案件2起，共计罚没款24.89万元。开展海洋执法检查33次，联合资规分局11次，对国家自然资源督查海洋督察意见序号35问题进行整改销号。开展渔业相关执法检查149次，其中联合执法28次、内河执法检查32次；检查区外渔船51艘次，检查码头、冷库、岙口及船厂等场所40个，清理各类违禁网具750顶，没收涉渔“三无”船舶20余艘。

【农资废弃包装物回收处置】 2023年，探索建立以“市场主体回收、专业机构处置、公共财政扶持”为主要模式的农资包装废弃物回收和集中处置体系，建立“定点投放、定时收集、分类打包、专业处理”操作流程，减少运输中间环节，提高回收工作实效。全年共建立农药废弃包装物回收点位235个，回收农资废弃包装物269.3吨（废弃农膜236.24吨、农药废弃包装物33.06吨），处置率均为100%。

【渔业执法】 2023年，坚持区级禁渔专项执法、联合执法和街道属地执法监管相结合，加密执法频次，加大处罚力度，以强有力的组织，开展打击非法捕捞专项执法行动，保持“零容忍、全覆盖、严执法”的高压态势。全年区农业行政执法部门联合各街道、区河道管理所开展专项行动10次，查处内河非法电鱼案件1起。

【海洋常态化巡查】 2023年，开展打击非法用海行为等执法行动，对海洋开展各类常态化巡查工作，全面掌握违法用海行为。配合完成国家海洋督察巡检工作，贯彻、落实国家海洋督察反馈意见中的整改方案，共计处理区域内海洋相关案件2起，合计罚没款23万元。

【涉海涉渔安全生产】 2023年，北仑区围绕涉海涉渔安全生产，依法深入开展风险隐患排查、商渔共治、区外渔船安全监管、“三无”船舶清理等工作，印发涉海涉渔专委会工作规则，明确专委会成员职责分工、运行机制；完成峙北商渔矛盾较为突出的水域3艘渔船减船转产；与象山县职能部门签订船籍港与靠泊港共管协议，消除区外渔船监管盲区，区域渔业安全形势平稳。获“2023年度浙江省涉海涉渔安全生产暨渔业高质量发展成绩突出集体”称号。

新农村建设

【概况】 2023年，推进和美乡村建设。创建省级美丽乡村示范街道1个、省

大碶街道和鸽村溪流边的樱花盛开

级未来乡村2个、省级特色精品村4个、省级和美乡村达标村31个，市级艺术赋能村4个、市级具有地域辨识度的和美乡村8个。启动实施“百花香百村”行动，全年培育打造11个花木试点村。注重串珠成链，创建市“一环十线”蓝色海湾线，启动区级“一轴两翼三线”6条美丽乡村风景带。推进农村环境提升三年行动，创建农村生活垃圾分类省级精品村3个、省级高标准示范村22个、市级典范村5个，省级星级农村公厕15座、省级五星级农村公厕2座，获评“浙江省农村生活垃圾分类处理工作优胜区”。

【和美共富乡村建设】 7月5日，北仑区召开“千万工程”再深化和美共富乡村新启航三年行动部署会。会议传达了省市关于“千万工程”的工作任务，强调要以深化“千万工程”为牵引，突出重点区域、重点线路、重点村庄，对标对表抓好“千万工程”各项指标任务，加快推进“千万工程”重大项目，围绕区级美丽乡村风景带加速推进沿线重点村风貌整治提升，助推北仑打造“田园城市、都市乡村”先行地。

【和美乡村专家智库】 8月14日，北仑区召开全面深化“千万工程”暨共富工坊建设推进会。为助推三年行动，实现打造“田园城市、都市乡村”先行地目标，推进会宣布成立北仑区和美乡村专家智库。首批智库专家以高校学者、行业技术专家为主体，涉及产业发展、文化赋能、乡村治理、乡村文旅等方面，通过组建跨领域、多学科的智囊团，汇聚智力、政务与产业资源，促进媒体、政府与学界合作，在政策咨询、项目规划、产业发展、项目咨询和人才培育等方面提供强有力的信息和智力支撑。

【村庄环境提升与田园片区整治】 8月至9月，北仑区结合迎亚运的工作要求，持续开展深化“千万工程”村庄环境提升、洁美田园片区整治行动，以区域内15条主要道路沿线的村庄及30个田园片区为重点，盯住村庄环境卫生死角和田园环境薄弱点，以全时段第三方暗访的形式，将发现的环境问题及时转发给各街道和村（社）予以及时整改。同时，通过工作简报，定期晾晒成绩，调动各街道和村（社）的工作积极性，实现了北仑全域的提升和整治在动态中不断完善。全区累计反馈村庄环境问题6828个，已完成整改6451个，整改率为94%，反馈田园片区问题1592个，已完成整改1329个，整改率为83%。

（撰稿人：王东凯）

经环境提升与整治，春晓街道三山村呈现新貌

水利　气象

综　述

【概况】 2023年，落实水旱灾害防御与水利工程安全度汛的相关措施，重点做好年中抗旱及“杜苏芮”“海葵”两个台风防御工作。全年完成水利行业投资6.7亿元。加强水利基础设施建设，推进白峰沿线海塘提标加固工程、王家洋泵站工程、青峙塘提标加固等建设项目。完成病险水库除险加固3座（华岩寺、宣化堰和紫微岙水库）、山塘整治工程6座（张家底、倒基、西岙、东山、吴岭岙和泥夹岙山塘）；完成水利工程安全鉴定12处，其中水库3座、海塘2条、水闸1座、河道碶闸6座，实现全区第二轮水库安全鉴定全覆盖。

【河湖建设】 2023年，全区建成省级美丽河湖9条、市级美丽河湖20条、水美乡镇8个、美丽河湖片区3个以及水美村庄13个；同时，建成生态河埠头305个，打造水文化景观节点20处、“网红”风情点6处，城乡亲水圈覆盖率达90%，城乡人居环境持续改善，实现美丽河湖与美好生活的有机连通。

【取水计量设施标准化】 2023年，全区启动取水户取水计量设施标准化。创建节水标杆小区2个、节水标杆企业1个，新增水土流失治理面积1平方千米。大碶街道新安村1号机埠、合兴泵站、钟家塘灌区、新安村农民用水管水小组、合兴村入选全省农业水价综合改革“五个一百”优秀典型案例名单。

水利建设

【概况】 2023年，完成水利建设投资6.7亿元，其中重点工程5.5亿元。大榭海塘安澜工程（广场和滨海西路段）、大榭海塘安澜工程（一桥碶提升）等海塘安澜工程开工，实现新开工提标加固海塘5千米。郭巨峙南工业园区河道工程、青峙塘提标加固工程等重点水利工程完工。

【青峙塘提标加固工程】 于2022年9月28日开工，计划2024年完工。工程起自小浃江出海口，止于杨公山下，维修加固长4.75千米。工程合同造价6294.56万元，设计标准为200年一遇，按允许部分越浪量设计，海堤堤顶高程为4.4~5.0米，防浪墙高程为5.4~6.0米。工程设计为I等，防潮标准为200年一遇，主要建筑物级别为1级，次要建筑物级别为3级。闸工程建筑物级别为1级，临时工程建筑物级别为4级。2023年，成功申请国债资金2100万元。项目建设旨在提高沿线海塘

小港街道合兴村的河道布满荷花

的防潮标准，完善并优化北仑区水资源配置网络。

【郭巨峙南工业园区河道工程】于2021年3月18日开工，2023年5月11日通过竣工验收。工程位于郭巨峙南工业园区东方电缆厂沿白洋线公路西至小盛乔西山闸，东至新建联合闸站。工程合同造价4811.63万元。工程设计等别为Ⅳ等，河道堤防防洪标准为20年一遇，河道堤防级别为4级；闸站主要建筑物级别为2级，挡潮标准为50年一遇。工程建设内容主要包括河道、闸站、道路桥梁以及绿化等。其中河道长度2.4千米，宽15~20米，配套河岸绿化工程；联合闸站1座，水闸净宽9米，泵站设计流量为4立方米/秒。

防汛抗旱

【概况】2023年，北仑区夯实防汛抗旱基础，水旱灾害防御能力得以提升。落实汛期值班值守制度，开展汛前检查，累计出动50人次，检查涉水工程238处，通过督促街道完成问题清单整改后销号。完成全区水利工程安全管理（防汛）责任人更新，完成全区水利工程控制运行计划修编和批复，完成全区海塘安全管理应急预案、水库大坝安全管理（防洪抢险）应急预案的修编。做好年中抗旱及应对“杜苏芮”“海葵”台风的防御工作和年中台风影响期间山塘水库的预泄预排及灾后自救工作。

【水利数字化建设】2023年，完成北仑区域水文项目，新建沙溪山塘、新碶毛礁闸水位站、峙头角潮位站，改建毛礁闸流量站、穿山碶流量站，改造水雨情站点7个，实现移动4G+北斗卫星双通道传输水情数据，提高水雨情数据传输可靠度。

【防御台风“杜苏芮”“海葵”】2023年，第5号台风“杜苏芮”于7月21日上午在菲律宾以东生成，7月26日起逐渐影响北仑，至30日影响减弱。第11号台风“海葵”于8月28日上午在西北太平洋洋面生成，9月3日上午被升格为超强台风级，同日下午以强台风级登陆中国台湾省台东市沿海；9月5日早晨以热带风暴级先后在福建省东山县沿海与广东省饶平县沿海登陆。其减弱后的热带低压于9月6日下午被中央气象台停止编号。台风影响期间，区政府及区水利、气象等职能部门于9月1日12时启动水旱灾害防御Ⅳ级应急响应，累计发送水雨情提醒、小流域山洪预警等信息189次、3200余条，确保各项防御措施落实到位。

河湖管护

【概况】2023年，北仑区强化河道长效常态管理，提升河湖生态环境质量。印发《北仑区全域幸福河湖建设规划》和《北仑区全域幸福河湖建设实施方案》，创建岩河等1条省级“美丽河湖”，小浃江、岩泰片区2个美丽河湖片区，柴桥街河等3条市级“美丽河湖”；完成郭巨街道等1个市级“水美乡镇”建设指标，落实项目库实施以及标志性成果打造等主线工作。强化河道保洁力度，累计巡查220余次，整改发现的各类问题300余个，并及时予以处置解决。

【北仑区总河长发布2号令】2023年1月，担任北仑区总河长的区委副书记、区长王程发布2号令，就持续强化河湖长制，推进河湖治理等工作进行部署，以加快区域水治理体系、治理能力的现代化建设。全区自实行河湖长制后，工作持续深入，区、乡镇（街道）、村（社区）各级河湖长自觉担负起河湖保护与管理的直接责任，全年发现并处理河道违建、侵占水域等重大问题60个，有效处置生活或建筑垃圾、公示牌损坏等一般问题1000个。12个区控以上断面水质和9条入海河流水质优良率保持100%。

【省级美丽河湖】2023年，根据浙江省《2023年美丽河湖建设项目省级复核专家组意见》及《2023年省级美丽河湖名录》，北仑区岩河榜上有名。岩河河道起于新路水库，止于北仑下三山大闸，南北走向，横穿大碶、新碶2个街道，全长约9700米，平均宽度40米，平均深度2米。岩河主要功能为行洪排涝，兼具区域工农业用水功能。

（撰稿人：索向鲁）

北仑区岩河实景

气　象

【概况】 2023年，北仑区天气气候复杂，春季气温异常高，对流天气多重发，盛夏雨量创极值，“杜苏芮”台风影响重，秋冬冷暖转换频，寒潮天气程度强。年内经历1个严重影响台风、3轮寒潮、1次小雪、5天暴雨、21天高温、17天低温、41个雷暴日。年平均气温18.5℃，比常年偏高1.1℃；年降水量1503.8毫米，与常年持平；降水日数151天，接近常年；日照时数1532.9小时，比常年偏少142.8小时。6月17日入梅，7月11日出梅，梅雨期24天，比常年偏多1天，梅雨量263毫米，比常年偏多4毫米。4月15日至10月15日汛期总降水量1208.1毫米，比常年偏多240.3毫米。3月5日入春，偏早4天；5月25日入夏，偏晚5天；10月6日入秋，偏晚2天；12月16日入冬，偏晚12天。

【气象服务保障】 2023年，推进“智慧叫应”能力体系建设，建立村级和企业“双轨”叫应服务标准、规则和流程，形成预警实况“精准滴灌”服务模式。完成春运、清明、中秋等重要时期专题气象服务8批次；完成寒潮、强对流、梅台汛等重大气象灾害应急保障37批次（除大雾）；完成亚运火炬传递、奥运女排资格赛、中国家帆赛、国庆升旗仪式、吉利新车全球发布会、九峰山梅花节、省市重要工作北仑现场会等重大活动气象保障15批次。制作发布决策保障信息142期，专题服务信息62期。启动重大气象灾害应急响应6轮。

【气象灾害联防联控服务】 2023年，共享20类1217个点位超1万条普查成果信息多部门灾普成果，构建气象灾害防御关联信息数字化一张图。收集小流域山洪、城市积涝、农业主体、重点企业、危旧房等13类6种气象灾害要素4个级别阈值标准，构建影响阈值矩阵，推进分类致灾阈值预警信息精准推送。搭建9个行业风险防御处置链条，实现一键显示每个风险点相关联的气象数据，精准激活相关应急体系。针对风险普查中地质灾害、易积涝点、连岛跨海大桥、集装箱堆场等风险点位，通过自建和共享的方式精准补盲监测站点210个。率先开展分行业精细化气象影响预报和风险预警，已在小流域山洪、疏港高速、城市积涝等灾害联防中落地应用。

【气象品牌】 2023年，区气象台获评“浙江省气象科普教育基地——综合类”。建成“北仑区儿童友好气象科普研学阵地”，获评“2023年度北仑区十佳科普创新争先科协组织”，以此提升“风雨冷暖情，儿童气象梦”科普品牌影响力，全年实施专题科普系列活动20批次，线下受众2600人次。品牌建设项目列入北仑区儿童友好城区建设试点项目、新时代文明实践志愿服务项目、暑期校外教育实践基地十大精品线，入选宁波市儿童友好城市建设现场会宣传案例。

【安全体系】 2023年，加强防雷重点单位安全管理，开展159家重点单位和181个场所企业负责人和安全员的防雷安全分级培训，实施专项检查82次、双随机检查87次（跨部门双随机检查30次），完成4家问题单位隐患整改闭环。推广应用“防雷风险码”等数字化安全监管平台，推进建立“无感知”新型监管体系。高效实施气象行政审批服务，完成项目审批和服务事项共计76件，群众满意率100%。深化“大综合一体化”行政执法改革，与综合执法部门实现信息共享、案件移送、技术支持、案情通报等协作配合机制，依法联合查办违法案件1起。

【人才培养】 2023年，通过气象科研、业务竞赛、人才选调、挂职学习、重大保障、项目建设等不断加强人才队伍建设，持续提高团队业务水平和综合能力。区气象台组队参加全市气象部门行业竞赛获团体第一名。参与省市科研项目4个，主导在研1个，发表论文8篇。1人入选“宁波市新时代气象高层次科技创新人才”第二层次；1人入选市气象部门创新团队；5人次入选市县导师帮带团队等。选拔中层干部1名，区外选聘专技人员1名，招录硕士毕业生1名，硕士以上在职在编人员占比43%。打好人才培养“组合拳”，为气象高质量发展提供人才保障。

2023年北仑区基本气象情况一览表

表22

	1月	2月	3月	4月	5月	6月	7月	8月	9月	10月	11月	12月
平均气温（℃）	7.1	8.4	12.6	17.2	21.5	25.6	30.1	28.6	26.8	20.6	15.3	8.2
最低气温（℃）	-4.9	0.5	1.8	9.0	8.8	20.1	23.9	21.8	20.1	11.3	3.5	-5.4
最高气温（℃）	21.5	25.2	28.0	29.7	35.1	36.0	39.7	35.3	34.9	29.3	29.1	25.7
降水量（毫米）	129.5	116.3	162.1	112.5	84.7	149.0	111.3	83.0	430.3	54.8	92.0	116.2
日照时数（小时）	138.2	64.2	136.1	133.7	136.6	71.1	140.4	147.9	138.0	132.9	155.6	138.2
平均相对湿度（%）	68	76	72	73	72	83	79	83	83	77	70	71

注：文中常年平均值取自1991—2020年30年气候数据，极值取自1971—2023年监测数据

（撰稿人：万雪丽　董　群）

工 业

综 述

【概况】 2023年，北仑区（开发区）实现规上工业增加值1110.7亿元，同比增长5.7%。实现工业投资224.1亿元，实现制造业投资191.3亿元，实现工业技改投资173.5亿元，新增亿元以上新开工项目16个。北仑区获评2023年度全省经信工作考评"先进单位"，获浙江省制造业最高荣誉"浙江制造天工鼎"，位列中国工业百强区全国第12位、全省第1位。

【产业集群发展】 编制先进制造业集群培育方案；制定节能与新能源汽车及零部件、精细化工、高端新材料重点产业集群的行动方案。精细化工产业集群、节能与新能源汽车及零部件产业集群和高端新材料（高端电子专用材料）产业集群入选"浙江制造"省级特色产业集群核心区（协同区），累计入选数保持全市各区县市第1，持续做好产业集群数据监测和企业培育。鼓励龙头企业发挥强链护链的作用，东方电缆、继峰汽车、宁波钢铁、斯贝科技4家单位牵头打造产业链上下游企业共同体。组织超百家企业参与"十链百场万企"活动，完成各类对接活动10场。深化数字经济系统建设，出台《数字产业高质量发展扶持办法》，成立数字经济联合会，引导产业提质扩容。协同宁波开发区数字经济局实施数字经济"一号发展工程"，加快发展集成电路产业，推进荣芯半导体12寸晶圆制造等重点项目建设。全年完成规上数字经济核心制造业增加值142.1亿元，同比增长4%。

【工业投资项目】 加强工业投资项目库动态完善、跟踪管理机制。新增工业企业技改备案内资项目228个，新增工业企业技改备案外资项目59个。建立计划新开工重点攻坚项目清单，激励企业加大投资。推动271家企业开展区级100万元技改项目备案申报。完成68个500万元以上北仑区技改投资项目的验收工作。新开工旭升轻量化汽车关键零部件项目、域想智能驾驶研发中心项目等亿元以上工业投资项目累计34个，推动乘鹰新材料、台化25万吨ABS等项目加速竣工投产。

【智能制造发展】 9家企业入库省级数字化车间/智能工厂培育库，旭升集团进入省级未来工厂试点公示，新增3家省级云上企业。推荐10家企业申报2023年度宁波市数字化车间/智能工厂，其中8家企业列入2023年度第一批市级数字化车间项目。以省级中小企业数字化改造试点和国家新型工业化产业示范基地工业互联网平台赋能数字化转型提升试点为契机，制定《模具及关联产业中小企业数字化改造方案》，首批31家企业列入数字化改造试点企业。模具产业的"智慧之旅"被央视《经济半小时》专题报道。举办"助力产业数字化 启创数智新未来"为主题的5G全连接工厂主题论坛，组织100多家企业参加各类数字化对接会，中集物流入选省级5G全连接工厂。

【企业梯队培育】 举办2场大型专精特新"小巨人"申报辅导会，累计参会企业超250家次。31家企业被认定为市创新型中小企业，75家企业被认定为市专精特新中小企业。全年新增国家级专精特新"小巨人"企业9家、"雄鹰企业"3家、市级创新型中小企业104家，入选省级制造业领航企业评定培育试点区。鼓励潜力型冠军企业、专精特新企业做大做强，加大研发投入，强化品牌建设，持续提升市场占有率。加强国家级单项冠军申报服务工作，组织推荐能之光、海伯等5家工业企业申报新一批国家级单项冠军。推进企业管理创新提升星级评价工作。完成360余家企业管理创新提升培训和星级评价，引导企业提升管理能力。新增市级管理创新提升标杆企业4家。

【产业治理腾换】 协同相关部门，组织细化工业相关空间规划的编制，初步划定工业控制线范围。牵头推进化工园区复核认定工作，推进化工园区四至范围进一步明确，宁波开发区化工集聚区和大榭开发区2个化工园区通过复核认定。加快推进低效工业用地整治提升，组织排查申报一批低效地提升"标志性项目"。强化土地二级市场租赁和流转备案管理，完成工业用地租赁和转让备案38宗。累计完成"高耗低效"企业的整治提升137家，整治"散乱弱"企业220家，淘汰落后产能企业46家。完成低效用地再开发涉及用地45.33公顷。开展铸造行业绿色制造现场诊断，完成现场调研。推进工业企业开展绿色工厂创建，累计新增三星级绿色工厂93家、四星级绿色工厂28家、省级五星级绿色低碳工厂2家、国家绿色工厂3家。强化企业资源节约意识，新增浙江省节水企业6家。

【首批国家中小企业特色产业集群】

北仑压铸模具产业集群

【2022年第二批浙江智能工厂（数字化车间）名单】

浙江吉润汽车有限公司

【2022年度浙江省节水型企业】

峻凌电子（宁波）有限公司

宁波嘉彰电子五金有限公司

【2022年度浙江省绿色低碳工厂】

宁波中集物流装备有限公司

万华化学（宁波）容威聚氨酯有限公司

【2022年度浙江省隐形冠军企业】

宁波艾谱实业有限公司

【2022年度国家级绿色工厂】

宁波德业科技股份有限公司

宁波继峰汽车零部件股份有限公司

【2022年度国家级绿色供应链管理企业】

宁波贝发集团股份有限公司

宁波信泰机械有限公司

【浙江省服务型制造示范企业（平台）名单（第七批）】

宁波德业变频技术有限公司

海天塑机集团有限公司

宁波旭升集团有限公司

宁波球冠电缆股份有限公司

宁波拜特测控技术股份有限公司

【2023年度浙江省“机器人+”应用标杆企业】

宁波中集物流装备有限公司

【2023年浙江省未来工厂试点企业】

宁波旭升集团股份有限公司

【第五批国家级专精特新“小巨人”企业】

区宁波保税区海天智胜金属成型设备有限公司

宁波大榭开发区综研化学有限公司

宁波环洋新材料股份有限公司

宁波昌鑫电子材料有限公司

宁波君灵模具技术有限公司

宁波科宁达工业有限公司

宁波敏达汽车科技股份有限公司

宁波金瑞泓科技股份有限公司

浙江中锐重工科技有限公司

【第一批浙江省专精特新产业园（创建）】

北仑区大碶高档模具小微企业园

【2023年度国家级绿色工厂】

宁波中集物流装备有限公司

万华化学（宁波）容威聚氨酯有限公司

宁波东方电缆股份有限公司

【2023年度浙江省省级工业设计中心】

海天塑机集团有限公司注塑装备工业设计中心

宁波博菱电器股份有限公司智能化小家电设计中心

波信泰机械有限公司汽车外饰智能工业设计中心

【宁波市管理创新提升标杆企业名单】

中海石油宁波大榭石化有限公司

宁波中集物流装备有限公司

宁波德业科技股份有限公司

宁波钢铁有限公司

【2023年（第30批）浙江省企业技术中心】

宁波德业变频技术有限公司

宁波力劲科有限公司

宁波斯贝科技股份

石油及化学工业

【概况】 2023年，北仑区有石油、煤炭及其他燃料加工业规模以上企业6家，化学原料和化学制品制造业规模以上企业40家，实现产值1659亿元。石化产业以台塑关系企业、浙江逸盛石化、万华化学、中海石油宁波大榭石化、宁波金发新材料、宁波科元等为主体。

【金发新材料省重点项目】 2023年，宁波金发新材料有限公司年产120万吨聚丙烯热塑性弹性体（PTPE）及改性新材料一体化一期项目加速推进，丙烷脱氢装置完成钢结构设备安装，处于管线安装高峰期；聚丙烯装置及相应配套工程完成电仪安装调试、管线吹扫试压，处于三查四定阶段。该项目是2020年全省重点项目之一，项目位于北仑青峙化工园区，用地面积51.33公顷，主要建设120万吨/年丙烷脱氢、120万吨/年聚丙烯及相应配套工程，项目共分2期。其中一期项目主要建设一套60万吨/年丙烷脱氢、两套40万吨/年聚丙烯及相应的配套公用工程。项目建成后，将打通金发科技“丙烷—丙烯—聚丙烯—改性新材料”全产业链，在家电、汽车、医疗器械等领域发挥重要作用。

【万华化学（宁波）MDI/HDI技改扩能项目】 2020年开工建设，2023年1月竣工。该项目总投资37.8亿元，建设内容包括新建28万吨/年改性MDI装置、5万吨/年HDI单体装置、6万吨/年HDI加合物装置、12+24万吨/年氯化氢氧化装置、24万吨/年甲醛装置、对造气装置配套改造以及相关辅助配套工程。项目全部投产后，万华化学宁波全厂具备30万吨/年改性MDI、10万吨/年的HDI单体、58万吨/年的氯化氢氧化的生产能力，冷箱能力也将由12000标准方/小时提升至18000标准方/小时，改性MDI和HDI的投产也将提升万华产品附加值。

【北仑17家企业入选省创新能力500强】 1月，浙江省2022年高新技术企业创新能力500强榜单出炉，北仑区17家企业入选，其中宁波吉润汽车有限公司、宁波信泰机械有限公司、万华化学（宁波）有限公司、宁波拓普集团股份有限公司、宁波东方电缆股份有限公司、宁波大千纺织品有限公司、宁波上中下自动变速器有限公司、宁波亚洲浆纸业有限公司等8家高新技术企业获评全省创新能力100强，入围企业数量蝉联全市第1。

【宁波科元集团数字化智能管控平台上线】 2月27日，科元集团数字化智能生产管控平台上线试运行，该平台是科元集团通过信息化手段实现安全管控的重要举措，集团累计投入2000万元持续加强智能化、数字化水平，实现公司、集团二级管控，以做到安全监管全覆盖。平台在搭建完成后具有“安全环保无漏点监控、生产一体优化、设备全生命周期管理、能源综合使用分析、质量全过程监管、物流物料全息展示”等六大功能。在“智慧工厂”功能运用方面，把安全管理放在首要位置，在管理方面运用数字化、智能化终端，通过智慧管理平台实现了全方位实时不间断动态管理，从预防、监测到如何解决的全过程闭环管理。以“人机交互”的智能化平台系统为基础，实现了机器管人，一方面提高可操作性和管理的持续性，另一方面提高安全管理的效率，确保企业的安全生产管理。在二级管控功能方面，各公司的管理平台中成立安全督查管理中心，通过安全系统，依靠视频监控、人员定位、行为监督、设备运行分析等手段，聚焦安全、环保、生产等领域，以“机器、算法”代替“人员”进行生产的全过程监督管理，在集团的智慧系统平台中建立安全检查管理中心模块，将各公司平台管理中心集中在集团级安全管理中心，加强数据的集中集成，实现跨专业的数据共享，通过集团安全管理中心全面监测管理各公司安全生产方面的情况，从而实现从公司级到集团级的两级管控，全面提升企业安全生产等级。

【科元集团与英孚投资签订战略协议】 8月30日，科元集团与英孚国际投资有限公司达成战略合作，举行签约仪式。科元集团董事长陶春风，英孚集团总裁王昭扬出席并签订战略合作协议。英孚集团在广东惠州及东莞、福建、江西、浙江、安徽均设有投资基地，涉及半导体芯片、晶圆等高科技产业、光电科技产业、智能车载关键零部件、物联网科技产业及环保生物科技产业，创办了联创电子（002036SZ）、合肥创发等企业，英孚集团专注研究开发氮化镓半导体，成功开发出第三代半导体材料氮化镓（GaN）的生产技术，并拥有多项发明及应用专利，在芯片设计领域处于世界顶尖行列。双方将在各自领域发挥自身的特点和优势，在可降解材料、新能源储能电池、节能环保材料以及市场渠道建设、金融结构设计等方面优势互补、密切合作，此外在芯片等关键领域双方也将探索合作方向，进一步加强自主研发和创新能力，提升核心竞争力。

钢铁工业

【概况】 北仑区钢铁工业以宁波钢铁有限公司（以下简称宁钢）、宝新不锈钢有限公司（以下简称宁波宝新）、腾龙精线集团等为主体。2023年，全区钢铁行业实现产值299.4亿元，同比增长1.5%。

【宁钢获评工信部“2023年度智能制造优秀场景”】 12月，工业和信息化部、国家发展和改革委员会、财政部、国务院国有资产监督管理委员会、国家市场监督管理总局五部门联合发布公告，宁钢“人机协同制造”“安全风险实时监测与应急处置”“设备故障诊断与预测”入选2023年度智能制造优秀场景，体现了宁钢在智能制造方面取得的阶段性成果。

【宁钢获省高质量发展优秀企业称号】 10月，浙江省企业联合会、浙江省企业家协会、浙江省工业经济联合会发布2023浙江省百强企业榜单，宁钢获“2023年度浙江省高质量发展优秀企业”称号。

【宁钢获宁波市“五水共治”示范基地称号】 10月，宁波市美丽宁波建设工作领导小组“五水共治”办公室下发《关于公布2023年度宁波市“五水共治”示范基地获评名单的通知》，宁钢获宁波市“五水共治”示范基地称号，是本次获评的唯一一家制造型企业。

【宁波宝新首席工程师娄奇袭获省五一劳动奖章】 4月，浙江省总工会印发《关于表彰2023年浙江省五一劳动奖状、奖章和工人先锋号的决定》，宁波宝新首席工程师娄奇袭获“2023年浙江省五一劳动奖章”。娄奇袭在退火及酸洗技术领域钻研，带领团队完成了国产全氢不锈钢罩式炉的技改项目、高等级BA板及高附加值的不锈钢在光亮退货机组的工艺开发固化及稳定生产、国产大型马弗炉研制以及光亮炉氢回收技改项目等。他主创或参与获得授权专利11项、技术秘密17项、职工先进操作法5项。

【宁波宝新6万吨不锈钢生产项目】 5月30日，宁波宝新年产6万吨高品质不锈钢光亮板项目光亮机组成功热负荷试车，标志着继2022年12月29日平整机组、2023年4月28日轧机机组成功热负荷试车后，项目最后一条宝钢特钢搬迁利旧的主机组热负荷试车成功，生产线全线贯通。年产6万吨高品质不锈钢光亮板项目的建设是宁波宝新实施“十四五发展规划”的第一步，宁波宝新具备72万吨不锈钢冷轧生产能力，其中光亮板产能18万吨。

【宁波宝新一项目荣获国家机械工业科技进步一等奖】 1月，宁波宝新《高端精品带钢高效冷轧数智化生产关键核心技术攻关与产业化——不锈钢冷轧DMS单机架轧机数学模型自主集成开发》科技项目荣获国家机

5月30日，宁波宝新年产6万吨高品质不锈钢光亮板项目光亮机组成功热负荷试车

械工业科技进步一等奖。该项目是在机械行业中唯一由国家批准的奖项，由宁波宝新首席师杜海宪领衔的科研团队联合东北大学轧钢重点实验室研发。该项目推动了公司二十辊轧机数学模型的自主集成，将繁杂的不锈钢冷轧轧制工艺，与控制程序有效地融合，运用后台复杂的逻辑判断功能，拓展了典型道次参数调用、道次参数自动计算、钢卷头部轧制力自学习等二十辊轧机数模智慧轧钢的功能，减少了现场操作人员的工作负荷，提高了工作效能。

交通运输设备制造业

【概况】 2023年，北仑区汽车制造业有规模以上企业114家，全年产值961.7亿元；铁路、船舶、航空航天和其他运输设备制造业，产值17亿元。北仑汽车产业以吉利、拓普、旭升、雪龙、敏实、继峰等为龙头骨干企业，在汽车核心零部件、汽车电子、轻量化领域具有较强竞争力。

【拓普集团和东方电缆入围省创新型领军企业名单】 1月，浙江省科学技术厅官网发布《关于2022年度浙江省拟认定科技领军企业、科技小巨人企业名单的公示》，宁波拓普集团股份有限公司和宁波东方电缆股份有限公司入选省创新型领军企业。

【拓普集团波兰热管理工厂投产】 11月，拓普集团设在波兰的热管理工厂投产，热泵总成产品量产下线。该工厂是拓普集团热管理系统的首个海外工厂，年产能50万套，是拓普全球化发展进程中又一个重要的里程碑。拓普集团的集成化热泵基于PCB设计理念，将热管理元件进行系统性整合，最终把整套核心的部件集成一个模块，有效缓解电动车冬季续航缩短问题。拓普的海外工厂陆续布局在欧洲、北美、南美以及东南亚，覆盖热管理、底盘、减震、饰件等多类产品。

【旭升集团入选省级未来工厂试点企业】 7月，浙江省经信厅公布2023年未来工厂试点企业名单，宁波旭升集团股份有限公司入选，是北仑入选的第二家省级未来工厂试点企业。旭升集团坚持以汽车轻量化材料及核心精密零部件为主导，打造工业技术与大数据信息技术高度融合平台，助力本土汽车零部件行业数字化转型发展。各项目综合运用5G、物联网、大数据等新一代信息技术，打造企业大脑，实现数字化设计、智能化生产、安全化管控、数字化管理、绿色化制造、网络化协同与服务化延伸，提高企业的综合效益与竞争力。

【旭升集团墨西哥新工厂奠基】 9月21日，旭升集团在墨西哥萨尔蒂约市举行墨西哥工厂奠基仪式，董事长徐旭东与墨西哥科阿韦拉州州长米格尔·索利斯、萨尔蒂约市市长何塞·西勒和科阿韦拉州经济部长克劳迪奥·加尔萨等出席。旭升集团墨西哥

拓普集团波兰热管理工厂生产车间

工厂项目自5月启动，按照规划，墨西哥工厂将拥有熔铸、挤压、压铸、精密加工等全流程工艺，达产后员工总数超过2000人，年产值逾6亿美元，将成为旭升集团继宁波基地后海外最大生产、制造基地。

【北仑3个项目入选国家5G工厂名录】 11月，工信部网站发布关于《2023年5G工厂名录》入选项目的公示，全国共300个项目入选，宁波市7个项目入选，涵盖新能源汽车零部件、绿色石化、高端装备等"361"万千亿级产业集群相关行业。其中，北仑区共有三个项目入选，分别为基于5G的集装箱智能制造工厂（宁波中集物流装备有限公司）、海天5G智慧工厂（海天塑机集团有限公司）和旭升5G+智慧工厂（宁波旭升汽车技术股份有限公司）。

造纸工业

【概况】 2023年，北仑区拥有14家规模以上造纸及纸制品业企业，产值110亿元。造纸业主要以宁波亚洲浆纸业有限公司为主体，是亚洲单厂生产规模最大的造纸产业基地，是单机产量最大的高档包装用纸生产企业之一。

【宁波亚洲浆纸业有限公司院士工作站揭牌】 7月18日，宁波亚洲浆纸业有限公司"宁波市院士工作站"揭牌仪式举行。南京林业大学副校长张红、加拿大工程院院士肖惠宁、宁波开发区管委会副主任潘群威、金光集团App（中国）副总裁翟京丽等出席仪式。肖惠宁在生物质可降解材料、纳米纤维素等领域取得了一系列领先研究成果。此次宁波亚浆与肖院士团队在科技项目合作的基础上，双方共建市级院士工作站，对于整合科技资源、促进产学研合作、增强公司在造纸新技术新产品方面的自主创新能力，具有十分重要的意义。

4月，海天国际位于塞尔维亚鲁马地区的首个制造基地动工

注塑机械业

【概况】 2023年，北仑区共有注塑机产业规上企业45家，实现产值191.8亿元，同比增长11.2%。注塑机生产企业有海天国际、华美达、宁波住重、双马机械、海雄塑料机械、德马格塑料机械、震雄机械（宁波）、宁波力劲等，其中海天国际是全球规模最大的塑料注塑成型机制造企业。区内伺服电机、控制器和液压元件等为主机配套的功能部件生产企业协同发展。

【海天国际塞尔维亚制造基地动工】 4月，海天国际位于塞尔维亚鲁马地区的首个制造基地动工，并于塞尔维亚的鲁马未来产业园举行开工仪式。根据计划，主体施工于2023年秋季开始，预计于2025年投入运营。该项目位于巴尔干半岛中心，占地面积约25万平方米，一期建设区域约16.1万平方米，包括一处约5.9万平方米的A号

2023年度北仑区规模以上造纸工业企业一览表

表23

序号	企业名称
1	宁波思特雷斯金属防护材料有限公司
2	宁波亚洲浆纸业有限公司
3	宁波金翔纸业有限公司
4	浙江中盈神力新材料有限公司
5	伟高纸品（宁波）有限公司
6	宁波诚辉包装有限公司
7	宁波宇腾包装制品有限公司
8	宁波遇米生物科技有限公司
9	宁波金仕达包装有限公司
10	宁波亚洲绿色纸品有限公司
11	宁波市明远包装有限公司
12	宁波润泽森包装纸品有限公司
13	宁波经济技术开发区格兰特工艺礼品有限公司
14	浙江臻隆新材料科技有限公司

6月21日，海天国际在墨西哥第二大城市瓜达拉哈拉市举行新工厂开业仪式

车间和行政大楼及食堂等设施。海天鲁马生产基地的建设将使海天直接高效服务于欧洲市场，紧密连接东欧和中东地区，不断提高设备的本土交付、供给能力，优化塞尔维亚当地的客户服务能力。这也将使海天在面对国际运输成本上升和物流挑战时，拥有更强的应变能力，缩短供货周期，为欧洲客户提供畅通的物流保障，提高海外市场占有率，织密全球物流网络布局。

【海天国际墨西哥全新工厂开业】 6月21日，海天国际在墨西哥第二大城市瓜达拉哈拉市举行新工厂开业仪式。墨西哥当地政府官员、海天集团总裁张剑鸣等重要领导，以及墨西哥和美洲地区当地客户、合作伙伴等嘉宾出席开业仪式。海天墨西哥全新工厂，坐落于当地最大的物流中心CLJ工业园，地理位置优越，交通便利。工厂占地约92000平方米，一期厂房27000平方米，投资金额约5000万美元。具备从金加工、装配到整机及配件库存、应用服务体验中心等多项功能，可实现本土设备的高效交付和个性化定制，并能为客户提供产品体验、技术应用与支持等覆盖产品全生命周期的服务。海天墨西哥全新工厂作为美洲地区的制造中心，通过试运行，累计交付近百台注塑机设备予当地新老客户。此外，工厂右侧预留了与一期厂房同等规模的土地，为后续发展做好了充分准备。

【海天塑机入选宁波市生态环境治理“十佳”企业】 7月14日，宁波市制造业高质量发展大会暨2022创业创新风云榜颁奖仪式举行。会议表彰了2022年度宁波市生态环境治理“十佳”企业，海天塑机集团有限公司入选。海天塑机是一家从事注塑机生产的企业，注塑机产销量世界第一，公司总部位于北仑区，北仑辖区内设有9个厂区，同时海内外还有若干生产基地。

【北仑3家企业设计中心入选省级工业设计中心名单】 10月，浙江省经信厅发布2023年度浙江省省级工业设计中心（第七批）名单，北仑区海天塑机集团有限公司注塑装备工业设计中心、宁波博菱电器股份有限公司智能化小家电设计中心和宁波信泰机械有限公司汽车外饰智能工业设计中心3家入选，分属装备制造行业和消费品行业。

【海天国际8800T超大型注塑机成功交机】 10月25日，海天国际8800吨超大型二板式注塑机在海天通途路事业部举行交机仪式。此次交付的海天JU系列8800吨超大型注塑机，额定锁模力达88000千牛，注射容量达134000立方厘米，刷新行业纪录，实现超大型注塑机研发制造能力的突破。同期交付的还有海天智联为本台设备定制化开发的机械手VD-150ID，这款超大型机械手负载达到150千克，走行行程达12米，前后行程达4.5米，上下行程达5.2米，同样树立了行业新标杆。

模具制造业

【概况】 2023年，北仑区模具制造业规上企业63家，实现产值81.8亿元，同比增长9.8%。模具制造业是北仑区

海天JU系列8800吨超大型注塑机

传统优势产业，设计制造水平、生产能力、制造企业密集程度均达到国内先进水平，形成了以臻至、君灵、华朔、辉旺铸模等为龙头的高档模具产业集群，重点从事汽车模具、高精度冲模、精密压铸模具、精密型腔模及模具标准件等产品的开发制造。

【南通鸿劲铝业与君灵模具战略合作签约仪式】 于5月18日举行。双方明确共同建立从产品协同开发，新材料测试验证，模具设计制造，压铸件试制生产，多品种小批量一体化交付的CDM.Onestop全产业链开发平台项目。南通鸿劲金属铝业有限公司总经理张海泉与宁波君灵模具技术有限公司总裁姚贤君，代表双方签署了《CDM.Onestop全产业链开发平台战略合作协议》。签约仪式上，姚贤君向与会双方介绍了宁波君灵近些年以来通过产业升级和市场重塑，逐步建立以模具为核心的开发制造应用平台的情况。南通鸿劲铝业及鸿劲新材料研究（南通）有限公司隶属于华劲铝业集团，专业从事高性能新型铝合金材料研发和生产，公司潜心研发的高强耐磨、高强高韧、高导热、高气密性等多系列新型铝合金，可广泛应用于新能源汽车、储能、5G通信、光伏等领域。

【宁波君灵模具技术有限公司获国家级专精特新"小巨人"企业称号】 7月，宁波君灵模具技术有限公司通过省、市逐级评审后，经工信部条件论证、部门会审、专家审核、公示等多个流程，最终被工信部授予国家级专精特新"小巨人"称号。君灵模具是一家有着20多年发展历史集研发、设计、生产于一体的高新技术企业。总部坐落于北仑高档模具产业园，并在江苏泰州设有分厂。作为北仑压铸模具协会会长单位，君灵模具一直致力推广"绿碳智造+数字科技"协同发展的重要理念。通过四次产业升级，成为行业领先的汽车轻量化动力件、结构件，新能源储能组件等大型模具生产商。

【大碶模具园入选省专精特新产业园名单】 10月，省经信厅公示第一批浙江省专精特新产业园（创建）名单，北仑区大碶高档模具小微企业园入选。企业园内54家企业中，有创新型中小企业5家、省级专精特新中小企业8家、国家级专精特新"小巨人"4家。该企业园聚焦重点产业链上下游共同体和产业集群建设，将涵盖模具钢材、模具产品、压铸件的完整产业链集中于直径3千米范围的产业园内，强化上下游产业链快速响应支持，实现了压铸产业制造过程中的全部工序均可就地完成，形成了分工合理、配套齐全、协作紧密的高档模具产业链条，该园区产业集中度达96.5%。

文体用品制造业

【概况】 2023年，北仑区文体用品行业规模以上工业企业48家，实现工业总产值67.68亿元。代表性企业有贝发集团有限公司、宁波怡人玩具有限公司、宁波创源文化发展股份有限公司、海伦钢琴股份有限公司等。

【贝发集团共享书屋】 江南工业园区位于小港街道，园区内有贝发集团、继峰股份等多家企业，拥有职工1万余人。为有效服务好园区内的全体职工，2023年，贝发集团专门建设了286平方米的职工书屋，并与北仑图书馆合作，引进了4000余册纸质图书和1000余类的电子图书。投入运行以来，该书屋成为园区内企业职工学习、活动的重要阵地之一。

【宁波怡人玩具、贝发集团获省政府知识产权奖】 9月，浙江省政府发布通知表彰第一届浙江省知识产权奖获奖者，北仑区有6家企业获省政府知识产权奖。其中，宁波怡人玩具有限公司获商标奖三等奖，贝发集团股份有限公司获版权艺术作品类三等奖。

【海伦钢琴签约28家音乐学院】 8月28日，2023（第六届）音才奖MTPC海伦国际钢琴艺术节产学研合作主题院长论坛暨校企合作签约仪式在宁波举行。论坛邀请50多位来自全国各地综合类院校音乐学院的专家学者参加。论坛上，28家音乐院校与海伦钢琴达成合作协议。

纺织服装业

【概况】 2023年，北仑区纺织行业规模以上工业企业有58家，纺织行业全年累计产值368.8亿元。主要有申洲集团、宁波贝来旅游用品有限公司、宁波侨泰兴纺织有限公司、宁波蒙迪针织有限公司和宁波广源纺织品有限公司等。

【《休闲露营用品天幕帐篷》团体标准制定启动会暨研讨会】 于9月8日召开。会议由宁波市休闲用品产业协会牵头组织。贝来、挪客、牧高笛、康玛实业等10多家标准起草单位参加会议，国家文体用品质量监督检测中心主任田旭玲等专家参与指导和讨论，会议由协会秘书长徐云龙主持。会上，徐云龙介绍了协会团体标准的建设成效，重点介绍了本团体标准项目研制背景、目的及意义。希望通过此次标准制定，进一步规范宁波休闲用品的生产，推动企业提高产品质量，促进市场销售。会议宣布本次团标的起草企业名单；宣布成立标准制定工作领导小组，确定了领导小组、制定推广办公室、起草小组、推广实施小组、后勤保障小组成员等，明确了标准制定工作的分工和内容。田旭玲对标准草案和编制说明、标准的制定流程进行详细介绍。在会议讨论环节，大家对团体标准的必要性、先进性、适用性、可行性等内容进行了初步的交流与讨论。

【申洲针织上榜2023中国民营企业500强榜】 9月12日，全国工商联发布2023中国民营企业500强榜单，北仑区宁波申洲针织有限公司和海天塑机集团有限公司2家企业上榜。

【宁波蒙迪针织有限公司】 2023年，公司营业收入8148万元，缴税425万元。公司是工贸一体化的针织服装企业，至今已有近三十年的生产历史，主要生产针织男女运动服、休闲T恤、睡衣、睡裤、儿童服装等系列，多年来一直服务于美国、欧洲等国家或地区。公司占地1200多平方米，生产设备800余台，有员工500余人。

电子电器设备制造业

【概况】 2023年，北仑电气机械和器材制造业规模以上工业企业有152家，产值710.4亿元。北仑区电子电器设备制造业主要包括电线、电缆、光缆及电工器材制造、电子元件制造、通信设备制造和电力电子元器件制造等领域，代表企业有宁波东方电缆股份有限公司、宁波球冠电缆股份有限公司、宁波博菱电器股份有限公司、宁波台晶电子有限公司、中芯集成电路（宁波）有限公司等。

【“东方海工07”号吉水（新造的船下水）】 9月30日，中国首套深远海动态模拟一体化试验平台“东方海工07”号吉水。“东方海工07”号长128米，宽42米，型深9米，为全钢制无动力固定式平台，安装有2个36米大直径电缆转盘、平台上配备串联谐振耐压测试设备、绝缘电阻测试仪、弯曲刚度试验机、疲劳试验机等海缆检测设备10余台（套），总投入约1.6亿元。

【海上风电海缆弯曲限制器】 6月，中国海洋工程咨询协会发布公告（中海协发〔2023〕9号），东方电缆参与制定的《海上风电场海底电缆弯曲限制器》团体标准批准发布，编号为T/CAOE 53-2023，自发布之日起实施，此标准是国内海上风电领域针对海缆弯曲限制器的首个产品标准。海缆弯曲限制器是一种海缆的弯曲保护装置，可以防止其因过度弯曲而损坏，广泛应用于海洋油气、海上风电等重要领域。《海上风电场海底电缆弯曲限制器》标准规范了弯曲限制器设计、材料、制造、测试、安装运维等技术要求，填补了国内海上风电行业海缆弯曲限制器标准领域的空白，海上油气田开发用的海底电缆、脐带缆等所使用的弯曲限制器也可以参考使用。弯曲限制器的规范性设计、制造、测试和安装使得海缆在汇集、传输电能过程中的安全性得到保障，避免了海缆因受到潮汐、波浪、冲刷、地震及海底物质摩擦等造成过度弯曲损坏。该标准的实施在一定程度上将推动海上风电海缆在使用安全性上获得新突破。

【东方电缆参建的舟山500千伏海缆工程获国家詹天佑奖】 5月，第二十届第一批中国土木工程詹天佑奖入选工程名单公布，“舟山500千伏联网输变电工程”入选，东方电缆为主要参建单位之一。中国土木工程詹天佑奖，由中国土木工程学会和北京詹天佑土木工程科学技术发展基金会于1999年联合设立，是住房和城乡建设部认定的全国建设系统工程奖励项目之一、科技部首批核准的科技奖励项目。“舟山500千伏联网输变电工程”利用海洋输电技术联接宁波与舟山两地，填补了舟山群岛新区500千伏网架的空白。东方电缆为该项目的一回、二回输电线路工程提供了两根500千伏（含软接头）光电复合交联海底电缆，共计36千米。产品由东方电缆自主研发、设计、制造，其电力输送能力为普通联网工程的3倍到4倍，而且绿色环保，不会对海洋环境造成污染，是世界最高等级光电复合海底电缆。项目采用的500千伏软接头技术，是行业公认的技术难题，被称为中国“芯”技术。

【东方电缆新造码头投运】 5月24日，东方电缆高端海洋能源装备系统应用示范项目“码头项目”投入生产运营。15时30分，“东方海工02”轮在拖轮协助下停靠在宁波舟山港穿山港区东方电缆码头，该轮是东方电缆码头投用后停靠的第一艘货轮，将装载17千米长的脐带缆用于海底铺设。该码头项目位于北仑穿山半岛南岸，是浙江首批“未来工厂”——东方电缆高端海洋能源装备“未来工厂”应用示范项目的重要配套出运码头，总长度198米，建设为2座2000吨级散杂货泊位，用于大长度、大截面海洋装备电缆运输，设计年吞吐量90万吨。该码头项目于3月2日竣工验收，之后北仑区政府、港航部门、海洋渔业部门、海事部门等依次按照职责对码头营运许可、

9月30日，中国首套深远海动态模拟一体化试验平台“东方海工07”号吉水

安全生产和防污染应急配套设施、应急演练等开展了安全复核。

【北仑8家企业入选全省知识产权示范企业】 12月，浙江省市场监督管理局印发了《关于认定第二批省知识产权示范企业的通知》，北仑8家企业上榜。这8家企业分别为宁波博菱电器股份有限公司、宁波大榭开发区天正模具有限公司、宁波东昊汽车部件有限公司、宁波卡特马克智能厨具股份有限公司、宁波思特雷斯金属防护材料有限公司、宁波夏盛电子科技有限公司、宁波怡人玩具有限公司、宁波运宝电器有限公司。

【新材料产业集群入选浙江制造名单】 6月，浙江省制造业高质量发展领导小组办公室公布了第二批"浙江制造"省级特色产业集群核心区协同区创建名单，宁波市北仑区高端新材料产业集群（高端电子专用材料）入选。北仑区高端电子专用材料涵盖稀土磁性材料及集成电路关键材料。作为宁波稀土磁性材料重点集聚区之一，北仑形成了以科宁达、韵升磁体、金坦磁业、华辉磁业等钕铁硼材料生产企业为代表的企业集群，为宁波装备制造、伺服电机领域的产业发展提供优质的原料基础，强化上游关键材料保障能力。

农副食品加工业

【概况】 2023年，北仑区农副食品加工业规模以上工业企业有14家，实现工业总产值62.7亿元。主要企业有金光食品（宁波）有限公司、宁波佳必可食品有限公司、宁波玉健医药有限公司和粤海永顺泰（宁波）麦芽有限公司等。

【玉健医疗参加瑞士日内瓦欧洲国际营养保健食品展览会】 5月9—11日，2023欧洲国际营养保健食品展览会在瑞士日内瓦举行。玉健医疗参展，与各新老客户会谈。欧洲国际营养保健食品展览会是欧洲保健食品行业最大的专业性展会，遵循高品质的定位得到全球保健食品行业专业人士的高度关注和认可，是欧洲营养保健食品市场的风向标，具有不可动摇的行业领军地位。

【佳必可食品获2022年度宁波市乡村振兴十强农业龙头企业称号】 7月14日，宁波市举行全市制造业高质量发展大会暨2022创业创新风云榜颁奖仪式。宁波佳必可食品有限公司获2022年度宁波市乡村振兴十强农业龙头企业称号。佳必可食品成立于2003年，系中外合资企业，宁波地区设有两家工厂。公司注册资金886.7万美金，总投资1400多万美金，占地面积65000多平方米，有员工700多人，14条先进的生产线以及冷库、污水处理站等配套设施。产品覆盖国内多个省、市、自治区，远销南美洲、非洲、中东、东南亚、欧洲等地区和美国及俄罗斯数十个国家。

【索宝蛋白登陆上交所主板】 12月15日，宁波索宝蛋白科技股份有限公司登陆上海证券交易所，成为北仑区第22家上市企业。索宝蛋白本次公开发行新股4786.48万股，每股发行价为21.29元，拟募集资金净额9.79亿元，将用于大豆组织拉丝蛋白和大豆颗粒蛋白等项目。索宝蛋白是专业型植物蛋白生产商，一直致力于大豆蛋白系列产品研发、生产和销售，建立了较为完整的非转基因大豆深加工产业链，是国内少数几个掌握高端分离蛋白生产工艺与技术的企业之一。其产品远销全球40多个国家与地区，并打造出索宝、万得福、绿色家园、康太等一系列知名品牌，在植物肉市场及休闲食品产业领域实现了快速发展，该公司的大豆蛋白销售规模约占国内大豆蛋白厂商销售规模的10%。

数字经济

【概况】 2023年，北仑区完成数字经济核心产业营收856.8亿元，规上数字经济核心制造业增加值142.1亿元；互联网软件业实现加权增速10%，其中营收73.8亿元；被市政府评为实施数字经济督查激励成效显著的区。2023年区内数字经济企业获市级补助奖励资金5277万元、区级补助奖励资金1935万元。

【数字经济项目】 通过"落地、带动、探索"三步走，加快数字经济项目落地，推进易东半导体、世平信息等20余个重点项目落地，引进粤浦科技、海尔卡奥斯等40多家重点数字经济企业落户。强化数字产业平台带动，为北仑数字经济提档升级创造发展空间。探索未来新兴产业发展，加快布局工业元宇宙，聚焦大数据技术、人工智能等应用场景策划。

【数字基础设施建设】 推进数字新基建，全区新建5G基站650余个，累计建成5G基站3400余个，实现中心城区和重点街道的全域覆盖，重点工业园区等特殊场景的深度覆盖。组织区内通信企业做好亚运会期间安全保障工作预案；处理大碶塔峙岙、臻至模具厂区基站建设信访事项。

【人才培育引进】 2023年，全区引育数字经济高层次人才近100名，申报国家、省、市级重点人才工程60余个，开展集成电路企业认定三批次18家、集成电路人才认定五批次78人，兑现集成电路人才政策资金累计500余万。新招引天泽数科、华夏半导体、世纪中微、林润蜗牛等重点人才项目10多个。

（撰稿人：诸 刚 何姗姗）

外向型经济

综　述

【概况】 2023年，北仑商务系统紧抓商务重点经济指标，突出外贸稳进提质和内贸扩容升级，以超常规的工作力度和政策举措，推动商务经济平稳运行，全区商务事业取得新进步、迈上新台阶。开放型经济持续向好，外贸进出口总额4501.6亿元，现代服务业务向两端攀升，油气产业交易额突破5651亿元，限上商品销售总额2.19万亿元。

【对外投资】 2023年，以亚美澳三大洲为主要投资区域，以汽车及零部件、纺织、医药制造业为主要投资行业，全年新批境外投资项目73个，实现境外中方投资额21.37亿美元，同比增长54.85%，完成实际对外投资9.9亿美元，完成境外承包工程营业额2.48亿美元，推动超1亿美元的境外投资项目4个。

【跨境电商】 以自贸赋能助力跨境电商产业创新，深化"产业集群+跨境电商"发展模式，加强综试区、产业集群、产业园合作交流，进口网购保税业务连续7年位居全国综试区单个区域第一，加强对跨境电商园区、生态圈、产业链、创新平台扶持力度。创新推出"跨境电商+保税分装"业务发展，富立解酒药项目"组套销售"业态落地，"跨境进口线下聚集区"开工建设，全国首推中东欧跨境自提中心，完善"跨境前置仓模式"，试行"电子账册+非保转保"实现非保数据落地。全年实现跨境进出口总额667.41亿元。

对外贸易

【概况】 2023年，北仑区实现外贸进出口总额4501.6亿元，同比下降0.006%，占全国份额10.78‰，占全省份额约9%，占全市份额约35%。其中，出口额1930.5亿元，同比减少3%；进口额2571.1亿元，同比增长2.3%。出口分别占全省、全市约5%、23%；进口分别占全省、全市约19%、57%。

出台外经贸高质量发展扶持办法，突出政策激励，争取上级资金，兑现上级资金总量超过1.5亿元，区级资金3.1亿元；组织企业参展，参加广交会、华交会、消博会等重点境内展会，参展企业500多家次，展位数量约1000个；全面招商引贸，重点开展扩大大宗商品进口专项行动，联动海关及各区块成立工作专班；培育外贸品牌，以文具产业为主体，成功申报浙江省内外贸一体化改革试点产业基地；完成塑料机械及模具、电子信息两个国家级外贸转型升级基地的复核工作；新增省、市级出口名牌企业10家，新增省级内外贸一体化"领跑者"企业14家。

【出口主要产品】 2023年，北仑区域主要出口商品中，机电产品出口999亿元，同比增长7.1%；劳动密集型产品出口131.1亿元，同比增长26.5%；高新技术产品出口363.4亿元，同比下降11.5%；"新三样"产品出口36.3亿元，其中新能源汽车出口28亿元，同比增长4.7%。

【出口主要国家和地区】 2023年，北仑区对"一带一路"沿线国家及地区出口928.3亿元，同比增长7.2%；对俄罗斯出口149亿元，同比增长107%；对美国出口350.7亿元，同比下降13.6%；对欧盟出口309.4亿元，同比下降6.9%；对东盟出口202.4亿元，同比下降14.4%；对RCEP国家出口348.5亿元，同比下降15.1%。

【成功申报浙江省内外贸一体化改革试点产业基地】 9月，省商务厅公布全省第五批内外贸一体化"领跑者"企业、改革试点产业基地培育和内外贸一体化典型案例名单，北仑区宁波富春东方贸易有限公司等14家企业获评省级内外贸一体化"领跑者"企业，浙江省宁波市北仑区文具内外贸一体化改革试点产业基地获评省级改革试点产业基地。北仑区以扩大内需为战略支点，锚定"争创市域样板、打造一流城市、跻身第一方阵"目标定位，实施内外贸一体化规则标准衔接、企业主体培优、国际品牌创建、开放平台聚能、内销渠道扩容、内外市场贯通、生态环境优化等七大行动，累计成功申报省级内外贸一体化"领跑者"企业18家。

【开发区国考排名跃升】 12月，商务部发布2023年经济技术开发区综合发展水平考核评价结果，宁波经济技术开发区在全国230家国家级经开区中综合发展水平位列第12名，较上年度前进5位。其中，外贸进出口总额表现亮眼，位列全国第3名，较上年度前进6位；实际利用外资成绩斐然，首次进入国家级经开区前十榜单，位列全国第6名、浙江省第1名。

【1个基地获评2023年转型升级成效明显的国家外贸转型升级基地】12月初，商务部公布2023年国家外贸转型升级基地考核结果，宁波市北仑区国家外贸转型升级基地（塑料机械及模具）获评2023年转型升级成效明显的国家外贸转型升级基地。该基地在2020年被评为国家外贸转型升级示范基地，同年全国有157家基地获该荣誉，其中只有12家基地转型升级成效明显，该基地为其中之一。国家外贸转型升级基地，是国家和地方重点扶持和发展的集生产和出口功能于一体的产业集聚体，是培育信息、营销、品牌、质量、技术、标准、服务等出口竞争新优势的重要载体，同时也是实现出口稳定、协调发展的重要推动力量。本次转型升级成效明显的塑料机械及模具产业是北仑的六大优势产业之一。在转型升级期间，北仑充分发挥市场优势，着力打造了“塑机—模具—汽车零部件”产业协同发展模式，形成了配套健全、创新能力强的产业生态圈，提升智能制造水平，进一步推动区内产业转型发展。

2023年北仑区外贸进出口一览表

表24 单位：万元

项　目	本年累计	上年同期	同比增降%
一、进出口总额	45016184	45019036	0.0
出口额	19304958	19893730	-1.3
进口额	25711225	25125306	1.3
二、出口市场主体	19304958	19893730	-1.3
外贸公司	11263024	11381463	-1.0
生产企业	8041934	8512267	-1.1
三、进口市场主体	25711225	25125306	2.3
外贸公司	16342932	14938102	4.1
生产企业	9368294	10187204	-4.1
四、出口主要市场	19304958	19893730	-3.0
“一带一路”沿线国家和地区	9283088	8662641	4.5
RCEP国家	3485213	4103123	-2.6
中东欧14国	770713	612359	0.9
出口前3国家（地区）	5659611	5477143	3.3
美国	3506903	4061051	-2.2
俄罗斯	1490059	719665	4.1
德国	662649	696426	-0.1
五、进口主要市场	25711225	25125306	2.3
“一带一路”沿线国家和地区	11555183	11790730	-2.0
RCEP国家	10168361	9400811	2.1
中东欧14国	1054953	829137	0.8
进口前3国家（地区）	5984945	6579857	-9.0
美国	2086981	2112234	-0.3

续表24

项　目	本年累计	上年同期	同比增降%
韩国	1615174	1676983	−0.4
六、出口商品构成	19304958	19893730	−3.0
机电产品	9990049	9327058	4.9
劳动密集型产品	3633635	4104616	−1.8
高新技术产品	1311029	1036469	1.6
“新三样”产品	363029	369875	−1.9
七、进口商品构成	25711225	25125306	2.3
大宗商品	13617524	12096873	4.8
机电产品	3513633	2952021	1.9
高新技术产品	2227725	1585689	2.4
八、进出口分贸易方式	45016184	45019036	0.0
一般贸易	36792545	36543768	0.6
加工贸易	3200348	4045472	−1.9
其他贸易	5023291	4429795	1.3

2023年北仑区主要进口市场一览表

表25　　单位：万元

市场名称	本年累计	上年同期	同比增降%
全区进口累计	25711225	25125306	2.3
亚洲	11928039	13016697	−5.4
（其中东盟）	3053934	3333584	−1.4
大洋洲	4000945	3053243	3.4
欧洲	3363626	3119837	0.7
（其中欧盟）	2178578	1976912	0.6
北美洲	2603623	2598568	0.2
拉丁美洲	2593156	2510371	0.1
非洲	1221434	825158	1.5
“一带一路”沿线国家	11555183	11790730	−2.0
RCEP国家	10168361	9400811	2.1
中东欧14国	1054953	829137	0.8
进口前9市场小计	12964665	12825607	1.1
美国	2086981	2112234	−0.3
韩国	1615174	1676983	−0.4

续表25

市场名称	本年累计	上年同期	同比增降%
日本	1567874	1344443	0.7
巴西	1535117	1409022	0.4
印度尼西亚	1183974	1041854	0.5
俄罗斯	874771	805350	0.2
斯洛伐克	710579	522760	0.7
卡塔尔	559462	618023	-0.3
泰国	547942	504298	0.1

2023年北仑区进口前50强企业一览表

表26

序号	企业名称
1	台化兴业（宁波）有限公司
2	中信金属宁波能源有限公司
3	宁波宁钢国际贸易有限公司
4	捷豹路虎（宁波）贸易有限公司
5	台塑工业（宁波）有限公司
6	浙江浙能富兴燃料有限公司
7	宁波太一进出口贸易有限公司
8	宁波富春东方贸易有限公司
9	宁波萍钢贸易有限公司
10	宁波象石实业有限公司
11	宁波华泰盛富聚合材料有限公司
12	中航国际钢铁贸易有限公司
13	东华能源（宁波）新材料有限公司
14	宁波钢铁有限公司
15	浙江润富供应链有限公司
16	中海浙江宁波液化天然气有限公司
17	宁波慈美国际贸易有限公司
18	浙江逸盛石化有限公司
19	宁波金发新材料有限公司
20	宁波中嘉科贸有限公司
21	新奥新能（浙江）能源贸易有限公司

续表26

序号	企业名称
22	宁波群志光电有限公司
23	宁波力勤惠然贸易有限公司
24	金光食品（宁波）有限公司
25	万华化学（宁波）能源贸易有限公司
26	世天威（宁波保税区）物流有限公司
27	中外运物流宁波有限公司
28	宁波方大海鸥贸易有限公司
29	宁波亚洲浆纸业有限公司
30	宁波共益工贸有限公司
31	宁波瑞生资源集团有限公司
32	宁波金田诚远国际贸易有限公司
33	宁波瑞欣国际贸易有限公司
34	国家能源集团宁波燃料有限公司
35	宁波出口加工区捷达通供应链管理有限公司
36	宁波海晨供应链管理有限公司
37	宁波保税区甬特金属科技有限公司
38	宁波金田致远国际贸易有限公司
39	宁波海亮铜业有限公司
40	宁波宁兴优贝物流有限公司
41	水果码头供应链管理有限公司
42	宁波华余供应链管理有限公司
43	宁波明纳供应链管理有限公司
44	宁波茂煊国际贸易有限公司
45	宁波左达供应链管理有限公司
46	宁波向亿供应链管理有限公司
47	宁波百地年液化石油气有限公司
48	富邦资源控股集团有限公司
49	宁波群辉光电有限公司
50	浙江鹏源供应链管理有限公司

2023年北仑区主要出口市场一览表

表27　　单位：万元

市场名称	本年累计	上年同期	同比增降%
全区出口累计	19304958	19893730	-3.0
亚洲	6623067	7161196	-1.7
（其中东盟）	2024456	2357369	-1.4
欧洲	5508350	4798185	4.4
（其中欧盟）	3094634	3322978	-0.7
北美洲	3874535	4423113	-2.2
拉丁美洲	1826198	2047382	-0.8
非洲	1004775	950094	0.4
大洋洲	468033	513759	-0.2
“一带一路”沿线国家	9283088	8662641	4.5
RCEP国家	3485213	4103123	-2.6
中东欧14国	770713	612359	0.9
出口前9市场小计	9494685	9512945	-1.5
美国	3506903	4061051	-2.2
俄罗斯	1490059	719665	4.1
德国	662649	696426	-0.1
日本	632820	688082	-0.2
阿联酋	593731	600573	-1.1
印度	577426	449654	0.7
墨西哥	573943	644444	-0.3
越南	536021	583205	-0.2
印度尼西亚	455319	549806	-0.4

2023年北仑区外贸公司出口前50强企业一览表

表28

序　号	企业名称
1	浙江吉利汽车国际贸易有限公司
2	万华化学（宁波）能源贸易有限公司
3	宁波亚洲浆纸业有限公司
4	宁波申洲针织有限公司
5	浙江新景进出口有限公司
6	宁波德业变频技术有限公司

续表28

序　号	企业名称
7	宁波联合集团进出口股份有限公司
8	宁波拓普机电进出口有限公司
9	宁波保税区海天贸易有限公司
10	宁波萌恒工贸有限公司
11	宁波凯越国际贸易有限公司
12	宁波技嘉科技有限公司
13	浙江中大元通国际贸易有限公司
14	宁波美博进出口有限公司
15	宁波旭升集团股份有限公司
16	宁波中拓供应链管理有限公司
17	宁波市船舶交易市场有限公司
18	宁波三环磁声工贸有限公司
19	宁波美联外贸服务有限公司
20	宁波博菱电器股份有限公司
21	宁波中集物流装备有限公司
22	宁波豪雅进出口集团有限公司
23	宁波拓普声学振动技术有限公司
24	宁波梅山保税港区新诺歌林物流有限公司
25	宁波群志光电有限公司
26	浙江逸盛石化有限公司
27	宁波保税区甬特金属科技有限公司
28	中机宁波贸易有限公司
29	宁波梅山保税港区中外运国际物流有限公司
30	宁波优耐特进出口有限公司
31	宁波前程家居股份有限公司
32	宁波彩晶国际贸易有限公司
33	宁波元恒供应链管理有限公司
34	宁波赛运国际物流有限公司
35	宁波遨森网络科技有限公司
36	浙江华朔科技股份有限公司
37	宁波浙金钢材有限公司
38	宁波万航实业有限公司
39	贝发集团股份有限公司

续表28

序 号	企业名称
40	怡人工艺品（宁波）有限公司
41	宁波万芯国际贸易有限公司
42	宁波韵升磁体元件技术有限公司
43	宁波亚集物流有限公司
44	宁波大千进出口有限公司
45	沃茨（宁波）国际物流有限公司
46	宁波翔昱进出口有限公司
47	中国宁波国际合作有限责任公司
48	宁波群辉光电有限公司
49	宁波创源文化发展股份有限公司
50	物产中大国际贸易（宁波）有限公司

对外经济技术合作

【概况】 2023年，北仑区新批境外投资项目73个，境外承包工程营业额2.48亿美元，境外核准中方投资额21.37亿美元，同比增长54.85%。实现服务贸易进出口规模375.75亿元，同比增长14.52%，其中出口257亿元，同比增长6.91%；进口118.78亿元，同比增长35.35%。服务外包离岸15.36亿美元，同比增长10.14%。

【首批入选浙江省数字贸易示范区】 11月，省商务厅公布省数字贸易示范区入围名单，北仑区入选首批综合类省级数字贸易示范区，成功申报省级数字贸易创新优秀案例，大宗易行获得一等奖，六六云链获得二等奖，云智基地、易豹网络、豪雅进出口获得优胜奖。创建期间，北仑着力建设数字化产业园区，打造全球数字贸易博览会、集成服务枢纽平台和知识产权服务平台，推进口岸监管数字化转型，集聚数贸国际高端人才，探索大宗商品国际贸易无纸化应用。

【创建浙江省数字生活新服务样板县】 12月中旬，省数字生活新服务工作联席会议办公室公布第三批浙江省数字生活新服务先行市、样板县名单，北仑入选数字生活新服务样板县。北仑围绕数字商贸、数字健康、数字学习、数字出行、数字文旅、数字政务"六个数字"建设，聚焦数字化预付消费监管、数字化精品线建设、数字化基本公共健康服务，提升三大应用场景，扎实推进数字生活新服务重点项目建设，打造数字生活新服务高质量发展标杆。

【外经企业储备库建设】 加强境外投资重点项目跟踪，推动北仑区企业稳妥"走出去"，推进宁波宝鑫特钢科技有限公司印度尼西亚7.4亿元有色金属冶炼项目，宁波旭升集团股份有限公司墨西哥1亿美元汽车零部件制造等项目落地，形成以汽车及零部件、高端制造、医药医疗、半导体、资源矿产为主导产业的境外并购和投资产业体系，带动区域外贸外资发展。

2023年北仑区服务外包十强企业一览表

表29

序 号	企业名称	金额（万美元）
1	宁波东方电缆股份有限公司	17168
2	台晶（宁波）电子有限公司	12752
3	宁波前程家居股份有限公司	10688
4	宁波美联外贸服务有限公司	9322
5	宁波凯越国际贸易有限公司	9294

续表29

序　号	企业名称	金额（万美元）
6	贝发集团股份有限公司	7773
7	宁波信泰机械有限公司	7452
8	宁波怡人玩具有限公司	6785
9	宁波美博进出口有限公司	6532
10	宁波博菱电器股份有限公司	5975

（撰稿人：任漪嘉）

中国—中东欧国家经贸合作示范区建设

【概况】 2023年，北仑发挥“港口+自贸试验区+中东欧示范区+开发区+保税区”的综合叠加效应，推动中国—中东欧国家经贸合作示范区建设，全年实现中东欧进口105.49亿元，同比增长27.24%，规模占全市78.8%，全省55.6%，全国5.0%。

【参展第三届中国—中东欧国家博览会】 5月，第三届中国—中东欧国家博览会在宁波举办，北仑作为中东欧商品登陆首抵地，完成注册采购商300家；邀请重点企业家数100家，占比达41.5%；落实中东欧国家意向采购金额60亿元，占全市的70%；组织60余家企业参加博览会，落实摊位117个。展会期间，联邦昌运、雅滋食品等7家企业参与现场签约项目活动，完成超18亿元采购意向订单。

【中东欧国家特色商品常年馆二期开馆】 5月15日，中东欧国家特色商品常年馆二期开馆仪式暨中东欧代表团集体探馆活动举行。商务部、外交部、波兰驻华大使馆、匈牙利驻上海总领馆、斯洛伐克驻上海总领馆、塞尔维亚驻华大使馆、斯洛文尼亚驻华大使馆等领导和外宾参加仪式。开馆后，中东欧常年馆总规模3.2万平方米，集聚50余家中东欧贸易企业、34个特色商品馆，常年展示的单品近5000个，包含酒类、食品、美妆个护、工艺品、日用品、高端消费品等，商品品类持续丰富。览会期间，中东欧常年馆共接待嘉宾团体及媒体52批次1000余人，宁波大市内已基本形成以中东欧常年馆为中心，县市区直销中心联动的网状布局。

【中东欧商品物流服务】 打造中东欧商品交流体验中心，提升中东欧文化品牌辐射范围。优化中东欧商品进口供应链，定制中东欧（宁波）贸易物流园进口清关、港到仓、仓储装卸、品类管理、定制出库一体化服务；建设梅山国际冷链供应链平台项目，2023年完成一期项目主体结构建设。

【推进对中东欧投资项目落地】 推动区域优势产业和企业拓展境外投资领域，在中东欧国家设立批发零售、海外仓储和国际贸易综合服务等营销网点。浙江华朔科技股份有限公司在匈牙利投资680万美元成立华朔科技匈牙利有限公司，用于投产汽车模具项目；海天塑机集团有限公司在塞尔维亚投资1.28亿美元并购海天机械鲁马有限公司，用于投产注塑机产业项目；敏实集团增资2.68亿美元，用于投产塞尔维亚汽车零部件产业项目。

5月17日，开发区商务局组织党员干部到第三届中国—中东欧博览会参观学习

招商引资

【概况】 2023年，北仑区累计落地项目779个，其中制造业项目95个，总投资638.69亿元；服务业项目684个，总投资419.22亿元；累计洽谈项目1131个，其中制造业项目248个，

总投资1495.36亿元；服务业项目883个，总投资907.25亿元。实际利用外资26.96亿美元，同比增长91.3%，高技术产业实际利用外资占比44.7%，制造业实际利用外资占比44.3%。实际利用外资单项排名在全国230个国家级开发区中位列第6位。引进内资300.22亿元，同比增长9.95%。完成浙商回归到位资金224.26亿元。

制定招商引资工作考核评价实施办法，将各部门按照职能及分管行业、产业、区域，划分为15家核心部门、41家行业部门及32家支持部门，指定各部门招商方向和建议招商目标，根据各单位招引完成情况进行月度晾晒排名、季度红黄绿灯管理。出台《北仑区（开发区）全球大招商合作伙伴专项激励实施办法》，鼓励境内外招商机构、行业协会、基金管理机构等组织，各行业领域专家、企业等个人作为招商合作伙伴参与北仑区招商引资，提供每年工作经费支持、项目落户奖励。利用开发的“仑商港智慧招商管理平台”，实现跨部门间的信息互通、流程互通、业务互通，动态追踪项目进展，对异常情况及时预警，缩短发现问题。至年底，平台已纳管重点招商项目1210个。

以项目招引推动产业转型升级。通过加快项目招引实现产业链延链、补链、强链，以特色平台实现区域产业差异化集聚，加快构建高能级产业发展平台和全球先进制造业样板，形成具有全球影响力的区域招商品牌。聚焦新能源汽车、集成电路等九大特色产业链，培育壮大台塑、敏实等一批“链主”型龙头外资企业，带动上下游配套外资企业进驻实现补链、强链。利用港口优势，引聚高附加值总部型、全球资源配置型航运企业，加快法律、咨询、研发、维修等航运产业链高端要素汇聚，推进航运服务产业全业态发展，2023年引进投资千万美元的港岛航运项目。将高技术产业、高端制造业作为主攻方向，引入具有先进技术实力的外企，不断将科技成果转化服务、研发与设计服务领域，服务现代化产业体系建设。2023年，高技术产业实际利用外资占比44.7%，制造业实际利用外资占比44.3%。高标准推进灵峰现代产业园、凤凰城等战略性新兴产业平台建设，推动外资研发平台落地甬江科创区北仑片区，着力加快高附加值企业、科技创新、青年科技、研发管理等人才集聚，形成优势产业集群。

围绕“一枢纽、三中心、一示范区”五大战略定位，全面深化改革，主动对照高标准国际经贸规则，持续推动开放型平台深化创新，优化业务模式和管理体系，营造完善营商环境。抢滩国际金融市场，厚基础、排梯队、扶重点，推进区内企业境外上市各项工作，区内海天、申洲等数家企业通过在香港资本市场上市实现了自身的发展壮大。香港上市的吉利汽车将北仑作为境外资金主要承接地之一，即将在美国IPO上市的极氪汽车2023年完成A轮融资7.5亿美元。探索国资外债募资，发挥国有资本引领作用，利用国际资本市场创新资本募集形式，发行国资美元债参与投资重点项目。北仑区现代服务业公司在境外发行3.6亿美元债，募集资金用于投资新能源、集成电路等重点项目。借力政策创新突破，深化跨境贸易投资高水平开放集成改革，用足自贸试验区本外币账户资金池、QFLP试点等创新金融政策，有4家QFLP项目先后落地，注册资本合计6.1亿美元。鼓励外商投资企业依法在境内开展境外已上市细胞和基因治疗药品临床试验，优化已上市境外生产药品转移至境内生产的药品上市注册申请的申报程序。

2023年北仑区新批投资千万美元以上外资及港澳台资项目一览表

表30

序号	企业名称	国别（地区）	经营范围	投资总额（万美元）	注册资本（万美元）
1	极光湾科技有限公司	英属维尔京群岛	一般项目：技术服务、技术开发、技术咨询、技术交流、技术转让、技术推广；汽车零配件零售；汽车零配件批发；汽车零部件研发；汽车零部件及配件制造；企业管理咨询；技术进出口；货物进出口；进出口代理；广告设计、代理；广告制作；广告发布（除依法须经批准的项目外，凭营业执照依法自主开展经营活动）	7192.3	7192.3
2	浙江昭麟能源有限公司	中国香港	一般项目：成品油批发（不含危险化学品）；技术进出口；货物进出口；进出口代理；化工产品销售（不含许可类化工产品）；石油制品销售（不含危险化学品）；润滑油销售；煤炭及制品销售；金属材料销售；建筑材料销售；仪器仪表销售；橡胶制品销售；金属制品销售；金属矿石销售；非金属矿及制品销售；机械设备销售；五金产品批发；社会经济咨询服务；汽车零配件批发；日用化学产品销售；商务代理代办服务；信息咨询服务（不含许可类信息咨询服务）；集成电路芯片及产品销售；集成电路销售；电工仪器仪表销售；电子测量仪器销售；实验分析仪器销售；半导体分立器件销售；电子元器件批发；电子元器件零售；电力电子元器件销售（除依法须经批准的项目外，凭营业执照依法自主开展经营活动）	5753.84	5753.84
3	爱格仕寰球供应链（宁波）有限公司	投资性公司投资	一般项目：供应链管理服务；装卸搬运；报关业务；技术进出口；货物进出口；集装箱租赁服务；集装箱销售；进出口商品检验鉴定（除依法须经批准的项目外，凭营业执照依法自主开展经营活动）。许可项目：保险兼业代理业务（依法须经批准的项目，经相关部门批准后方可开展经营活动，具体经营项目以审批结果为准）	3000	3000

续表30

序号	企业名称	国别（地区）	经营范围	投资总额（万美元）	注册资本（万美元）
4	浙江省宁波市天瞳威势电子科技有限公司	中国香港	一般项目：技术服务、技术开发、技术咨询、技术交流、技术转让、技术推广；信息系统集成服务（除依法须经批准的项目外，凭营业执照依法自主开展经营活动）	30000	30000
5	敏实汽车技术研发有限公司	中国台湾	一般项目：汽车零部件研发；技术服务、技术开发、技术咨询、技术交流、技术转让、技术推广；模具制造；模具销售；通用设备制造（不含特种设备制造）；专用设备制造（不含许可类专业设备制造）；金属切割及焊接设备制造；汽车零部件及配件制造；机械零件、零部件加工；机械零件、零部件销售；咨询策划服务；专业设计服务；单位后勤管理服务；非居住房地产租赁；货物进出口；技术进出口；进出口代理（除依法须经批准的项目外，凭营业执照依法自主开展经营活动）	36767.6	20717.2
6	浙江极氪智能科技有限公司	中国香港	一般项目：技术服务、技术开发、技术咨询、技术交流、技术转让、技术推广；信息系统集成服务；信息技术咨询服务；科技中介服务；电子产品销售；软件销售；软件开发；互联网销售（除销售需要许可的商品）；票务代理服务；数据处理服务；数据处理和存储支持服务；互联网数据服务；大数据服务；网络与信息安全软件开发；物联网设备销售；信息安全设备销售；物联网技术服务；云计算装备技术服务；智能控制系统集成；计算机系统服务；企业管理；信息咨询服务（不含许可类信息咨询服务）；社会经济咨询服务；财务咨询；品牌管理；广告发布；广告设计、代理；汽车零配件零售；汽车零配件批发；小微型客车租赁经营服务；商务代理代办服务；通信设备销售；技术进出口；货物进出口；汽车新车销售；新能源汽车整车销售；二手车经销；二手车经纪；二手车鉴定评估；餐饮管理；充电桩销售（除依法须经批准的项目外，凭营业执照依法自主开展经营活动）。许可项目：食品销售；建设工程施工（依法须经批准的项目，经相关部门批准后方可开展经营活动，具体经营项目以审批结果为准）	1236954	58209.6
7	宁波旭升集团股份有限公司	中方A股	汽车模具及配件、摩托车模具、塑料模具及制品、汽车配件、注塑机配件、机械配件、五金件的研发、制造、加工	3059.08	3059.08
8	宁波旭升集团股份有限公司	中方A股	一般项目：汽车零部件及配件制造；汽车零部件研发；汽车零配件批发；新材料技术研发；新型金属功能材料销售；高性能有色金属及合金材料销售；摩托车零配件制造；铸造机械制造；模具制造；模具销售；机械零件、零部件销售；机械零件、零部件加工；电池零配件生产；电池零配件销售；光伏设备及元器件制造；光伏设备及元器件销售；货物进出口；技术进出口（除依法须经批准的项目外，凭营业执照依法自主开展经营活动）	3764.88	3764.88
9	宁波智度智量科技有限公司	中国香港	一般项目：技术服务、技术开发、技术咨询、技术交流、技术转让、技术推广；软件开发；人工智能应用软件开发；人工智能理论与算法软件开发；人工智能公共服务平台技术咨询服务；信息技术咨询服务；企业管理；社会经济咨询服务；组织文化艺术交流活动；广告制作；广告发布（非广播电台、电视台、报刊出版单位）；广告设计、代理；国内贸易代理；人工智能公共数据平台；人工智能基础软件开发（除依法须经批准的项目外，凭营业执照依法自主开展经营活动）。许可项目：进出口代理；技术进出口（依法须经批准的项目，经相关部门批准后方可开展经营活动，具体经营项目以审批结果为准）	5000	5000
10	宁波迈威电器有限公司	中国香港	一般项目：电子元器件批发；进出口代理；货物进出口；技术进出口；汽车零配件批发；汽车零部件研发；劳务服务（不含劳务派遣）（除依法须经批准的项目外，凭营业执照依法自主开展经营活动）	7040.45	7040.45
11	见龙和桥（宁波）国际贸易有限公司	新加坡	许可项目：技术进出口；货物进出口；进出口代理；危险化学品经营（依法须经批准的项目，经相关部门批准后方可开展经营活动，具体经营项目以审批结果为准）。一般项目：橡胶制品销售；工程塑料及合成树脂销售；塑料制品销售；高品质合成橡胶销售；纸制品销售；产业用纺织制成品销售；机械零件、零部件销售；液压动力机械及元件销售；气压动力机械及元件销售；五金产品批发；五金产品零售；电力电子元器件销售；电气机械设备销售；电气设备销售；信息技术咨询服务；化工产品销售（不含许可类化工产品）；专用化学产品销售（不含危险化学品）；电子产品销售；社会经济咨询服务（除依法须经批准的项目外，凭营业执照依法自主开展经营活动）	−85.21	1379.2

续表30

序号	企业名称	国别（地区）	经营范围	投资总额（万美元）	注册资本（万美元）
12	宁波富春东方贸易有限公司	中国香港	自营和代理各类商品和技术的进出口业务（国家限定经营或禁止进出口的货物和技术除外）；自有厂房出租；商务信息咨询；会务服务（依法须经批准的项目，经相关部门批准后方可开展经营活动）	1838.35	1838.35
13	宁波天旗科技有限公司	台湾地区	一般项目：技术服务、技术开发、技术咨询、技术交流、技术转让、技术推广；体育用品及器材制造；玩具制造；母婴用品制造；服装制造；服饰制造；眼镜制造；塑料制品制造；模具制造；第一类医疗器械生产；电气信号设备装置制造；箱包制造；图文设计制作（除依法须经批准的项目外，凭营业执照依法自主开展经营活动）。许可项目：发电业务、输电业务、供（配）电业务（依法须经批准的项目，经相关部门批准后方可开展经营活动，具体经营项目以审批结果为准）	0	3000
14	浙江极氪智能科技有限公司	中国香港	一般项目：技术服务、技术开发、技术咨询、技术交流、技术转让、技术推广；信息系统集成服务；信息技术咨询服务；科技中介服务；电子产品销售；软件销售；软件开发；互联网销售（除销售需要许可的商品）；票务代理服务；数据处理服务；数据处理和存储支持服务；互联网数据服务；大数据服务；网络与信息安全软件开发；物联网设备销售；信息安全设备销售；物联网技术服务；云计算装备技术服务；智能控制系统集成；计算机系统服务；企业管理；信息咨询服务（不含许可类信息咨询服务）；社会经济咨询服务；财务咨询；品牌管理；广告发布；广告设计、代理；汽车零配件零售；汽车零配件批发；小微型客车租赁经营服务；商务代理代办服务；通信设备销售；技术进出口；货物进出口；企业会员积分管理服务；汽车销售；新能源汽车整车销售；二手车经纪；餐饮管理；充电桩销售（除依法须经批准的项目外，凭营业执照依法自主开展经营活动）。许可项目：食品销售；建设工程施工（依法须经批准的项目，经相关部门批准后方可开展经营活动，具体经营项目以审批结果为准）	0	21180.15
15	盛隆信息科技服务（宁波）有限公司	中国香港	网络技术、互联网信息技术开发、技术转让、技术咨询、技术服务；企业形象策划；市场营销策划；展览展示策划；会务策划；广告业务（依法须经批准的项目，经相关部门批准后方可开展经营活动）	1462.17	1462.17

【外商投资企业】 2023年，北仑区外商投资企业共新批82家，增资50家，减资26家。其中，新批投资总额千万美元以上项目15家，注册资本（含增资）千万美元以上项目19家，合同外资千万美元以上项目（含增资）13家。

【绿色港航物流投资促进大会】 4月20日，北仑举行以“硬核力量，共赢未来”为主题的绿色港航物流投资促进大会。大会旨在围绕港航物流产业，依托北仑世界第一大港优势，进一步健全现代航运产业服务体系，为北仑参与建设“世界一流强港”贡献硬核力量。会上，签约18个重大项目及百日攻坚项目，总投资额256亿元，预计可实现营收1500亿元，可新增运力43.5万载重吨。“港口交通数字化中心”“绿色交通产业中心华东分中心”同步揭牌。两大中心作为中国交通通信信息中心的重要组成部分，将进一步推动交通运输“双碳”项目在北仑落地，推动宁波绿色港航物流高质量发展，对开拓绿色港航物流未来的发展将起到重要作用。

【自贸·科创总部经济项目集中签约暨重大项目集中开工仪式】 于6月9日举行。10个总部项目签约落户，总投资额156.4亿元，同时还有10个重大项目集中开工，总投资额207.1亿元。本次签约中，永冠新能源、力劲集团、中信兴业等10家内外资企业，都计划在北仑投资设立全国总部、区域总部及功能性总部，涵盖新能源汽车、高端装备、数字经济、大宗贸易、港航物流等产业领域。

（撰稿人：顾凤南）

特色园区

甬保区块

【概况】 2023年，宁波开发区甬保区块完成工业总产值353亿元；全年限上商品销售额4079.5亿元，同比增长5.9%，零售8.67亿元，同比增长22.3%；固定资产投资13.7亿元，实际到位外资5247万美元；实现营利性服务业9.8亿元，同比增长31.7%，其他营利性服务业营业收入10.8亿元，同比增长33.5%；外贸进出口保持平稳增长，全年实现外贸进出口1738.16亿元，同比增长7.05%，规模占北仑区的38.6%，其中进口1200.25亿元，同比增长13.6%。

【跨境电商】 2023年宁波保税区跨境电商进口货物放行单量7805万单，实现跨境电商进口销售额达227亿元，同比增长9.84%，占宁波市的80.6%。顺利完成跨境电商"6・18""双十一"等大促活动，持续保持大促活动期间发出货值全国领先，其中"双十一"期间，跨境电商零售进口单证放行货值23.8亿元，同比增长6.38%，商品清单货值24.63亿元，同比增长6.05%。持续探索跨境电商制度创新，全年设立跨境电商零售O2O自提店12家，营业面积超过2500平方米；推动富立物流"跨境电商+保税分装"项目试点落地，实现保税分装产品年销售额7500万元以上；踊跃参加"一号开放工程"最佳实践案例申报，《强化创新，打造跨境电商进口制度新高地》获评宁波市最佳实践案例。

【中东欧国家特色常年馆二期开馆】 2023年第三届中国—中东欧国家博览会期间中东欧特色商品常年馆二期于5月16日17点30分正式开馆。中东欧国家特色常年馆一期主要为商品展示交易场景，覆盖范围广、商品品类多，而二期则提升了消费体验场景，增强了商品的可看性、互动性，二期面积达1.6万平方米，以大空间的呈现方式将体验类项目和中东欧商品销售相结合，让大众对中东欧商品有文化历史和商品属性的认识，从而获得更好的体验感。整个场馆呈现欧式建筑风格，配以个性化的橱窗艺术、街角艺术、美陈道具等，打造出中东欧风情街区，其中咖啡、玫瑰、美妆等主题馆全新亮相，中东欧直播基地和中东欧跨境新零售模式启动，"平台+直采""平台+联营"等各类新模式持续助力贸易进口扩大，让市民足不出户也能畅游中东欧。

【保税业态创新拓展】 宁波保税区充分发挥"自贸区+海关特殊监管区"政策叠加优势，做大保税业务规模，推动保税业态创新发展。做好跨境电商新零售、新业态创新工作，到2023年底跨境电商O2O自提铺总数达到16家，营业面积超过4000平方米，以"跨境电商+组套销售"模式为突破口的跨境电商供应链创新取得实质性进展。亚马逊首个前置保税仓落户保税区块，仓储面积5000平方米，全面支持全球物流的跨境物流配送。推进液晶光电、生物医药、IC设计企业在区内设立保税研发设计中心，提升创新策源能力。手拉手汽车零配件保税再制造项目明确投资意向，完成国家级试点向上申报前期筹备。宁兴优贝跨关区保税展示取得突破。平易数字经济产业园落户海尔斯保税检测项目，完成检测设备进口。

【2023年限上批零销售额首次突破4000亿元】 2023年，甬保区块限额以上批发零售业完成销售额4079.5亿元，同比增长5.9%，总量创历史新高。全年金属市场实现销售额1978.1亿元，同比下降5.5%，降幅较上半年收窄17.2个百分点；化工市场销售额1275.6亿元，同比增长13.7%；煤炭市场销售额339.5亿元，增长11.8%。紧盯宁钢系、新希望系等重点集团型企业，确保企业全年销售增长放量，充分放大其对区块整体限上销售额的贡献度。宁钢系全年实现销售额397.4亿元，同比增长8.7%；新希望系销售额293.5亿元，同比增长2.5%；象石系销售额269.8亿元，同比增长28.5%。全年共推动21家企业年度升规，实现销售额509.5亿元，同比增长76.3%，培育30家企业月度升规，贡献销售额333.3亿元，全部升规企业拉动销售额增速14.7个百分点。

【宁波保税区科技企业孵化器获评市级考核A类】 8月23日，宁波市数字经济产业科技企业孵化器在全市2022年度科技企业孵化器及众创空间考核中获评考核A类。该孵化器位于宁波保税区平易（成电）数字经济产业园内，是由原宁波保税区管委会与宁波市数字经济产业发展有限公司合作共建的"一园多点"新型创新产业园，依托电子科技大学在人才、学科、科研等方面优势，围绕人工智能、大数据、区块链、云计算、物联网等新一代信息技术，重点引进培育数字港航、数字贸易、数字物流、数字供应链、智能制造以及数据安全与测评、数据交易与共享等科技项目和技术团队。2020年开园以来，园区入驻人员超250人，累计引进博士15人、硕士36人，其中包括9名高级职称人才；引进科创类企业83家，其中1家获评“专精特新中小企业”，1家入选“宁波市软件服务业十强企业”，1家企业入围《宁波市支撑数字化改革软件企业推荐名单（第一批）》，1家企业入库2022年国家科技型中小企业、累计入库7家，9家企业入库宁波市科技型中小企业，9家企业通过国家高新技术企业评审。已成功毕业企业21家，在孵企业40家。

【保税区块企业宁波索宝蛋白主板挂牌上市】 12月15日，甬保区块企业宁波索宝蛋白科技股份有限公司在上海证券交易所主板挂牌上市，证券代码：603231，证券简称：索宝蛋白。本次公开发行新股4786.48万股，发行价格21.29元/股，发行后总股本19145.91万股。索宝蛋白成立于2003年，是全球大豆蛋白三大知名品牌之一，其主营产品广泛应用于肉制品、营养保健品等领域，研发的高端系列分离蛋白主要应用于干混饮料、蛋白棒、保健品等场景。索宝蛋白销售网络覆盖全球50多个国家，销售规模约占全国的10%，2022年实现营业收入18.47亿元，净利润1.68亿元，同比增长35.57%。

（撰稿人：盛儒智）

12月15日，甬保区块企业宁波索宝蛋白科技股份有限公司在上海证券交易所主板挂牌上市

象保区块

【概况】 2023年，宁波象保合作区共完成财政收入34.3亿元，同比增长26.3%，其中税收收入33.5亿元，同比增长26%。投产实体工业企业17家，同比净增3家；规上工业企业6家，同比净增1家；实现规上工业总产值4.4亿元，同比增长37.5%，规上工业增加值1.7亿元、同比增长148%。实现限上商品销售额495.9亿元，同比增长16.1%；限上社会消费品零售额7亿元，同比增长36.9%；其他营利性服务业销售额34.7亿元，同比增长21.5%，限上服务业营业收入39.7亿元。至年底，园区规上（限上）批发零售业、重点服务业企业分别达到193家和63家。

【招商引资】 2023年，引进拿地实体工业项目8个，总投资约20亿元，完成土地出让25.13公顷，分别是浙江骏辉智能装备有限公司、宁波伊绿生物科技有限公司、宁波东能贸易有限公司、悦洪科技（宁波）有限责任公司、宁波市聚远建材科技有限公司、浙江小容科技有限公司、浙江经容科技有限公司、宁波泽成智能制造有限公司。生产力中心项目2个，分别是浙江昌容科技有限公司、星箭科技（宁波象保合作区）有限公司。双创运营主体1个：宁波赛创科技服务有限公司。至年底，园区累计引进各类市场主体6534家，含年纳税1000万元以上的企业47家、实体工业项目34个、“双创”运营主体4家、“双创”孵化项目66个。

【项目建设】 2023年，累计完成固定资产投资9.4亿元，同比增长17.1%，其中13个在建工业项目完成固定资产投资7.4亿元，占园区固定资产总投资的78.7%。宁波铠士介质工业有限公司、宁波市恒际商贸有限公司、宁波祥星科技有限公司、建航智能科技（宁波）有限公司、浙江巨虹智能装备有限公司、宁波卓鑫汽车零部件有限公司已竣工并投产，宁波能元电气技术有限公司、宁波雪波特电气自动化科技有限公司、宁波致上智能科技有限公司通过竣工验收。旦门盐场平基工程基本完成，全年完成山体开采300万立方米，固定资产投资1.23亿元，区块控制性详细规划通过象山县政府审批同意，市政配套设施建设的其他各项前期工作有序推进。区域其他配套设施日趋完善，“天眼”系统完成安装调试，公交场站和天然气燃气站基本完成主体工程建设。

【企业服务】 2023年初，重新制定出台产业扶持专项政策，全年累计拨付各类惠企奖补资金10.88亿元；10月启动总投资约1400万元的南湾新天地商业地块装修工程，加快布局建设行政服务中心、警务室、医疗站、员工之家等场所，至年底，完成总工程量的70%。超市、面馆、中餐厅、烧烤、水果等8家刚需生活业态布局完成，其中生产力中心员工餐厅日均就餐人数稳定在300人以上，为入园企业提供刚需业态保障。

（撰稿人：吴伟节）

梅山区块

【概况】 2023年，梅山区块限上商品销售额9252.8亿元，同比增长12.4%；互联网软件行业营业收入27.7亿元，同比增长17.7%；完成固定资产投资58.1亿元，同比增长51.1%；完成实际利用外资2.26亿美元；完成外贸进出口350.69亿元；梅山港区集装箱吞吐量944.46万标箱，同比增长15.2%；固定资产投资58.15亿元，同比增长51.12%；建安投资34.73亿元，同比增长54.58%。

全年新引进企业755家，小糊涂仙酒、恒信石化等平台相继落户。新引进鼎锋明道、琢石资本等优质基金、跟投平台企业110余家；重庆生聚、康耐特光学等持股平台280余家。美的集团、宁德时代等近300家大型企业集团续签协议；中拓、物产化工等重点商贸平台落户新项目；引荐巴德富新材料生产项目，并转区投促局完成协议签订。北京航空航天大学宁波创新研究院获批国家级博士后科研工作站，支持研究院连续举办四届“北航宁波梅山论坛”和三届“北航唯实论坛宁波分论坛”，吸引一批青年博士落户。北京大学宁波海洋药物研究院4月28日开园，开展两届北仑医药企业座谈会和十余次学术讲座，与市六院合作的市重点研发计划暨“揭榜挂帅”项目启动。

推进重大基础设施项目和重大产业项目建设，象山疏港高速（昆亭至塘溪段）通车；重大港口基础设施进场侧道路贯通，两座通用泊位完成桩基施工；六横公路一期大桥主塔结顶，梅山互通工程二期桩基工程全线开工；梅山国际冷链一期竣工验收，二期主体结构基本完工；多层公共保税仓项目主体完工；数智枢纽港一期投入运行，二期完成基础施工，三期开工建设。

综保区仓储物流运营效益稳步提升，率先落地全国首创跨境电商特殊区域出口海外仓模式，实现货物“先查验、后装箱”便利化通关。实现五矿集团大宗商品供应链平台落地，全年累计新设大宗有色相关进出口平台25家。新设汽车贸易平台17家，协调推动中信港通、梅西滚装码头2家梅山口岸商品车出口“一站式”监管场地平稳运营，全年梅山口岸累计出口汽车6.9万辆。推进梅山进口冷链指定监管场地资质落地，新落户冷链相关企业18家。

梅山湾度假区主要景区景点全年接待游客约189万人次，同比增长53%，旅游总收入约1.2亿元，同比增长17%，结合亚运主题举办多项赛事活动。高质量完成火炬传递沿线改造提升，打造“最美火炬传递路线”。水道管理井然有序。梅山湾综合执法出动巡查432人次，查处“三无”船只和违法捕鱼，处理案件2起，涉案人员2名。全年未发生一起全湾性赤潮，水体常年保持在Ⅲ类海水标准以上，湾内生物种群规模进一步扩大，生态保护做法及经验被浙江蓝新闻等媒体宣传报道，梅山湾生态保护修复案例入选自然资源部2023年海洋生态保护修复典型案例，梅山湾入选第一批浙江省美丽海湾名单。

3月31日，亚集物流完成跨境电商出口前置仓监管模式验放的货物通关

【跨境电商出口前置仓监管模式落地】 3月31日，位于宁波梅山综合保税区内的亚集物流完成跨境电商出口前置仓监管模式验放的货物通关，标志着全国首创的跨境电商出口监管仓海关监管模式落地。该模式采取跨境电商出口货物“先查验、后拼箱”方式，实现货物当天查验、当天出运，物流周转效率提高50%以上，使出口货精准匹配海运船期，满足海外客户购买商品到货时效。跨境电商出口前置仓是设置在国内口岸，专为跨境电商出口货物服务的物流集拼分拨中心，具备库存管理、海关查验、拼箱装运等便利功能，顺应跨境电商贸易方式下货物出口批量小、种类多、频次高的特点，有利于降低跨境贸易物流成本，帮助跨境电商卖家精准控制库存，提升市场需求响应度，提高市场竞争力与客户满意度。

【工程车出口“一带一路”国家】 6月12日，233辆国产工程车在宁波海关所属梅山海关关员的监管下，从梅山港区梅西滚装码头出发，运往曼港等港口，远销“一带一路”国家。这是2023年梅西滚装码头出口“一带一路”沿线国家装船量最大的一批工程车，该批工程车有自卸车、牵引车、混

6月12日，梅山海关关员查验出口"一带一路"国家的工程车

凝土搅拌车等类型，品类丰富。

【新能源汽车折叠商品车专用框架装载海运新模式落地】 8月30日，中远海运挚诚轮装载着198辆包括比亚迪海豚等品牌新能源汽车，由梅山港区通过"可折叠商品车专用框架"海运新模式装载出运，运往巴西等国家。这是浙江省首次通过可折叠商品车专用框架装载方式出口新能源汽车。"可折叠商品车专用框架"适用船舶类型广泛，可在船舶货舱中堆叠装载，充分利用舱容并方便回收；也可在集装箱码头完成吊卸操作，避免滚装码头限制，大幅提升装运效率。

【梅山跨境贸易数智枢纽港一期项目试运营】 8月17日，数智梅山堆场内首批达飞轮船3672标准箱通过梅山港区出海。数智梅山堆场面积近3万平方米，堆存能力超5000标准箱，于7月建设完工。该项目是浙江自贸试验区宁波片区重点项目，也是浙江省海港集团、宁波舟山港集团首个跨境电商物流产业园建设项目，重点打造跨境电商"一站两仓"公共服务平台体系，即品牌独立站、前置仓、海外仓，主要具有跨境电商全产业链、区港一体、商贸物流、大数据服务、园区运营等综合功能，将进一步满足梅山港区仓储物流配套的需要，打造跨境电商国内出口前置仓一站式服务平台，为长三角乃至全国的跨境电商进出口企业提供各项跨境电商物流服务。

【护航亚运火炬传递活动】 9月12日，亚运会火炬传递来到梅山。梅山经济发展中心全力以赴、全程护航，做好相关配合工作，确保火炬传递活动安全、精彩、圆满完成。火炬传递宁波路线以"滨海宁波，扬帆世界"为主题，传递路线总长12.7千米，以中国港口博物馆为起点，途径梅山湾沙滩公园、梅山湾大坝、梅山湾游步道、吉利汽车梅山制造基地、梅山综合保税区，最终到达宁波舟山港梅山港区集装箱码头收火。

【宁波梅山国际冷链项目】 10月17日，宁波梅山国际冷链供应链平台项目一期工程Ⅰ标段、Ⅱ标段、Ⅲ标段（汽车平台和坡道）单体竣工初验完成。12月8日，宁波梅山国际冷链供应链平台项目一期工程Ⅰ标段、Ⅱ标段通过竣工验收。Ⅰ、Ⅱ标段验收范围包括9座现代化多温层仓库、1座加工库及配套办公楼等建筑，总建筑面积约16万平方米，冷库建筑面积约10.5万平方米，可实现-55℃ ~20℃全温区覆盖。

【六横公路大桥一期工程】 6月25日，六横公路大桥一期工程关键节点梅山水道桥梅山侧主塔上横梁浇筑完成。梅山水道桥为主跨260米的双塔双索面混凝土斜拉桥，是六横公路大桥一期重点控制性工程。主塔上横梁距地面约98米，长37米，梁高4米，总浇筑量428立方米。11月19日，宁波舟山港六横公路大桥一期工程梅山水道桥梅山侧主梁1号块浇筑完成。此次浇筑的梅山侧主梁1号块长6米、宽36米，累计浇筑混凝土360立方米。12月，六横公路大桥一期吴家隧道右洞实现贯通。吴家隧道由中交路桥建设、宁波交

9月12日，梅山举行亚运会火炬传递活动

梅山港区全景

工联合体承建，属于连拱隧道，起点接昆亭枢纽，终点接吴家大桥，全长340米，双向六车道，设计速度100千米/小时，隧道拱顶净高10.1米，净宽13.1米，采用单向掘进方式进行施工。宁波舟山港六横公路大桥工程一期工程路线总长10.798千米，总投资约45亿元，是推进浙江省“四大建设”的重大项目，将打通宁波舟山港六横、梅山两个重要港区的集疏运通道。

【宁波舟山港梅山港区6号至10号集装箱码头工程】 12月13日，梅山港区6号至10号集装箱码头工程三阶段通过竣工验收，标志着梅山港区二期工程全部通过竣工验收。至此，宁波舟山港成了全球唯一拥有双“千万箱级”单体集装箱码头的港口。该工程的建成投产将进一步增强梅山港区作业能力，支撑宁波舟山港打造世界一流强港、建设硬核力量奠定坚实基础，对推进中国（浙江）自由贸易试验区宁波片区和长江沿线地区经济发展和更高水平对外开放具有重要意义。

（撰稿人：霍晓欣）

大榭区块

【概况】 大榭区块承担全区化工新材料发展的统筹服务。2023年，完成工业总产值950.5亿元，同比下降5.9%，固定资产投资55.9亿元，同比下降29%，限上商品销售额5484.5亿元，同比下降7.4%，其他营利性服务业营收181.4亿元，同比增加9.4%。

【项目建设】 万华150万吨MDI/HDI技改扩能、万华5万吨/年水性树脂、大榭石化1-丁烯、百地年200万方丙烷地下洞库等4个重点项目建成。新开工万华15万吨/年高性能聚氨酯、中海油商业石油储备洞库、大榭热电四期等项目7个，其中大榭热电四期项目比原计划提前4个月开工。

【招商引资】 多次赴上海、北京等地走访中信金属等重点企业，共计参与招商对接120余次，新引进商贸企业699户，其中预计年销售额10亿元以上重点企业17家。协助133户集团落实“一企一策”，完成《项目投资协议书》签署工作。谋划万华高端化工新材料等产业项目布局，对接延链、补链项目6个并达到一定成效，达产后预计可新增产值100亿元。开拓、延伸并维护石油苯、化工煤、聚丙烯等共计8条国企化工品贸易链条，合力贡献贸易增量91.7亿元，为全区商贸数据增色。

【园区整治】 持续推进园区封闭化系统和数字化平台建设，完成《宁波经济技术开发区化工园区总体规划》编制工作；园区复评获“国家级绿色化工园区”“国家新型工业化产业示范基地”等称号，2023高质量发展化工园区30强榜单再入十强。中海油等16家企业在企业管理创新提升星级评价中获四星级以上评价；8家企业获区级以上绿色工厂殊荣，其中万华容威获评国家级绿色工厂五星。全年累计完成整治提升“低散乱”企业36家；形成《大榭片区重点产业半年度分析》报告。窗口全年受理办结各类事项约42万件，提前或按时办结率100%；通过市级文明单位复评，不动产窗口一项便民服务获评2023年司法部“减证便民”全国十佳服务案例。完成“五经普”清查阶段工作，完成单位清查7396户，个体户清查1721户，拉动收入增加值8.6亿元。

【企业培育】 2023年，华泰盛富等7家企业通过专精特新中小企业认定，2家企业获专精特新“小巨人”称号；新增高新技术企业3家，新认定国家科技中小企业12家，省级科技中小企业11家。通过及时兑现开办费补贴等方式，大力扶持六六云链、大宗易行等数字化服务平台企业做大做强。六六云链《能源化工行业全链条供应链数字化解决方案》荣获第四届中国工业互联网大赛领军组“最具应用价值奖”、制度创新案例被推荐至商务部参加“最佳实践案例”评选，并获评为省级复制推广案例。大宗易行成为全球第10、国内首家获得国际船东保赔集团（IGP&I）许可的电子提单系统供应商，被列入浙江自贸区十大建设成果；中心报送的《基于数字技术的大宗商品国际贸易无纸化创新应用》入选2023年浙江自贸试验区第一批省级制度创新成果案例。

【百地年200万立方米丙烷地下洞库项目】 于2018年开工建设，2023年底建成。该项目总投资20.1亿元，建设120万立方米和80万立方米的丙烷地下洞库各一个及相关附属设施，该项目将丙烷存储于地下120米的洞库，相当于增加了80公顷仓储用地。该洞库为亚洲最大的丙烷地下洞库，投产后将大幅提升宁波港口液化石油气仓储、中转能力，预计每年可增加近500万吨，不仅为丙烷资源利用项目提供可靠原料储运保障，还将进一步扩大丙烷贸易业务，助推宁波发展成为亚太区域最大的液化石油气仓储、集散和交易中心。

【大榭热电四期项目】 于2月开工，至年底累计完成投资1.83亿元。该项目总投资16.69亿元，新建2台410吨/小时水煤浆锅炉、1台410吨/小时天然气锅炉及配套设施。该工程是宁波市重点工程建设项目，建成投产后将为大榭石化炼化一体化项目的动力中心提供蒸汽保障。

【中海油商业石油储备项目】 于6月开工建设，至年底累计完成投资1.24亿元。该项目总投资29.89亿元，建设300万立方米原油地下洞库及配套设施。该项目是中国最大商业地下石油储备项目。项目投用后，将实现进口原油的快速存储、加工消化和周转，为全国油气资源稳定供应提供保障。

【华泰盛富新增40万吨/年HDPE/LLDPE提质增效项目】 于7月开工，至年底累计完成投资0.9亿元。该项目总投资24.83亿元，新增40万吨/年HDPE/LLDPE生产线并局部改造现有装置使总产能扩建至80万吨/年；新建5万吨/年碳四烯烃选择性加氢装置；优化已有60万吨/年乙丙烷脱氢装置原料结构；改建其他配套公用工程、储运设施、厂外管道。

（撰稿人：陈玲玲）

芯港小镇

【概况】 2023年，北仑区芯港小镇建设管理中心围绕数字经济创新提质“一号发展工程”，落实“变中求新、变中求进、变中突破”新要求，坚持增量项目招引再发力、存量项目培育再攻坚，推动“六促六优”再深化、“三争三强”再攀高，助推“双一流、双示范”建设。

深化招商强链，以“链长制”试点为契机，瞄准产业链关键和紧缺环节，重点围绕荣芯半导体、中芯宁波两大“链主”企业，招引封装、应用等相关企业，推动产业聚链成群。2023年，签约落地易东科技、中科金瓷、冯源资本、腾润半导体、炫纯科技、力合博汇等6个项目，总投资超20亿元。储备半导体光伏靶材、6英寸光子集成芯片及产业化、芯片半导体产业智能创新中心、天瞳威视研发总部及宁波智能驾驶产业园等项目12个。

项目建设有序推进。出让工业土地三幅（炫纯科技、力合博汇、芯磁传感），面积5.47公顷；开工锦越二期1个，竣工施捷电子二期、乘鹰新材料、卢米蓝、甬强二期4个，其中乘鹰新材料实现投产即上规。续建项目晶创科技1号车间、2号车间基本完成主体结构验收，累计完成总工程量的65%；荣芯宁波一期完成原计划金属板外墙、幕墙工程、洁净室机电设备的安装，初步具备工艺设备搬入条件。荣芯宁波12英寸集成电路芯片生产线项目通过省发改委专家评审并完成国家发改委专家评审委员会的答辩。至年底，芯港小镇累计完成产业投资18.1亿元。

围绕荣芯半导体二期、中芯N2b等项目的需求，加快谋划推进220千伏芯港变、DN1200自来水管等项目建设，初步完成新开工白云山路东延工程1个，协调推进临港一路南延工程尽早开工，重点抓好柴桥集成电路产业园配套10千伏工程等4个项目按计划建成投用。协力推进国际物流园区“腾笼换鸟”工作；协调滨港智慧公司推进北仑区“未来园区”一期项目建设，全面构建整体智治模式，加快服务数字化建设。

加强项目全生命周期管理，破解项目建设中的重难点问题，促进项目早开工早投产。加大领军型企业扶持力度，出台产业专项政策，给予企业规模化发展与产业链下游应用资金奖励；用好国家、省、市各级集成电路产业政策，引导企业争创隐形冠军、单项冠军、“专精特新”企业。至年底，平台新增规上企业2家，完成工业总产值69.2亿元；完成主导产业产值39.7亿元。

加强人才产业政策的宣传推介，开展宁职院走进芯港小镇、产业基金增进对接等活动。发挥自贸试验区宁波片区相关功能政策和集成电路人才等专项政策叠加效用，集聚一批国际化领军型的创业创新人才和团队。全年共引进高层次人才11人，认定集成电路人才18人，其中B类升A类1人、B类人才3人、C类人才5人、E类人才9人，荣芯半导体博士白鹏入选省鲲鹏人才计划，易东科技“高端FCBGA和FCLGA等封装基板的研发和产业化”项目获双创比赛创客组第一名；全年发放企业引才补助2人，合计120万元；安家补助30人，合计216万元；购房补贴1人，合计59.44万元；工作津贴25人，合计165万元。开展人才政策申报工作2次。

【宁波北仑集成电路产业平台】 平台位于柴桥与霞浦两个街道之间，规划总面积6.81平方千米，包括主要区域和附属区域两部分，其中主要区域规划面积6.37平方千米，四至范围西抵临港二路，东达新桥路，北至329国道，南以规划329国道为界；附属区域规划面积0.44平方千米，四至范围西至纬中路，东至环区路，北至横三路，南至横中路。平台以构建集成电路产业链与创新生态体系为重点，形成“一核三片五基地”的总体布局框架：“一核”——芯片制造核；“三片”——高端产业集聚区、研发服务生活区、电子材料生产区；“五基地”——集成电路封测与应用基地、集成电路材料生产基地、集成电路产业转移提升基地、集成电路设计基地、电子化学品生产基地。平台累计引进集成电路项目42个，总投资超400亿元，包括中芯国际、南大光电、安集科技、微科光电等多家龙头企业。出台集成电路产业人才政策，共引进培育国家级人才21名、省级人才10名。

【易东半导体高端集成电路载板项目】 主要从事高端FCBGA和LGA封装基板的研发及产业化，旨在创建国际领先的具有国产自主知识产权的高端IC载板头部企业。项目计划5年总投资约20亿元，其中固定资产投资约16.5亿元，包括约13.5亿元的设备投入，3亿元的厂房及相关基础设施配套投入；3.5亿元用于技术研发、市场开发、样品试产及运营投入，包括在广州建设测试验证线一条，投资约5000万元。项目总用地需求约4.13公顷，选址北仑集成电路产业平台。

【磁传感编码器芯片及模组项目】 专注于研发和制造高端磁传感编码器，旨在创建国际领先的具有自主知识产权的高端磁传感编码器头部企业，为汽车、消费电子提供从芯片到模组一体化的磁传感解决方案。项目计划5年总投资6亿元，包括1.5亿元左右的厂房及相关基础设施配套建设、4.5亿元左右的产线设备及洁净室装修。项目总用地需求约1.47公顷，选址北仑集成电路产业平台，计划一次性规划分二期实施。其中一期固定资产投资约3.5亿元，包括一次性投入厂房及配套工程约1.5亿元，建设约2.4万平方米的厂房及对应产能的配套动力、暖通机电工程等，以及磁传感编码器模组产线设备投资约2亿元。二期固定资产投资约2.5亿元，利用一期预留厂房，新建1.5万片/年的6寸模拟特色工艺晶圆产线设备一条，完成模组产品芯片自供。

【半导体制程陶瓷及精密陶瓷产业化项目】 公司由多位国内电子陶瓷领域优秀技术研发和管理团队共同发起，在北仑辖区新注册的一家科技型创业公司，主要从事研磨盘、静电吸盘（“ECHUCK”）、加热盘（“Heater”）及封装基板等半导体生产设备核心零部件的研发及产业化，致力于实现电子陶瓷零部件的国产替代。项目预计三年内实际投入（含设备、技术及软件、洁净室装修、产品验证、厂房租金等）6000万元以上，一、二期全部达产后实现年营收3亿元以上。

【冯源资本项目】 公司是一家经中国证券投资基金业协会登记的私募基金管理人，其发起股东及团队在集成电路资本市场拥有丰富的投资经验、项目渠道和产业资源，所管理基金规模近30亿元，累计投资荣芯半导体等项目30多个，标的涵盖半导体设备、半导体材料、晶圆制造、芯片设计、封装测试、EDA软件等半导体全产业链，其中6家成功IPO上市/过会，是国内知名的半导体产业投资管理机构。该项目的落地将进一步健全北仑集成电路产业的服务支撑体系，为属地初创项目提供强大的资金保障，也为“万亩千亿”产业平台打造创新创业高地夯实基础。

（撰稿人：徐　欣）

生态湿地建设（甬江科创区北仑片区）

【概况】 甬江科创区北仑片区位于甬江出海口南岸，以小港街道和戚家山街道两个街道为主体，涵盖面积82平方千米，区域人口约22万人，区位优势独厚，雄踞宁波东部新城、镇海区与北仑中心城区的黄金交会点，是宁波对外发展的东门户。3月，区委成立甬江科创区北仑片区建设领导小组，区委主要领导担任领导小组组长，将领导小组办公室设在区生态湿地建设管理办公室，同步成立甬江科创区北仑片区建设指挥部，并在4月12日召开了高规格的全区动员推进大会。4月，经区政府常务会议审议通过，在全区国企综合改革提升的大背景下，区城投集团将滨江开投公司委托指挥部（生态湿地办）管理，指挥部形成了综合管理部、前期规划部、工程建设部、投资促进部、征地拆迁部、滨江开投“五部门一公司”的组织架构，实现一体化运作。2023年，甬江科创区北仑片区规上工业总产值1101.8亿元，限上贸易企业全年销售额935.57亿元；全社会固定资产投资完成92.34亿元；全年共引进新注册企业389家。

【甬江科创区北仑片区建设指挥部揭牌】 4月12日，宁波甬江科创区北仑片区建设推进动员大会召开。市委常委、常务副市长华伟，市委常委、北仑区委书记、宁波开发区党工委书记潘银浩发表动员讲话，共同为宁波甬江科创区北仑片区建设指挥部揭牌。会上宣读成立甬江科创区北仑片区建设领导小组及指挥部的通知，指挥部作表态发言，区长王程代表区政府分别与指挥部各工作部签订责任状。宁波甬江科创区北仑片区围绕“总部服务和高端配套”的发展定位，重点谋划总部集群招商，至4月10日与4家知名企业签订战略合作框架协议，储备项目20余个；总投资超30亿元的滨江装备创业园投用，以“海天”为中心的高端精密产业园项目建设之中。按照计划，2023年北仑片区将重点聚焦运行体系、规划引领、征地拆迁、招商引资、项目建设、资金保障、党建引领等七大领域开展工作，其中包括围绕“总部港”谋划研发总部24.67公顷用地、签约引进总部项目、创建国家级科技企业孵化器、谋划甬江软件园布局以及完善功能配套布局等多个方面。

【总部集群】 围绕“总部港”，重点谋划研发总部26.2公顷用地，与吉利（极氪）、东方、天一设计、中科甬创等4个总部项目完成签约，大丰实业项目具备签约条件，总投资19.7亿元，用地面积7.2公顷。梳理导向企业，有的放矢对接柯力传感、迈新科技、宁波博汇、浙江国进等7家总部项目，为区域高质量发展蓄势赋能。加快创智科学城建设，助力中电光谷招商，跟进三维生物、中科大团队、台湾石墨烯复合材料项目等战略新兴产业，对接客户90多家，落户4家，签约15家科技创新类企业，做实总部大楼招商。发挥产业园区孵化效能，滨江装备创业园引进高端精密仪器、智能制造、半导体新材料等领域项目100余个。

【开发建设】 全年累计签约集体土地房屋282户，征收国有土地非住宅35家，完成50万平方米拆迁的签约目标，支付拆迁资金28亿元。启动隧道北路TOD及维科、海天区块以及科技馆、国际学校、体育中心区块征迁工作。加快推进新棉停车场周边地块拆违工作，破解轨道交通6号线项目开工难题。全年完成土地出让17.53公顷，同步完成总面积21.12公顷的储备入库工作。

【政府重点投资项目】 全年重点投资项目54个，完成投资额119.16亿元。轨道6号线北仑段开工建设，香山路建成通车，陈山西路北段、振兴西路、核心区南北配套道路、镇海中学甬江校区配套道路、繁盛路、桓门路等9条市政道路开工建设，滨江新城第一学校部分主体结顶，滨江装备创业园三期D地块完成主体结构建设。完成小浃江路南侧环境整治工程建设，东方未来儿童公园前期方案研究。

（撰稿人：谢　钰）

青峙化工园区

【概况】 2023年，青峙化工园区围绕宁波市加快建成世界一流绿色石化产业集群的战略部署，北仑“双一流双示范”建设工作，推动全区石化产业实现高质量发展。

紧跟省市绿色石化产业战略部署，深度参与编写经开区化工集聚区产业规划，对现有的产业链进行高端性和前瞻性分析研究，明确园区重点化工新材料产业链和招商方向。全面梳理园内产业发展基础条件，编写产业高质量发展三年行动计划，明确构建“134”现代化化工产业体系，打造“一带四片”一体化产业布局，搭建涵盖质量规模、产业效益、创新发展等方面的目标体系。在省、市发改委支持下，制定省“万亩千亿”产业平台规划、市绿色低碳循环示范园区创建等4项专项行动方案，争取省、市层级产业政策及土地、能耗、排放等指标的倾斜。

开展产业链招商。梳理区内产业链已有及缺失部分、升级路径、现有重点企业和项目等，绘制精细化工新材料产业招商图谱，实施挂图作战。全方位链接各类招商资源。赴北京、上海、南京等地开展招商考察活动6场。依托国际绿色石化与新材料会议、浙江省“十链百场万企”活动等层次高、专业强、影响力大的招商活动，开展宣传推介活动；实施全球招商合伙人行动。强化与石化联合会、中国化信等高端专业优势协会的密切沟通，签订招商合伙人协议。紧盯台塑台化预留用地、逸盛一号产线等企业预留用地和内部长期停用产线，构建项目实施监测、跟踪服务管理机制，主动出对策、谋方案。

推进化工园区复评工作，8月顺利通过省化工园区复核认定。推进公用工程及配套功能设施提升。全面排摸园区10类公用工程及配套功能设施现状，形成《经开区化工集聚区基础设施和公用工程资料汇编》，梳理30余项水、电、热、气、公共管廊、废水处理、事故应急等公用工程及配套功能设施三年整治提升项目。推进临港、峙北片区封闭化建设和青峙、大榭片区改造提升，形成封闭化建设初步设计方案编制，推动项目招投标、设计方案深化等工作。项目总投资1400万元，至年底，基本完成封闭化项目主体建设。实施化工园区数字化管控平台迭代升级，完成青峙化工园区数字化平台项目终验，推进涵盖青峙、临港、峙北三大板块和大榭开发区的数字化平台建设。项目总投资1655万元，至年底，基本完成主要设施设备安装。

【重点项目】 推动6家化工企业拿地，共出让土地64.8公顷，总投资102亿元。全年集聚区谋划类化工产业重点项目10个，总投资207亿元。在建类化工项目7个，其中竣工项目3个，分别为金发科技年产120万吨聚丙烯项目一期、金发氢能综合项目、台塑关系企业在建60万吨丙烷脱氢项目。在建类项目5个，其中环洋碳三产业园项目通过社评、环评、安评和工程规划许可。巴德富于10月中旬摘地，总平图、环评、能评、安评报告均在编制设计中。IGAS项目基本完成平面设计，加快推进基础设施、公用工程等方面对接。拟推进项目6个，其中，博汇储能材料、中哲高端弹性体、雪佛龙二期项目有序推进，累计新增投资70亿元。

【企业服务】 通过历史档案整理、线上公共数据检索、现场企业走访调研等多种形式对园内企业进行了一次完整的“体检”，掌握园内56家企业基本情况、经济指标、在建项目、技术工艺等数据，建立“一企一档”。按照面向企业的“服务窗口”定位，建立线上微信交流群和企业联络网格通讯录，灵活运用《走访记录》《三服务问题清单》等企业服务信息跟踪机制，切实落实“一窗受理”责任制。全年帮助企业协调解决了大大小小20余项问题。按照月简报、季详报的频次，周期性地编制经济运行数据分析与预测报告，涵盖规上工业企业产值、重点化工品价格、在建项目推进、谋划类项目进展等，为区政府制订产业政策和产业项目决策提供信息支撑。

（撰稿人：吴盼茜）

金融业

综述

【概况】2023年，北仑区（开发区）共有银行机构35家，保险公司31家（财险24家，寿险7家），小额贷款公司5家，担保公司2家，典当1家，商业保理2家，融资租赁57家。新增上市企业1家：宁波索宝蛋白科技股份有限公司于12月15日在上交所主板上市。全区共有上市企业22家，过会企业2家。

2023年，全区加强金融资源整合，稳住经济大盘，促进区域经济高质量发展。围绕重点片区开发，探索“5个1”模式。加大对重要产业重大项目信贷投放。推动科技创新再贷款，开展第二轮“制造业中长期贷款提升专项行动”。以“首贷户拓展”为抓手，推进普惠小微融资提升专项行动，实施融资畅通工程升级版和中小微企业金融服务能力提升工程。落实主债权行牵头帮扶机制，用好司法重整、应急转贷等手段，“一企一策”稳妥有序化解企业不良债务。

【培育企业上市梯队】2023年，对区域企业上市梯队扩容提级，创立“上市加油站”，完善企业上市全周期服务机制，挖掘有较强竞争力的优质企业补充后备梯队，全年共计42家企业入选市级拟上市企业培育库。出台《扶持企业上市专项资金管理办法》，明确上市扶持奖励不受企业地方综合产出限制，激发企业上市动能。拓展“仑证通”合规证明的应用部门，简化上线企业纳税、企业信用状况等合规证明的办理事项，提升服务企业质效。建立多部门协调工作机制，通过“专题协商、现场指导、全程跟踪”，对拟上市企业的各类合规性问题进行提前介入。

【完善金融风险处置机制】2023年，全区金融业建立起党政领导负责的区级“1+8+N”财政金融风险处置机制，构建分级负责、部门协作、政金企联动的工作格局。完善日常监管模式，对相关地方金融组织进行全面“体检”。继续保持对非法金融活动开展高压打击态势，推进第三方财富公司专项整治，引导金融机构加大不良贷款核销、清收力度。

资本市场

【概况】2023年，北仑区（开发区）开展资本招商，累计接洽133批次企业，引进类金融企业150家，注册资本为129.6亿元。跨境贸易投资高水平开放试点增量扩面，累计共惠及400家企业，业务规模为12.95万笔、562.2亿美元。推进类金融企业的合规服务工作，强化跨部门协调联动机制，完成创投备案年检250家，完成创投企业备案85家，发起类金融企业新设会商450次，企业变更会商4200次，迁入会商125次。

【数字人民币线上保理融资】2月，宁波开投集团控股子公司宁波国富商业保理有限公司通过农业银行数字人民币账户完成数字人民币线上保理融资放款713万元，实现宁波市首单“数字人民币+保理业务”金融领域落地应用。3月，宁波北仑好而居不动产经纪有限公司通过建行网上银行绑定的数字人民币对公钱包成功收到退税款项，标志着全市首笔数字人民币退税业务成功落地北仑。

【建立新的管理模式】9月，北仑区（宁波开发区）建立起“行业主管+区块+国资”三方协同的管理模式，牵头出台《北仑区（开发区）金融科技产业园转型提升实施方案（暂行）》，发展数字科技、供应链金融等数字金融产业，引进企业13家，园区营收超20亿元，税收近千万元。

金融创新

【概况】2023年，北仑区（开发区）深入推进跨境贸易投资高水平开放试点增量扩面，累计共惠及400家企业，业务规模达12.95万笔、562.2亿美元。发挥自贸试验区“试验田”作用，开展本外币合一银行账户试点，提高企业跨境贸易结算效率。3月，市委公布2022年度宁波市数字化改革“最系列”成果和全面深化改革“三好一佳”成果，北仑区跨境贸易投资高水平开放集成改革获评宁波市改革好方案；跨境贸易投资高水平开放外汇管理改革获评宁波市改革创新最佳实践案例。4月，落实各项金融支持人才创业创新举措，共兑现金融支持人才创业创新补贴资金374.73万元，惠及企业

6家。7月，北仑区（开发区）召开“双Q”试点圆桌讨论会议，进一步提高项目会商研判效率，成功落地全省首单余额管理制证券类QDLP项目，首期申请试点规模1亿美元。10月，组织开展2023年北仑区金融助力人才企业创新发展系列活动暨S基金市场现状分析与实践探索研讨，进一步促进北仑人才企业与金融资本的联动发展。

【跨境贸易投资高水平开放集成改革】 1月，北仑区跨境贸易投资高水平开放集成改革项目获浙江省改革突破奖，实现北仑改革工作省级大奖零的突破。8月，《中国（浙江）自由贸易试验区宁波片区跨境贸易投资高水平开放集成改革实施方案》印发，该方案聚焦跨境贸易投资集成改革创新，涉及通关、贸易、投资、金融、法治等改革领域，36项任务均对标国际国内先进举措，多项政策具有较强突破性。

【数字人民币试点创新应用场景】 实现数币医疗结算、文旅场景全覆盖，完成数币应用示范村创建。2月，宁波开投集团控股子公司宁波国富商业保理有限公司通过农业银行数字人民币账户完成数字人民币线上保理融资放款713万元，实现宁波市首单“数字人民币+保理业务”金融领域落地应用。3月，宁波北仑好而居不动产经纪有限公司通过建行网上银行绑定的数字人民币对公钱包成功收到退税款项，标志着全市首笔数字人民币退税业务成功落地北仑。5月，光大银行北仑支行成功落地浙江某机械有限公司通过对公数字人民币钱包购买光大理财阳光金普惠日日盈理财，标志着全市首笔数字人民币理财业务成功落地北仑。

【数字供应链金融创新系列活动——油气化工专场】 于6月30日在北仑举办。活动由北仑区政府、宁波开发区管委会及其相关职能部门主办，万联网承办。副区长、宁波开发区管委会副主任程展与宁波开发区金融创新局等相关职能部门负责人、各大金融机构、供应链研究机构、供应链赛道专业投资机构以及六六云链平台上下游客户等百余人参加本次活动。活动旨在搭建政、企、银交流平台，聚焦产业创新驱动，结合自贸试验区宁波片区的功能定位，推进国家大宗商品战略储运基地项目建设，共同探讨油气化工全产业链数字化创新及金融创新中存在的问题，推动“产业场景+数字科技+金融创新”融合创新，助力区域油气化工产业经济高质量发展。

【股权投资和创业投资份额转让试点】 9月19日，宁波举行“专精特新”专板开板暨股权投资和创业投资份额转让试点仪式，北仑区成为宁波市股权投资和创业投资份额转让试点先行区，通过发挥区域私募基金集聚优势，推动S基金参与交易，已落地完成全省首单股权投资和创业投资份额转让试点业务，共成交3600万份额，金额达3000万元。

【融资租赁公司设立特殊目的单一项目公司（SPV）】 11月，浙江自贸试验区宁波片区管委会印发《融资租赁公司设立特殊目的单一项目公司（SPV）工作指引》，填补了浙江省融资租赁公司设立SPV公司的登记注册空白，支持融资租赁行业创新发展。

（撰稿人：郑　倩、袁佳璐）

银　行

【概况】 2023年，全区金融机构人民币各项存款余额2936亿元，同比增长12.0%，余额比年初增加304.26亿元，境内存款中住户存款余额1071.57亿元，同比增长21%；非金融企业存款余额1445.86亿元，同比增长12.8%。年末金融机构人民币各项贷款余额2517.87亿元，同比增长17.1%，增加375.50亿元。境内贷款中住户贷款余额766.21亿元，同比增长1.8%；企（事）业单位贷款余额1751.49亿元，同比增长26.1%，其中，单位短期贷款余额640.77亿元，同比增长11.3%。

2023年，发挥央行低成本资金信贷撬动作用，全年发放支小再贷款、碳减排支持工具、交通物流专项再贷款、普惠小微贷款支持工具4项结构性政策工具24亿元。运用政策性开发性金融工具支持临港经济示范区产城融合等4个重大基础设施建设项目推进，运用城市更新贷款为新碶老街改造提升等9个项目提供配套融资。贷款利率稳中有降，全区全年企业新发生贷款平均利率3.87%，较上年同期下降0.14个百分点。

赋能科技创新，以第二轮“制造业中长期贷款提升”专项行动、“一链一策一批”融资促进行动等为载体，推送科技型企业、无贷户、知识产权质押融资等市场主体（项目）清单6批次，组织线上线下常态化、精准化融资对接。加大对民营小微企业首贷和信用贷的支持，全年小微企业信用贷款新增46.03亿元，首贷户拓展2524家。年末全区民营企业、普惠小微、制造业中长期贷款增速分别为26.1%、33.3%、40.6%。

2023年，开展跨境贸易投资高水平开放试点，业务规模达12.95万笔、金额562.2亿美元、惠及企业400家，获全国自贸区第五批“最佳实践案例”、浙江自贸区“十大标志性成果”等多项荣誉；获国家外汇局批准，将试点效果良好的政策复制推广至宁波全域及全国6个省市，并新增若干项政策，为高水平开放注入新动力。国家级普惠金融改革试点，走出了数字普惠、助力共同富裕先行示范的“宁波模式”。作为试点重要基础设施的宁波普惠金融信用信息服务平台，为“贷前找客户、贷时查信息、贷后控风险”的全流程提供了支撑，北仑区全年共有8300户企业和个人通过平台获得授信213亿元。

2023年，落地存量首套房贷利率调整政策，推动房贷利率平均下降0.63个百分点，为3.75万户家庭每年节省房贷利息支出1.82亿元。数字人民币试点在业务规模和场景拓展上取得突破，落地易港通、云港物联、中东欧平台等多个全省、全市首创应用场景，数字人民币缴退税、理财等迎来多项首笔业务，其中数字人民币缴退税交易金额突破25亿元。完成亚运金融服务保障工作，实现零重大网络安全事件、零负面舆情、零服务投诉。

2023年，全区不良贷款率继续保持低位，为0.47%，全辖区连续三年无高风险金融机构。打击非法金融活动，与公检法、税务、监委等部门协作，完成2起涉汇案件侦办；实现全市首例贪污自洗钱案件宣判。治理涉诈涉赌资金链，牵头成立警银联防反诈驿站，全区全年涉案账户同比下降42.5%。

2023年，北仑辖区共有35家银行业金融机构，其中政策性银行支行1家、国有商业银行6家、股份制商业银行一级支行14家、城市商业银行一级支行11家、农村商业银行2家、村镇银行1家。

2023年北仑区域银行机构本外币存贷款余额一览表

表31

项目名称	存款		贷款	
	余额（亿元）	比年初增减（%）	余额（亿元）	比年初增减（%）
合　计	2936	11.7	2535.32	16.7
工商银行北仑分行	241.28	1.1	273.43	15.7
农业银行北仑分行	320.54	28.0	317.46	3.6
中国银行北仑分行	247.27	21.7	247.87	24.2
建设银行北仑分行	301.48	9.3	294.37	5.9
农发银行北仑支行	3.94	46.5	69.82	66.3
交通银行北仑支行	65.72	7.7	77.53	27.2
中信银行北仑支行	56.3	11.9	55.15	18.3
中信银行自贸区支行	13.34	16.7	6.07	50.2
光大银行北仑支行	38.99	31.2	26.04	21.4
华夏银行北仑支行	5.19	6.6	9.6	69.9
广发银行北仑支行	21.48	12.1	20.07	12.9
平安银行北仑支行	34.64	−7.4	10.33	38.4
招商银行北仑支行	81.63	−24.8	63.3	21.9
浦发银行北仑支行	83.13	−6.9	37.98	−8.3
浦发银行开发区支行	93.55	17.5	59.69	11.3
兴业银行北仑支行	263.45	28.8	97.4	10.2
民生银行北仑支行	21.65	−5.8	36.9	78.8
浙商银行北仑支行	38.06	−7.6	30.44	−10.9
浙商银行开发区支行	39.2	24.2	24.7	33.2
上海银行北仑支行	12.26	1.4	21.26	16.1
临商银行北仑支行	9.64	18.2	8.3	21.3
宁波银行北仑支行	234.7	19.1	112.91	10.3
杭州银行北仑支行	30.35	51.8	31.3	3.8
温州银行北仑支行	16.65	31.6	18.6	28.4
民泰银行北仑支行	4.58	13.6	7.31	29.2

续表31

项目名称	存款		贷款	
	余额（亿元）	比年初增减（%）	余额（亿元）	比年初增减（%）
泰隆银行北仑支行	32.56	15.4	30.19	18.4
台州银行北仑支行	5.24	27.1	9.97	25.3
北京银行北仑支行	16.79	-4.5	49.88	161.6
稠州银行北仑支行	3.03	41.4	2.53	11.7
通商银行北仑支行	15.96	47.3	5.45	51.0
北仑中银富登村镇银行	1.84	45.7	4.78	17.8
北仑农商行	469.44	20.1	352.43	20
邮储银行北仑区支行	86.72	12.6	75.96	21.6
郑州银行北仑支行	17.02	12.1	35.36	34.2
恒丰银行北仑支行	8.38	27.89	10.95	45.1

【工商银行北仑分行】 2023年，在房票资金承兑银行服务、跨行商转组合贷款、铂金租赁等业务领域开拓创新，实现宁波分行零的突破；办理北仑分行首笔保险金家族信托业务、首笔工银薪管家业务、首笔工银美国开户见证业务。夯实客户基础，向北仑区财政下属重点国有企业发放表内贷款共14亿元；对接宁波分行投行中心和工总行投资部，全力支持北仑国有企业债券发行，全年成功购买债券控股公司1.5亿元公司债。

【中国农业银行北仑分行】 2023年，着力多维度业务创新。拓展新项目、新渠道，落地农行“双碳资信贷”，开立宁波市国土空间综合整治项目主体企业账户，落地宁波金融系统智慧停车项目贷款。探索数字人民币创新应用，与国富保理共同开拓宁波市首单数字人民币保理融资应用。强化自贸区试点政策创新，落地区内“专精特新”跨境融资便利化业务，全年共办理各类自贸区试点业务3895笔、金额15.86亿美元。

【中国银行北仑分行】 2023年，科技金融贷款余额新增42.31亿元，增速166.98%；制造业中长期贷款余额新增21.11亿元，增速102.98%。绿色金融实现新突破，贷款余额新增33.26亿元，增速678.3%，其中获批城市绿色更新类项目4个，合计授信总量71.1亿元。数字金融形成新格局，全年数字人民币对公消费额8.25亿元。应用场景实现突破，9月完成辖内第一数字人民币缴纳国网电费业务，累计缴费2450万元；营销三家客户开通数字人民币缴税业务，累计缴税7.71亿元。

【中国建设银行北仑分行】 2023年，全面推进落实“数字化经营”，开展平台场景迭代优化服务创新。搭建“三资”监管服务场景，为农村村务、民生管理提供标准化流程，累计服务28个村。为北仑区民宗局36家宗教场所上线建行“善行宗教服务平台”，实现区域内所有宗教场所线上记账。为北仑检察院构建数字人民币支付场景，实现全国首笔涉案扣押款的数字人民币缴纳。联合国家税务总局宁波市北仑区税务局，实现数字人民币在浙江省退税场景的应用。联合打造绿色港口及智慧港口核心线上平台，累计资金交易量超20亿元。

【交通银行北仑支行】 2023年，加强银企合作，积极拓展新客户，加快储备项目营销、投放，全年上报新项目12个，累计资产投放17亿元。联合北仑区的长山社区、坝头社区开展“3·15”消费者保护、防范非法集资等宣传活动，切实提升社区老年人金融风险识别能力与金融防诈骗免疫力，助其守住“钱袋子”。

【中信银行北仑支行】 2023年，持续加大对小微企业的信贷支持力度，保持小微企业“薄利增量”政策不变，提供标准“房抵贷”业务低利率融资服务，确保普惠小微企业贷款规模稳中有升。以“科创e贷”产品为敲门砖，撬动与高新技术产业及国家级、省级“专精特新”企业的紧密合作。全年普惠金融贷款余额2.28亿元，同比新增35.61%；个人经营性贷款余额4.94亿元，同比新增26.56%；两项数据增幅均位居股份制银行前列。

【光大银行北仑支行】 2023年，加大基础客户的培育，高频率、多渠道地拓展新客户。在智能化时代背景下，支行开始利用微信群、直播等新媒体进行拓客，顺势将线下宣传活动转移至线上宣传活动，2023年开展近30场线上沙龙活动。

【浦发银行北仑支行】 2023年，支持区内重点企业走出去，全面拓展跨境融资业务，帮助区内企业办理外汇、跨境业务，全年取得巨大成效，其中新增继峰系授信15亿元，主要用于企业德国并购融资项目。开展助企纾困，加强为小微企业服务，实施营销下沉，发掘区内融资需求，新增普惠小微贷款超6000万元，有效支持区内中小企业的经营发展需要。

【兴业银行北仑支行】 2023年，推动数字人民币在辖区落地落实，通过开展厅堂沙龙、进社区、进企业、进学校等外拓方式，开展数字人民币特色专题宣讲活动30余场，接受宣讲人数超万人。数字人民币各项指标均取得良好成效，其中个人钱包20064户，完成率244.33%，在全区银行中名列前茅。

【民生银行北仑支行】 2023年，开展“宁波市老年科普工程”系列活动。9月，在小港街道的海天文体中心为退休教师开展以“健康生活，反诈同行，老有所乐”主题活动，通过对典型案例的剖析，提高老年群体的防诈反诈意识，保护老年人的切身利益。

【浙商银行北仑支行】 2023年，通过签订战略合作、召开产品推介会、巧用报纸宣传、组织零售路演等形式开展多层次的推广活动。4月，成功堵截一起异常开卡事件：浙商银行北仑支行及时通过警银联动工作群上报客户异常信息，及时挽回损失，受宁波市打击治理电信网络新型违法联席会议办公室通报表扬。

【上海银行北仑支行】 2023年，着力打造“结算+信贷+股权+个人金融”的普惠金融服务体系，以小微企业“简易产品包”支付结算类产品、“宅即贷”和供应链授信类产品为重点，降低小微企业融资本，全年小微企业贷款余额2.1亿元，同比增速100%。

【临商银行北仑支行】 2023年，成功发放支行首笔供应链金融和绿色金融贷款，多渠道帮助企业解决资金难题。与两家保险公司开展保证保险业务合作，保证保险业务涉及18家企业，合计金额5300万元。

【宁波银行北仑支行】 2023年，喜迁新址盛大开业，以新的面貌入驻北仑凤凰金融中心。拓展金融服务优势，以互惠互利原则为基础，与宁波市集装箱堆场仓储协会、区工商业联合会、宁波象保合作区管理委员会签订战略合作协议，共同加强对区域企业的金融支持。受邀参与港航金融创新活动暨自贸区港航金融服务月启动仪式，现场与宁波市中小航运企业联合会签订7亿元授信合作框架协议、与北仑区路港交通投资有限公司签约授信3亿元。承办“亲清直通车 政企恳谈会”专场活动，举办北仑区中小企业数字化转型推进会，介绍支行金融惠企融资服务，展示支行“波波知了”的特色功能，推动区域经济及金融业的高质量发展。

【杭州银行北仑支行】 2023年，在区域国企新客引入、债承带动和项目对接上持续发力，带动二、三级国企平台公司合计160户新开户、20家集团财资签约，首次切入现代服务业、梅开投债券主承合作，成功入围城投集团、国运公司、商贸集团公款招投标合作行。持续开展拓户活动，年内累计电话触达北仑地区2万多家个体工商户，走访300余家小微企业，新拓北仑超市协会、江西商会、霞浦工业园等重点渠道，共衍生贷款79户，易收盈139户，存款950万元。

【民泰银行北仑支行】 2023年，创小微金融“根据地”特色，推进“五个一”工程，采用“一分二选三定四推五跟”的标准化开发模式，实现从“寻找客户”向“培养客户”转变，推进小微企业机械设备按揭、宁波保税区红酒进口市场等5个批量业务，深耕上傅河西工业园、赛力工业园、大碶石湫工业园等3个园区，丰富了支行业务产品。

【北京银行宁波北仑支行】 2023年，以多角度赋能、实现高质量发展。持续构建儿童金融服务生态圈，倾力打造“儿童友好型银行”，单月小京卡拓客超过800户。聚焦资金、人才和技术等资源，以“领航e贷”为核心，全面服务“专精特新”企业，全年客户触达112户，占比区内“专精特新”企业67.07%，总授信额度6亿元。

【稠州银行北仑支行】 2023年，坚持做优做实中小微业务市场，立足“支持中小、服务个私”的市场定位，进一步加强重点领域和薄弱环节金融支持，针对企业融资难点、痛点、堵点，提供个性化服务，全力保障中小微企业的融资需求，全年累计发放贷款2.53亿元。

【通商银行北仑支行】 2023年，推进以“科创金融”“园区金融”“供应链金融”为核心的“三金”业务投放，推行“一园一策”综合服务方案，持续加强对区域经济支持力度。狠抓零售数据量质并升，每周组织一次特色“通商会客厅”活动，每月对接社区联合举办1~2次活动，以代发工资为抓手，加强公私联动，有效促进了个人工资性存款的留存比例和个人金融资产双提升。

【北仑中银富登村镇银行】 2023年，聚焦特色产业，围绕物流、模具、压铸等小微企业开展全供应链开发，制定了“做小、做批量、做信用”的展业规划，通过简化业务流程，提高批量获客效率，强化全流程以效率为先的业务模式，形成了稳定业务保持增长。

【北仑农商银行】 2023年，成功落地宁波市“宅基地改造专项贷款”业务、浙江自贸区宁波片区区块链出口信保中小企业险保单融资业务、北仑区“创业担保贷款”等多个首笔业务。助力优化区域营商环境，举行“便民办税优服务，银税合作促发展”深化银税党建合作暨自助办税终端启用仪式；以“山海郭巨共富助农联盟”为平台，设立“亿元共富基地建设专项授信”金

11月4日，北仑农商银行在郭巨设立"亿元共富基地建设专项授信"金融服务项目现场

融服务项目。积极创新数字金融在各类民生场景中的运用，落地宁波首个农贸市场数字人民币应用场景，落地加油站场景数字化、景区自助售票机和校园缴费场景，联通舟山海峡轮渡公司票务系统。

【邮储银行北仑支行】 2023年，为东华能源（宁波）新材料有限公司发放银团贷款1.5亿元，为国家级"专精特新"企业菲仕科技有限公司发放贷款1亿元。成功落地支行成立以来第一笔项目贷款2.4亿元，成功落地创业贴息贷款业务40万元，成功落地政府贷款项目——新碶沿海永丰南片区人居环境提升项目3亿元。

【恒丰银行北仑支行】 2023年，开展"园区产业"营销，加强和大碶模具产业园区、大港工业社区等各园区的联系，小微企业拓展取得了较明显的效果，全年新增小微企业客户14家、授信4173万元。1月，在了解到浙江君睿智能设备有限公司有贷款需求后，支行人员克服困难，多次进企业，用最快的速度为企业发放贷款2000万元，为企业解决融资问题，获企业好评。

（撰稿人：贺晓璐）

保　险

【概况】 2023年，全区有保险机构31家（财险24家，寿险7家）。实现保费收入29.70亿元，同比增长10.3%，其中，财产险保费收入18.80亿元，同比增长6.1%；人身险保费收入10.90亿元，同比增长18.4%。全年保险公司赔付支出13.95亿元，同比增长12.9%，其中，财产险赔付支出11.66亿元，同比增长8.8%；人身险赔付支出2.28亿元，同比增长40%。

【人保财险北仑支公司】 2023年，中国人民财产保险股份有限公司宁波市北仑（开发区、保税区）支公司保费收入5.22亿元，同比增量保费3574万元，同比增长7.35%，市场占有份额26.18%。其中车险入账保费收入3.39亿元，同比增长3.15%，非车险入账保费收入1.83亿元，同比增长16.11%。全年北仑区域人保份额赔款为2.96亿元，未决金额2.37亿元，综合成本率87.30%。

【太保财险北仑支公司】 2023年，中国太平洋财产保险股份有限公司北仑中心支公司共完成保费收入4.25亿元，新增保费3171万元，同比增长8.07%，在北仑区域市场份额为21.49%，其中车险入账保费收入3.07亿元，同比增长3.55%，非车险入账保费收入1.18亿元，同比增长21.96%。全年总赔付金额为2.31亿元，综合赔付率为54.29%。

【国寿财险北仑支公司】 2023年，中国人寿财产保险股份有限公司宁波市北仑区支公司共完成保费收入1.12亿元，同比增长1.5%，其中车险保费收入1.03亿元，同比增长2.8%；非车保费收入901万元，同比下降11.67%。全年已决金额8386万元，未决金额3840万元，简单赔付率为75.18%，日历年度赔付率67.74%。

（撰稿人：郑　倩、陈剑英、傅　君、顾建芬）

商贸 服务业

商贸业

【概况】 2023年，北仑区（开发区）社会消费品零售额465.67亿元，同比增长12.6%，其中限额以上社会消费品零售额275.82亿元，同比增长29.2%。实现限额以上餐饮营业额7.93亿元，同比增长5.5%。举办“畅享购物·夏逸北仑”购物节，以迎亚运促消费稳增长为主线，开展六大特色主题购物活动，客流量超过10万人次，销售额突破8000万元。

【餐饮业】 2023年，市商务局授予北仑为宁波市国家钻级酒家酒店示范区。北仑诚悦餐饮管理有限公司、顺记餐饮有限公司获评“宁波市十大钻级”酒家酒店，小港大炻头餐馆、新碶福瑞祥餐厅获评“市十大钻级特色菜肴”酒家酒店，曼哈顿天港大酒店有限公司、品膳阁餐饮有限公司获评“宁波市十佳钻级服务”酒家酒店。组织餐饮企业参加“海鲜厨王”争霸赛、“诗画浙江·百县千碗”特色美食体验评选、“北仑十大碗”等活动；联合餐饮行业协会举办首届春季婚庆产业博览会，并发放600万元专属消费券；定期督查餐饮燃气安全情况并开展安全培训等工作，推动餐饮经济多元化发展。

【特色街区建设】 2023年，以便民、利民和满足居民消费为目标，优化商业业态、美化商业环境，创造更便利、更舒心的购物消费环境。申报滨港商业广场、青年SPORT港、ITCM葡萄酒文化街区、梅山湾南风听海等4个特色街区，推出小港红联社区“15分钟商贸便民服务圈”，改造升级新碶红梅社区和富邦星云邻里街区。

【食品保供】 2023年，区内农产品批发市场、菜市场、食品超市场与市商贸集团、省内蔬菜基地、区食品公司等保供单位对接，加强区外商品调配供应力度，保障肉菜蛋奶等生活必需品供货渠道畅通。定期开展价格及库存监测，通过精密智控平台对区农产品批发中心、各菜市场、超市进行监测，及时更新精密智控平台服务保障清单中蔬菜、肉类、方便食品等重要菜篮子商品库存数据，实行每周监测制度，台风、汛期、重大节假日等特殊时间点，实行“日监测、日调度”，全面掌握生活必需品的流通、库存、保供时限等的变化情况。

2023年北仑区限额以上商贸企业50强一览表

表32

序号	企业名称	序号	企业名称
1	锐力体育（浙江）有限公司	10	宁波和星汽车销售服务有限公司
2	顾家家居（宁波）有限公司	11	浙江东海长城石化股份有限公司
3	宁波良品互娱网络科技有限公司	12	宁波轿辰宝晨汽车销售服务有限公司
4	宁波恒迪汽车销售服务有限公司	13	宁波太平鸟悦尚童装有限公司
5	宁波港诚汽车销售服务有限公司	14	加贝物流股份有限公司
6	锐力运动用品（宁波）有限公司	15	宁波甬江众鑫能源有限公司
7	宁波彩棠化妆品有限公司	16	宁波江南中升雷克萨斯汽车销售服务有限公司
8	浙江凤凰尚品品牌管理有限公司	17	宁波良品购商务服务有限公司
9	新秀丽（中国）有限公司	18	海卓胜商贸有限公司

续表32

序号	企业名称	序号	企业名称
19	宁波市挪客户外用品有限公司	35	贝因美（宁波）电子商务有限公司
20	宁波和之星汽车销售服务有限公司	36	宁波经济技术开发区祥龙加油有限公司
21	宁波市祥弘汽车销售服务有限公司	37	宁波翔瑞汽车销售服务有限公司
22	宁波信天下景栋汽车销售服务有限责任公司	38	宁波经济技术开发区中油港通加油站有限公司
23	宁波市北仑食品有限责任公司	39	宁波北仑兴欣汽车销售服务有限公司
24	浙江极氪智能科技有限公司	40	宁波英孚婴童用品有限公司
25	宁波顺诚汽车贸易有限公司	41	宁波大榭开发区榭西油品有限公司
26	宁波新众业汽车销售服务有限公司	42	宁波市达拉户外用品有限公司
27	宁波宝利行丰田汽车销售服务有限公司	43	宁波猫头鹰母婴用品有限公司
28	宁波盛藩环保科技有限责任公司	44	宁波合辰汽车销售服务有限公司
29	宁波新众元汽车销售服务有限公司	45	宁波北仑嘉智博通讯设备有限公司
30	水果码头供应链管理有限公司	46	宁波凯桥汽车销售服务有限公司
31	宁波翔迪汽车服务有限公司	47	宁波守正汽车销售有限公司
32	宁波北仑之田汽车销售服务有限公司	48	宁波普萃泰贸易有限公司
33	宁波恒众汽车销售服务有限公司	49	宁波锦昌汽车销售服务有限公司
34	海尔施生物医药股份有限公司	50	宁波经济技术开发区大港加油站有限公司

（撰稿人：王一诺）

供销合作

【概况】 2023年，区供销联社主要职责包括构建生产、销售、信用“三位一体”的农民合作经济组织体系，组织协调农业生产资料供应和各项为农服务工作，受区政府及有关部门委托，承担重要农业生产资料、防汛救灾物资的储备，履行供销社集体资产的保值增值任务，负责基层企业监管、历史遗留问题处置以及信访等工作。顺利完成区供销合作社联合社和区农合联换届工作，体制机制不断完善。深化数字农合联改革，完成区农合联数字化应用场景构建，在线注册农合联会员514人，上线农资、农机、农特产品销售等6家服务商，上线农资产品46种、金融贷款产品7种，线上专家信息23人。组织开展线上年货节，参与举办宁波庆丰收北仑专场直播，销售商品50余万元；协助做好对口帮扶工作，累计销售帮扶地区农产品150余万元。开展“海濡农耕”品牌推广工作，协同举办“海濡农耕”区域公用品牌产品推介会和发布会，参与春耕备耕和“双夏”农资优质服务月活动，为农业生产提供农资保障。全年创建申报四星级产业农合联1家、市级农事服务中心1家，新建糕点产业农合联1家。

【绿色农业】 2023年，发挥农资供应主渠道作用，承担全区农资储备和市场调控任务。全年供应化肥1500吨、农药50吨，应急储备化肥200吨、农药10吨；推进农业社会化服务，提供配方施肥服务280余公顷，统防统治服务266.67公顷，飞防作业服务240余公顷。积极做好农资废弃物分类回收工作。协助区农业农村局设立农药废弃物回收点111个、农地膜回收点53个，累计回收废弃农药包装物15.7万个，回收废旧农膜30.5吨。组织农技专家、庄稼医生、乡土专家等组建“农技推广先锋队”，依托新型庄稼医院为种植户开展种植技术、病虫害诊断、防治等服务300余人次。

【农村金融服务】 区供销联社与北仑农商银行合作，创新推出“阳光农村产权信用贷”信贷产品，积极推进整村授信，破解农户因无抵押物、无担保人而融资受阻的难题，让农村存量资产加速流转。全年“阳光农村产权信用贷”累计发放贷款15.39亿元，惠及农户4238户，有效缓解了农户在春耕备耕期间出现的资金难题。同时，把各类金融服务产品量身定制植入到农合联，融入产业链、供应链、服务链中，开发贴近会员需求的新型农业金融产品，先后推出“花木贷”“葡萄贷”和“民宿贷”等产业扶持金融产品，累计帮助320户农户解决资金压力6800余万元。

【党建赋能花木产业农合联】 围绕服务乡村振兴战略，在花木产业农合联中创建“党建引领、共建共享、因地制宜”的特色服务型党组织，进一步整合资源，探索花田党建助力花木产业发展新机制。按照“党建+产业”思路，联合30余家花木专业合作社、花木经营主体以及140多名花木大户，成立花木产业农合联党总支，并组建盆景造型、巾帼销售等6个功能党小组，为花农提供品种推广、盆景种植、品种培育、技术推广等全方位服务。花木农合联年服务15000余人次，为北仑东部地区花木产业发展提供了强大“红色引擎”。同时，依托柴桥街道现代农业服务中心，增设花事窗口、花农早茶、花农客厅、花木超市等服务功能，向花农提供检疫证办理、政策性保险等服务，年办理量达4000余批次。

【北仑区农民合作经济组织联合会第二次代表大会】 于10月10日召开。会议审议通过了《北仑区农民合作经济组织联合会章程（修订案）》《北仑区农民合作经济组织联合会第二届会员代表大会选举办法（草案）》，产生了新一届理事会、监事会。副区长丁俊杰当选为理事长，区供销社理事会主任郑德华当选为常务副理事长，市供销社理事会副主任梁达到会致辞。

（撰稿人：吴　艳）

港航服务业

【概况】 2023年，全区共引进港航服务企业78家，总注册资金22.22亿元；全区限上航运服务业企业年营收规模首次突破400亿元，达到434.6亿元。《国际航行船舶保税液化天然气（液化天然气）加注试点》案例，获评2023年浙江自贸试验区第二批省级制度创新案例、2023年自贸试验区宁波片区及北仑区块最佳制度创新案例。成功引进壹鼎海运、顺意海运、创欣海运等航运企业，其中，创欣海运填补全市江海直达新能源船舶运输运力的空白。完成《北仑区域港航服务业招引培育发展规划研究（2023—2027）》编制工作，基本构建推进北仑港航服务业高质量发展的“四梁八柱”。编制《北仑区（开发区）加快发展数智航运平台经济行动方案》，为抢抓数字航运新兴赛道、加快实现换道超车明确了思路和路径。举办首届北仑区（开发区）“港通天下·融汇万家”港航金融创新大会，搭建金融机构和港航企业沟通平台，新增银企授信78亿元。

【全省首单国际航行船舶保税液化天然气加注】 6月14日，中海油加注船“海洋石油301”在梅山港区为正在进行装卸作业的“达飞联合”号集装箱船完成保税液化天然气燃料加注，这是宁波舟山港首单国际航行船舶保税液化天然气加注业务，宁波舟山港成为全球第五个具备国际船舶液化天然气加注功能的港口。加注采用“港内反输、港内加注”全流程保税液化天然气加注作业模式，即在中海油浙江液化天然气码头，以“储罐到船”方式，将储罐内保税液化天然气装载至加注船，由加注船为国际航行船舶提供“船至船”保税液化天然气加注服务。该模式能与靠港船舶的装卸作业同步进行，在不影响船期的同时，有效提高海上加注效率，为航运企业节约成本。全年，累计为法国达飞、德国赫伯罗特、美国美森等国际大型班轮公司5艘外轮实施保税液化天然气加注，加注量超3万立方米。

【港航金融创新大会】 8月8日，以“港通天下，融汇万家”为主题的港航金融创新大会暨自贸区港航金融服务月启动仪式成功举行。活动由北仑区人民政府、宁波开发区管委会主办，旨在通过搭建银企对接平台，促进金融机构与港航产业进一步合作，消除信息壁垒，建立沟通合作机制，探索解决中小企业普遍存在的融资保险等方面问题，持续做大做强产业链。15家银行机构、5家保险机构及150余家区内港航服务头部企业参会。活动现场发布了“货代通”“区块链秒贷”“港航服务保”等56项专属金融产品，建设银行北仑分行、中信保宁波分公司等6家金融机构进行了现场路演。宁波汇海通国际物流枢纽发展有限公司等5家企业与金融机构签约，宁波市交通运输协会国际集装箱堆场仓储分会等5家组织和企业与金融机构签订合作框架，合计授信达78亿元。

【港航仓储物流业】 6月14日，区政府常务会议明确，由开发区港口事务管理局负责全区仓储（仓库）物流业的安全生产（消防）行业管理工作。至年底，全区共有港航仓储物流企业104家（其中霞浦白峰片区32家、梅山19家、保税南区33家、保税东区20家，涉及120个地址仓库），总营业收入67.09亿元，营收2000万元以上企业46家。全区从事港航仓库物流行业人员（劳务派遣除外）4561人，合计仓储面积204万平方米，仓储建筑面积328万平方米。港航仓储物流企业从事大宗商品的25家，大宗商品（纸浆、铝锭、塑料颗粒）出货约63万吨；从事跨境电商类企业10家，出货约4850万件包裹。

（撰稿人：周红梅）

电信邮政业

【电信北仑分公司】 2023年，公司下设4个部门、22个支局，设有自营服务网点22个、代理服务网点16个，建成20家“爱心翼站”优化线上适老服务能力，10000号热线为65岁以上老年客户提供一键呼入功能。现有在岗员工406人，具有ABCIS专业背景人才28人（35周岁以下13人）；高级职称1人，中级职称34人，拥有各类岗位资格认证的246人。移动用户22.2万户，宽带用户15.6万户（其中千兆宽带用户4.1万户）。2023年完成主营收入3.5亿元，税前利润1.1亿元。累计建设1.2万个5G基站，实现中心城区、港口等重点产业园区、旅游景区和乡镇郊区的5G网络连续覆盖，所有重点场景和地铁线路的深度覆盖。整体5G覆盖优良率达99.43%，5G保持体验良好率达99.72%。北仑至宁波新增城域网链路4条，城域网出口扩容40G，总出口带宽已达到540G。完成351个小区的千兆全覆盖，千兆光网用户达2.1万户，并在全区通信行业率先发布2000M家庭宽带。物联网连接规模超25万户，其中NB规模超10万户。为3183个手机直联用户和近一千个天通卫星用户提供卫星移动通信服务。

【移动北仑分公司】 2023年，公司下设4个部门，下辖9个网格、18家自营厅（包括1家校园厅）。有在册员工255人，其中合同制157人，派遣制11人，外包制87人（含驾驶员）。职能部门人数95人，一线生产人员达160人。硕士研究生12人，本科以上98人，占比43%；大专以上175人，占比69%。正式党员55人，预备党员1人，发展对象1人，入党积极分子5人，党员占比21%。通信用户到达82.9万户，通话用户到达78.4万户，5G终端用户到达51.8万户，有线宽带用户到达28.5万户，宽带电视用户到达20.9万户，完成运营收入8.92亿元，通信服务收入8.61亿元。中标北仑雪亮二期项目4896万元，全年共签约300万以上大单项目6个，合计签约金额6600余万元。

持续推进基础网络建设，23年开通宏站131个，开通室分136个，实现北仑高速隧道全线5G室分开通；完成北仑区域全部城区、乡镇的5G网络全面覆盖，完成亚运火炬传递、巴黎奥运会女排资格赛、两会等重大保障活动。

【联通北仑分公司】 2023年，下设6个支局、7个自有营业厅（其中2023年新增自有营业厅1个）。在职员工108人。全年实现主营业务收入2.01亿元，同比增长3.3%。2023年落地实施政企项目50余个，其中10万级以上项目34个，所签项目涉及智慧城市、教育、环保、工业互联网、港口等多个领域。全区已累计开通5G基站870余个，5G用户覆盖率达99%，行政村5G覆盖率达100%。累计覆盖住宅套数36.64万余套，端口数达15.76万个，公众住宅覆盖率达到96.5%，其中千兆光网覆盖用户24.3万余户。建设算力丰富、运力充沛、多云协同、算网一体的算力精品网络，实现省内5毫秒、市内2毫秒延时的低时延全光网络圈；成功上线A1路由器作为169骨干网国家级核心节点；实现智能城域网在本地汇聚区的100%覆盖。发挥自身优势，重点聚焦港口物流、数字政府、工业互联网等领域，累计参与数字化项目50余个。以宁波舟山港为中心向外辐射发展10万级项目8个；以农业发展、生态保护为重点发展10万级项目9个；以宁波职业技术学院教室环境升级改造项目、宁职大脑平台（一期）为主的10万级项目4个；以宁波甬仑聚嘉工业互联网项目一期、宁波极望信息科技有限公司数字化项目、宁波中集箱厂5G+MEC专网建设项目为主的10万级项目5个。打造的基于5G的集装箱智能制造工厂、海天5G智慧工厂、旭升5G+智慧工厂，入选国家级5G工厂。

【邮政北仑分公司】 2023年，完成业务总收入1.6亿元，同比增长11.5%，累计完成经营利润1063万元，同比增加2556万元。其中，区寄递事业部完成业务总收入4846.6万元，同比增长3.9%；完成金融业务总收入8847.4万元，同比增长16.21%。全公司有邮政营业网点27个，金融储蓄网点23个，CRS存取款一体机28台，其他自助机具ITM机25台，移动展业设备25台；区寄递事业部设有运营监控部、市场部两个职能部门，直属快递包裹、国际、物流营业部，下属10个综合揽投部、1个投递部。全司在岗职工155人，劳务工48人，劳务承揽4人，劳联48人；区寄递事业部在岗职工48人，劳务工16人，劳务承揽101人，劳联208人。劳动生产率人均56.3万元。7月24日，成功中标宁波职业技术学院校园快递服务项目，邮政成为全市第一个中标校园邮局的单位。普邮投递道段从89条缩减至74条，组建甩点直投道段12条，全年累计三大环节降本257.78万元。建成邮爱驿站3家；完成宿舍邮路建设，为新进大学生安身提供方便；医疗互助保障工作取得实效，为325名职工办理了工会住院医疗保障，争取医疗互助保障补助10.8万元。

（撰稿人：杨晓靖　许玲玲　朱燕波　曹文远）

建筑业　房地产业

建筑业

【概况】 2023年，北仑区（开发区）具有资质建筑企业354家，其中施工总承包一级资质企业已由2021年时的6家增长至22家。完成建筑业总产值248.56亿元，同比增长15.4%；其中省内产值161.72亿元，同比增长8.8%，省外产值86.84亿元，同比增长30%。2023年新开工建筑工程118项，建筑面积366.13万平方米，工程合同造价105.6亿元。其中房屋建筑工程96项，建筑面积366.09万平方米。完成竣工验收备案134项，建筑面积407.23万平方米。全年共获评浙江省优质工程奖“钱江杯”3个、省标优良工地7个、市标优良工地15个，获市结构优质奖10个，获宁波市优质工程奖“甬江建设杯”3个。

【建筑市场监管】 2023年，全区推进城乡建设系统安全生产专项整治，实现“遏重大、降较大、保安全”目标。开展住房和城乡建设领域扫黑除恶，做好“行业清源”。加强招投标行业监管和建筑工地市场行为检查。对建筑工地排查2936次，填写下发整改通知书2871份，其中下发停工整改通知单253张，共计排查整改6564处建筑工地安全隐患。

【新型建筑工业化】 2023年，全区围绕建筑节能，严把建筑工业化审批关，加快推进新型建筑工业化。实施装配式建筑项目32个，装配式建筑面积230.76万平方米；民用建筑节能评估18个，其中获评三星级9个、二星级7个、一星级2个；推进海绵城市建设，对全区30个海绵城市工程项目完成验收备案。

房地产业

【概况】 2023年，全区商品房销售面积79.36万平方米，同比减少10.19%；房地产投资135.59亿元，同比增长9.17%；全年房地产项目交付10个，其中商品房项目7个，安置房项目3个，总建筑面积96.56万平方米。共完成商品房备案8431套，同比减少29%；商品房成交面积78.58万平方米，同比增长1.7%；成交金额101.66亿元，同比减少20.8%；其中住宅类3830套，成交面积62.73万平方米，成交金额87.67亿元。完成存量房备案8853套，同比增长19%；成交面积76.41万平方米，同比增长21%；成交金额101.7亿元，同比增长19.5%；其中存量房住宅类成交5922套，同比增长24.7%；成交面积62.05万平方米，同比增长28.1%；成交金额91.97亿元，同比增长21.6%。

【城乡房屋安全监管】 2023年，北仑区开始实施城乡房屋保险+服务综合模式。列入第三方动态监测的服务城镇住宅房屋716幢，动态监测巡查7992幢次；农村危旧房屋动态监测1388幢，面积为10万平方米，动态巡查15982幢次。全国自建房信息归集平台上录入经营性自建房共计25515幢，初判隐患房屋72处，城乡危房整治率100%；年度累计巡查农房78640幢次，按照“发现一个、救助一个”原则，全年共计动态解危4处农困家庭危房。

【住房保障】 2023年，北仑区完善以公共租赁住房、保障性租赁住房和共有产权住房为主的住房保障体系，稳步扩大住房保障覆盖面。筹建保障性租赁住房6428套，3个项目获国家预算内投资计划项目资金补助9938万元；通过对城镇低保、低保边缘等社会救助家庭的常态化排摸走访和登记建档，全区共计185户保障家庭入住公租房；全年发放租金补贴283.88万元；发放货币补贴1066.18万元；住房租赁试点工作于2023年6月结束，全区共计新建租赁住房16634套，盘活租赁住房12802套，培育专业化、规模化住房租赁企业3家，完成三年住房租赁试点工作所有的任务指标。

【青年公寓购房补贴】 2023年，根据区政府公布的《北仑区青年公寓申购管理办法（试行）》(2022年修订)，北仑区青年公寓补贴政策出台：购买青年公寓房屋按面积实施分段补贴，所购房屋90平方米以下部分房款（以网签备案的合同价为准，下同）补贴20%，90至120平方米部分房款补贴10%，120平方米以上部分房款不补贴，每套房子最高补贴30万元。购买青年公寓时，可将青年公寓补贴金额的50%用来支付购房首付。全年共计

8月，位于北仑博地影秀城东侧的青年创业创新大厦竣工

2624人参与青年公寓摇号报名，共计发放购房码1000个，兑付青年公寓补贴11556万元。

【物业管理】 2023年，开展物业行业监管，常态化巡查326个小区，发现并整改问题712个。发放劝阻通知书454本，开展各类约谈31次，涉及17家物业企业。开展"我为群众办实事、我为企业解难题、我为小区添助力"专题实践活动，全年开展服务202次，走访企业52家。完成"共享共建"小微提升改造补助项目19个，补助资金314万元。全区住宅小区专业物业覆盖率为98.8%。

（撰稿人：谢一心）

住房公积金管理

【概况】 2023年，全区住房公积金归集额为56.91亿元，同比增长7.12%；提取额为44.48亿元，同比增长15%；发放个人住房公积金贷款额为23.7亿元，同比增长8.57%；全年公积金增值收益为16653.28万元，同比增长7.81%。至年底，住房公积金缴存余额为125.94亿元，贷款余额为115.21亿元，存贷比为91.48%，保持在高效合理区间。全年处理职工投诉案18件，维护了职工的合法权益。推进扩面建制，新增缴存单位1660家，新增缴存公积金职工人数10.29万人，净增1.31万人。全年实缴单位9429家，实缴职工35.58万人，同比增长2.3%。研究制定机关事业干部公积金基数调整方案，提高事业编制人员公积金缴存基数，发挥住房公积金的薪酬激励作用。做好新职工按月补贴的申请审批工作，全年累计审核1066人，补贴金额122.75万元。根据个人申请，为干部群众出具房改核查证明981份。

【优化服务】 贯彻实施针对多子女家庭、新市民、青年人等群体的公积金租房提取和贷款优惠政策，优化线上服务措施。全年共有13.07万人次通过全国住房公积金小程序、浙江政务服务网、浙里办App等平台，开展公积金提取业务的办理，同比增长61.46%。推进住房公积金缴存"一件事"办理，并受理"全省通办"、"跨省通办"、长三角"一网通办"等跨区域公积金业务250笔，满足企业和群众异地办事的需求。延伸网点服务提质增效，新增农商银行小港支行、邮储银行滨江支行两个网点，全域公积金业务办理延伸网点增至12个，评选优质服务网点2个，网点服务明星4名。全年延伸网点共办结业务11923笔，占总办理数的8.03%。推进公积金管理档案数字化，获省级优秀档案室称号。

【扩大制度覆盖面】 推进公积金制度覆盖扩面工作，完成了"七优享"考核目标。与学校和人力服务中心合作，在宁职院、区人才招聘会、青年创业大厦等新市民、青年人集聚地开展公积金制度宣传活动，提升新市民和青年人等群体缴存住房公积金的积极性。强化公积金与银行的战略合作，建立行长例会制度和住房公积金扩面激励机制，聚焦新设立和新迁入北仑区域的企业，联合开展产品营销和公积金制度的宣讲活动。推进执法调解工作，为112家拟上市企业提供政策辅导，走访和约谈25家未缴或未全额缴交公积金企业。寄发催建催缴函846件，发送短信5万多条，督促企业缴交公积金。

（撰稿人：顾　南）

综合经济管理

发展和改革管理

【概况】2023年，北仑区（开发区）实现地区生产总值2729.2亿元、同比增长5%，实现服务业增加值1487.5亿元，占GDP比重54.5%。新增规上数字制造业企业10家，实现规上数字经济核心产业制造业营收692亿元。中集、海天、旭升等3个项目入选国家级5G工厂。9家企业入选省级数字化车间/智能工厂培育名单，旭升集团进入省级未来工厂试点。战略性新兴产业增加值、高新技术产业增加值同比分别增长10%、8%，均高于面上增加值增幅。全年实现限上商品销售额21879.6亿元、同比增长5.8%。消费促进系列活动拉动消费16.8亿元，全年社会消费品零售额同比增长12.6%。新引进航运运力54.5万载重吨，四港联动公司跨境物流平台项目落地北仑。加快"枢纽自贸区"建设，22项改革创新取得全国、全省"首单"或"首例"突破性成果，入选首批浙江省数字贸易示范区。落地全国首个亚马逊海外购前置保税仓，跨境电商进口连续七年列全国综合试验区单个区域第一。中东欧进口规模列全省第一。获批启运港退税试点，成为全球第5个具备液化天然气加注服务能力的枢纽港，企业外联App试点获中央网信办批复，在全省率先开展进出口商品领域全球二维码迁移计划（GM2D）应用试点。宁波片区获评2022年度自贸区考核优秀。"一带一路"重要枢纽建设工作再获省政府督查激励。

【重大项目建设】2023年，实现大榭热电四期、北仑电厂改造、滨江新城第一学校等省、市重点项目开工，开工率92.3%，11个"千项万亿"工程投资完成率156%，全年完成固定资产投资492.8亿元、同比增长7%。引进环洋新材料、巴德富等重点项目，引入360数字安全产业基地、极氪新能源、东方研究院等10余家内外资企业总部。全年实际利用外资26.65亿美元，国内招商引资实到资金超247亿元。储备120余个稳商扩资增效项目，宏达机械、申洲针织等33个总投资26.4亿元的项目开工建设，建筑面积52.7万平方米。

【创新改革】2023年，培育创新市场主体，新增主板上市企业1家，新增旭升股份、信泰机械2家国家企业技术中心，新增省级重点企业研究院2家、省级高新技术企业研发中心19家、省级重点企业研究院2家、省创新能力百强企业8家。新入选院士1人，新增国家级重点人才29人，获省西湖友谊奖2人、省"鲲鹏行动"计划顶尖人才1人、省领军型创新创业团队3项。北仑区荣获浙江省"科技创新鼎"，创新创业工作获国务院督查激励。推进"异地通办"改革工作，119项事项实现全国性无差别常态化"跨省通办"。推进"一件事"集成改革，受理办结个人全生命周期"一件事"10万件、企业全生命周期"一件事"44万件。深化"标准地+承诺制"改革，量身定制"一企一策"审批方案。全年累计完成兑付"8+4"政策资金超117亿元。

【城乡品质提升】2023年，以港产城文融合为主线，加快城市有机更新，建成凤凰公园二期，青年SPORT港竣工交付，恒山路东延工程、云台山路工程具备通车条件。7个未来社区、2个城乡风貌样板区通过省级考核验收。加快推进"两场一仓一中心"建设，高标准推进宁波舟山港国家物流枢纽项目、沿海永丰集卡服务中心建设，灰库、半山停车场项目开工建设，横浦、柴桥两个集运基地正在建设改造中。启动"'千万工程'再深化和美共富新启航三年行动"，创建省美丽宜居示范村6个，开通8批免费"通山达海"共富风貌专线，打造11个"百花香百村"花卉特色村。探索形成"四好农村路+"新业态新模式，成功入选"四好农村路"省级示范县（市、区）。培育省级农机服务中心4个、省级全程机械化应用基地5个、省级农机创新试验基地1个，建设完成35784平方米绿化中心。推进全域幸福河湖建设示范县（市、区）创建工作。再夺省治水"大禹鼎"金鼎，连续六年获评美丽浙江建设考核优秀，通过省三星级"无废城市"评估验收。入选省第三批减污降碳协同试点，昆亭村等4村（社区）入选全省第二批低（零）碳乡镇（街道）。建成全省首个海洋主题生物多样性体验地，梅山湾入选2023年海洋生态保护十大修复典型案例，镇海棘螈保护获评全国生物多样性保护典型案例。全年空气质量优良率93.5%，12个区控以上断面水质达标率保持100%。

【共同富裕建设】2023年，新碶小学

扩建工程、浙师大附属芦江书院二期等10个项目全部如期完成年度建设目标。全年开展各类职业技能培训3.9万人次，新增就业4.2万人，登记失业率2%，零就业家庭保持动态清零。推进“社区宜养”“智慧助养”，新增认知障碍照护专区床位100张，每万老年人口拥有持证养老护理员数达30名，创建全国示范性老年友好型社区3个。出台北仑区婴幼儿照护服务补助办法，建成“医防护”儿童健康管理中心3家，构建形成“5+X”多元化托育服务体系，千人托位数达到4.3个。全域建设同创“儿童友好”，凤凰山儿童友好公园投入使用，儿童友好九峰山校外实践基地和气象研学基地成立。

（撰稿人：李雨桐）

开发建设管理

【概况】 2023年，区开发建设综合局是宁波开发区所属职能机构。负责研究、谋划区域重点区块开发建设工作，拟订并组织实施开发建设推进方案；研究提出区域重点开发平台的布局规划，推进区域内新增产业基地、产业平台开发建设，对平台发展进行指导和评价；负责统筹推进跨区域园区合作工作；承担区域开发建设综合性事务，负责相关开发平台的建设协调与管理服务。

【项目建设】 2023年，对重点开发区块内货物堆场、停车场、仓储企业提出三年腾退计划，依托每周例会、走访调研等工作机制，逐家落实腾退方案和腾退时间，对接宁波舟山港集团、相关企业，获取多方支持。完成腾退港外堆场23处、集卡停车场10处。推进灰库、半山、华峙等6个项目建设进度，相关项目参加宁波舟山港重大集疏运项目集中开工仪式，项目正式动工；华峙堆场已全部建成投用；华峙停车场、峙南、算山北、碑塔等地块完成概念性方案设计。

【智序港城建设】 8月24日，区政府发文正式明确“智序港城”项目开发团队组建有关事宜，成立项目专班。推进合资公司注册（宁波智序港城运营有限公司），完成一期项目园区预约1.0版、集卡运输行业信用评价体系1.0版、集卡车停车线上预约2.0版三个模块开发，制定出台《堆场管理办法》《集卡信用评价机制》等制度规定。

【庐南片区建设】 10月10日，区政府发文明确大碶庐山路南侧地块城市更新建设指挥部办公室设在开发建设综合局，李国东任办公室主任，林宏伟任办公室专职副主任。经走访调研、实地勘踏、会商研究，明确芦山村及沿路网区域集中攻坚征迁总体思路，会同有关单位，攻克A1地块企业拆迁的历史遗留问题，完成企业拆迁16家，农户拆迁256户，居民拆迁241户，推动一期项目重点地块出让。同时，推进租赁房、安置房、文保迁建等3个项目施工建设，完成城市设计、开发方案研究及一期控规调整，完成东海实验学校庐南校区、大碶派出所、配套路网等项目前期工作，谋划横杨未来社区环形公园、河道改造、路网布局等前期项目，滚动开发。

（撰稿人：陈　红）

重大项目建设

【概况】 2023年，营商环境改革局牵头制定印发《关于强化重大项目统筹管理和协调服务的工作机制》，紧盯重大项目，把握重要节点，倒排计划时间，形成工作清单，构建多层服务体系，建立一个项目、一位领导、一个部门及街道、一个专班、一张“鱼骨图”、一个群推进机制，抓好项目开工、难题攻坚，合力推进“六促六优”行动及省、市重点专项计划重大项目争优。

【六促六优专项】 2023年，共梳理基础设施项目35个，其中新开工项目14个、续建项目21个（包括拟完工项目7个），总投资1492亿元，年度完成投资128亿元。共梳理产业项目45个，四张清单（“百亿级”7个、“支撑性”19个、“蜗牛”5个）和1个“稳商扩资”项目包（14个项目），总投资共1022亿元，年度投资138亿元。其中，新建项目18个、续建项目13个、“稳商扩资”项目14个。项目争优小组全年绿榜项目9个，推荐年度优秀集体18个、优秀个人24名。

【重大项目建设】 2023年，共梳理95个重大项目（含“六促六优”省、市重点、新拿地等项目），年度新开工45个，其中产业项目25个，非产业项目20个。通过制定年度项目任务、问题清单，明确责任主体和任务节点，做好“周会商、月分析、季考评”、区数智平台晾晒、区领导分管重大项目推进情况汇报等，抓好抓实项目争优统筹，为北仑电厂改造、大榭热电四期、大榭原油洞库、半山堆场、海尔施IVD、产城融合主体工程、坝头路西延、329国道改造等45个计划开工项目，以及液化天然气三期、海天智能装备产业园、528等一批续建、竣工投产重点项目顺利攻坚要素保障、军事叠标报批、土石方堆放、政策处理、验收保障等120多处堵点，确保项目加速竣工及建设提速。

【百日攻坚行动】 2023年，会同区发改局制定百日攻坚“抓开工、抓入库、抓放量、抓谋划”四张清单，印发实施《2023年北仑区（开发区）扩大有效投资暨重大项目“百日攻坚”行动方案》，加快重大项目建设进度，促进固定资产投资稳步增长。列入全年省、市集中开工项目13个，全部开工。列入省重点建设计划项目3个，完成投资约54亿元、投资完成率达200%，国能北仑电厂一期节能减排改造项目于上半年全面开工建设。列入市重点建设计划项目37个，完成投资约339.2亿元、投资完成率150.6%，太河路北延、中石化成品油一期、台化PTA、金发一体化等10个项目顺利建成。

（撰稿人：张仁根）

营商环境改革

【概况】 2023年，区营商环境改革局深入贯彻中央和省、市关于优化营商环境各项部署要求，以《浙江省优化营商环境条例》为指引，以政务服务增值化改革为牵引，深入推进营商环境优化提升“一号改革工程”，推进最少审批、最优流程和最佳服务，持续打造市场化、法治化、国际化一流营商环境。在2023年度浙江省“万家民营企业评营商环境”结果中，北仑区入围全省（县、市）区营商环境前十强。

【一号改革工程】 2023年，北仑区设立全省首个营商环境改革局。坚持企业需求“用户思维”，制定出台北仑区“一号改革工程”行动方案，梳理五大环境102项重点任务清单、108项重大改革清单，打造工业社区、环保“绿岛”、涉港口执行“一件事”、海外工程师引育等具有北仑辨识度的集成改革，全力打造一流营商环境标杆区。成功举办营商环境政企座谈会暨自贸区法治保障中心开馆活动，《浙江日报》专版、《宁波日报》头版对此项活动进行专题宣传报道，持续打响“在北仑·营未来”营商环境品牌。区人大、区政协、团区委及区贸促会等区直单位积极组织专题民生夜询会、银企对接、“青联思享汇”、服务企业“走出去、引进来”政企座谈会等营商环境主题系列活动，通过听企意、汇企智、解企忧，凝聚改革共识，共谋发展良策，共同助推“一号改革工程”。

【政务服务增值化改革】 2023年，制定出台北仑区政务服务增值化改革实施方案，重点聚焦“五个一”，并在线上线下企业综合服务中心设置项目、政策、金融、人才、法治、科创、开放·自贸、知识产权、数据、兜底等十大服务板块。组建工作专班，形成分工协作、合力推进的工作机制。逐步完善企业综合服务中心考核晾晒督查、线上平台内部协同、问题闭环管理、联席会议等工作机制，构建“1+1+1+X”服务体系，确保中心高效顺畅运转。不断完善“政企云客厅”线上平台，整合全区各类涉企服务应用，围绕北仑企业高频需求迭代升级。加强宣传推广电子营业执照“企业码”，提高企业知晓率、使用率，确保全区平均下载率保持省、市前列。涉企服务事项清单依托省、市级指导目录，根据北仑企业需求和产业链发展需要不断完善。编制涉企服务“一类事”指导目录和应用场景。

【无感监测营商指数】 2023年，北仑区无感监测营商指数位居全市第1，全省90个县（市、区）位列第6。联合多部门明确17项重点弱项指标对标提升举措，针对性抓好补短板工作。知识产权活力、办理建筑许可等11个一级指标已提升为省、市领先的“标杆指标”。对标世行B-Ready评价体系和全省无感监测评价体系，重点促进开办企业、注销企业等直接关系企业办事便利度指标保持在省、市最优水平。持续引导各指标部门改进工作方式方法，推动以评促改。策划推出“无感监测营商指数”第一批9集系列宣传短片，营造齐抓共管、协同推进的营商环境工作氛围。

【政务环境优化提升】 全面推进政务服务优化提升，全年整体“一网通办”达99.67%，政务服务整体满意度达99.98%。探索“异地通办”改革，持续推进“一件事”集成改革，让企业群众办事跑一窗向零跑跃升，全年共受理办结个人全生命周期“一件事”8.9万件，企业全生命周期“一件事”41万件。建立优化重大项目“1244”统筹推进机制、“拿地即开工”等系列改革举措，实现项目从签约到开工“最多80天”保持率100%。优化改革低风险小型项目审批流程，平均审批时限从15个工作日缩短至5个工作日，平均节省小型项目建造成本15万元以上。推进民商政务服务迭代升级，推出企业注销简办易办。深化不动产登记、交易和税费缴纳“一网通办”改革，探索试点商品房二手房“在押过户”，同步探索工业用地“在押过户”操作细则。启动实施“一站式”国际贸易综合服务窗口、投资项目审批服务中心等专区建设。依托跨境贸易投资高水平开放试点、新型离岸贸易试点，深化跨境支付领域双向开放改革。

【法治环境优化提升】 探索“非约勿扰”综合管一次工作模式，实行行政执法检查计划统筹，创新联合多种检查方式，建立“白名单”分级分类监管，做到“有事必应、无事不扰”。打造具有自贸特色的预防性合规和涉案合规，强化知识产权全链条保护。建立健全涉企案件审慎办理机制，倡导“首次不罚”“轻微免罚”，对犯罪情节轻微的民营企业从业人员依法不起诉，对40余家企业作合规整改考察，实现涉案企业销售、用工、纳税三增长。引导企业把法律风险控制关口前移，在重点企业、重要园区和商业平台设立商事调解组织，先行先试打造自贸区法治化营商环境公共服务中心，推动“芦江大阿嫂”等民间调解资源向商事纠纷化解延伸，行政案件协调撤诉率常年位居全市前列。建立庭外重组与庭内重整衔接机制，最大程度保存企业商业价值。创新打造自贸区法治保障中心，持续完善“宁波片区国际商事海事法律服务中心”自贸大厦功能定位，实现对自贸区企业各类法律服务需求的有效覆盖。深化“公共法律服务进工业园区”，打造“企业法治帮帮团”，共建法治化营商环境。

【市场环境优化提升】 健全市场经营主体准入准营机制，简化申请材料，减材料比例超过50%。开展住所承诺制改革，释放区域地址登记资源。针对个体户部分行业，创新提出以“流动地址”登记，减轻个体户登记负担。强化“标准地+承诺制”，聚焦“招大助优扶强培新”，深化要素资源市场化配置。实施一流企业培育工程，促进中小企业梯级培育发展。全市首创“公职律师服务直通车”，配置公职律师咨询团队，助力当事人“一站式”解决企业破产重组、吸收合并、上市扶持、法律适用等困惑。构建全景式跨境电商信用监管模式，聚焦进出口商品贸易，全省率先打造进出口商品GM2D应用，至年底进口商品转码赋码已超6589.5万个，试点企业33家，涉及品类达398个。上市合法合规证明全面打通法院、公安、税务、海关等部门，梳理了各个条线开具合规证明所需材料，全面实现企业获取上市合规证明“全覆盖”。

【经济生态环境优化提升】推进重大基础设施建设，北仑电厂一期节能减排改造项目完成8号锅炉钢结构第三层吊装、9号锅炉首层钢结构吊装50%；大榭热电四期完成桩基施工、燃气锅炉受热面安装，进行水煤浆锅炉钢结构安装；镇海中学甬江校区一期1#、2#、3#、7#、8#楼进行内装修施工，完成地下室底板基础浇筑；宁波—舟山港三期集装箱码头配套停车场项目一期工程进行场地平整、桩基施工。探索产业链创新链深度融合机制，推动四家平台顺利完成省级科技企业孵化器、众创空间申报。推进跨境投资机制创新，QFLP已落地1家，外债便利化试点已落地4家。深化跨境贸易机制创新，推广“两步申报”“提前申报”等通关便利措施。探索创新境外人才服务和创业绿色通道模式，实现线上线下外国人工作许可和外国人工作类居留许可一次收件、统一办理。出台《关于支持高质量建设宁波国家级人力资源服务出口基地的实施意见》，建成国家级人力资源服务出口基地，已入驻各类涉外人力资源服务机构7家。

【人文环境优化提升】深化创新“亲清”政商关系机制，大力培树企业家精神形象，组织新生代企业家综合素质研修班，推进新生代企业家政治事业“双传承”。深入推进区域文明实践，倡导“浙风十礼”践行、“最美村庄”典型选树、“道德模范”、“最美人物”、“身边好人”、“文明有礼宁波人”四级道德荣誉体系和褒奖激励机制。持续优化“最优礼遇”宜居宜业环境，深化健康保障，北仑区入选省普惠托育试点区。完善住房保障，完成筹建保障性租赁住房6428套，超额完成全年目标任务。丰富文旅服务，创建北仑开发开放展览馆、张人亚党章学堂等5家乡村博物馆，宁波中国港口博物馆获评浙江省智慧景区。建设儿童友好型城区，北仑区获中国儿童中心颁发“儿童友好协同创新区”称号。

（撰稿人：沈宇存）

市场监督管理

【概况】2023年，全区有各类市场经营主体181499户，其中企业74739户、个体工商户106677户、农专社83户。完成2022年度企业年报公示67827家，年报率97.09%，完成个体户年报公示90682户，年报率92.02%。中小微型食品生产企业共79家、食品加工小作坊116家。创建星级市场8家、放心市场6家、四个一批市场3家。全区高价值发明专利拥有量1544件，新增发明专利906件，有效发明专利拥有量达4769件，新增PCT国际专利申请量180件。新增贯标企业56家，国家知识产权示范企业4家，优势企业10家，省知识产权示范企业8家，6家企业获第一届省政府知识产权奖。办理专利质押21.1亿元，商标质押5.5亿元。新增“浙江制造”认证企业8家、“绿色产品”认证证书23张（建材类19张证书、家具等其他类4张）、“国际互认”证书7张，制造企业内部实验室新通过CNAS认可9家。

全年共接到各类投诉举报（咨询）16341件，同比增长35.56%。其中投诉11738件，同比增长34.55%，占全部诉求的71.83%；举报4385件，同比增长38.28%，立案162件。投诉调解成功率64.19%，为消费者挽回经济损失600多万元。

办结各类经济违法案件871件，同比上升11.24%；其中大要案239件，同比上升36.57%，30万~50万元6件，50万~100万元4件，100万元以上1件；移送公安机关8件，同比下降20%，罚没款1403.51万元，同比上升46.74%。

【简化企业开办流程】拓展企业开办一网通办、一日办结服务链，建立完善“名称自主申报、经营范围自主选定、住所自主承诺申报，登记事项自主公告”登记模式，以承诺申请代替证明材料，以“菜单式点选”简化申报过程，以“数字跑腿”让群众少跑路，构建“零干预、零费用、零跑动”目标，实现商事登记“业务一口清、全局一口径”，并同步发放电子营业执照。2023年，企业开办全程网办率99.93%，企业开办一日办结率99.76%；个体工商户全程网办率达100%，全流程网办率99.34%；电子营业执照领取率81.2%。

【降低市场准入】2023年，推出《北仑区简化市场经营主体住所（经营场所）登记手续的实施办法》，通过“联系地址+正负清单”住所登记模式，进一步放宽住所登记条件。首创联系地址登记制度，降低市场准入门槛，对从事家政服务等包含修理业、居民服务业等15个行业中以提供劳务为主、经营场所不固定的个体户，允许其以流动地址作为经营场所，住宅作为联系地址的方式登记。优化“正负清单”动态管理，放宽行业限制，新增首批“区域白名单”，联合建筑物、行业、经营主体三大负面清单，全面升级住所申报承诺制，在11个街道和区域设立15个承诺申报地址，总面积达13万平方米，共有331家市场经营主体享受了该政策。

【执法监管数字化】指导全区各部门全流程使用省执法监管平台实施“双随机、一公开”监管，统一应用“浙政钉·掌上执法”系统开展现场检查。全年，执法监管平台用户共2477人，掌上执法开通率和掌上执法激活均达到100%；执法监管平台完成各类执法检查26869次，掌上执法率99.97%，其中“双随机”抽查17204次，“双随机”抽查占比69.40%，通过平台接收各类事件线索8796条，事件处置率100%。

【百姓点检助企惠民】 深耕数字赋能，对标“浙里食安”跑道，牵头打造“百姓点检助企惠民一件事改革”。开展“你送我检”进社区、进学校、进市场等活动共15次，覆盖辖区11个街道，参与1000余人次。其中联合新碶街道在星阳未来邻里社区开展的你送我检暨省级食品安全示范区创建开幕式直播活动，观看点赞达3.7万余人次。开展不合格企业专家对口帮扶，帮助整改实现产业转型升级。

打造“食安卫士”品牌活动，推动组建志愿服务队伍，搭建区、街道、专家团三级科普服务体系，开展科普活动，共招募80余名志愿者。

【食品安全抽检闭环管控】 2023年，全区食品安全抽样经费649万元，共完成评价性抽检1406批次，监督抽检3194批次，其中食用农产品专项773批次。检出70批次不合格样品，全部进行核查处置。与北仑公安分局开展快检实验室合作共建，共同实体化运作“快检实验室”，护航亚运会、亚残运会食品安全。开展“山寨、掺杂掺假、虚假宣传”食品专项你点我检，检测43批次样品，检出4款问题产品，问题发现率9.3%。开展风险会商4次，形成分析报告4份。

【校园食品安全风险管理】 坚持“数字赋能、风险预防、精密智控、多元参与”工作思路，聚焦配送企业与学校食堂重点环节，打造集“食材全链安全流转、风险因子智能归集、风险预警智能研判、监管力量智能调度、问题闭环及时有效”于一体的校园食品安全风险智治应用管理。4月26日，区政府办公室印发《关于加快校园食品安全风险智治高质量发展的实施意见》，进一步推动形成“学校综合管理体系”“政府智能监管体系”“公众参与监督体系”的三位一体共治格局。

6月21日，市场监管局联合市教育局共同举办的全市校园食品安全风险智治工作现场会在北仑召开，推进“校园食安风险智治”深度应用。8月，北仑区“校园食安智治”项目获评浙江省“浙里食安”第一批最佳实践项目。“信用智治助力打造校园食安治理新模式”获评2023年宁波市社会信用体系建设优秀案例。

【构建放心消费环境】 全年建成放心消费单位3040家、放心商圈9家、放心消费社区（乡村）4家，涵盖进口食品、日用百货、医药零售等30多个行业。推进无理由退货单位承诺行动，培育无理由退货单位1147家。突出生产者消费维权源头责任，将放心消费建设重点从流通领域向生产领域延伸，建成放心工厂314家。依照放心消费“1+X”评价标准，建立动态管理机制，扎实开展放心消费“三服务”“后评价”工作，聘请第三方开展消费体验评价工作，常态化开展线上巡查工作，全年发现问题并督促落实整改132户次。借助与农信系统的合作优势，充分发挥“放心贷”撬动作用，为小微企业和个体工商户金融赋能。区农商银行给予放心消费单位授信额度22.4亿元，为230家放心消费单位发放“放心贷”14.6亿元。

【优化营商环境】 2023年，查处违反明码标价“反向抹零”系列案件30件，罚没款350余万元，成功打破物流堆场收费“自动补整”行业潜规则。查处问题食品案，个案罚没款达100万元。查处无资质从事特种设备安装案，依法对当事人作出没收违法所得7.8万元、罚款15万元的行政处罚，有效守护重大项目企业安全生产底线。以示范创建为抓手，创成省级商业秘密示范点5家、市级商业秘密示范点20家，引入商业秘密保护联盟、知识产权保险机制，有5家企业投保商业秘密险，保费54万元。

【规范市场经营秩序】 2023年，查处8家企业主不执行国家“转供电”政府指导价政策、违法多收费行为，责令涉案当事人限期依法退还给承租其厂房的130余家中小微企业多收的电费共计1300余万元，罚没款136.67万元。对辖区内涉及食品、建筑材料、机动车检验检测等重点领域检验检测机构开展执法检查。共检查22家检验检测机构，查办检验检测机构出具不实、虚假检验检测报告6件，罚没款20.95万元。开展燃油加油机计量准确性专项整治、“净重”专项整治。对燃油计量各个环节加强监管，组织检查加油站262次，立案处罚4起，罚没款2万元。立案查处计量案件8件，维护消费者权益、遏制不诚信经营行为。

（撰稿人：史金波）

物价

【收费管理】 2023年，按照制定价格行为规则和集体审价定价制度，价格认证中心全年共办理价格认定314件，认定总额629.03万元。提高政府定价的科学性和公开性，完成了大榭非居民管道燃气价格调整方案，出台价格联动机制，并于1月、7月两次发布了最高销售价格；对区食品公司生猪定点屠宰费进行核定。

【价格监测】 做好民生商品及日常商品的价格监测，每月15日按时完成土地出让价格、水泥、过磷酸钙、瓶装液化气等主要商品和服务价格（15种）的监测统计，每周完成超市8种民生商品（涉及米、面、油）的价格监测上报，每日完成区内生猪收购批发价格的监测上报。根据上级安排，做好瓶装燃气费、水稻出售收购价格、金属企业预期调查等周期性的价格信息监测。完成日常价格监测工作，现场巡查大润发、加贝、三江、七彩虹等超市及星阳、嵩山等菜市场，关注辖区内市场生活必需品的价格，时时监测粮、油、肉、禽、蛋、蔬菜等主要生活必需品的市场价格变化，确保重要民生商品价格基本平稳。

【价格服务】 2023年，加强对价格法律法规知识的宣传和社会舆论的引导，增强人民群众对稳定市场的信心，正确引导市场预期。通过各种渠道公布价格行情，运用好新闻媒体和互联网，不断提高价格信息透明度，通过及时提供价格信息资源为社会服务。认真做好区长信箱、12345、网络论坛（政务公开）、电话咨询等关于建筑垃圾清运费、天然气费、停车费等50多个价格政策、收费咨询工作。

（撰稿人：张新洪）

审 计

【概况】 2023年，区审计局完成审计项目41个，查出各类问题335个，查出问题金额32338.4万元，促进增收节支和挽回损失6175.9万元。移送纪检监察机关和有关部门处理事项3件，处理人员4人。出具审计报告和专项审计调查报告38篇，各类报告及专报获区领导批示33篇次；审计提出建议77条，推动出台区级制度12项；上报上级机关审计工作信息132篇次，被采用99篇次。全年2个审计项目获评市级优秀项目，1个审计项目获评市级优秀报告，2个科研课题获评省级优秀课题，6个课题分别获得市级一、二、三等奖，成功打造2项省级整改示范案例，获区级"精特亮"先进集体、"六促六优"先进集体等荣誉。

【专业审计】 区审计局围绕财政加力提效实施审计，实施本级预算执行和其他财政收支等审计项目，促进长期滞留资金及时清算上缴财政，推动《北仑区政府非税收入收缴管理办法》等制度出台。围绕重大改革攻坚任务实施审计，紧扣三个"一号工程"落实、"六促六优"重点任务推进，依托开展的同级审、商务局经责审、开发园区整合提升等审计项目，推动《北仑区（开发区）促进外经贸高质量发展扶持办法》出台，督促消费券参与商户补缴税款48.98万元。围绕重大民生改善实施审计，开展共富、安置房等专项审计调查；聚焦"千万工程"，助推3200万元消薄项目启动；依托教育局经责审项目，关注教育均衡化政策落地，推动教育改革和优质化建设；依托大榭街道财政决算审计项目，关注居家养老服务试点开展成效，保障居民老有所养。聚焦重大民生项目保障，开展长山、丁山、北航三个安置房项目审计，节约投资2102万元。围绕除险保安和绿色发展实施审计，实施国企资产管理专项审计调查等项目，促进出台《区属国有企业监管制度》，着力化解国有企业投资风险；紧盯绿色发展和生态环境治理，揭示侵占永久基本农田等问题，及时督促整改；围绕海洋资源开发和岸线保护，揭示违规侵占海域修建码头、危废污染等问题，切实守牢绿色生态、安全发展底线。

【经济责任审计】 2023年，深化领导干部经济责任审计，出台《党政领导干部经济责任审计对象分类管理办法》，全年累计安排经济责任审计项目13项，实施中加强对三个"一号工程"重点任务落实、政府单一来源采购、"三公"经费管理使用、国企运营等事项的监督，围绕财经纪律执行情况、中央八项规定和过"紧日子"要求，紧盯权力集中、资金密集的重点岗位、重点事项、重点环节开展监督，促进出台《关于印发公务支出公款消费正负面清单的通知》，进一步规范财经纪律。全年开展领导干部离任经济责任审计交接16位、任前告知44位，移送纪检案件线索3件，充分发挥出审计在反腐治乱中的重要作用。

【审计管理】 2023年，区审计局实施"七线联动"行动，推动审计与纪检、巡察、组织、人大、财会、统计、检察等部门贯通协同。实施"以审促改"行动，高质量打造省、市级整改示范案例并获市长批示，入选1项市级示范案例。实施"质效提审"行动，出台《北仑区审计局审计项目审理工作规程》，切实提升项目质量把控；深化研究型审计，上报各项研究课题12篇，获得各类奖项6个；树立精品意识，2个项目分获市优项目二等奖、三等奖，1个专项审计调查报告获市优报告；推进内审质量全面提升，继峰股份、万华化学等7家单位加入内审会员，积极参加宁波市内审协会优秀项目评选，获得市级优秀内审项目2个、表彰项目3个；探索"以审代训"新路径，抽调六家国企集团19名内审人员协助开展审计项目，切实增强内审队伍实战能力。实施"科技强审"行动，大数据中心使用率及查询率持续提升，招聘大数据审计人才1人，逐步夯实数据化审计发展基石。

（撰稿人：朱书玉）

统 计

【概况】 2023年，区统计局编印出版了《2023年北仑统计年鉴》《2023北仑概览》和《2023年北仑区国民经济和社会发展统计公报》；做好《统计信息》《统计专报》《街道通报》等日常统计信息发布工作；加强调研和专题分析，共撰写统计分析25篇，信息230篇，其中8篇统计分析得到了区主要领导批示；针对基层企业召开12场统计业务培训会议，全面强化法治氛围，建立统计法进党校机制，有序开展执法检查，全年完成"双随机"检查单位99家，核查单位315家。

【第五次经济普查】 4月27日，区政府下发《宁波市北仑区人民政府关于做好第五次全国经济普查的通知》，组建区经济普查领导小组，区级、街道、村（社区）三级都组建了相应的普查机构。在北仑电视台、仑传App发布清查告知书；利用新旧媒体等播放普查标语口号、普查宣传海报等内容，并利用点对点方式向市场主体发送短信、推送微信朋友圈广告，有效提高普查对象对第五次经济普查的认识，营造全社会理解普查、重视普查、支持普查的良好氛围，为普查工作的顺利开展奠定基础。7月中旬，在戚家山街道组织开展普查试点，并召开试点业务培训班；做好前期各项准备工作的前提下，8月24日启动单位清查阶段的工作；清查工作中、后期，将清查数据与部门数据和统计调查数据等进行比对分析，把普查数据质量控制贯穿于经济普查的各时期。

【统计专项调查】 2023年，开展住户调查，入户走访157户，涉及8个街道，实现25个调查小区全覆盖。重点对经纪机构住宅销售价格调查，落实每月走访机制和多方面数据比对机制，结合房管所网签数据、各街道本期交易数据，做好每月典型小区住宅成交价格监测。

【统计报表】 建立健全区域之间的沟通交流机制，理顺各区域的工作职责，指导做好宁波开发区、梅山产业集聚区等各功能区统计工作。做好经济发展的监测预警、分析解读、需求响应的统计服务。对月度、季度数据，开展经济运行简析和分析，及时上报预警预判信息，向区领导做好预警、汇报工作。

【统计服务】 2023年，承接省统计局统计分析监测预警机制试点工作，强化全周期统计监测预警。建立主要经济指标月度台账，加强指标走势研判，做好部门统计业务指导工作。撰写提交经济类分析汇报材料，及时上报预警预判信息，因时制宜开展专题分析，撰写各类分析汇报材料，提升统计年鉴、统计公报、统计概览、《北仑统计信息》月度小册子、《北仑统计专报》《统计报告》等时效性、权威性。做好经济转型升级指标监测工作，开展月度数据填报工作，进行市综合服务平台的网上直报。做好开发区统计报表。

【统计基础】 按照全省统一部署，通过区域和行业相结合的方式，建立区域层级，各部门、中心及区级、街道、村（社区）四级统计网格架构。建立统计网格管理责任体系。每级统计网格由网格长、副网格长、网格指导员、网格员组成，明确各自职责分工，形成布局合理、界限分明、责任明晰的组织领导体系。建立统计网格运行保障机制，为基层统计网格化建设和运行提供必要的经费保障。

【数字化改革】 全面推广“统计大脑+应用”。推进“统计大脑”的浙企“最多报一次”、统计单位全生命周期管理、基层统计网格智治、碳排放智能统计核查、一体化统计监督、投资领域统计全流程管理等十大场景的应用。提高统计数字化平台的使用率。通过线上+线下的全覆盖培训，推进基层企业对浙企“最多报一次”平台的应用；结合专业培训、调研走访、惠企宣传等方式加大“统计e家”的推广使用；以数字化手段创新统计监督模式，通过一体化监督系统的网上预警、智慧执法、量化督查等场景开展统计监督工作。

【数据质量】 开展统计基础工作自查自纠。围绕企业配备统计人员、建立统计规章制度，建立原始记录、统计台账和统计档案，提供必要的统计工作保障等情况，完成全区规上、规下工业企业统计基础自查自纠工作，为规范工业企业统计工作流程、夯实企业统计基础工作、筑牢数据质量根基奠定了坚实基础。采取自查与抽查相结合的方式加大对数据质量核查力度。对数据存疑企业通过实地走访、网上核查等形式开展数据质量核查，分批次对全区规上工业企业开展工业统计数据质量自查自纠；每季度对营业收入为零的规下样本企业进行全面复核。每月抽查核验统计台账。每月抽取区内一定数量的企业，对企业的电子台账建立情况、数据质量、产值计算方法进行核查，督促企业建立完善的统计台账，夯实统计基础。开展统计执法检查工作，通过“双随机”平台抽取企业开展执法检查。

（撰稿人：常　洁）

粮　油

【概况】 2023年，全区粮食总需求141.36万吨，其中口粮15.80万吨。地产粮0.87万吨，进口粮96.76万吨，区外购入粮52.28万吨。年末粮食库存18.42万吨。全区食用植物油总需求19.82万吨，其中居民口油消费1.47万吨。年末食用油库存2.96万吨。

【五优联动】 全区“五优联动”（优粮优种、优粮优购、优粮优储、优粮优加、优粮优销）优质晚稻订单面积232.53公顷，实际收购优质晚籼稻1249.17吨，优质晚粳稻372.85吨。“五优联动”优质晚籼稻“订单粮食”在正常订单补贴基础上每50千克再增加2元的优质稻谷定购补贴，优质晚粳稻增加，在正常订单补贴基础上每50千克再20元的优质稻谷定购补贴。区粮食收储有限公司加强“订单粮食”管理，建立健全粮食产后服务体系，改造提升粮食收购站点，按照稻谷烘干工艺标准规范操作，防止高温快速烘干对稻谷品质造成损害；整合仓储资源，对收购的优质稻谷实行专收专储，进行准低温储存保管，确保优质稻谷新鲜度。

【储粮管理】 开展清仓查库，“一符四无”和“无虫”达标率均为100%，地方储备粮宜存率达100%。全年轮换地方储备粮食21559吨，食用油和成品大米实行动态轮换。全区现有三星级粮库2个、二星级粮库3个，应用绿色生态储粮技术，开展智能化未来粮库建设，最大限度确保库存粮油储存安全和良好品质。建成“浙江粮仓”数字化协同平台，打造“浙政粮安”多跨场景应用，推进粮食治理体系和治理能力现代化。

（撰稿人：曹敏芬）

财政 税务

财 政

【概况】 2023年，北仑区（开发区）财政总收入813.41亿元，同比下降10.2%；一般公共预算收入413.48亿元，同比下降2.5%。一般公共预算支出377.06亿元，同比增长1.4%。全年财政收支平衡。

【组织财政收入】 构建收入组织协同机制，细化收入分析重点内容，牵头开展税源企业招商攻坚行动，出台鼓励中介机构招商引资激励办法，39家税收支柱企业（集团）完成各项税费收入72.51亿元，同比下降18.4%，占财政总收入的8.9%。优化收入结构，一般公共预算收入占GDP的15.2%、占财政总收入的50.8%；税收收入356.89亿元，同比下降7.6%，占一般公共预算收入的86.3%。加强非税收入征管，非税收入60.10亿元，同比增长44.3%，其中纳入一般公共预算管理的非税收入56.59亿元，同比增长49.9%。

【支持经济发展】 落实国家、省、市经济支持政策，会同有关部门出台三个“一号工程”行动方案财政配套细化政策，助力区域经济回稳向好。落实减税降费政策，兑现惠企资金71亿元，为市场主体减税降费172.5亿元，助推区域创新深化、改革攻坚、开放提升。科学技术支出43.47亿元，同比增长20.1%，支持甬江科创区北仑片区建设，推进数实融合、产业集聚和产业平台转型提升。投入自贸试验片区建设资金58.3亿元，同比增长14%，支持跨境贸易高水平试点，全国首创TradeGo数字提单系统。实施港航服务业“百日攻坚”行动，支持宁波舟山港国家物流枢纽建设，推进全域国土空间综合整治试点。发挥政府采购政策功能，优化营商环境，助力中小微企业发展，成交项目数、金额分别占比92.7%、89.7%。投入1.8亿元支持市场主体上规、上市、上云、上榜，市场主体规模跃升全市第2，规上工业增加值连续六年全省第1。释放消费活力，发放消费券6000万元，直接带动社会消费16.8亿元。安排专项资金6000万元支持“腾笼换鸟”攻坚行动深化实施，发放返岗交通补贴、留工补贴7841万元，惠及企业1548家、87187人。

【保障民生支出】 2023年，全区民生支出199.28亿元，同比增长8.2%，占一般公共预算支出的52.9%，增长3.4个百分点，支持共同富裕基本单元建设试点，开展产业工人共富样板、全民健身设施运营维护资金“钱随人走”小切口试点改革。教育支出24.82亿元，推进镇海中学甬江校区、人亚学校、临港经济示范区配套学校建设，通过全国义务教育优质均衡发展区实地评估。文化旅游体育支出6.34亿元。卫生健康支出14亿元，支持医疗中心、人民医院应急医疗救治中心建设，基层医疗卫生机构标准化率100%，成功创建全国基层中医药工作示范区。社会保障和就业支出25.72亿元，出台婴幼儿照护补助政策和公交运营补贴方案，帮扶重点人群就业2万人次，实现长期护理保险参保全覆盖。住房保障支出6.7亿元，筹建保障性租赁住房6428套，发放购房补贴1.2亿元、租房补贴1000万元。节能环保支出11亿元。支持美丽乡村建设，一般公共预算安排农林水资金5.31亿元，同比增长21%，土地出让金用于农业农村2.7亿元，启动“千万工程”再深化三年行动，出台绿色发展财政奖补机制，再夺省治水“大禹鼎”金鼎。新增政府专项债券资金32亿元，主要用于电网改造提升等民生实事工程23个项目。

【创新财政管理】 尝试“区领导+预算单位+财政部门”预算编制联审模式，构建新一轮区与街道财政管理体制，配套出台街道财政管理激励评价办法，修订区级转移支付办法。开展开发园区二次整合片区预算指标划转，清理清查专户账户和存量资金，合并账套，实现非税收入、社保资金全区统管。出台行政事业性国有资产管理暂行办法，完成片区64家预算单位19.25亿元资产划转入账，实现资产管理职能全域覆盖。推进政府投资项目全过程管理，财政出资政府投资项目纳入部门预算和“智慧财政”系统管理。统筹库款调度，盘活存量资金4.19亿元用于债务化解。严格支出管理，厉行节约过紧日子，“三公”经费支出3245万元，同比下降2.5%。学习贯彻中办、国办《关于进一步加强财会监督工作的意见》，会同审计部门开展财会监督联合检查，启动税源管理系统升级改造。扩容国库集中支付代理银行6家，完善“三公”经费动态监控规则12条，健全财政金融风险处置工作机制。

【国资管理】 推动成立区国有资本投融资决策委员会，印发《投资项目委托代建管理办法》《区属国有企业全面预算管理办法》《区属国企委托管理办法》等一系列管理制度。制定出台国有企业财务、投资、融资、考核、人员管理等各类制度文件30多个，形成了较为全面的国资国企监管制度体系。依托数字化改革，完成国资监管大脑建设，逐步统合业务审批、资产管理、债务预警、人员管理等方面，打造日常监测平台，及时掌握企业财务债务、大额资金使用、重大项目投资情况，组织编写北仑区债务风险及管控季度报告，动态梳理国资国企跨产业集团资金拆借和担保情况。督促指导六大产业集团成立内部审计部门，建立完善内部审计工作机制，推动内部审计重心向业务活动、内部控制、风险管理延伸，提升内部审计效能，有效协同国资中心形成大监督体系。2023年，全区国有企业建设项目（含500万元以上续建、新开工）共189个，涉及项目总投601.26亿元，全年累计完成投资额109.57亿元。其中，市重点建设项目10个，年度累计完成投资12.8亿元。全区有AA级及以上主体评级企业12家，国有企业存续带息负债余额1148.55亿元，其中，间接融资（含银行短期、长期借款，票据贴现等）705.16亿元，直接融资443.39亿元。完成新增融资549.98亿元。用好自贸区优势，推动六大产业集团优化贸易结构，集中产业优势发展自身支柱贸易业务，新成立贸易公司10家，贸易额突破220亿元。全面梳理清查资产家底，共梳理不动产类资产12588项，全区国有企业盘活厂房资产5处，盘活建筑面积5万平方米。

2023年北仑区（开发区）财政收入一览表

表33　　单位：万元

预算收入项目	累计入库	变动	同比%
一、财政总收入	8134078	−919424	−10.2
（一）一般公共预算收入	4134777	−106520	−2.5
1.税收收入小计	3568894	−294880	−7.6
增值税	1464044	81120	5.9
企业所得税	819466	−410480	−33.4
个人所得税	584647	−116690	−16.6
资源税	866	817	1667.3
城市维护建设税	200512	−35662	−15.1
房产税	73184	−349	−0.5
印花税	162922	79561	95.4
城镇土地使用税	32399	−1669	−4.9
土地增值税	144676	102533	243.3
车船税	13955	−186	−1.3
耕地占用税	2229	−2219	−49.9
契税	68342	8552	14.3
环境保护税	1251	−37	−2.9
其他税收收入	401	−171	−29.9
2.非税收入小计	565883	188360	49.9
专项收入	200805	16403	8.9
国有企业计划亏损补贴	0	−57300	−100
其他收入	365078	114657	45.8
（二）上划中央收入合计	3999301	−812904	−16.9
增值税	1505084	19822	1.3
企业所得税	1245221	−626501	−33.5
个人所得税	876971	−175035	−16.6

续表33

预算收入项目	累计入库	变动	同比%
国内消费税	403215	280974	229.85
二、政府性基金收入合计	20964	-15129	-41.92

2023年北仑（开发区）区财政支出一览表

表34　　单位：万元

预算项目	累计支出	变动	同比%
一般公共预算支出合计	3770628	52606	1.4
一般公共服务支出	177043	-5157	-2.8
人大事务	2496	-388	-13.5
政协事务	1892	218	13.0
政府办公厅（室）及相关机构事务	82165	1164	1.4
发展与改革事务	7859	-99	-1.2
统计信息事务	1764	455	34.8
财政事务	9034	-455	-4.8
税收事务	11312	-4588	-28.9
审计事务	952	-21	-2.2
海关事务	12695	4747	59.7
纪检监察事务	3990	527	15.2
商贸事务	5922	-5285	-47.2
知识产权事务	0	-383	-100.0
民族事务	57	-87	-60.4
港澳台事务	66	61	1220.0
档案事务	738	186	33.7
民主党派及工商联事务	422	30	7.7
群众团体事务	3174	-31	-1.0
党委办公厅（室）及相关机构事务	6613	737	12.5
组织事务	6791	809	13.5
宣传事务	88	-324	-78.6
统战事务	1131	105	10.2
其他共产党事务支出	4470	-1112	-19.9
市场监督管理事务	11080	-914	-7.6
其他一般公共服务支出	2332	-509	-17.9
公共安全支出	82040	5549	7.3
武装警察部队	0	-18	-100.0
公安	63153	2406	4.0

续表34

预算项目	累计支出	变动	同比%
检察	3045	-632	-17.2
法院	7636	1076	16.4
司法	2348	408	21.0
其他公共安全	5778	2285	65.4
教育支出	248230	14240	6.1
教育管理事务	352	-740	-67.8
普通教育	216675	39407	22.2
职业教育	11793	-1108	-8.6
成人教育	2979	629	26.8
特殊教育	1406	11	0.8
进修及培训	1095	-300	-21.5
教育费附加安排的支出	5518	-17357	-75.9
其他教育支出	8412	-6302	-42.8
科学技术支出	434662	72658	20.1
科学技术管理事务	685	-361	-34.5
基础研究	11952	578	5.1
应用研究	0	0	
技术研究与开发	36521	-213185	-85.4
科技条件与服务	373	41	12.3
科学技术普及	323	-33	-9.3
科技交流与合作	2406	646	36.7
科技重大项目	8310	-3	0.0
其他科学技术支出	374092	284975	319.8
文化旅游体育与传媒支出	63425	5725	9.9
文化和旅游	12078	-24744	-67.2
文物	3162	-672	-17.5
体育	5875	4824	459.0
新闻出版电影	25	-115	-82.1
广播电视	3711	1390	59.9
其他文化体育与传媒支出	38574	25042	185.1
社会保障和就业支出	257158	6354	2.5
人力资源和社会保障管理事务	35856	4655	14.9
民政管理事务	21596	2749	14.6
行政事业单位养老支出	35078	-2651	-7.0

续表34

预算项目	累计支出	变动	同比%
就业补助	19228	5369	38.7
抚恤	4439	-237	-5.1
退役安置	1569	256	19.5
社会福利	11483	31	0.3
残疾人事业	6320	-438	-6.5
红十字事业	233	42	22.0
最低生活保障	2809	-129	-4.4
临时救助	1046	-214	-17.0
特困人员救助供养	918	46	5.3
其他生活救助	188	-129	-40.7
财政对基本养老保险基金的补助	10654	2521	31.0
财政对其他社会保险基金的补助	52766	5785	12.3
退役军人管理事务	1016	-161	-13.7
其他社会保障和就业支出	51544	-11556	-18.3
卫生健康支出	139983	-38659	-21.6
卫生健康管理事务	4060	891	28.1
公立医院	18252	-12642	-40.9
基层医疗卫生机构	7049	-2270	-24.4
公共卫生	59228	-24481	-29.2
中医药	15	14	1400.0
计划生育事务	7398	614	9.1
行政事业单位医疗	10624	5477	106.4
财政对基本医疗保险基金的补助	16372	1642	11.1
医疗救助	1598	654	69.3
优抚对象医疗	39	-3	-7.1
医疗保障管理事务	947	149	18.7
老龄卫生健康事务	500	-11	-2.2
其他卫生健康支出	13901	-8693	-38.5
节能环保支出	110027	-62750	-36.3
环境保护管理事务	4320	164	3.9
环境监测与监察	1116	223	25.0
污染防治	11815	-1636	-12.2
自然生态保护	172	-26	-13.1
能源节约利用	40840	-29343	-41.8

续表34

预算项目	累计支出	变动	同比%
污染减排	194	-90	-31.7
可再生能源	0	-3	-100.0
循环经济	0	0	0
其他节能环保支出	51570	-28974	-36.0
城乡社区支出	537164	121899	29.4
城乡社区管理事务	24540	-3001	-10.9
城乡社区规划与管理	0	-93	-100.0
城乡社区公共设施	48747	-34289	-41.3
城乡社区环境卫生	36211	10440	40.5
建设市场管理与监督	14784	-1960	-11.7
其他城乡社区事务支出	412882	150802	57.5
农林水支出	53132	9215	21.0
农业农村	15870	-1306	-7.6
林业和草原	3740	1045	38.8
水利	22303	7425	49.9
巩固脱贫衔接乡村振兴	2141	-151	-6.6
农村综合改革	7884	4565	137.5
惠普金融发展支出	363	20	5.8
其他农林水支出	831	-2383	-74.1
交通运输支出	149117	95087	176.0
公路水路运输	101448	59234	140.3
其他交通运输支出	47669	35853	303.4
资源勘探工业信息等支出	348791	-244779	-41.2
制造业	0	-1746	-100.0
工业和信息产业监管	6259	5304	555.4
国有资产监管	386	138	55.6
支持中小企业发展和管理支出	10593	-535062	-98.1
其他资源勘探信息等支出	331553	286587	637.3
商业服务业等支出	986162	65315	7.1
商业流通事务	249677	224524	892.6
涉外发展服务支出	19	-55831	-100.0
其他商业服务业等支出	736466	-103378	-12.3
金融支出	18356	-2646	-12.6
金融部门行政支出	827	499	152.1
金融发展支出	17519	2479	16.5
其他金融支出	0	-5634	-100.0
援助其他地区支出	6575	-600	-8.4

续表34

预算项目	累计支出	变动	同比%
其他支出	6575	-600	-8.4
自然资源海洋气象等支出	20142	2649	15.1
自然资源事务	15894	-849	-5.1
气象事务	1555	1033	197.9
其他自然资源海洋气象等支出	2693	2465	1081.1
住房保障支出	67023	17894	36.4
保障性安居工程支出	12212	-6513	-34.8
住房改革支出	54559	24372	80.7
城乡社区住宅	252	35	16.1
粮食物资储备支出	1075	-274	-20.3
粮油事务	1075	-2	-0.2
粮油储备	0	-242	-100.0
重要商品储备	0	-30	-100.0
灾害防治及应急管理支出	11422	-463	-3.9
应急管理事务	4248	330	8.4
消防救援事务	6526	-899	-12.1
自然灾害防治	158	45	39.8
自然灾害救灾及恢复重建支出	0	-319	-100.0
其他灾害防治及应急管理支出	490	380	345.5
其他支出(一)	97	-15303	-99.4
其他支出	0	-15400	-100.0
债务付息支出	49998	-1049	-2.1
地方政府一般债务付息	49998	-1049	-2.1
债务发行费用支出	11	-1	-8.3
地方政府一般债务发行费用支出	11	-1	-8.3
政府性基金预算支出合计	716678	-120930	-14.4
国家电影事业发展专项资金安排的支出	42	42	
大中型水库移民后期扶持基金支出	194	33	20.5
小型水库移民扶助基金支出	0	0	
国有土地使用权出让收入安排的支出	351786	-271754	-43.6
城市基础设施配套费安排的支出	6633	6633	
污水处理费安排的支出	0	0	
大中型水库库区基金支出	3	3	

续表 34

预算项目	累计支出	变动	同比%
民航发展基金支出	1896	1135	149.1
其他政府性基金支出	320000	134000	72.0
彩票发行销售机构业务费安排的支出	29	-1	-3.3
彩票公益金安排的支出	2654	-647	-19.6
地方政府专项债务付息支出	33437	9623	40.4
地方政府专项债务发行费用支出	4	3	300.0
国有资本经营预算支出合计	6585	-1118	-14.5
解决历史遗留问题及改革成本支出	0	-27	-100.0
国有企业资本金注入	6585	-1091	-14.2
其他国有资本经营预算支出	0	0	—

（撰稿人：范拥军）

税　务

【组织收入】 2023年，北仑区组织各项收入970亿元。其中，税收收入769.88亿元；组织社保费收入106亿元，年金2.5亿元，组织非税收入94亿元；组织一般公共预算收入406亿元，占全区地方一般公共预算收入的98.2%。

【税收优惠政策】 区税务局精准落实税费优惠政策，助力各类经营主体创新发展。2023年新增减税降费222.68亿元，办理留抵退税28.85亿元。持续放大稳外贸政策效应，提升出口退税便利化，全面实行备案单证数字化，支持海外仓、跨境电商等新业态新模式，全年办理出口退税160.81亿元。服务自贸区建设，推进海关特殊监管区增值税一般纳税人资格试点，46家企业实现试点销售额122.93亿元。

【税收征管】 2023年，区税务局成立税收法制中心，着力提升处理综合型法制业务工作能力。强化“精确执法”理念，推进税务行政处罚“首违不罚”，全面落实“三项制度”，加强公职律师团队建设，不断提升税费争议处理能力。探索干部容错纠错机制。深化以数治税，试点推广全面数字化的电子发票，实现应推尽推。承办全市税务系统首场“数电票”可视答疑。实行税收管理员制度改革，完善“管事+管户”管理模式，重塑组织框架与工作流程。加强集团性企业集中统一管理，首批16个集团企业已调整完毕。强化涉税中介一体化服务监管，形成“一二三”工作法。加强欠税分类分级管理，多部门联动提升欠税追缴效果。

【税收监管】 加强“信用+风险”监管，做好重点行业、重点人员、重点领域风险防控。成立税收风险监控分析中心，强化各类疑点核查任务的扎口管理和审核监督。开展全流程、全税种纳税评估，实行重大税收事项提级管理。完善风险分析应对机制打法，成功防范单户企业6.5亿元税款流失。同时，持续开展所得税后续管理，搭建风险防控指标体系。严格落实成品油消费税提级监管要求，做好一企一专班和专业化管理团队组建工作，持续落实“走出去”企业境外税收风险分类分级管理服务。

【纳税服务】 推进智慧税费服务体系建设，统筹全区实体办税资源，做好办税服务厅撤并、智能化升级改造工作。建好“e税通”业务集中处理中心，后台平均受理时间压缩至1.5分钟。不断推动服务前移，7项业务实现12366纳税缴费服务热线问办协同。加大税费服务“e”站建设，与北仑农商银行深化合作，在17个营业网点增设银税自助办税终端。连续第10年开展“便民办税春风行动”，推动五批次109项举措全面落地。联合区工商联开展“春雨润苗”专项行动、中小企业服务季活动，精准推送政策近29.6万户次，帮助892户次纳税人“以信换贷”5.24亿元。深化“一码通达”试点，相关做法作为国家税务总局“税直达”试点工作措施获全国推广。推动新时代“枫桥式”税务所建设，小港税务所成功创建宁波市税务系统2023年新时代“枫桥式”税务所、“无忧税站”、“青梅e税”等建设项目有声有色。聚焦纳税人诉求提升服务效能，设置办税“零吐槽”网格，搭建诉求“快反”渠道。推进“零距离”公职律师坐席和“枫调理顺”税费争议咨询调解中心建设，实现简单争议快调快消，复杂矛盾团队化解。

（撰稿人：朱时航）

城区建设与管理

公用设施建设

【概况】 2023年，区公建中心共组织实施项目105个，其中续建项目29个（包含建成项目13个），新开工项目24个，前期项目52个，年度计划完成投资25.97亿元，实际完成投资33.53亿元，投资完成率129.1%，节余财政资金1031万元。全年，共完成设计、施工、监理等工程类招标40个，节约政府资金约1.81亿元；完成财务决算10个，比概算节减资金1188.62万元。长江路过街绿廊工程、黄山路西延（小浃江路—富春江路）工程获浙江省建设工程钱江杯（优质工程）；北仑中心城区停车场暨青年运动港工程、凤凰城地下停车场暨中央公园项目（一期）、太河路北延（海关—骆霞线）工程获评浙江省建筑施工安全生产标准化管理优良工地。

【浙师大附属芦江书院改建工程】 拆除小学部宿舍楼、食堂，拆除面积约3300平方米，原地新建教学楼和综合楼，建筑面积6588平方米，改建后芦江书院为24班完全小学。主要建设内容为老楼拆除、新建教学楼、综合楼等。工程总投资5318.36万元。2021年12月开工建设，2023年6月竣工验收。

【九峰小学改造】 对九峰小学进行改造，外立面改造面积约1.02万平方米，屋面防水修缮面积约3300平方米，新增风雨连廊面积约1600平方米，绿化提升面积约850平方米，同时对学校专用教室、室外铺装、围墙等进行改造。工程总投资2895.03万元。2020年9月开工建设，2023年7月竣工验收。

【北仑中心城区停车场暨青年运动港】 项目位于北仑银泰城西侧地块，东至中河路、西至中河、南至泰山路、北至岷山路，总用地面积约28500平方米，总建筑面积约69400平方米，其中地上建筑面积约4万平方米、地下建筑面积约29400平方米（含人防工程），主要建设内容为运动场馆、体育培训、运动配套、人防、地下车库等。工程总投资5.49亿元。2020年9月开工建设，2023年7月竣工验收。

【镇海中学甬江校区一期工程】 新建54班普通高中，建筑面积约82190平方米，项目主要建设内容为教学用房、教学辅助及行政管理用房、生活用房、体育活动场地、绿化等附属场地。工程总投资8.31亿元。2023年2月开工建设。

【区人民医院应急医疗救治中心】 项目位于北仑人民医院东南侧预留用地，原感染楼北侧地块，用地面积约2600平方米。新建建筑总建筑面积约26600平方米，设计病床200床。同时对现状感染楼进行改造，改造建筑面积约1130平方米。改扩建后人民医院感染楼总建筑面积约31500平方米。项目主要建设内容为呼吸道门诊用房、病区用房、负压ICU用房、放疗中心及生活附属用房等。工程总投资3.12亿元。2023年1月开工建设。

【太河路北延（海关—骆霞线）工程】 工程南起现状太河路，北至骆霞线，道路全长约800米，宽55米。主要建设内容为道路、河道改造、雨污水管、桥梁、电力管、电信管、路灯、绿化、交通信号灯、标志标线等配套设施。工程总投资12.44亿元。2021年6月开工建设，2023年4月竣工验收。

【云台山路（东泰巷—铁路北仑支线）工程】 工程西起东泰巷，东至铁路北仑支线西侧，全长约1130米，宽36米。主要建设内容为道路工程、桥梁工程、排水工程、泵站工程、综合管线工程、景观工程、海绵城市、路灯及交通工程等。工程总投资2.42元。2021年9月开工建设，2023年12月竣工验收。

【凤凰城地下停车场暨中央公园项目（一期）】 工程位于四明山路以南、岷山路以北、长江路以东、辽河路以西地块，总用地面积约81000平方米。新建凤凰城地下停车场及中央公园。主要建设内容为乐活运动园、地下停车场、辽河路改造提升及地下通道等。工程总投资4.21亿元。2020年9月开工建设，2023年6月竣工验收。

【凤凰城国贸地块北侧及东侧规划道路工程】 凤凰城国贸地块北侧规划道路西起淮河路、东至湖棚下河，长约610米、宽16米，国贸地块东侧规划道路北起该地块北侧规划道路、南至规划九峰东路，长约180米、宽16米。主要建设内容为道路、桥梁、电力电信、绿化、环卫设施、交通标志标线等。

工程总投资4139.03万元。2021年4月开工建设，2023年7月竣工验收。

【松花江路（泰山路—黄山路）改造工程】将松花江路南起泰山路、北至黄山路段机动车道、非机动车道破损板块凿除修复，改造段长约970米。同时对该道路与泰山路交叉口渠化改造、设置可变车道等，提升交叉口通行能力。主要建设内容为断面改造、架空电力线下地、破损混凝土板块修复、交通标志标线及绿化等配套工程。工程总投资2094.3万元。2022年3月开工建设，2023年1月竣工验收。

（撰稿人：屠奋乐）

城镇建设

【概况】2023年，北仑区围绕加快建设共同富裕示范先行区，以现代化理念推进全域城乡风貌变革，将城市更新、未来社区建设和城中村改造等工作联动推进，提升农村人居环境品位，重塑功能定位，提升片区整体环境。未来社区区级数字化平台建设已基本完成。发挥重大市政项目协调专班作用，推动"六促六优"项目争优、交通保畅通项目建设顺利竣工。

【重大项目建设】2023年，全区推进交通保畅通项目落地建设。恒山路东延（珠江路—临港二路）工程Ⅱ标段、云台山路（清水河—铁路北仑支线）工程已完工；坝头路一期（通途路—布阵岭东）工程已于6月底开工。

【城市品质提升】2023年，全区完成岩河社区等9个未来社区的省级验收，对前七批共17个未来社区全部完成备案。在新碶和大碶街道试点推进城市体检，预计三年内实现街道全覆盖。完成北仑区重点片区城中村更新实施方案，全年共完成签约拆迁1825户，建筑面积72.87万平方米；推进岩河、杜鹃社区连片街区改造，完成6个"污水零直排"项目建设；建设绿道11.7千米，中心公园—中央公园健身绿道入选宁波市第五届"最美绿道"。

【农村人居环境提升】2023年，全区创建2个省级城乡风貌样板区，"北仑通山达海共富风貌游线"入选省第一批共富风貌游线；现代化美丽城镇建设完成省下达的投资目标38.99亿元；小港海天文体中心获评省级美丽城镇优秀案例；创建省美丽宜居示范村6个；实施农村生活污水新建改造项目8个，续建项目11个，村覆盖率达95.21%；审批农房建设方案191户，培训农村建筑工匠124人。

（撰稿人：谢一心）

城市管理

【概况】2023年，区城管局推进"大综合一体化"行政执法改革，组建区级和11个街道"大综合一体化"改革专班，8个部门49名执法人员转隶至街道执法队；完善协同机制，"四个平台"和综合执法指挥体系贯通10条线，实现跨部门跨层级联动响应；深化"执法监管一件事"应用场景建设，打造具有北仑特色数字场景应用2个。全年开展"综合查一次"8100次，"双随机"抽查14200次，办理PDA简易程序案件13900件。以护航亚运会为契机，围绕"一跨六乱"开展整治，紧盯城镇燃气、垃圾分类、城市养犬等重点领域，开展各类专项整治行动。全年行政处罚7190起，罚款1123.82万元，其中，赋权街道行政处罚2553起，罚款45.47万元；人行道违停车辆抄告约6万辆次。

【市政设施管理】完成大港五路、六路改造工程、中心城区道路退红空间改造项目（一期），启动建设2023年城区交通堵点改造工程、北仑区2023年绿化提升工程（口袋公园）、同三高速北仑延伸段沿线绿化提升工程。完成9条人行道净化工程，3条道路起伏不平整治，15座桥梁"桥头跳车"整治，18条道路的"树挡灯"整治。全年修复人行道8738平方米，沥青坑洞维修5287平方米，大面积沥青摊铺维修19926平方米，水泥混凝土路面维修3113平方米。落实绿化养护工作，修剪草坪126万平方米，修剪乔木1.7万余株，补种草坪23000平方米，补种乔木379株；在城区主要节点布置景观绿雕小品14处。完成海晨园、海之滨的无障碍设施改造。

【市容环卫】2023年，11个街道54次被市级考核评定为"干净街道"；成功创建3个"席地而坐"城市会客厅、省级"席地而坐"城市"客厅级"保洁示范区1个；创成省级"街容示范街区"1条、市级"城市精细化治理片区"2个、省级"高品质示范街区"2个；推进公厕服务提质，新增美丽公厕4座（省级1座、市级3座）、新增星级公厕18座（其中五星级3座、四星级4座、三星厕11座），环卫公厕考核排名全市第一；北仑区被宁波市中心城区"道路清爽行动"领导小组办公室评为2023年度中心城区"道路清爽行动"先进城区。

【垃圾分类】2023年，全区城乡生活垃圾总量同比下降0.69%，生活垃圾分类处理率85.89%，生活垃圾回收利用率69.02%，厨余（餐厨）垃圾分出率29.45%，分类规范率95%以上；完成97个装修（大件）垃圾房规范建设，新增核准30辆运输车辆；发现问题12444起，整改率93.9%，依法查处垃圾分类违法案件936起，罚款37万余元；成功创建2个省级高标准生活垃圾分类示范片区（白峰街道、霞浦街道）、69个省级高标准生活垃圾分类示范小区、9家宁波市生活垃圾分类典范场所；区综合行政执法局被评为省"生活垃圾分类工作成绩突出集体"，区综合行政执法局、小港街道办事处被评为市"生活垃圾分类工作成绩突出集体"，北仑区名列市生活垃圾分类优秀区域。

【渣土管理】2023年，办理渣土（泥

浆）处置备案124件，总计备案量835万吨，基本实现产销平衡。渣土船舶增加至7艘，年处置能力提升至500万吨；推进码头渣土暂存中转场建设，可临时暂存5万吨，年周转可达30万吨；推进钟夹岙和小港嵩峰渣土消纳场重新库容设计，共可续填约70万吨。完成130个政府投资项目工程渣土平衡利用方案备案（比2022年增加50个工程项目），源头减少渣土外运179万吨。依法查处建筑垃圾领域案件465起，罚款金额611.77万元（其中简易程序216起，罚款金额20.89万元）。

【三改一拆】 2023年，完成"三改"面积46.65万平方米，"一拆"面积161.48万平方米。推进"裁而未执"案件处置，2019年以前"裁而未执"案件处置率85.97%，2019年以后"裁而未执"案件处置率63.40%。累计排查并处置"四不"违法建筑549宗，面积64.17万平方米。北仑区获评省十佳存量违建处置示范县（市、区），霞浦街道人亚党章小镇项目获评市"十佳拆改示范典型项目"，柴桥街道和梅山街道获评市级治违控违示范乡镇（街道）。

（撰稿人：胡　怡）

消防救援

【概况】 2023年，区消防救援大队以亚运会、亚残运会消防安保与"大排查、大整治"行动为主线，紧盯短板弱项，推动责任落实，着力整治火灾风险隐患。对标"主力军、国家队"职能定位，牢固树立战斗力标准的建设导向，加快能力转型升级，召开多种形式消防队伍联席例会6次，开展企业专职队培训4次，举办全区多种形式消防队伍职业技能竞赛，开展微站培训12期共780人次受益。配备压缩空气泡沫消防车1辆、水罐消防车1辆、远程供水系统1套、1300余件装备，储备泡沫150余吨，加强处置大型灭火救援事故现场后勤保障能力。全年出警920余起，其中火警460余起，抢险救援350余起，社会救助40余起，成功处置邬隘柴楼电器五金装潢厂火灾、万润特种油品有限公司火灾、鸿源废旧物资回收有限公司火灾等应急救援。2023年，区消防救援大队荣获全省消防救援队伍杭州亚运会消防安保A级先锋团队，2人荣获A级安保之星，4个集体、17人被支队评为B级先锋团队、安保之星，新碶站党支部被支队评为先进基层党支部，1人被评为优秀党务工作者，3人被评为优秀共产党员，1人获宁波市"成绩突出共青团员"表彰，1人获评北仑区"青年岗位能手"，1人获评"北仑好人"。

【灭火救援】 2023年，区消防救援大队联合住建局物管中心、自来水公司精准确定市政消火栓、住宅小区消火栓点位，形成电子一张图；梳理汇总危化企业基础资料，制作完成52套危化企业作战平面图、航拍图，形成《北仑区危化企业基础资料汇编》。形成区化工事故处置力量调派方案，着重将企业专职消防队、微型消防站等社会消防力量统一纳入消防救援指挥调度体系，推进三级灭火救援圈建设，全年拉动多种形式队伍共计2200余次，微型消防站第一时间响应警情近270起，专职队协同出警87次。锻造能力打牢安全基石，优选1人参加全国灭火救援培训，选派27人参加水域救援、灭火救援攻坚组、急救员培训；专职消防队员薛国飞先后参加全国、全省消防行业职业技能大赛，并分别获得消防装备维护员项目总分第8名、第2名。

【火灾防控】 2023年，持续深化行业部门消防安全标准化建设，聚焦4大消防重点领域、8类行业重点单位建立消防安全"三张清单"，实施消防安全分级分类监督管理，采用分片包干、约谈提醒、挂牌督办、联合执法、安全评定等措施开展隐患综合治理。消防安全隐患大排查、大整治排名全市第3，平安考核消防领域排名全市第2；消防安全重大风险隐患专项排查整治连续4个月被评为A级，为全市唯一4次获评A级单位。全年分级挂牌督办210家，检查单位7941家，督改火灾隐患8198处，下发责令改正260份，行政处罚254份，临时查封25份，责令"三停"35家，罚款总计180.6万元，与公安、市场监管联合查获1起假冒感烟探测器制假销售案件。

【消防安全宣传】 充分利用消防安全教育馆、电视媒体、户外大屏、手机短信微信等阵地，全方位宣传消防安全知识，共计发放各类宣传资料1.6万余份，推送安全短信1.2万余条，大屏滚动播放2万余次。成立宣传小分队，积极发挥消防教育馆和消防宣传车作用，落实"走街串巷、每村必到"的宣传理念，共开展"请进来""走出去"473场次，联合社区消防网格员开展便民服务摆摊活动共计36次，消防志愿者队伍扩充至1.6万余名，举办志愿活动30余次。组织全区卫健系统8000余人集体大培训，对20家文化经营单位消防安全进行培训，与人社局、工会等联合举办北仑区"119"消防宣传月系列活动，联合公安、街道等部门3次召开现场隐患整改警示会，营造良好的消防宣传氛围。

（撰稿人：曲丹炀）

供　电

【概况】 2023年，北仑区全社会用电量195.78亿千瓦时，同比增长8.96%。年售电量164.13亿千瓦时，同比增长6.02%。全社会最高负荷再创新高，达到306.57万千瓦，同比增长7%。110千伏及以上输电线路开工45.43千米，投产28.99千米，变电开工63万千伏安，投产15万千伏安。全年新增公共充电站17座、充电桩143台，春晓街道成为宁波市首个公共充电桩村村通的街道。

【安全生产】 2023年，参与北仑区防汛防台综合应急演练，完善了公司与危化企业、政府部门的应急联动机制。组织消防安保专项督查20余次，重点排查出租房50处，督促整改问题19项，实现消防安全不添乱。组织完成2023年省、市公司春秋查26条问题整改。

【电网建设】 2023年，完成“十四五”电力专项规划滚动修编，谋划“十五五”初期重点项目，落实220千伏石桥变、110千伏新安变、白峰变所址路径，推进项目纳入国土空间规划。完成500千伏北姚北江线路单改双改造工程，按期投运110千伏镇东变、烟墩扩建，开工220千伏江南变、110千伏城湾变、永丰扩建，推进全区电力供需布局均衡发展。

【精准供电】 发挥负荷管理中心统筹作用，全年累计建设35.4万千瓦可中断负荷及空调柔性负荷，有效挖掘客户侧互动资源。实施夏季移峰填谷15.23万千瓦，冬季集中检修负荷28万千瓦，保障电网稳定运行。综合施策应对“杜苏芮”“海葵”台风考验，迎峰度夏、迎峰度冬保电平稳过渡。

【服务低碳发展】 成立宁波市首家绿色电力协会，瞄准“绿电绿证与碳排碳权”两大目标，累计开展绿电交易5.4亿千瓦时、绿证交易9500张，建设光伏电站20.67万千瓦，推动区域绿色低碳产业发展。建设智慧空压机站2个，打造北仑表面处理中心、旭升等能源数字化管理平台，提升企业能源管理效率。

（撰稿人：陈飞萍）

供 水

【概况】 2023年，全区累计供水量1.44亿立方米，同比增长1.41%；售水量为1.34亿立方米，同比增长2.29%，最高日供水量44.96万立方米。产销差率为6.96%，较上年同期（7.71%）下降0.75个百分点，扣除转供水后产销差率为10.09%，较上年同期（10.18%）下降0.09个百分点；当年水费回收率99.71%（已计入大榭）；上两年水费回收率98.6%；全年实现固定资产投资2503万元，同比增长280%。

【供水工程】 2023年，姚江水源切换工程一期：项目总投资500万元，历时40天建成，为北仑城区增加10万吨/日的供水量。新大路DN600管改造工程：新大路（黄山路—华山路）原供水管道是水泥管，服务年限已达30年。项目于2023年10月进场施工，12月实现通水。孔墅岭调蓄加压泵站工程：工程总投资估算约6500万元，设计调蓄加压能力为10万吨/日，2023年完成投资658万元。

【管网管理】 2023年，维修管网3791处，更换DN100及以上阀门468个，管网巡线9455千米，检出漏点1458个，公司供水管网总体运行平稳。完善GIS系统信息，新增管线133.04千米，修正80处，水表定位222个，完成历史管线补录更新60千米。推进泵房智慧化运行。完成155座中高层泵房，92座多层泵房，1座排水泵房，202个水箱维养工作。

（撰稿人：岑 柠）

供 气

【概况】 2023年，宁波华润兴光燃气有限公司北仑分公司完成奥力孚景明等小区300余户居民天然气改造，新建燃气管道12千米，天然气管网覆盖面持续扩大。取消瓶装液化气自提购气方式，采用配送入户。结合燃气行业安全生产专项治理行动，开展入户安检等多种形式检查，对燃气设施、运输配送、终端使用等环节排查，推动隐患排查治理。委托第三方开展安全生产评估，并出具报告。

【燃气行业专项整治】 根据《宁波市城市运行安全专业委员会 宁波市安全生产委员会办公室关于开展燃气安全专项整治行动通知》《宁波市城镇燃气安全专项整治行动实施方案》《宁波市城镇燃气安全专项整治工作专班办公室关于印发〈宁波市城镇燃气经营企业治理专项整治方案〉〈宁波市城镇燃气安全专项整治“黑气”查处专项组工作方案〉〈宁波市市场监管系统城镇燃气安全专项整治行动实施方案〉〈宁波市城镇燃气消防安全治理专项整治方案〉》等，要求燃气企业在存储、输配、经营、使用等环节强化隐患排查，多部门协同配合，全年累计执法处罚274件、处罚金额39万余元。

【金属软管更换、瓶改管】 2023年，在全区范围内推进“瓶改管”和金属软管推广更换工作，优化用户用气体验，着力提高全民安全用气意识。继续开展区内居民用户燃气金属软管更换工作，管道气用户更换率85%以上，瓶装气用户更换率90%以上。在上年工作基础上，推进“瓶改管”工作，全年共完成20户非居民燃气用户“瓶改管”工作。

【安全宣传与检查】 通过北仑城事公众号发布警示案例，企业官方公众号发布燃气安全知识，扩大燃气安全知识受众面。结合企业入户安检、居民用户胶改金时机，送安全用气知识上门。6月13日，北仑区综合行政执法局、宁波华润兴光燃气有限公司北仑分公司、北仑区消防大队小港消防救援站、北仑印乐集商业广场等企业代表，在小港万科印乐集商业广场展开燃气泄漏事故应急救援综合演练。定期开展燃气行业监督检查，结合专项行动不定期进行暗访督查，检查发现的问题及时督促整改落实。

（撰稿人：吕芸儿）

生态环境保护

环境质量

【概况】2023年，北仑中心城区空气质量优良率92.8%，细颗粒物（$PM_{2.5}$）平均浓度22微克/立方米，臭氧（O_3）平均浓度137微克/立方米，二氧化氮（NO_2）平均浓度33微克/立方米。综合污染指数（AQI）为3.16，六项指标中二氧化硫（SO_2）、二氧化氮（NO_2）、一氧化碳（CO）和可吸入颗粒物（PM_{10}）浓度达到国家一级标准，细颗粒物（$PM_{2.5}$）、臭氧（O_3）两项指标达到二级标准，全年无重度污染天。北仑区昼间噪声均值为55.1分贝，夜间噪声均值为47.4分贝。根据声源构成比例，社会噪声、工业噪声、交通噪声和施工噪声占比分别为40%、33.3%、16.7%和10%，区域声环境主要受社会和工业噪声影响。交通噪声昼间均值为63.8分贝，交通噪声夜间均值为56.8分贝，道路交通噪声质量处于一级水平。

【水环境】2023年，建成污水管网1718千米，日污水处理能力达64万吨，出水质均达到一级A标准，12个区控及以上断面水质优良率全部达到100%，劣五类水体全面消除，建成小浃江等8条省级"美丽河湖"。全区12个区控及以上断面和9条主要入海河流年均水质全部达到Ⅲ类水标准，达标率和优良率继续保持双"100%"。

【土壤质量】2023年，重点建设用地安全利用率继续保持100%。办结土壤污染调查地块18个，调查面积近84.9万平方米，办结率100%；否决重大民生项目用地规划2个，切实保障用地安全；完成14家土壤重点监管单位周边土壤环境监测并通过市级评审；顺利完成经开区地下水详调并通过市级专家评审；编制完成《土壤污染治理与修复实施流程》、告企业书、土壤污染调查启动对照表、土壤污染风险管控与修复流程图等指导性文件，并与资规局达成共识，通过制定完善用地划拨与出让年度计划，共同保障建设用地出让与划拨工作顺利开展。

【固废处置】2023年，北仑区一般工业固废综合利用率99.5%以上；危险废物安全处置率继续保持100%；危险废物产生单位与收集经营单位规范化考核通过率100%；89家企业浙固码应用及视频监控联网覆盖率达双100%，全区浙固码使用及视频联网企业160家，固废视频数量455个，数据均居全市首位。2023年纳入省固废管理系统注册企业数5500余家，系统申报危险废物管理计划企业数2128家，系统转移危险废物23.87万吨，出具危险废物转移联单19674张，一般固废转移联单8508张。提档升级小微收运单位管理水平，沃隆环境获市级公众设施开放点；拟定绿岛固废集中收集贮存设施建设标准，建成集中收集贮存设施18套；圆满办结省委巡视事关环境质量问题1件。

【辐射安全保障】全年辐射安全零事故。全面落实辐射三套管理系统常态化巡查制度，累计发现问题93个，完成整改93个，整改完成率100%；全区532枚固定放射源，除暂存外的其余481枚在用放射源，在线联网率继续保持100%；妥善处置出口货物放射性超标事件2件，多部门联动获上级部门高度肯定；全面落实保亚运、双节辐射安全保障工作，联合执法队开展夜间移动源探伤作业20余次。

生态文明建设

【概况】2023年，作为贯彻落实党的二十大精神开局之年，"八八战略"实施二十周年，不断加强生态文明宣传力度，持续打响"两山"品牌，系统推进美丽北仑建设。北仑区入选全省首批全域"无废城市"，省级生态文明实践体验地、省级减污降碳创新试点区，生态文明成绩列省、市前茅。连续三年获得美丽宁波考核第一，并在全市大美宁波现场会典型发言。成功创建国家生态文明建设示范区、全国"两山"实践创新基地，国家级生态文明创建实现全覆盖；连续六年获评"美丽浙江"建设考核优秀，七次捧获"五水共治"大禹鼎，两次捧获治水最高荣誉"大禹鼎"。

【全国生态日活动】8月15日，为迎接首个"全国生态日"，北仑区美丽北仑建设领导小组办公室、宁波市生态环境局北仑分局、区发展和改革局、宁波钢铁有限公司联合开展全国生态日"环保设施向公众开放走进宁钢"主题活动。活动现场，启动环保设施向公众开放标杆区建设暨绿满港城数字化平台建设，宁波钢铁、岩东污水厂、海螺水泥等区内13家企业被授予“环保设施向公众开放单位”牌匾。随后，公众交流团亲临铁水梨花、百炼成钢、千锤百炼、碧水观鱼等工业旅游和环保设施公众开放点，通过“科技+展示”“工艺+互动”的方式，零距离感受和了解钢铁冶炼、锻造的全流程工艺和企业环保设施运行情况。

【生物多样性保护】 2023年，完成区域生物多样性本底调查，记录野生动植物2341种、海洋生物509种。宁波海洋研究院成为全省首个海洋生物多样性体验地。钟观光纪念馆获评市级生物多样性体验地。启动全市首个海湾生物多样性观测站建设。

环境执法与保护

【概况】 2023年，坚决守牢生态环境保护主责主业，全年通过“绿剑”专项行动，出动执法人员3216人次，检查企业1500家次。充分发挥数字化关键一招作用，通过在线监控、视频监控、电力监控等手段，开展非接触科技执法3000余次，通过“环保码”闭环推送整改问题3014个。完成4项历轮中央督查共性问题和2项2022年省委专项督察问题整改销号，做好第三轮中央生态环境保护督察迎检准备工作，高标准完成省委巡视问题整改，积极落实长江经济带问题“举一反三”工作。以“七张问题清单”为总抓手，开展生态环境领域大起底、大排查、大整治行动，累计问题各类生态环境问题4165个，全年办理“大环保”信访1681件，占全市比重6.2%。大力推进一般生态环境信访“日清日毕”，信访办理时长降至0.92天，信访满意率达到96.5%。

【排污检查】 2023年，为切实落实企业环保主体责任，严厉打击未批先建、未验先投、自主验收弄虚作假、无证排污、未按证排污等环境违法行为，开展专项行动检查企业排污许可落实情况，以造纸、石化、化工、火力发电、垃圾焚烧发电、印染、电镀、铸造8大行业为检查重点，运用排污许可清单式执法检查记录单开展现场检查，督促企业落实依证排污要求，进一步规范排污许可执法监管工作。结合第三方环保服务机构弄虚作假专项整治工作开展执法行动，依法查处第三方环保服务机构弄虚作假行为，规范第三方环保服务机构市场。专项检查执法人员372人次，检查企业191余家，发现问题18个，立案处罚16家，处罚款317.1505万元，相关问题均已落实整改。

【大气污染防治检查】 2023年，深入打好污染防治攻坚战，巩固改善2022—2023年冬春季环境空气质量，重点针对涉气“散乱污”、大气重点排污、涉气信访量大、环境管理水平差的企业，全面检查“散乱污”企业、燃煤（生物质）锅炉和工业炉密使用企业、VOCs治理突出问题，排查整治涉及企业、VOCs源头替代和低效设施提升企业、涉气重点排污单位等，深入排查涉气重点治理设施环境隐患，整改一批涉气突出环境问题，规范一批涉气企业管理行为，查处一批涉气环境违法行为。专项检查执法人员356人次，检查企业150余家，累计发现问题131个，均已落实整改。

【环境质量检查】 深入推进生态环境行政执法与刑事司法衔接工作，持续强化部门联动、行刑衔接，深挖违法犯罪线索，重拳打击各类环境污染犯罪行为。聚焦“重点问题、重点区域、重点领域、重点企业”，发挥“问题、时间、区域、对象、措施”五精准执法优势，精准查处一批典型案件，解决一批群众反映突出问题，破除一批企业生产经营中有关环保痛点、难点、堵点，形成打击环境违法犯罪、助力企业高质量发展的良好态势，全面提升全市生态环境行政执法和刑事司法规范化水平，为亚运会环境质量和环境安全提供坚强执法保障。专项检查执法人员3216人次，检查企业1500余家，累计发现问题763个，立案35起，作出处罚320余万元。

【探索建立预防式执法监管服务体系】 2023年，全面推进第三方先导服务、非接触科技监管、数字化预警管控等三大体系建设，积极打造预防式执法监管服务示范区。全面推进“服务先导、无事不扰”，以预防环境问题为主线，坚持环境违法行为提前发现、精准干预、及时闭环，努力打造预防违法、规范执法、智能监管、精准服务的环保守法最佳、排污合规性最优样板，积极推进污染源自动监控、工况用电监控、点位视频监控等非接触科技手段应用，推动末端管理向过程管理延伸、现场监管向智慧监管转变，不断强化执法监管科技化水平，累计建成企业在线监控设备293套，视频监控点位978个，用电、工况监控点位1800余个，全年出具行政处罚决定83件，处罚金额1286万元，实施轻微免于处罚和减轻处罚4件，减免罚款达219万元。查办危险废物、自动监控等涉刑违法犯罪案件3起、第三方弄虚作假案例5件，4个案例纳入省级典型案例。

环境污染整治

【概况】 2023年，北仑区减污降碳协同治理，稳步推进试点建设，大榭石化园区清洁生产审核创新国家试点；万华宁波工业园污碳协同项目等3个案例入选2023年生态环境部减污降碳协同增效典型案例；北仑区入选第三批省级减污降碳协同试点；梅山街道入选浙江省第一批低（零）碳乡镇（街道）试点；北仑作为全省唯一县（市、区）代表参加第二十八届联合国气候变化大会主题边会并作典型发言，介绍分享北仑减污降碳创新工作。

【废气治理】 推进VOCs和NOx协同减排，开展石化化工行业大气污染深度整治，34家石化化工企业累计投入3亿元，完成114项整治提升工程，21家企业完成达到大气绩效评价B级及以上标准。联合海事交通等部门重点完成6个万吨及以上码头VOCs治理，减排VOCs超500吨。开展重点行业低效设施专项治理，88家企业完成低效设施整治，启动区域活性炭再生中心建设。加大老旧柴油货车和老旧叉车淘汰，淘汰国三及以下排放标准柴油货车1010辆，老旧叉车231辆，共计发放财政补助116万元。加强亚运等重大活动保障，确定125家政企协商减排企业，完成十一轮重点监管企业核查，亚运保障期间区域环境空气质量优良率100%。

【水质提标】 开展入海排污口核查整治行动，累计完成198个入海排口排查整治。建立健全"污水零直排区"长效管理机制，建设提升生态洗衣房305个，完成176家企业工业污水零直排排排查整改，累计投入1.28亿元基本完成北仑表面处理中心污水零直排标杆园区建设。加大海漂垃圾清理整治力度，组织开展清滩行动10次，清理海漂海滩垃圾35吨。2023年，12个区控及以上断面水质优良率全部达到100%，劣五类水体全面消除，建成小浃江等8条省级"美丽河湖"。

【净土清废】 加快固废基础设施建设、飞灰综合利用、活性炭再生中心、协同处置炉渣等4个危废规划项目纳入宁波市2023—2025年危废设施建设项目规划并取得实质性进展。指导大榭石化—镇海炼化、华泰—利万危险废物"点对点"定向利用，帮助企业节省危废处置成本3000万元。持续完善小微收储运体系，3家小微单位累计收运一般工业固废4500吨，危险废物2000吨。强化土壤污染管控，完成28家土壤重点监管单位自行监测方案评审，完成宁波经开区地下水详细调查和大榭开发区地下水污染风险管控方案编制，开展化工园区新污染物治理调查试点，累计排查发现新污染物10余种。

【联合国COP28大会】 2023年，《联合国气候变化框架公约》第28次缔约方大会（COP28）在阿联酋迪拜开幕。大会为期两周，于12月12日闭幕。迪拜时间12月3日晚上6点（北京时间晚上10点），北仑区作为全省唯一县（市、区）代表，参加"减污降碳协同增效：实现环境、气候、经济效益多赢"主题边会，并分享了北仑区减污降碳协同创新工作。在经济高质量发展的同时，北仑始终坚持"绿水青山就是金山银山"理念，锲而不舍地推动生态文明建设融入经济、政治、文化、社会建设各方面和全过程，走出了一条"港产城文融合发展，生态经济双向增益"的绿色发展之路。

五水共治

【概况】 2023年，北仑区始终以"两山"理念为根本遵循，严格贯彻落实省市治水工作部署与要求，以满足人民群众宜居生态环境需要为导向，以"新三五七"目标为重要引擎，以"甬有碧水"攻坚行动为有力抓手，紧盯区域水环境质量持续改善目标，强化生态治理攻坚，加快水生态修复，提高水安全保障能力，助力打造北仑共同富裕示范先行区，建设共享发展的先行门户。全区12个区控以上断面水质和9条入海河流水质全面得到巩固，达标率和优良率均稳定保持"100%"。梅山湾生态保护修复入选全国2023年海洋生态保护修复典型案例；第二次捧得省治水最高荣誉"大禹鼎"金鼎；梅山湾入选全省首批美丽海湾；在全省"五水共治"工作暨城镇污水管网提升改造大会上作为全省唯一区（县）代表作典型发言。

【王静来北仑调研】 11月29日，省生态环境厅海洋处副处长王静一行到北仑调研梅山湾"美丽海湾"建设情况。调研组首先抵达梅山湾南堤观看展板和梅山湾宣传视频，查看梅山湾护花米草治理工程、梅山湾生态浮床以及干岙湿地生态修复项目。参观宁波海洋院研学基地，了解赤潮防控、生物多样性建设等情况，并在海洋研究院召开座谈会。

【岩河水环境综合整治专题会议】 10月31日，区委副书记、区长王程主持召开水环境综合整治提升专题会议，听取2023年1—9月岩河、新路岙水库、环冯家斗河、柴桥街河水环境质量形势情况汇报，研究部署整治提升工作，推动岩河治水工作迈上新台阶。

（撰稿人：杜雨倩）

交通运输

交通基础设施建设

【概况】2023年，区交通运输局以“港航服务业”为重点，构建“大招商、招大商”工作格局，引进宁波顺意海运有限公司等航运企业7家，新增运力54.5万载重吨，升级交通产业政策，制定出台《北仑区（开发区）促进交通运输产业发展扶持办法实施细则》加大对水运企业落户、水运运力新增的扶持力度，使其匹配其他区、县、水运政策，全力做好企业服务保障。

宁波象山湾疏港高速（昆亭至塘溪段）建成通车，串联起六横公路大桥和甬台温高速复线。推进招宝山大桥北仑侧接线工程、宁波至舟山港穿山港区华峙物流中心配套道路工程、329国道富春江路至陈华改建工程二期项目建设。获中央财政补助资金4.44亿元。

完成30.85千米农村公路养护工程项目新开公交线路5条、优化调整11条、撤销5条，新建停车位2300个、新增绿波带10千米；投放共享电动单车1000辆，新增路口慢行交通一体化建设10处；新批网约车769辆，持续完善网约车行业经营规范。

2023年，公路建设项目4个；县道以上干线公路续建、新建项目7个，总投资约19.4亿元，谋划新改建项目3个；“四好农村路”建设农村联网公路2条；县道以上大中修工程3个，总投资约2.15亿元。

【富春江路至陈华段改建工程】全长13.3千米，设计等级为一级公路，双向六车道。总投资26.44亿元，其中一期工程富春江路至邬隘站投资为10.25亿元，已完成全部投资任务；二期工程力隆公司至学苑路，全长2.35千米，总投资6.09亿元，正在进行路基及桥梁施工。

【招宝山大桥北仑侧接线工程】项目总投资4.5亿元。项目西起招宝山大桥预留高架桥，向东北方向延伸，路线

宁波象山湾疏港高速（昆亭至塘溪段）建成通车

依次跨过招宝山大桥匝道、金鸡路、义成路后高架落地，与现状兴中路相接，终点位于笠山路交叉口位置，主线长约1500米，其中高架桥段长约1300米，地面道路长约200米；地面辅道长约700米。2023年12月28日项目主线完成并通车。

【昆亭至塘溪段工程】 象山湾疏港高速工程总投资77.1亿元，全长24.15千米，其中北仑段路线长8.54千米。2023年9月22日完工通车。

霞浦物流工业社区集卡司机之家

交通运输管理

【概况】 2023年，全区共有货运经营户3015户，货运车辆27003辆；其中危险品运输企业25家、车辆822辆；集卡企业2260家，占全市的80.37%；集装箱车辆24414辆，占全市的88.55%。客运企业4家，旅游包车58辆。公交公司1家，公交线路91条，公交车731辆。出租车经营企业2家，出租车辆160辆，网约车1625辆。维修机动车维修经营业户438家，其中一类维修企业19家、二类维修企业76家、三类维修经营户343家、综合性能检测站4家；驾校14家，场地31个，共有教练车535辆，教练员557人。

【安全监督】 2023年，组织第三方安全检查248家次，发现隐患941个，完成整改717个，完成1处省级、3处市级、1处区级挂牌事故隐患点段治理。工程质量“扫盲点”，质量安全监督覆盖率达100%，下发质量、安全监督检查意见书计68份，提出相应整改意见计321项，并实现100%整改闭环。市场净化“破难点”，累计查处客运类处罚37件、网约车及平台违法行为40起、超限超载违法行为3380起（其中非现场执法3182件，占比达94.1%）等。

【港外集装箱堆场管理】 7月，区政府出台《北仑区港外集装箱堆场经营服务管理办法》。管理办法共十六条，其中第十四条建立新改建堆场联合审查和复审机制。对新建、改建、扩建的集装箱堆场由区交通运输部门牵头组织联合审查，堆场协会、自然资源和规划、交警、生态环境、消防救援、综合行政执法等部门及属地街道根据各自职责落实审查事项。对建成堆场原则上由审查部门落实一年一次的联合复查。

物流业

【概况】 2023年，全区共有货运经营户3015家，货运车辆27003辆，其中集卡企业2260家，集卡车辆24414辆，全年实现货运量2.58亿吨，同比增长16.2%；实现货物运输周转量453.2亿吨千米，同比增长17.7%。

【暖心服务“司机之家”】 12月29日，交通运输部、中华全国总工会联合公布2023年暖心服务“司机之家”等名单，北仑集运基地“司机之家”、霞浦物流工业社区集卡“司机之家”获评暖心服务“司机之家”。

【省交通运输行业党建示范点】 5月10日，中共浙江省交通运输行业委员会认定宁波经济技术开发区物流发展有限公司党支部为2022年度浙江省交通运输行业党建示范点。

【水运业】 2023年，全区域有港口经营企业74家，其中港口危货经营企业39家。生产性泊位共计147座（其中万吨级以上94座），其中危货泊位83座，对外开放码头28家，76座泊位。水运企业39家，其中普货运输34家，危险品运输5家。船舶总数119艘，总运力346.29万载重吨，其中危险品船舶22艘，危险品船总运力13.25万载重吨。

（撰稿人：张俊杰）

行政管理

人事工作

【概况】 2023年，全区新引进大学生4.89万人；新招引博士后45名，累计创建博士后工作站34家；新增省级实习基地1家、市级9家、区级16家；新增各类技能人才13882名，新增各类高技能人才7417名，完成各类技能人才提升培训4.06万人次。组织80家次企业参加全国招聘会50场，开展各类专业技术人才继续教育，年度培训企业管理人才1000人次、专业技术人才5000人次。建立11家企业工程师自主评价试点，年度评价专技人才2200人次。出台全国首份人力资源服务出口基地政策，打造“国际人才交流合作基地、中企出海人力资源配置基地、港航人才输出基地、“一带一路”技能人才培养基地、数字外贸人才集聚基地”等五大特色建设品牌。

【省级技师名单公布】 2023年，省人社厅公布了2022年度首席技师3名、特级技师26名，北仑区共5位技能大师入选。技师入选均来自区内企业生产或技术攻关一线，在技术技能革新、工艺流程改进、解决重大技术难题等方面具有高超技能和精湛技艺。

【高技能人才培训】 2月19日，由区人社局主办，宁波市金城职业培训学校承办的“模块化（MPS）生产加工系统调试与应用”高技能人才培训在区公共实训中心举办，企业50余名高技能人才参加培训。技术能手竺士杰为全体学员上开班第一课，激励学员在生产研发和技术革新上积极进取、努力奋斗，成为适应新时代发展需求的栋梁之材。

【技能等级认定】 2023年，北仑区鼓励企业发挥用人主体地位，秉承“谁使用、谁评价”原则，以重点龙头企业为引领，全面推进技能等级认定工作。海天集团开展了工业机器人系统操作员和运维员的培训，有236人参加。学员使用BNRT-SMTS-R3型工业机器人完成了考核鉴定，完成鉴定工业机器人系统操作员中级工21人次、工业机器人系统操作员和系统运维员高级工48人次。全区累计备案技能等级认定试点企业95家，开展各类技能评价6000余人。

【区高端装备制造实训中心揭牌】 6月14日，北仑区高端装备制造公共实训中心以政企双方友好合作共建为基础，在海天集团蓝金领人才工厂正式揭牌。区人社局、海天集团相关负责人以及区内20名技能大师共同出席本次活动。高端装备制造业为国民经济和国防建设各行业提供重要的支撑作用。区人社局聚焦高端装备实训现状，依托“专精特新”“小巨人”等区域行业头部企业，共育高端装备工匠人才。实训中心依托海天在智能制造领域的专业设备及生产性实训经验，以专业共建为纽带，面向智能制造应用场景，以“多师融合、多技集成、混态培养”为人才培养理念，培养脑手并用、软硬兼通的复合型现场工程师和现场教练师。

（撰稿人：赵茜茜）

6月14日，海天塑机集团有限公司北仑区高端装备制造公共实训中心揭牌

劳动就业

【概况】 2023年，全区新增就业45675人，失业人员再就业8958人，就业困难人员再就业1367人，全区登记失业率1.88%。新增创业实体1.97万家，发放各类补贴和创业担保贷款合计约0.79亿元。通过"就业援助月"和"春风行动"等活动，落实各类再就业援助措施，精准聚焦东西部劳务协作，累计推送就业岗位4077个，吸纳四川省美姑县务工人员到北仑就业655人。全年共受理信访件4027件。应答行政复议和诉讼案件38件，其中复议13件，诉讼25件；处理各类劳动保障举报投诉案件3130起，案件处置率100%。全年，区仲裁委共收到劳动人事争议仲裁申请2639件，其中立案2411件，同比下降10.24%，案外调解成功228件，涉及劳动者2759人次；结案2504件，结案率100%，调撤率79.19%，一裁终局率为60.27%。

【稳就业招聘会】 2月18日，由区政府主办，区人社局承办的就业用工招聘会举办，有130余家企业在线上线下参加招聘活动。集聚海天塑机、旭升股份、东方电缆等3家上市公司，7家"大优强"企业，11家国家级专精特新"小巨人"企业，涵盖智能制造、汽车电子、绿色石化、电子商务、医药和科技等多个行业，提供工程师、研发、行政、设计和采购等近600个岗位，需求人数4460余人。现场招聘会吸引求职者8500余人次，现场达成初步就业意向2300余人，提供各类就业指导服务233次。

【职工权益保护专项执法检查】 2023年4月，区人社局开展未成年人和女职工权益保护专项执法行动。出动监察员124人次，现场检查重点娱乐场所、餐饮、制造业等其他劳动密集型企业31家，检查用人单位规章制度、劳动合同签订、工资支付、社保登记及缴费等相关信息，未发现有非法使用童工、侵害女职工权益情况。

【劳务合作】 5月19日，甘肃省广河县人社局与区就业管理中心签订劳务合作协议书。其间，双方一并走访了群创光电股份有限公司宁波厂区和浙江宝穗企业服务有限公司，参加企业用工座谈会，听取企业发展情况及招工需求介绍，群创光电宁波厂区现有1045名回族员工，其中广河县籍员工为145名，企业专门设置清真餐厅，充分尊重回族职工宗教习俗。

（撰稿人：赵茜茜）

民　政

【概况】 2023年，区民政局以"工业社区集成服务与多方共治创新"为主题，通过"全域化、组团化、协同化、数字化"等举措，迭代升级工业社区治理与服务模式在全省推广。构建"三边四养"养老服务体系，相关特色经验在《人民日报》《中国社会报》等多家媒体宣传报道。深入推进"区—街道—村（社区）"三级"助联体"项目化运作，完成"善联北仑"北仑区助联体实体阵地，上架大救助平台线上助联体。全面建设完成婚姻登记户外文化广场，在大港工业社区设立和美家庭会客厅，推进婚姻家庭辅导服务进工业社区，婚俗改革、婚事新办等被《中国社会报》刊登。打造融合型慈善生态圈，建立"慈善+社工""慈善+社会组织"等多场景联动模式，成功培育国家级"最佳志愿服务组织"1家。出台城市社区专职工作者管理办法，创新实施"未来社工"计划在省基政工作会议上作相关经验交流。

【社区建设】 推进全国村级议事协商试点，围绕"村民议事、对账理事、协商共富"主题，打造村级议事协商的"北仑样板"。以"工业社区集成服务与多方共治创新"为主题，迭代升级工业社区治理与服务模式，大碶街道灵峰工业社区入选浙江省首届现代产业社区（工业社区）十佳案例。高质量推进现代社区系列创评工作，红梅、凌霄、岩河等3个社区成功创建首批省现代社区。深化"邻里节"活动。全面实施城乡社区工作领军人才培养计划，加强专职社工队伍建设，培育省级社区工作领军人才2名，全年招聘新社工115人，全区专职社工总数达1075人。

【社会救助】 2023年，全区有低保1810户、2387人；低保边缘200户、350人；特困人员177户、178人，最低保障标准从每月1181元提高到每月1255元，特困供养人员基本生活保障标准从每月2008元提高到2134元，机构养育和社会散居孤儿的基本生活保障标准每月分别由3024元和2419元调整至3195元和2556元。全年发放困难残疾人生活补贴656.66万元，困难残疾人护理补贴2290.14万元，原残基保293.48万元。通过社会救助一件事联办受理社会救助1453件，实现社会救助"应救尽救、无盲区、全覆盖"的工作目标。实现三级助联体建设覆盖率100%，区本级助联体实体化运行，11个街道设有助联体服务站，232个村（社区）助联体服务点定人定岗救助服务。

【养老服务】 构建"三边四养"养老服务体系，与复旦大学社会发展与公共政策研究院开展社会养老服务政、产、学、研战略合作，同步编制完成"北仑区养老服务设施空间规划"，实现养老服务体系建设"一张蓝图绘到底"。新（改、扩）建公办养老机构3家，中心福利院二期于6月开工建设，完成大榭颐养院和白峰养老服务中心的改造提升。新增认知障碍照护专区床位100张，为22个村（社区）居家养老服务照料中心智能服务终端的配置，新增持证养老护理员97人。为80周岁以上的老年人发放高龄津贴1591.23万元，为10025位老人提供居家上门服务，累计服务3.7万余人，服务时长为10.93万余小时，服务覆盖率达95.6%。为全区276个居家站点，57

个爱心食堂落实政策性保险，投保额计29.73万元。制定出台《北仑区开展特困供养机构管理专项治理工作方案的通知》，通过一系列政策保障的落实，提升老年人的幸福感和获得感。

【社会组织】2023年，出台《北仑区慈善发展模式创新试点实施方案（2023—2025年）》，建立慈善工作联席会议制度，成立区级社区发展基金会，打造具有北仑特色的现代融合型慈善生态圈，成功培育国家级“最佳志愿服务组织”1家。推动建设融合型慈善服务基地，构建复合型创投模式，全年助老、助小、助医、助困、助残五大类共28个公益慈善项目投入270万元。新增慈善组织9家，其中包括全市首家街道社区发展基金会——大榭街道社区发展基金会，完成慈善信托金额3780万元。打造品牌志愿服务，北仑区红领之家社会服务中心获全国优秀志愿服务组织，“百姓茬话汇”志愿服务助力公益诉讼项目获第十四届中国青年志愿者优秀项目奖。持续推进街道“一站双中心”规范化建设，汇集社会资源、整合社会组织力量，开展五社联动、社区治理类等服务项目150个。

【未成年人保护工作】2023年，出台《未成年人受侵害易发场所预警处置工作机制》，构建发现—核查—处置—救助—心理辅导—反馈全线上闭环管理机制；构建多元参与未保工作新模式，链接社会资源，通过菜单式选择方式向孤困儿童、留守儿童等未成年人提供更加多元化、精准化的服务。开通未成年人保护热线，由“12345”政务服务热线统一受理各类未成年人保护相关咨询、求助、投诉、举报。构建“区—街道—村（社区）”三级未成年人保护保网络，在全区11个街道配备儿童督导员、229个村（社区）配备儿童主任，形成区、街道、村（社区）全覆盖的未保人才体系。

【区划地名】2023年，命名地名16条、备案14条，编发门牌53批次，制作安装单杆式路名牌137杆，灯箱式路名牌改造603座，制作安装单杆式路名牌二维码1243个。完成甬江科创区北仑片区的道路规范化命名更名，纬三路自半山佳园西南门至宁波华业材料科技有限公司东南门路段正式更名为“半山路”。

【婚姻登记】推进婚姻家庭辅导服务进工业社区，探索优质专业婚姻家庭辅导服务进基层。在大港工业社区设立和美家庭会客厅，开展咨询43起，服务人员75人次，开展团辅活动7次，直接受益218人次，在社区内5家企业设置婚姻家庭辅导专栏，发放宣传资料3000份。同时宣传婚俗改革、提倡婚事新办等一系列项目在《中国社会报》和甬派等媒体宣传报道。全年共办理结婚登记2528对、离婚登记1293对，补领婚姻登记证18530起，婚姻登记实现了跨省通办。

【殡葬管理】2023年，推进殡葬设施专项规划实施方案的编制，落实公益性殡葬设施建设用地。完成新建生态节地墓位804穴，并对墓区围墙道路进行配套提升，项目占地约2亩，投入资金375万元。督导落实公墓生态化改造，按网格化管理。全面落实惠民殡葬政策，实现群众身后事基本服务全免费，为群众减免丧葬费用约420万元。

【移民安置】2023年，结合乡村振兴发展战略，加大移民扶持项目与美丽乡村建设对接和融合，实施移民资金项目扶持“美丽行动计划”，大中型水库移民1792人，小型水库移民1620人，发放移民扶持资金107.52万元，水库移民后期扶持资金250万元，开展移民扶持项目6个，开展移民培训75人次。

【救助管理】2023年，救助站与台州市黄岩区公安分局开展寻亲合作，签订“灯塔工程”滞留人员定向服务战略协议，流浪乞讨人员寻亲覆盖率达到100%。通过人脸识别技术寻亲成功1名，无长期滞留人员。救助流浪乞讨人员170人次，其中救助一般流浪乞讨人员84人次，救助流浪精神障碍患者29人次，救助流浪危急病人7人次，救助流浪未成年人9人次，站外救助流浪乞讨人员41人次。为79人购票让其自行返乡，由工作人员护送返乡22人次，由亲属和流出地救助机构接领回18人次。

（撰稿人：李群艳）

自然资源和规划

【概况】2023年，北仑资源规划分局完成区级国土空间总体规划编制，谋划全区重点功能片区体系，出台了完善耕地保护共同责任机制、压实防治耕地“两非”问题“长牙齿”硬举措的不同层级系列文件，土地要素配置改革纳入年度区十大“标志性改革项目”，完成港城分界线沿线城市规划研究初步方案；梅山岛和大榭岛功能定位和用地布局规划，协助上级推进甬江科创区实施性城市设计；开展“两场一仓一中心”、疏港交通体系、港口岸线和后方利用规划布局等强港战略规划，华峙、峙南等7个综合性物流基地方案规划，东部港群疏港交通体系规划，象山湾高速东延、杭甬高速复线、甬舟高速复线、528连接线等疏港交通集疏运网络规划，开展轨道交通1号线东延、2号线、6号线、7号线、环城南路东延、坝头路东延、富春江路快速路等路由方案论证，形成城区三大组团间快速路体系；强化市政管网体系规划，优化油管、天然气管网及综合管廊布局，开展了沿海综合管廊带、六横液化天然气管道北仑登陆段路由规划。全年共有25个重点区块控规编制、10个重点区块的规划设计，推进北仑港滨海片全域国土空间综合整治示范片区建设，开展旧工业园区、村三产用地开发提效等旧产业空间整治提升。通过系统规划引领，全区“一区四片、两轴联动”空间发展格局进一步明晰，重点功能片区战略部署有序落位，全区形象布局加快重塑，全域范围自然资源要素进一步发挥作用，推进形成“港产城文”融合发展高质量国土空间。

【供用地】 2023年，共获批农转用地268.48公顷，供应土地94宗403.67公顷，其中出让土地32宗176.4公顷，出让金36.4亿元，包括经营性用地7宗22.4公顷，工业用地17宗96.4公顷，协议出让土地8宗57.6公顷；划拨供应土地62宗227.27公顷。完成建设项目规划审批731件，完成建设项目使用林地项目审批48个。全年完成各类民生基础设施项目供地142公顷。消化“批而未供”土地212.2公顷，盘活存量建设用地187.93公顷，完成低效用地再开发173.4公顷；完成95公顷海域收储，梅山水道和峙南区块665公顷历史围填海处置方案通过部批复，争取耕地占补平衡指标统筹、对外调剂土地81.53公顷。

【耕地保护】 2023年，印发《北仑区关于完善耕地保护和土地执法共同责任制的意见》《坚决制止耕地“非农化”防止耕地“非粮化”严格耕地用途管制的意见》《执法监察动态巡查制度》《违法案件查处机制》等文件，推进“人防+智防”巡查监测落实；对耕地整改推动建立起区级部署、强化督查、任务分解、部门联动的整改路径，加大对耕地问题监测管控、发现制止、整改查处工作力度，压实责任、多措并举完成省委巡视反馈的“两非”问题整改工作。加强资源保护治理工作，推进“山水林田湖海”一体保护修复，完成永农集中连片整治580.87公顷，耕地功能恢复216.8公顷，年度落实森林抚育、美丽廊道等森林提质建设面积266.67公顷，“百千万”永久基本农田集中连片整治列为省级优秀项目。

【土地配置机制创新】 2023年，土地要素配置改革纳入年度区十大“标志性改革项目”。出台《北仑区农村集体经营性建设用地入市管理办法》《北仑区农村集体经营性建设用地入市试点实施方案》《北仑区农村集体经营性建设用地土地增值收益调节征收使用管理暂行办法》等系列政策，首宗入市地块大碶杨岙村1号地块完成出让；探索开展非建设用地地下空间确权试点，相关政策条款纳入自然资源部文件，会同区自贸办起草自贸区油气资源储运地下空间开发利用管理办法。多渠道探索产业空间改造升级模式，创新“国企合作开发、村集体以房换地、统一经营管理”的村三产用地二次开发模式，在临港工业园区（4个村）、霞浦物流园区（14个村）实施。

【国土资源管理】 2023年，开展加强国土资源管理工作，开展国土变更调查、全域调查监测、自然资源监测等工作，加强调查、监测、管理协同治理，出台北仑区自然资源调查监测与管理业务协同机制文件，启动开展了森林、草地、湿地资源调查监测、无居民海岛调查。推进自然资源确权登记全类型、全域化、规范化工作和林场确权登记发证、水流自然资源统一确权登记、集体土地所有权更新汇交、农村土地承包经营权汇交工作。推进“数字化”管地，制作国土空间规划文保“一张图”，自然资源要素保障和全周期监管系统建设列为全区数字政府改革项目，先行重点推进“马上找地”“做地一件事”“重点项目全程监管”等模块。

（撰稿人：范月圆）

征地拆迁

【概况】 2023年，全区征收土地157.6公顷，主要为坝头路西延、轨道交通6号线、半山堆场、246产业园区地块等20个重点项目的土地征收。拆迁房屋1927户，拆迁面积89万余平方米，主要项目为太河路北延、庐南片区、甬舟铁路、杭甬复线北仑段、329国道和轨道交通6号线等；沿海、永丰、算山村已基本完成农户拆迁，向家村整体拆迁已基本完成。农转用报批项目40个，各类管线迁移项目26个。协调管理长山D地块、小山安置地块等14个安置房小区；小港滨江核心区63#、64#地块（维科地块）安置房项目土地挂牌出让；新碶筑香澜庭、丁山西地块（丁山华庭）等6个安置小区完成安置分房工作，涉及安置回迁拆迁户1280余户，安置购房2321套。全年接待来信来访226人次，办理依申请信息公开22件，办理各类论坛帖文30余件，处理来电咨询200余件，拟稿行政裁决（行政决定）8件，行政诉讼17起。

【网格化模拟拆迁】 2023年，创新探索出意愿征询、丈量评估、模拟签约、腾空拆除模拟拆迁模式。模式以“零钉子”“零信访”“零诉讼”为目标，充分依靠基层群众力量，发挥基层自治优势，实现又快又好城中村拆迁。在新碶街道向家村滕家堍自然庄试点经验基础上，12月29日，出台《北仑区网格化模拟拆迁工作实施办法（试行）》。该模式是北仑区拆迁工作体制的重大探索创新，对城中村拆迁工作具有重要示范作用。

【重点项目多渠道拆迁清零】 2023年，围绕22个重点攻坚项目，通过提请行政裁决（或申请作出补偿决定）、司法沟通、上门面谈、沟通谈判等，多管齐下促进签约，完成向家（朝东屋）、向家（上板桥跟）、轨道交通2号线、滨江新城核心区块（康乐桥）、江家山地块、大碶汽配园区（镇西）、城市发展用地（徐洋）、大碶庐南A地块、楼下徐地块、六横高速公路、煤气站、华峙物流地块、港通路（士杰路—海丰路）、大榭医院公共卫生服务楼等14个项目拆迁清零，签订拆迁协议119户。

【安置分购房】 2023年，对拆迁未安置项目开展安置回迁专项整治，完成新碶筑香澜庭、大碶丁山华庭、小港江天府、大碶碧瑶樾府、白峰翠枫和苑、大榭碧海蓝湾二期等6个安置小区的安置分房工作，建成竣工筑香澜庭、江天府、江寰府、翠枫和苑、碧海蓝湾二期等5个安置小区，安置购房2321余套、24.74万平方米。

（撰稿人：陈涵瑶）

安全生产监督管理

【概况】 2023年，区安委会调整、优化、完善“1+8”框架体系，重点理顺区域融合后梅山、保税区块安全生产工作机制，明确相关安全生产（消防）基层行政职能转移衔接事宜，以及相关街道和部门对两个区块安管盲区地段领域的具体监管职责。在化工园区相关机构“三定”方案暂时无法出台的情况下，主动横跨一步，建立应急管理局党委、化工产业安全生产管理服务中心党组联席会议制度，与化工产业安管中心一体化运行。安委会（安委办）常态化组织开展风险研判会议，以“七张问题清单”为抓手，梳理存在问题及薄弱环节，累计梳理问题线索41个，下发工作提醒单35份，工作督办单7批次；全年纳入省级“七张问题清单”蓄水池问题4个。按期完成17万余家工商在册市场主体的全覆盖排查工作，立案查处3330起、行政（刑事）拘留12人。大排查转段以后，以清单定责、以执法压责，结合闭环复核，倒逼企业责任落实见底见效，累计办理一案双罚案件35起，重点类违法行为354起、行政拘留13人。2023年，共发生生产安全事故17起，死亡10人。

【市应急管理局督导区森林防灭火工作】 1月10日，市应急管理局副局长钱帅鸿带队督导检查北仑区森林防灭火工作。检查区综合森林火灾应急救援队，检查了解区森防指办联合办公以及物资储备库的储备情况。检查组到大碶街道和区林场，听取工作汇报，了解森林扑火队建设情况，查看森林防火监控系统和森林消防物资储备库，并对北仑区森林防火监控的融合和预警预报功能提出指导意见。

【安全生产检查】 1月21日，区应急管理局组队赴企业一线开展安全生产检查工作，确保春节期间安全生产形势平稳有序。实地走访了万华化学（宁波）有限公司、浙江逸盛石化有限公司和宁波科元精化股份有限公司等，深入企业中控室及部分生产装置区，抽查值守员工在岗情况、安管人员报警处置情况及生产装置巡检情况。

【宁波市应急管理实训基地（危险化学品）授牌】 3月24日，宁波市应急管理实训基地（危险化学品）授牌仪式在宁波职业技术学院乐雪芳楼举行。市应急管理局危化处、区应急管理局、大榭安管中心及宁职院继续教育学院、化工学院相关负责人、6家企业安全负责人参加仪式。仪式上，宁职院化工学院负责人重点介绍了化工学院办学情况、师资力量和硬件条件，详细介绍了实训基地投资、建设情况，具备的典型化工设备实训设施、重点监管危险化工工艺实训装置、个体防护、应急处置及事故警示教育等功能。企业代表万华化学（宁波）氯碱有限公司还作了员工教育培训相关分享。

【崔洪浩到北仑区调研】 4月15日，国家森防指办公室联合调研组一级巡视员崔洪浩一行到北仑区调研森林防灭火工作和队伍建设情况。调研组一行到北仑区综合森林火灾应急救援队，实地查看了森防指办联合办公室、指挥中心、学习室、运动室等训练办公基础设施和应急物资储备情况。与队员深入交流，详细了解队伍的技能训练、值班值守、工资待遇等情况。崔洪浩对北仑区森林防灭火工作和队伍建设给予了充分肯定。同时强调，要重点抓好关键期森林防灭火工作，要持续提高队伍正规化建设，要时刻做好应急准备。

【市安全生产督导组到区开展安全生产督导】 4月25日，市安全生产督导组到区开展安全生产隐患大排查、大整治督导检查工作。督导组听取了北仑区安全生产隐患大排查、大整治动员部署情况，并提出指导性建议。督导组还实地检查了北仑医疗中心项目工地和霞浦街道宁波伏特智能制造有限公司的安全生产状况，对现场存在的安全隐患提出整改意见。

【应急管理】 2023年，按照《北仑区基层应急管理体系和能力标准化建设提升实施方案》要求，11个街道安全生产辅助力量配备全覆盖。完成应急救援和应急指挥规范化建设，构建了较为完善的应急联动机制；修订完善区级应急预案体系，印发《较大以上生产安全事故应急处置工作指引》；11个街道综合应急救援队伍全部挂牌成立；部门专业应急救援队伍18支，培育1支社会应急救援队并纳入区级社会应急救援队伍；建立值班值守专业化队伍，提高值班业务能力和水平。按照森林防灭火工作规范化建设任务，区森防指办在大碶嘉溪村试点街道森林扑火“五网一平台”规范化建设试点。

（撰稿人：赵 婷）

社会事务

人口与生育服务

【概况】 2023年，全区常住人口89.4万人，户籍人口45.28万人。户籍人口出生1990人，非户籍人口出生2679人。全年办理生育登记2419例，网办率达到100%。全年受理出生一件事1805例，均为浙里办App申报，网上办理率达到100%。完成省、市民生实事工程，新增15家托育机构；新增托位725个，其中普惠托位725个。开展保健人员上岗证培训248人次，保育人员上岗证培训561人次；开展家庭养育健康指导员培训88人次。全年共组织开展婴幼儿照护服务入户指导26550次，开展婴幼儿家庭养育健康指导小组活动1727场次。12月，为实施应对人口老龄化国家战略，结合北仑区实际，出台《宁波市北仑区关于优化生育政策促进人口长期均衡发展实施方案》。

【周丽到北仑调研】 2月22日，浙江省计划生育协会家庭服务部部长周丽一行5人到北仑调研。在慰问活动后，又实地走访了小港街道竺山社区"向日葵亲子小屋"，了解小屋在贯彻落实国务院办公厅《关于促进3岁以下婴幼儿照护服务发展的指导意见》中开展活动的相关情况。在现场座谈会上，周丽充分肯定北仑区基层计生协工作，认为竺山社区的向日葵亲子小屋各项工作措施到位，用心巧妙，注重细节，活动课程精彩丰富，活动区域小巧精致，值得各地推广。

【上榜宁波市"五星级"协会】 7月20日，宁波市计划生育协会公布全市第二批"五星级"协会评比结果，北仑区有3个村（社区）的计划生育协会榜上有名，分别是新碶街道玫瑰社区、大碶街道富春社区、小港街道竺山社区。

【倡新时代婚育文化宣传活动暨集体颁证婚礼】 于8月21日在北仑银泰广场举行。活动由区计生协会和区民政局联手举办，主题为"聚港城 浪漫相约缘"，旨在普及新型婚育文化知识，提升辖区居民生育意愿，活动现场为10对新人颁发结婚证书。区人大常委会副主任、区计划生育协会会长刘文科在致辞中向新人们表示祝福。通过此活动在全社会倡导适龄婚育、优生优育、共担育儿责任，推动婚育新风进万家。

（撰稿人：成　伟）

社会保障

【概况】 2023年，北仑区全面落实社保扩面惠民计划，加强社保"三服务"宣传，引导用人单位和城乡居民做好养老保险参保缴费。全区户籍人口已参加各类养老保险349866人，参保率99.61%。6月，根据区域机构改革方案，北仑区与保税区、大榭开发区社保合并。全区职工基本养老保险参保登记单位共36169家，实际缴费参保486166人，工伤保险参保登记单位37716家，参保缴费588555人。全年共受理工伤申请4771件，处理4413件，完成率92.4%。

【社保宣讲直播平台】 2023年，区社保中心通过"8718北仑平台"开展"春暖阳光"社保宣讲直播。形式以讲解社保业务网上经办操作为主，讲授"社保三险网上申报""企业社保查询打印""自由职业者参保停保登记掌上办"等数十项社保业务操作流程，并对"灵活就业人员参保方法""养老保险享受条件"等热点政策进行分享。同时通过与企业人事部门工作人员在直播间评论区交流互动，答疑解惑，社会反响良好，全年已开展10场宣讲活动，吸引了4100人观看，点赞量超过13200余次。

【环卫工人住房租赁补贴打入社保卡】 7月，北仑区为落实浙江省提出"推进以社会保障卡为载体发放政府下发的各类惠民惠农补贴、社会保险待遇等各类经费"的工作要求，决定将全区环卫工人住房租赁补贴通过社保卡金融账户发放。对中环洁公司分包的北仑区新碶街道、大碶街道、霞浦街道片区近1000名环卫工人的住房租赁补贴打入个人社保卡金融账户。经区住建局、北仑农商银行等部门的配合与协作，9月初相关工作已全部完成投入运行，也拓展了社保卡在社会生活中的应用。

【对工伤定点医疗机构开展监督检查】 2023年，区社保中心全面开展对工伤定点医疗机构现场监督检查。检查内容主要是：核实工伤定点医疗机构是否提供工伤职工就医指引，指导和方便工伤职工就医；医疗收费标准是否符合政策规定；是否在大厅明显位置公开收费标准；提供工伤保险医疗服务时，是否核实工伤职工身份，落实人证合一；提供工伤保险医疗服务时，是否严格落实对症诊治、伤病分离管理；是否存在将非工伤疾病治疗费用列入工伤治疗费用申请工伤报销的现象。在及时将检查相关情况上报市社保中心后，还通过大数据筛查进行再次比对，杜绝超标收费、重复收费、虚假收费等问题，进一步规范工伤定点医疗机构的医疗服务行为。

【社会保障卡解读专场】 12月8日，区人力资源和社会保障局、北仑农商银行联合开办“第三代社保卡深度解读专场直播”。主持人围绕第三代社保卡，对其特点、功能、应用场景等作了详尽的介绍。社保卡全称为中华人民共和国社会保障卡，是由国家人力资源和社会保障部统一规划，由各省市人力资源和社会保障部门面向社会发行，用于人力资源和社会保障各项业务领域的集成电路（IC）卡，现已更替到第三代。其在外观、功能上都有了新的变化，也更加安全可靠。加载了“交通联合”功能，持卡人可凭卡可在宁波大市范围内乘坐公交、地铁，享受与市民卡同等优惠待遇；可在全国327个联网城市当作交通卡使用。第三代社保卡还增加了图书馆借书、旅游景点刷卡等60多项政府公共服务功能，真正实现一卡多用、全国通用。直播受到广大市民热烈参与，观看直播的人数达到7317人，点赞达1.7万次。

（撰稿人：赵茜茜）

城乡居民生活

【概况】 2023年，全区居民收入、储蓄、消费稳定增长，居民人均可支配收入74642元，同比增长5.5%；住户存款余额1071.57亿元，同比增长21%；全区实现社会消费品零售总额465.67亿元，同比增长12.6%。人均自有现住房面积49平方米，同比增长2.1%；每百户家用汽车拥有量为58辆，同比增长3.6%；每百户洗衣机拥有量104台，同比增长3%；每百户电冰箱（柜）拥有量为126台，同比增长0.8%；每百户彩色电视机拥有量为179台，同比下降0.3%；每百户空调拥有量为240台，同比增长0.2%。全年文化娱乐支出占消费支出比重为2.92%，同比下降0.11个百分点；恩格尔系数为28%，同比下降1.3个百分点。

【居民收入】 2023年，全区居民人均可支配收入74642元，同比增长5.5%，从收入来源看，人均工资性收入51416元，同比增长7.4%，占可支配收入的比重为68.9%，人均经营净收入10916元，同比下降6.5%，财产净收入和转移净收入分别为6049元和6261元，同比分别增长8.8%和11.2%。

【居民支出】 2023年，全年居民人均消费支出45580元，同比增长6.7%。八大类消费支出中，食品烟酒支出12762元，同比增长2.0%；居住支出11578元，同比增长9.7%；交通通信支出7766元，同比增长5.8%；教育文化娱乐支出3847元，同比增长8.5%；衣着支出2270元，同比增长7.9%；生活用品及服务支出3932元，同比增长7.9%；医疗保健支出2285元，同比增长18.4%；其他用品和服务支出1140元，同比增长5.7%。

（撰稿人：赵茜茜）

退役军人事务

【概况】 2023年，坚持思政引领，充分发挥退役军人作用。以新一届四美人物［“最美退役军人”“最美军人”“最美拥军人（团队）”“最美退役军人工作者（团队）”］评选活动为载体，评选出在北仑区“双一流、双示范”建设中取得显著成就、作出突出贡献的先进典型个人34人、团队6个，并召开表彰大会，由区四套班子领导参与颁奖，取得良好社会效应和反响。组建甬尚老兵宣讲团，通过“进校园、进机关、进农村”的形式，开展主题宣讲20场。培育特色志愿服务品牌，组建“迷彩先锋”“风采依旧”等30个志愿服务特色队伍，开展清洁家园、参与社会治理等活动500场次，在基层社会治理和公共服务中体现了军人本色。成功推荐全国“百名优秀主任（站长）”1人、

7月31日，北仑区《花开港岛 双拥情长》海岛之夏双拥文艺晚会在大榭剧院举行，3个先进集体、7名优秀个人被区政府授予“最美退役军人工作者（团队）称号”

宁波市最美退役军人2人、市级最美退役军人工作者1人、宁波市最美退役军人工作团队1个，兵支书张志岳相关事迹获省级媒体刊发。

坚持高标准打造双拥工作2.0版，推动军地双拥共建、融合发展。大榭岛创建双拥工作经验在《人民日报》整版刊登，并获中央委员、南部战区海军政委杨志亮将军批示。高质量完成全国双拥模范城创建、浙江省首届双拥模范城区考评工作。保障现役军人权益，现役军人子女享受择校优待，开展法律援助窗口服务32次。严格落实“双清单”制度，协调落实2023年东部战区部队提出需协调解决的保障需求5件，投入23万元资金解决困难2起，协助解决军地土地侵占纠纷1起。落实八一走访慰问部队制度，按标准慰问25支部队，发放慰问物资折合人民币337万元。以纪念延安双拥运动80周年为契机，开展“我为你歌唱”文艺作品征选、“我为你骄傲”拥军表彰、“我为你解忧”实事工程等工作。配合落实好电子优待证试点相关任务，总结经验，形成规范的工作制度。开展优待目录清单落实行动，拓展全区退役军人崇军联盟服务内容，提升优待优惠含金量，为全面推行电子优待证打好基础。

【退役军人安置】 2023年，通过统筹协调，接收由政府安排工作的退役士兵（退出消防员）9人、转业军官13人、复员军官1人和逐月领取退役金军官1人；完成2023年春季自主就业退役士兵接收报到79人。强化服务管理，及时做好军休干部补贴调标，开展春节慰问。采取“线下封闭+线上开放”方式，开展返乡退役士兵全员适应性培训。发放2022年秋冬季退役士兵自主就业一次性经济补助金798万元，2022年下半年随军家属未就业补贴162万元，军休人员、无军籍职工和遗属各类补贴393万元。军转安置工作在宁波市考核中名列前茅。

【退役士兵就业创业】 2023年，打造省级试点应用“高质量就业e路通”，先后入选宁波市基层治理“一件事”集成改革项目和区共同富裕标志性成果。建立数字平台，推出精细优化功能140余项进入试运行阶段，建立税务、人社等跨部门信息共享互通机制，完成172家用人企业、276个高质量招聘岗位、15家培训机构入驻，推出65个培训项目、2家银行金融扶持产品，为退役士兵就业创业“保驾护航”。完成劳动年龄段退役士兵信息更新50%、失业人员信息更新100%，并对150人建立就业帮扶通道，累计开展技能培训90人次，支出24万元。

【优抚对象服务】 2023年，通过做好优抚对象数据核查审定及年度确认工作，强化数据精准化、管理动态化。全区核定定期抚恤补助的优抚对象4008人。发放各类抚恤资金和义务兵家庭优待金及大学生一次性奖励金。组织烈士遗属、荣立二等功以上功勋的退役军人等优抚对象短期疗养，安排年度短疗任务100人次。做好义务兵父母及在享受定期抚恤待遇的烈属免费体检工作。开展立功受奖送喜报活动，全年为获三等功7人、“四有”军人69人累计发放奖金9万元，在全社会营造“一人立功，全家光荣”的浓厚氛围。

（撰稿人：刘乔蕾）

新北仑人

【概况】 2023年，北仑区登记在册的新北仑人（即流动人口）总数为577348人，其中，省内48030人，占比8.32%，省外529313人，占比91.68%。省外居前三位的依然是安徽省、河南省、四川省，分别流入114566人、77019人和57746人，三省合计250331人，占全部流动人口的43.36%。新北仑人在北仑区域居住分布呈现“东密西疏”格局。新碶街道、大碶街道、小港街道（含戚家山街道）人口总量占全区新北仑人总量的71%。与上年相比，新碶街道、大碶街道、小港街道新北仑人总量分别减少6796人、6866人、17505人，合计31167人，占全区新北仑人下降总量41495人的75.11%；其他各街道新北仑人总量和占比保持相对稳定。在北仑居住一年以上的新北仑人呈上升态势：居住一年至五年的占比从2019年的44.31%上升至2023年的48.76%；居住五年以上的占比从2019年的10.41%上升至2023年的19.39%，连续五年持续增长。全年新北仑人中新生婴儿数2679人，占全区新生婴儿数4669人的57.4%，是北仑户籍人口新生婴儿数的1.35倍。2023年，新北仑人中务工的有478127人，较上年同期减少1.46万人。务工的行业主要集中在制造业，已经成为北仑制造业产业工人的主体力量。

全区开展融合性社会组织“提质、扩面、赋能”活动。在已经达标的新北仑人集中、产业工人集聚的区域，实现组织全覆盖、无死角，提升融合组织在基层新北仑人中的控制力、影响力、凝聚力，推动星级组织更多地由一星级向二星、三星级迈进。培养融合性社会组织骨干力量，全年通过“走出去”和“请进来”的方式，组织全区融合性社会组织骨干前往宁波市健康家园公益服务中心和宁波市（鄞州区）社会组织创新园参观学习，开设新北仑人融合性社会组织骨干数字化管理专场培训和全区新北仑人融合性社会组织建设培训班，并与We志愿平台签订合作协议，借助平台管理优势，拓展新北仑人融合性社会组织会员管理集成服务应用场景。探索“共富工坊”“共享员工”工作模式，试行融合组织负责人参与街道矛调中心轮岗值班制度，提升其工作能力和水平，并以此为样本，会同市场监督管理局研究创建融合性社会组织建设的北仑标准。

2023年，试行新北仑人法治安全文明宣教培训工作试点，探索行业主管部门、行业协会、企业、街道、村（社区）等多方合力机制建设，开展任务达标周晾晒，营造“比、学、赶、超”的宣教氛围。围绕新北仑人的迫切需求和实际困难，研究开发涵盖法律法规、安全知识、文明礼仪等方面的课程，整合新北仑人法治安全文明宣教活动线下宣教资源，加速线上线下深度融合，建立起一支180人的讲师队伍。全区全年累计20.83万新北仑人参与宣教培训。已落实地区级宣教基地1个，建成11个体验中心、70个体验室，并实现市级统一赋码。

【数字化服务】 2023年，扩大“e乡北仑”新北仑人智能服务平台的影响，“e乡北仑”公众微信号已有10万以上的订阅受众。通过嫁接“浙里新市民”浙里办微信小程序，拓宽“浙里新市民”在北仑区的使用率和覆盖面。推动新版量化积分体系的有序应用，推出的积分入学和积分申领住房补贴两个常规应用场景，共计有4165人申请积分入学（其中小学新生2624名、初中新生1680名），70户申请积分申领住房补贴。同时，将北仑区域夏季热门景点整合打包成市级应用场景，以积分旅游的形式面向宁波市流动人口发放2500个免费名额，实现场景的一地使用、全市推广。

【年龄结构】 2023年，新北仑人中劳动力年龄段（16~59周岁）人口最多，总量为513213人，占比88.89%，其中16~40周岁的292368人，占比50.64%，较上年同期下降1.49%；41~59周岁的220845人，占比38.25%，较上年同期上升1.08%。0~15周岁的未成年人33624人，占比5.82%，与上年持平。60周岁以上人口30511人，占比5.28%，较上年同期上升0.49%。

【文化程度】 2023年，新北仑人的整体文化程度按学历看，初中文化程度最多，有324723人，占比56.24%；高中（含中专、技工）其次，有112139人，占比19.42%，比上年同期增加0.23%。全区新北仑人中持有大专及以上学历的人数为46714人，较上年同期的50272人减少3558人。

【居住分布】 2023年，新北仑人在北仑的居住以租赁房屋和单位内部住宿为主。全年租赁房屋的369566人，比较上年上升1.3个百分点；居住单位内部的94948人，比较上年下降0.45百分点；居住在自购房的61746人，比较上年上升了0.53百分点；居住在居民家中、旅店、工地以及其他的51088人，比较上年下降1.31百分点。

（撰稿人：王　蓉）

老龄事业

【概况】 2023年，全区60周岁以上的户籍人口119872人，占全区户籍人口的26.48%，其中百岁以上老人37人。有20家养老机构，其中公办养老机构12家，民办养老机构8家；养老机构的床位数3009张，其中护理型床位数2201张；区域性居家养老服务中心13家，居家养老服务站276家，爱心食堂（助餐点）70家，城乡助餐覆盖率100%；新建专业化运营的5A级居家养老服务中心1家；有家庭养老照护床位240张。

2023年重阳节，北仑区开展庆祝全国第十一个老年节主题活动。区委、区政府主要领导带领区相关职能部门负责人，深入百岁老人家庭，走访和慰问百岁老人并送上祝福。各街道的党政领导根据各地实际情况，重点看望高龄、失能失智、失独老年人家庭，切实帮助他们解决生活困难，让广大老年人感受到党和政府的温暖。在全区开展敬老助老等志愿者工作先进评选，对评选出的90名敬老助老志愿服务工作先进者和30名基层老年协会“好会长”进行表彰。持续开展创建老年友好型社区活动，以应对人口老龄化的国家战略要求，满足老年人在居住环境、日常出行、健康养老、社会参与、精神文化生活等方面的需求。小港街道长山社区成功创建为全国示范性老年友好型社区。

【安宁疗护】 2023年，继区宗瑞医院率先建设安宁疗护病房后，区第三人民医院和大榭街道社区卫生服务中心又先后建成安宁疗护病区。全区现共设有安宁疗护床位35张，配备专业医护人员20名。安宁疗护病房运行以来，全年已累计服务病人32人。安宁疗护可使老年病人在住院期间，通过专业医护人员的关怀沟通，克服心理障碍，身心得到有效的支持，受到病人及家属的普遍认可。

【老年健康】 2023年，全区推广老年人健康保障工程，完成65周岁及以上老年人甲胎蛋白检查60681例、糖化血红蛋白检查61089例、老年人口腔营养健康评估服务11603例、痴呆综合防控218例、老年糖尿病患者眼底筛查1063例。持续推进国家老龄健康医养结合远程协同服务试点工作，定期开展协同培训。为全区65周岁及以上老年人开展医养结合服务37606人，为65周岁及以上失能老年人健康评估与提供健康服务1396人。

【老年友善医疗机构】 2023年，北仑区从老年友善文化、老年友善管理、老年友善服务、老年友善环境等四方面出发，把握细节，着力改善老年患者的就医环境，优化就医流程，提升他们看病就医的满意度，打造温馨舒适的老年友善医院。全区共完成24家老年友善医疗机构创建评估，全区老年友善医疗机构创建率达100%，实现了把区域所有医疗机构创建成为老年友善医疗机构的年度工作目标。

（撰稿人：张婷婷）

关心下一代工作

【概况】 2023年，区关工委以深化青少年思想道德建设为主线，强队伍、固基础、拓阵地，实施传承红色基因工程和“五老”关爱下一代工程。新增区级“五好”基层关工委22家，其中街道1家，村（社区）关工委14家，企业7家。全区11个街道全部达到区级及以上“五好”关工委标准；225家

8月6日，郭巨街道关工委组织街道全体留守（困境）儿童与“五老”志愿者到奉化蒋家池头村参观

村（社区）基层关工委中，达到区级及以上“五好”关工委186家，达标率为82.7%。开办各类暑期假日学校83所，其中全日班41所。共接收2889名学生，其中有“小候鸟”455名。参与办学的各类志愿者达2959名，其中“五老”志愿者494名，共筹集工作经费140万元。开展星级假日学校认定工作，全区确认5星级假日学校23家、4星级28家、3星级9家。与区慈善总会（宁职院思源基金）合作开展“关爱书香梦”活动，资助全区100名家庭困难学生，每人书卡300元（9年已累计发放27万元）。全年新增书香家庭合格户999户（全区共有18079户家庭获“书香家庭”荣誉称号），发放奖励书券9.99万元。

【关爱留守（困境）青少年】 2023年，依托“留守儿童工作站”，与26名留守困境儿童结对帮扶，精准开展关爱助学工作。开展“春日送暖·与爱童行”“立夏闹民俗·老少共庆祝”“情满中秋·与爱同行”和“冬日送暖·与爱童行”等活动8次。利用市关心下一代工作基金为全区4个街道26名留守儿童每人发放价格1200元微心愿礼品；为全区10个街道10名困境儿童每人发放1000元助学金。联系各方资源，推出“情暖童心·爱心午餐资助”“生命健康·救护伴童”等假日学校十大公益项目。其中爱心午餐资助项目为全区23所全日制假日学校提供午餐补助，受益人960名，共发放资金12.91万元；圆梦微心愿项目为103名困难家庭的孩子每人发放微心愿礼品，共计发放资金1.18万元。

【市、区两级中小学汉字棋比赛】 2023年，区关工委在举办北仑区第三届小学生汉字棋大赛基础上，又承办宁波市“智力助成长”中国汉字棋联谊赛，参赛的北仑区代表队获团体总分一等奖，选派的15名选手获一等奖5名、二等奖4名、三等奖6名。

【“关爱后代 雨润童心”研学活动】 8月16日，郭巨街道关工委、关协工作站组织全街道留守（困境）和单亲家庭的儿童与开展相互结对活动的“五老”志愿者共60余人，以“关爱后代 雨润童心”为主题，一起走进奉化区的蒋家池头村开展研学活动。活动通过参观绿树环绕、宁静祥和的“和美乡村”，寻找慈孝忠信、从善乐助的村民生活足迹及文化素养，唤起孩子们激励亚运精神、增强对历史文化的感知和尊重，促使他们更加珍惜当下的学习和生活。

【青少年校外教育阵地】 2023年，全区新增区级青少年校外教育阵地3家，将作重新调整后的27家区级青少年校外教育阵地发文公布，并对其中21个阵地进行微视频拍摄录制。全区成功创建省级青少年校外教育基地2家、市级青少年校外教育阵地5家。

（撰稿人：刘银燕）

慈善事业

【概况】 2023年，北仑区慈善总会共募集善款5116.09万元（其中物资价值91.91万元），救助支出5416.2万元，惠及困难群众5.14万户（人）次；实施公益项目197项，其中慈善助困（残、老）支出930.4万元，受助4.48万户（人）次；慈善助医支出372.6万元，受助0.53万户（人）次；慈善助学支出428万元，受助学生1300人次；赈灾支出20.5万元；实物救助支出93.1万元；慈善公益项目支出3540.1万元。开展各类慈善公益活动45场次。为促进社会和谐、助力乡村振兴、实现共同富裕发挥作用。

【区第24次“慈善一日捐”活动】 4月20日，北仑区政府下发《关于开展2023年北仑区“慈善一日捐”活动的通知》，区慈善总会开通线上捐款通道，配合全区上下集中开展“慈善一日捐”活动。5月4日，以“同心同行、向上向善”为主题的“慈善一日捐”活动启动仪式在行政中心举行，区五套班子领导带头扫码捐款；区直各部门、街道发动所属单位和村（社区）、企业、学校、部队等参与线上线下捐赠活动，全区共计773家单位、15.57万人次参与，参与人数比上年增加71.6%，共募集慈善资金690.42万元。

【“集爱”公益慈善基金】 5月，北仑区有注册集卡车2.2万辆，另有区外籍集卡车近万辆，约有3万名集卡司机。为关爱集卡司机这个群体，北仑区慈善总会联合宁波市物流协会成立北仑

2023年北仑区企（事）业单位冠名慈善基金（实际到位100万元以上）情况表

表35

冠名基金名称	创办时间	创办单位	基金金额（万元）
“共同富裕幸福家园”基金	2022	宁波港德创新电子有限公司、浙江逸盛石化有限公司、万华化学（宁波）有限公司等9家单位	272.5
“烈火雄心”公益慈善基金	2023	海天塑机集团有限公司、宁波申洲针织有限公司、宁波东方电缆股份有限公司等6家单位	230
宁波北仑农村商业银行股份有限公司	2013	宁波北仑农村商业银行股份有限公司	200
“集爱”公益慈善基金	2023	宁波舟山港集团有限公司、宁波陆霖机械铸造有限公司、宁波永祥铸造有限公司、宁波市物流协会等15家单位	109.1
宁波大榭开发区芷斋奖学（育才）基金会	2023	宁波大榭开发区芷斋奖学（育才）基金会	102.52

5月4日，北仑区“慈善一日捐”活动在区行政中心举行启动仪式

区“集爱”公益慈善基金，规模为200万元，专项用于集卡司机在遭遇突发事故、意外伤害或重大疾病时能及时给予帮助。

【区第一届“慈善家庭”评选】 5月，北仑区慈善总会联合区妇联、区文明办、区民政局在全区范围内开展第一届“慈善家庭”评选活动。经基层推荐、单位推荐和群众自荐，报主办单位联合评审，于9月5日公布评选出的北仑区第一届“慈善家庭”，其中10户家庭被评为“慈善家庭”，16户家庭获提名奖。

【区慈善总会第四次会员大会】 于8月7日举行。市委常委、区委书记潘银浩，宁波市慈善总会会长陈云金等市、区领导出席。大会审议了相关工作报告，通过了《北仑区慈善发展模式创新试点实施方案（2023—2025）》，选举产生了北仑区慈善总会第四届理事会、监事会，张如平当选为新一届理事会会长。

【“六个一”行动】 12月21日，北仑区基层慈善推进会暨“六个一”行动启动仪式在郭巨街道峰南社区举行。区慈善工作联席会议成员单位、各街道慈善工作机构、党群服务中心和村（社区）党支部书记等100余人参加。会议明确将各街道都有“一支慈善义工品牌队伍、一个慈善帮扶特色项目、一家慈善惠民益站（服务实体）、一座慈善地标、一个样板慈善工作站、一批省（市）慈善村（社区）”作为今后一个阶段基层慈善工作的行动目标。

（撰稿人：周玉琴）

科学技术

高新技术引进及产业化

【概况】 2023年，区科技局坚持以科技创新激发高质量发展动能，落实省、市创新深化和“315”科技创新体系建设，推进全区科技综合实力实现新提升。获全省“科技创新鼎”，成为全市首个获得该荣誉的县（市、区）；5个街道入选市创新能力30强；获评省首批、宁波市首个外国高端人才创新集聚区。

强化科技助企惠企，出台《北仑区推进科研人员增收激励行动方案（2023—2025年）》《北仑区（开发区）促进产业高质量发展专项资金扶持科技政策实施细则》申报高新技术企业202家，入库国家科技型中小企业601家、省（市）级科技型中小企业394家；全区高新技术产业增加值达766.7亿元；高新技术产业投资达146亿元。万华化学（宁波）有限公司入选浙江省科技型领军企业，宁波力劲科技有限公司、宁波德业变频技术有限公司、雪龙集团股份有限公司、宁波菲仕技术股份有限公司4家企业入选浙江省科技小巨人，宁波大千纺织品有限公司、宁波亚洲浆纸业有限公司、宁波海天精工股份有限公司、宁波东方电缆股份有限公司、宁波信泰机械有限公司等11家高新技术企业获浙江省2023年高新技术企业百强。

【北仑企业赋能杭州亚运会】 9月，杭州第19届亚运会开幕式在杭州奥体中心体育场盛大举行。作为亚运史上首届碳中和亚运会，由北仑区高新技术企业永麒科技集团作为主服务商打造亚运会奥体中心主场馆群夜景，通过提炼杭州烟雨的绢白、莲花的润青，传承杭州自然美学风格，营造水墨淡彩的夜景基调，以国画写意技法描绘主会场灯光环境，形成“双莲共舞迎亚运”的视觉效果，向世界展现中国设计的独特创意和中国科技的硬核力量。

【18家企业上榜省高新技术企业500强】 2023年浙江省高新技术企业创新能力500强榜单发布，北仑区18家企业上榜。浙江吉润汽车有限公司、万华化学（宁波）有限公司、宁波德业变频技术有限公司、宁波拓普集团股份有限公司、宁波大千纺织品有限公司、宁波亚洲浆纸业有限公司等6家企业位居前50强。

2023年北仑区认定高新技术企业一览表

表36

序号	证书编号	企业名称	所属街道
1	GR202333103269	宁波润博波特汽车零部件有限公司	新碶街道
2	GR202333100978	宁波特芯智能科技有限公司	新碶街道
3	GR202333102142	宁波新城建筑设计有限公司	新碶街道
4	GR202333102334	宁波跨境堡科技有限公司	新碶街道
5	GR202333100610	宁波北仑稳展机械有限公司	新碶街道
6	GR202333101622	宁波众勤信息科技有限公司	新碶街道
7	GR202333102331	宁波众芯电子科技有限公司	新碶街道
8	GR202333102081	宁波九寰适创科技有限公司	新碶街道
9	GR202333102052	宁波广强机器人科技有限公司	新碶街道
10	GR202333101249	宁波市北仑甬创机械制造有限公司	新碶街道

续表36

序号	证书编号	企业名称	所属街道
11	GR202333100745	宁波天道酬勤网络科技有限公司	新碶街道
12	GR202333102115	宁波友好智能安防科技有限公司	新碶街道
13	GR202333102434	宁波凯思利金属制品有限公司	新碶街道
14	GR202333101812	宁波市北仑区恒泰机械有限公司	新碶街道
15	GR202333100661	宁波市北仑区德恒模塑有限公司	新碶街道
16	GR202333100963	浙江港欣环境监测有限公司	新碶街道
17	GR202333100937	宁波瑞佳塑胶有限公司	新碶街道
18	GR202333100648	宁波市领冠汽车装备有限公司	新碶街道
19	GR202333103159	宁波吉海金属科技有限公司	新碶街道
20	GR202333102312	宁波市海伯轻合金制造有限公司	新碶街道
21	GR202333101042	宁波欧诗康健康科技有限公司	新碶街道
22	GR202333100101	宁波金翼科技有限公司	新碶街道
23	GR202333100812	宁波经济技术开发区达克罗涂复有限公司	新碶街道
24	GR202333100394	宁波九胜创新医药科技有限公司	新碶街道
25	GR202333100936	宁波菱创智能科技有限公司	新碶街道
26	GR202333100532	宁波翼鲲体育用品有限公司	新碶街道
27	GR202333102167	宁波桓通信息科技有限公司	新碶街道
28	GR202333102182	宁波金朗信息科技有限公司	新碶街道
29	GR202333100169	宁波欧搏服饰有限公司	新碶街道
30	GR202333101666	宁波海燕佳集装箱有限公司	新碶街道
31	GR202333101479	宁波荣誉机械有限公司	新碶街道
32	GR202333101871	宁波松瑞智能科技有限公司	新碶街道
33	GR202333100509	宁波布鲁斯智能科技有限公司	新碶街道
34	GR202333103014	宁波天润生物药业有限公司	新碶街道
35	GR202333100703	宁波家有萌宝婴童用品有限公司	新碶街道
36	GR202333100138	宁波犀鸟智能科技有限公司	新碶街道
37	GR202333102636	宁波经济技术开发区云海机械有限公司	新碶街道
38	GR202333101628	宁波芯生代电子有限公司	新碶街道
39	GR202333100114	浙江小工匠物联技术有限公司	新碶街道
40	GR202333101805	宁波戴科智能科技有限公司	新碶街道
41	GR202333101957	海港检验检测（宁波）有限公司	新碶街道
42	GR202333102590	宁波雄腾机械有限公司	大碶街道
43	GR202333101814	宁波奇峰标识科技有限公司	大碶街道
44	GR202333101439	浙江逸群机械有限公司	大碶街道

续表36

序号	证书编号	企业名称	所属街道
45	GR202333100888	宁波市北仑星辉机械科技有限公司	大碶街道
46	GR202333101889	宁波中迪立体箱包制造有限公司	大碶街道
47	GR202333100699	宁波东丽新材料有限公司	大碶街道
48	GR202333101602	宁波哈贝玩具研发有限公司	大碶街道
49	GR202333101798	宁波北仑盈运达光电科技有限公司	大碶街道
50	GR202333102094	宁波立诺峰精密机械有限公司	大碶街道
51	GR202333101625	浙江时荣文化传媒有限公司	大碶街道
52	GR202333101612	宁波北仑钜景电子有限公司	大碶街道
53	GR202333102587	宁波海伯机械工具有限公司	大碶街道
54	GR202333101965	嘲风科技（宁波）有限公司	大碶街道
55	GR202333102497	宁波市北仑区汉朝模具科技有限公司	大碶街道
56	GR202333100475	宁波威武汽车零部件有限公司	大碶街道
57	GR202333102877	宁波威武机械制造有限公司	大碶街道
58	GR202333100444	宁波金球新材料科技有限公司	大碶街道
59	GR202333102408	宁波凯敏盛机械有限公司	大碶街道
60	GR202333101918	宁波恒达医疗器械有限公司	大碶街道
61	GR202333103193	宁波腾野精密部件有限公司	大碶街道
62	GR202333100830	宁波煜鸿昂模具有限公司	大碶街道
63	GR202333102068	宁波澳孚机械有限公司	大碶街道
64	GR202333102442	宁波同创金属制品有限公司	大碶街道
65	GR202333101001	宁波甬强科技有限公司	大碶街道
66	GR202333100905	宁波宗炫机器人有限公司	大碶街道
67	GR202333100575	宁波豪业精密科技有限公司	大碶街道
68	GR202333101408	宁波明鑫电器机械制造有限公司	大碶街道
69	GR202333101742	宁波美仑达汽车部件有限公司	大碶街道
70	GR202333100287	宁波伊仕达模具制造有限公司	大碶街道
71	GR202333102149	宁波思泰博模具技术有限公司	大碶街道
72	GR202333102215	宁波大尹机械有限公司	大碶街道
73	GR202333103089	宁波众造模具科技有限公司	大碶街道
74	GR202333102031	宁波海伯安防科技有限公司	大碶街道
75	GR202333100401	宁波一臻环保科技有限公司	大碶街道
76	GR202333101350	宁波北仑博鲲模具制造有限公司	大碶街道
77	GR202333100252	宁波禄腾精密机械有限公司	大碶街道
78	GR202333102539	宁波菲比儿童防护用品有限公司	大碶街道
79	GR202333102667	宁波质达杰机械科技有限公司	大碶街道

续表36

序号	证书编号	企业名称	所属街道
80	GR202333100366	宁波市优美屹科技有限公司	大碶街道
81	GR202333100372	浙江精友汽配有限公司	大碶街道
82	GR202333101909	宁波艾菲特净化器材有限公司	大碶街道
83	GR202333100206	宁波奇畅智能科技有限公司	大碶街道
84	GR202333101893	银硅（宁波）科技有限公司	大碶街道
85	GR202333101698	宁波方格机械有限公司	大碶街道
86	GR202333101232	宁波阿拉网络科技有限公司	大碶街道
87	GR202333102645	本元智慧科技有限公司	小港街道
88	GR202333101678	宁波意菲特环保设备有限公司	小港街道
89	GR202333102421	宁波福瑞科新材料有限公司	小港街道
90	GR202333100413	浙江信宇建设集团有限公司	小港街道
91	GR202333102790	宁波百晟钣金制造有限公司	小港街道
92	GR202333103106	浙江科宏建设有限公司	小港街道
93	GR202333102739	宁波久佰特智能科技有限公司	小港街道
94	GR202333102123	宁波顺兴开浩精工机械有限公司	小港街道
95	GR202333100257	宁波舒仰包装纸有限公司	小港街道
96	GR202333100608	浙江泳蓝厨具科技有限公司	小港街道
97	GR202333101270	宁波晨辰塑料科技有限公司	小港街道
98	GR202333102144	宁波贝福来婴童用品有限公司	小港街道
99	GR202333101811	宁波瑞联电子科技有限公司	小港街道
100	GR202333100306	宁波欧美晟针织有限公司	小港街道
101	GR202333101304	浙江腾龙不锈钢棒线有限公司	小港街道
102	GR202333102316	宁波赛欧液压传动有限公司	小港街道
103	GR202333101493	宁波海森机械有限公司	小港街道
104	GR202333102655	宁波腾炜智能机械有限公司	小港街道
105	GR202333102301	宁波莱塔思光学科技有限公司	小港街道
106	GR202333100526	宁波金通金属科技有限公司	小港街道
107	GR202333102398	宁波明和力盛液压科技有限公司	小港街道
108	GR202333100631	宁波迪本机械制造有限公司	小港街道
109	GR202333101352	宁波合创新震海誉塑机制造有限公司	小港街道
110	GR202333103029	豫越（宁波）新材料科技有限公司	小港街道
111	GR202333103154	宁波可司曼机械科技有限公司	小港街道
112	GR202333101832	宁波瑞保旅游用品有限公司	小港街道
113	GR202333100370	宁波三众电动工具有限公司	小港街道

续表 36

序号	证书编号	企业名称	所属街道
114	GR202333101315	浙江奇丰玩具有限公司	小港街道
115	GR202333100802	宁波新翔精密机械有限公司	小港街道
116	GR202333101289	宁波启辰电子科技有限公司	小港街道
117	GR202333101964	宁波华辉磁业有限公司	小港街道
118	GR202333100711	宁波合创金属制品有限公司	小港街道
119	GR202333103235	宁波和升铝瓶技术有限公司	柴桥街道
120	GR202333103281	宁波北仑广盈胶业有限公司	柴桥街道
121	GR202333102139	浙江华兴隆模具材料科技有限公司	柴桥街道
122	GR202333101192	宁波长禾古智能设备有限公司	柴桥街道
123	GR202333101513	宁波博睿家电玻璃技术有限公司	柴桥街道
124	GR202333102191	宁波安集微电子科技有限公司	柴桥街道
125	GR202333101990	宁波鑫泰智能科技有限公司	柴桥街道
126	GR202333103045	宁波湍流电子材料有限公司	霞浦街道
127	GR202333100996	宁波伏特智能制造有限公司	霞浦街道
128	GR202333100409	宁波甬东碳纤维科技有限公司	霞浦街道
129	GR202333100508	宁波锦球机械有限公司	霞浦街道
130	GR202333101018	宁波嘉运模塑有限公司	霞浦街道
131	GR202333102817	宁波北仑赛帕迪机械制造有限公司	霞浦街道
132	GR202333102428	宁波以太机械有限公司	霞浦街道
133	GR202333102916	宁波碧海精工有限公司	霞浦街道
134	GR202333100313	宁波劲锋工业炉有限公司	霞浦街道
135	GR202333100157	伊岛电器（宁波）有限公司	戚家山街道
136	GR202333102961	浙江宁和贵化工科技有限公司	戚家山街道
137	GR202333101124	宁波炬鑫环保制品有限公司	戚家山街道
138	GR202333100989	宁波赫革丽高分子科技有限公司	戚家山街道
139	GR202333102347	宁波全弘金属制品有限公司	戚家山街道
140	GR202333102089	宁波捷通电子有限公司	戚家山街道
141	GR202333100972	宁波杰士兄弟工具有限公司	戚家山街道
142	GR202333102843	浙江公铁建设工程有限公司	戚家山街道
143	GR202333101756	宁波恒盈机械有限公司	春晓街道
144	GR202333100414	宁波嘉扬汽车零部件制造有限公司	春晓街道
145	GR202333100389	奥冠机械（宁波）有限公司	春晓街道
146	GR202333100687	宁波卓悦模塑有限公司	春晓街道
147	GR202333103156	宁波市明远包装有限公司	春晓街道
148	GR202333100285	宁波派对魔坊文化创意有限公司	春晓街道

续表36

序号	证书编号	企业名称	所属街道
149	GR202333102092	宁波朗昇新材料科技有限公司	春晓街道
150	GR202333100863	宁波固特瑞汽车零部件有限公司	春晓街道
151	GR202333101182	宁波市北仑精诚设备安装有限公司	春晓街道
152	GR202333100523	宁波德尚机械科技有限公司	春晓街道
153	GR202333100900	宁波康达凯能医疗科技有限公司	梅山街道
154	GR202333101138	宁波紫藤信息科技有限公司	梅山街道
155	GR202333101176	浙江佳运能源技术有限公司	梅山街道
156	GR202333102592	宁波立志夹持科技有限公司	梅山街道
157	GR202333101252	吉利亚欧（宁波梅山保税港区）科技有限公司	梅山街道
158	GR202333101368	宁波金辉研磨科技有限公司	梅山街道
159	GR202333100690	宁波梅山保税港区梅傲医学检验有限公司	梅山街道
160	GR202333101562	绿润环境科技（宁波）有限公司	梅山街道
161	GR202333103086	宁波北仑中孚机械有限公司	白峰街道
162	GR202333101441	宁波鼎铭机械制造有限公司	白峰街道
163	GR202333101976	宁波金螺机械有限公司	保税区
164	GR202333100658	宁波宁咨绿色发展有限公司	保税区
165	GR202333100135	骏象科技（宁波）有限公司	保税区
166	GR202333102724	宁波甬芯微电子科技有限公司	保税区
167	GR202333101382	宁波爱特佳信息科技有限公司	保税区
168	GR202333103129	浙江川智电子科技有限公司	保税区
169	GR202333102956	宁波鑫齐盛智能科技有限公司	保税区
170	GR202333101765	思迈数字科技（宁波）有限公司	保税区
171	GR202333101087	数应科技（浙江）有限公司	保税区
172	GR202333101927	宁波聚众网络有限公司	保税区
173	GR202333101870	浙江加灰站科技有限公司	保税区
174	GR202333101398	宁波道一能源技术有限公司	保税区
175	GR202333101838	中科加能科技（宁波）有限公司	保税区
176	GR202333100446	宁波甬冠机械科技有限公司	保税区
177	GR202333103186	浙江蓝虹科技有限公司	保税区
178	GR202333101886	诺丁汉（宁波保税区）区块链有限公司	保税区
179	GR202333100384	博微（宁波）新技术有限公司	保税区
180	GR202333100877	宁波楷世环保科技有限公司	保税区
181	GR202333102494	宁波明闻软件有限公司	保税区
182	GR202333100542	众晟（浙江宁波）数智科技有限公司	保税区

续表36

序号	证书编号	企业名称	所属街道
183	GR202333102821	宁波森空网络科技有限公司	保税区
184	GR202333103075	浙江锐敏生活科技有限公司	保税区
185	GR202333100918	宁波利万新材料有限公司	大榭开发区
186	GR202333102904	六六云链科技（宁波）有限公司	大榭开发区
187	GR202333100959	宁波大榭开发区天山缸套有限公司	大榭开发区

科技成果

【概况】 2023年，公布2022年度北仑区获评省科技进步三等奖1项，市科技进步二等奖2项、三等奖3项。评定2022年度北仑区科技进步奖20项，其中一等奖3项，二等奖6项，三等奖11项。北仑区大碶街道、小港街道、新碶街道、霞浦街道、戚家山街道5个街道入选宁波市创新能力30强。

【两项目入选市双碳科技榜单】 市第二届双碳科技创新论坛发布了2023年度双碳科技创新十大典型案例和双碳科技揭榜挂帅十大项目，北仑区2个项目分别进入两榜单，其中宁波九胜创新医药科技有限公司的基于微通道连续流技术的药物连续生产装备及应用项目入选创新十大典型案例，宁波中科新材料创制中心的氨储氢关键催化技术研究项目入选揭榜挂帅十大项目。

2022年度省、市级科学技术进步奖获奖项目一览表

表37

序号	获奖项目名称	获奖单位	获奖等级
1	汽车玻璃导槽专用发泡级TPV材料研发	宁波泰甬汽车零部件有限公司、宁波信泰机械有限公司	省三等奖
2	汽车风扇硅油离合器的研究开发	雪龙集团股份有限公司	市二等奖
3	基于牙周组织生物力学响应的精确正畸矫治机理	宁波职业技术学院、浙江工业大学、浙江医院	市二等奖
4	宁波市森林可持续经营关键技术与应用	宁波（北仑）中科海西产业技术创新中心、中国科学院城市环境研究所、汇绿园林建设发展有限公司，宁波市林场	市三等奖
5	姜黄素生产工艺关键技术提升及其系列产品开发	宁波中药制药股份有限公司	市三等奖
6	汽车玻璃导槽专用发泡级TPV材料研发	宁波泰甬汽车零部件有限公司、宁波信泰机械有限公司	市三等奖

2022年度区级科学技术进步奖获奖项目一览表

表38

序号	项目名称	项目完成单位	获奖等级
1	国产料额定电压220kV交联聚乙烯绝缘电缆关键技术研发与产业化	宁波东方电缆股份有限公司	一等奖
2	超低介电损耗材料关键技术研究及应用	宁波甬强科技有限公司	一等奖
3	Q12+I-TECH液压机控制系统	宁波弘讯科技股份有限公司	一等奖
4	SUN-SG01LP1单相储能逆变器	宁波德业变频技术有限公司	二等奖
5	应用于锂电池功率保护的低压大电流晶圆级半导体器件封装核心技术研发及产业化	宁波宝芯源功率半导体有限公司	二等奖
6	IMPRESS-Ⅲ PLUS DCC7200超大型智能冷室压铸机	宁波力劲科技有限公司	二等奖

续表38

序号	项目名称	项目完成单位	获奖等级
7	应用于医药生产的防堵塞结构微通道设备的研发	宁波九胜创新医药科技有限公司、宁波玄流智造有限公司	二等奖
8	个体化运动疗法在血透患者及不宁腿综合征中的临床应用	宁波市北仑区人民医院、宁波市医疗中心李惠利医院	二等奖
9	珍稀黄色系白化茶树多茶类开发关键加工工艺研究与示范	宁波市北仑孟君茶业有限公司	二等奖
10	商用车节能热管理系统	雪龙集团股份有限公司	三等奖
11	高效节能新能源汽车空调系统压铸技术研发及产业化	宁波市北仑欣玉模具制造有限公司	三等奖
12	高强度汽车门窗框研发及产业化	宁波宏诺智能装备有限公司	三等奖
13	CD1-110单点双动压力机	宁波博信机械制造有限公司	三等奖
14	HMD368M8-SP高速薄壁精密注塑机	宁波华美达机械制造有限公司	三等奖
15	冷轧压花不锈钢产品开发及应用	宁波宝新不锈钢有限公司	三等奖
16	保湿抗紫外线、亲肤都市休闲针织面料研发	宁波大千纺织品有限公司	三等奖
17	船艇高效电推进系统的研究及应用	宁波海伯集团有限公司	三等奖
18	巨噬细胞M2亚型在非小细胞肺癌肿瘤微环境中的预后评估与治疗价值	宁波市北仑区人民医院	三等奖
19	基于害虫绿色防控的昆虫信息素技术及智能测报系统开发与应用	宁波纽康生物技术有限公司	三等奖
20	慢性阻塞性肺病社区规范化管理应用	宁波市北仑区人民医院、浙江大学医学院附属第一医院	三等奖

科技计划与工程技术中心

【概况】 2023年，开展规上企业研发费“清零提升”行动，全区规上工业企业研发投入经费104.2亿元；推进核心技术攻关，获批省“尖兵”“领雁”项目4项，获批市级重大科技攻关16项，实施区级关键核心技术攻关8项。新增省级企业研究院4家、省级企业工程技术中心19家；获批市级企业研究院4家、市级企业工程（技术）中心39家。

【钢铁新材料研究院】 9月，宁波钢铁有限公司与北京科技大学共建“钢铁新材料研究院”揭牌仪式暨第一届科学技术委员会第一次会议举行，会上宁波钢铁有限公司和北京科技大学签订了《宁波钢铁有限公司—北京科技大学共建“钢铁新材料研究院”合作协议》。

【宁波贝昂获国家重点研发项目立项】 12月，宁波贝昂生物材料有限公司承担的“功能化血管/心瓣膜材料与修复体构建关键技术项目”获十四五国家重点研发计划“高端功能与智能材料”重点专项立项。

2023年北仑区市级及以上企业工程技术中心一览表

表39

序号	工程技术名称	企业名称	创建时间	
			市级	省级
1	浙江省博威精密通讯机箱高新技术企业研究开发中心	宁波博威模具技术有限公司	2016年	2023年
2	浙江省讯强声磁防盗标签高新技术企业研究开发中心	宁波讯强电子科技有限公司	2014年	2023年
3	浙江省丽辰壁炉高新技术企业研究开发中心	宁波丽辰电器有限公司	2012年	2023年
4	浙江省侨泰兴新型功能面料高新技术企业研究开发中心	宁波侨泰兴纺织有限公司	2019年	2023年
5	浙江省威瑞注塑机零配件高新技术企业研究开发中心	宁波威瑞精密机械有限公司	2021年	2023年
6	浙江省天正精密压铸模具高新技术企业研究开发中心	宁波大榭开发区天正模具有限公司	2020年	2023年
7	浙江省华泰盛富聚合材料高新技术企业研究开发中心	宁波华泰盛富聚合材料有限公司	2023年	2023年

续表39

序号	工程技术名称	企业名称	创建时间	
			市级	省级
8	浙江省欣玉汽车精密压铸模具高新技术企业研究开发中心	宁波市北仑欣玉模具制造有限公司	2019年	2023年
9	浙江省运宝智能婴童理发器高新技术企业研究开发中心	宁波运宝电器有限公司	2020年	2023年
10	浙江省赛维达压铸模具高新技术企业研究开发中心	宁波赛维达技术股份有限公司	2019年	2023年
11	浙江省恒阳汽车排气系统高新技术企业研究开发中心	宁波经济技术开发区恒阳机械有限公司	2018年	2023年
12	浙江省优联特橡塑制品高新技术企业研究开发中心	宁波市北仑优联特橡塑制品有限公司	2021年	2023年
13	浙江省沃力流体机械高新技术企业研究开发中心	宁波沃力科技有限公司	2015年	2023年
14	浙江省中药制药高新技术企业研究开发中心	宁波中药制药股份有限公司	2016年	2023年
15	浙江省日鼎高清音视频传输线缆（连接器）高新技术企业研究开发中心	宁波日鼎电子科技有限公司	2014年	2023年
16	浙江省宁波钢铁先进钢铁材料高新技术企业研究开发中心	宁波钢铁有限公司	2017年	2023年
17	浙江省美乐雅婴童环保型材料高新技术企业研究开发中心	宁波美乐雅荧光科技股份有限公司	2018年	2023年
18	浙江省景升明诚汽车减震器高新技术企业研究开发中心	宁波景升明诚汽车科技股份有限公司	2016年	2023年
19	浙江省维科高能锂电池高新技术企业研究开发中心	宁波维科电池有限公司	2010年	2023年

科技合作与交流

【概况】 2023年，宁波（北仑）中国科学院海西产业技术创新中心和北京航空航天大学宁波创新研究院获批国家级博士后工作站；北京大学宁波海洋药物研究院开园仪式顺利召开，研究院突破性研究成果登上国际顶级期刊《自然》子刊；北京航空航天大学宁波创新研究院院长焦宗夏当选中国工程院院士；北京航空航天大学宁波创新研究院和北京大学宁波海洋药物研究院获2022年度市级产业技术研究院绩效考核优秀。6月，宁波（北仑）中科海西产业技术创新中心和北航宁波创新研究院获批国家级博士后工作站。

【科研研究登上《自然》杂志】 5月，北京大学宁波海洋药物研究院周德敏研究团队在Nature Biotechnology杂志（影响因子68.164）发表“抗原肽嵌合流感病毒为个性化癌症治疗疫苗”的研究成果，该技术成果由北京大学宁波海洋药物研究院为第一单位申请国际专利，未来将在研究院进行转化落地。

高端人才引进与培育

【概况】 2023年，依托区内重大引才平台，新增国家级人才计划入选者5人，其中火炬计划实现零的突破。获省“西湖友谊奖”2名、入选省领军型创新创业团队3项，海外引智工作入选全市营商环境优化提升最佳实践案例、浙江自贸区宁波片区制度创新案例、北仑区共同富裕十佳培育案例。北京航空航天大学宁波创新研究院院长焦宗夏、北仑籍科学家夏强当选中国工程院院士。

【科技领军人才北仑行活动】 3月，2023科技领军人才（集成电路）北仑行活动在宁波高端装备海外工程师协同创新中心举行，活动现场，来自中科院上海微系统与信息技术研究所、西安电子科技大学、中科院半导体所等高校院所的科研专家，分别就高性能5G射频滤波器、高能效模拟集成电路与系统、红外量子级联激光器等项目进行了路演介绍。开展项目路演的10位集成电路领域知名专家受聘担任科技领军人才创新驱动中心（宁波）工程师导师，发挥人才集聚优势，帮助企业破解创新困境。

【2名外籍专家获西湖友谊奖】 11月，浙江省“西湖友谊奖”颁奖大会在省人民大会堂举行，北仑区宁波东方电缆股份有限公司、宁波施捷电子有限公司的2位外国专家获奖。

（撰稿人：顾皆蔚）

教　育

综　述

【概况】 2023年，全区有各级各类学校88所，其中小学23所、初中9所、九年一贯制学校10所、十二年一贯制学校1所、完全中学2所、普高4所、职高1所、成人学校11所、特殊学校1所、辖区中心幼儿园26所。共有在校学生100809人，其中幼儿园23018人、小学47302人、初中18346人、高中12143人。有在编教职工5259人，中小学及公办幼儿园非编教师1500人，保安及编外辅助用工1700人。有基层党组织138个，党员2756人。区域内有市属、部属的高等院校（校区、研究院）5所：宁波职业技术学院、武警海警学院、宁波大学梅山校区、北京航空航天大学宁波创新研究院、北京大学宁波海洋药物研究院。

2023年，全区义务教育段入学率保持100%，“三残”儿童入学率100%。学前教育毛入学率104.2%。高中段入学率99.9%以上，普职比控制在5.4∶4.6。全区省标准化学校创建率100%。扩充普通高中教育资源，完成镇海中学甬江校区首届招生，恢复大榭中学高中部办学。2023年，北仑高标准通过全国义务教育优质均衡发展区、全国学前教育普及普惠区评估，30条优质均衡典型做法作为“北仑经验”，先后在教育部义务教育优质均衡先行创建研讨班、基础教育综合改革实验区建设研讨会作交流发言。全区教育现代化发展水平监测为全省A等。七优享“学有优教”工作考核均列省、市前茅，获评2023年度浙江省教育工作业绩考核优秀单位。

【新增省现代化学校9所】 1月16日，2022年浙江省现代化学校名单公布，北仑区泰河中学、北仑职高、小港中心学校、绍成小学、宁波滨海新城幼儿园、区实验幼儿园、小港厚生幼儿园、大榭社区教育学院、戚家山成人学校等9所学校榜上有名。全区已累计成功创建省现代化学校20所，其中中小学10所、幼儿园6所、成人学校4所，占全区各级各类学校总数的11.8%。

【“学雷锋”爱心义卖活动】 4月7日，由区文明办、区教育局、团区委、区慈善总会主办的北仑区教育系统“学雷锋”爱心义卖活动在区体育公园举行，累计成交3945单，共筹集善款62226元，将全部用于援助四川省凉山州美姑县中学图书角建设。

【东西部教育对口帮扶】 2023年，参与东西部教育对口帮扶，北仑区选派7名教师分别到新疆阿克苏地区库车县、四川凉山州美姑县支教；接受50名美姑县学生到北仑职高就读；全区有45所学校分别与美姑县、浙江丽水市的云和县、青田县等地的学校结对，显著提升了受援地学校的办学水平。

学前教育

【概况】 2023年，全区共有各级各类幼儿园90所（含分园区），共838班，幼儿23018名。其中，公办幼儿园覆盖率达72.15%，较上年提升4.45个百分点；省二级及以上优质园招生覆盖率达91.75%，较上年提升1.95个百分点。普惠性幼儿园招生覆盖率达94.43%，较上年提升4.03个百分点。开发区幼儿园、惠琴幼儿园、小港幼儿园、泰河幼儿园获评市现代化学校；辽河幼儿园、春晓幼儿园获评省一级幼儿园，全区省一级幼儿园总数达30所。关停并分流宝来幼儿园、惠恩幼儿园、大同幼儿园、银杏幼儿园、江南幼儿园、算山长来幼儿园、美央幼儿园等底部幼儿园。制定《北仑区2023年学前教育高质量发展行动计划方案》，规范民办幼儿园管理机制，构建学前教育高质量普及普惠发展体系。

【省教育厅派员到北仑调研】 3月29日至31日，浙江省教育厅教研室幼教教研员虞莉莉率来自全省各地的19位幼教专家到北仑区开展幼儿园课改及评价工作专题调研。活动旨在通过深入课堂研究课改实践问题，掌握基层幼儿园课改整体推进情况，以全面提升保教质量，推进全省各地、市学前教育经验的交流与研讨。北仑学前教育深入践行“和美”教研理念，以“融合共洽 以致和美”为行动指南，以研提质，教学成效明显，得到到北仑参加调研的专家充分肯定。

【优化托育教育服务】 11月15日，北仑区召开首届医育结合暨“托幼一体化”工作研讨会，以“仑享善育·育见未来”为核心议题，围绕区域推进高质

10月11日，为区中小学生篮球超级联赛观众席上的小球迷们在为运动员加油

量托育实践中的优势与挑战，开展多部门研讨，共享工作智慧。2023年，北仑学前教育在稳步推进“托幼一体化”中，先后在全区16所幼儿园开设托班，新增托位428个。

中小学教育

【概况】 2023年，全区有小学23所，初中学校9所，九年一贯制学校11所，完全中学2所，普高5所，特殊学校1所。全区有小学生1136班、47302人（外地户籍学生占比31.64%），初中生426班、18346人（外地户籍学生占比26.39%），普高（含国际班、新疆班）204班，职高90班，共计12143人（外地户籍学生占比36.99%）。全区中小学外地户籍学生占比为31.23%。

【正脊行动】 2月13日，北仑区启动义务段学生脊柱弯曲筛查行动，至3月4日，完成全部学生的脊柱侧弯检查，共计筛查55817人。并配合宁波市体科所及相关医院做好后续防治、复诊和反馈工作，避免出现误诊、漏诊和延误治疗等问题。在参加脊柱弯曲筛查行动的义务段学校全面推广90秒脊柱健康操，切实守护学生脊柱健康。

【中小学扩招85班】 2023年，随着外来务工人员的随迁子女低门槛入学政策的推行，学校的挖潜扩容、推动优质资源共享势在必行。9月，全区中小学扩招85班，其中义务段71班、高中段14班，在校学生数增加3700名，保证区域随迁子女100%入读公办学校。

【北仑区“红领巾民主学堂”揭牌仪式】 于3月9日在小港中心学校举行。市人大常委会教科文卫工委主任崔秀良、区人大常委会主任贺威平、《浙江人大》杂志社总编辑胡国强等出席揭牌仪式。崔秀良、贺威平共同为“红领巾民主学堂”揭牌。红领巾民主学堂立足民主课程、民主渠道、民主实践三条路径，让学生从小通过在校园参与生动的人民民主实践，增强学生的民主意识。

【学科竞赛】 9月19日，第37届中国化学奥林匹克竞赛（浙江赛区）比赛成绩出炉，北仑中学高三年级马雨乐、应泽宇2名同学获一等奖，北仑中学获奖人数居全市前茅。10月16日，中国数学学会公布2023年全国中学生数学奥林匹克竞赛（决赛）浙江省队及一等奖名单，北仑中学陈嘉煦同学获一等奖，北仑中学共有10人获奖。

【中小学生篮球联赛】 10月11日，2023年北仑区中小学生篮球超级联赛开赛。该联赛是区教育局在区中小学生篮球联赛基础上升级策划的“五育融合”活动，将部分比赛安排在中心城区的青年体育公园举行，并进行全程新媒体线上直播，实现了区县级中小学生体育竞赛线上直播、转播，让校园篮球竞技走出校门，学生家长与学校师生共同参与。全区中小学有58支球队参赛，进行200场次的对决，超6万人次观赛。

【北仑、香港两地缔结姊妹学校】 11

12月5日，区第十九届中小学艺术节器乐合奏、舞蹈、戏剧（戏曲）比赛在宁波滨海国际学校举行，图为参加活动的学生在表演现场

月30日，北仑区实验小学与香港保良局朱正贤小学举行缔结姊妹学校签约仪式。两校在市、区有关部门和宁波甬港联谊会及师生代表的共同见证下，缔结为姊妹学校。此后，双方将在更多领域开展教育的交流与合作。区委常委、统战部部长吴艳芳出席签约仪式并讲话。

【古琴教学传承基地】 12月1日，宁波古琴教学传承基地在北仑区顾国和外国语学校揭牌成立。古琴演奏家、上海音乐学院博士生导师戴晓莲教授，宁波古琴学会荣誉会长傅丹，区政府副区长张海航等市、区领导及专家出席揭牌仪式。北仑与古琴有着深厚的渊源，藏于浙江博物馆的“彩凤鸣岐”“来凰”等唐代著名古琴曾旧藏于北仑塔峙圃，1953年由徐桴后人捐赠给浙江省博物馆。在顾国和外国语学校设立古琴教学传承基地，既是为让广大师生领略中国传统文化艺术的魅力，也是为拓宽学生兴趣，让学生认识古琴、学习古琴、爱上古琴。

【区第十九届中小学艺术节器乐合奏、舞蹈、戏剧（戏曲）比赛】 于12月5日在宁波滨海国际合作学校举行。全区共有50所中小学的师生组队参赛。本次比赛旨在通过124个节目的表演，展现北仑区中小学师生对中国传统文化艺术的追求和拥有，是教育学校深化美育教育、探索“五育融合”的成果。

职业教育

【概况】 2023年，全区有公办中等职业学校1所（北仑职高），在编教师261人，学生3733人。学校坚持高质量办学，获评中国物流与采购联合会、全国物流与供应链产教融合共同体常务理事单位、浙江省“双高”建设中期检查优秀单位、浙江省现代化学校、浙江省“三育人”岗位建功活动先进集体、宁波市教育系统考试战“疫”先锋集体（考点）、宁波中职学校质量年报（2023）优秀单位、市级“职成协同服务乡村振兴”试点单位，入选职业教育信息化标杆学校浙江省数字教育试点单位，获2022学年宁波市中等职业学校学业水平考试“双奖”表彰、市中等职业学校（技工院校）技能大赛突出贡献奖。

2023年，学校深入推进产教融合，主动服务区域经济。有校企深度合作企业138家、行业协会17个；有27家企业、6家高校参与班级冠名。聚焦企事业单位需求，精准对接行业企业，完成对7581人次3D打印、数铣技能、直播电商实战等技能培训，完成对800人中级工职业技能等级鉴定。机器人技术应用培训等3项目获选市职业（技工）院校品牌培训项目。广泛开展师生创新实践、专利成果开发、参与企业工艺改进、技术革新等活动，取得6项专利成果，其中发明专利2项。现代装备制造产教融合实践中心获评“浙江省开放型区域产教融合实践中心”建设项目，“智能制造培训基地”获评省服务终身学习项目。

2023年，学校持续在健全培养机制、拓宽实践渠道、提升岗位质量、突出重点帮扶等方面下功夫、出实招，在岗位双向选择中，海天集团、龙星物流等近70家优质企业为535名学生提供了1124个工学交替实践岗位，实现现代学徒制工学交替育人、学生高质量就业、企业高质量选才。8月13日，《光明日报》头版刊文《拓宽实践渠道 优化就业服务》，专题报道了北仑职高的办学经验。

【全国职业院校技能大赛夺金】 8月30日至9月4日，2023年全国职业院校技能大赛（中职组）酒店服务综合赛项在广州白云国际会议中心举行。北仑职高史奇、康海涛2位同学代表宁波市参赛，与来自30多个省（区、市）79所职业学校的150余名选手同台竞技，获得大赛一等奖。

【在各级职校技能大赛中获奖】 12月19日，北仑职高在参加宁波市第十八届中职（技工）学校技能大赛中，获24枚金牌、33枚银牌、38枚铜牌。获得的金牌数、奖牌总数名列宁波市前茅。2023年，北仑职高在参加各级职校技能大赛中，累计获奖160项：在参加全国职业院校技能大赛教学能力比赛中获2等奖2项；在参加全国职业院校技能大赛中获1枚金牌、2枚银牌；在参加浙江省中等职校职业能力大赛中获1枚金牌、3枚银牌、2枚铜牌；在参加第二届省技能大赛中获奖2项；在参加省中高职一体化试点赛中获二等奖3项；在各级职校体艺类比赛中获奖54项。

【北仑职高扩建工程项目】 于9月6日通过质检验收。该项目于2020年12月30日正式动工建设，2023年9月竣工，总投资1.49亿元；项目占地面积6565平方米，总建筑面积1.56万平方米，由综合楼和物流实训基地两部分楼体建筑组成，其中综合楼建筑面积1.07万平方米，楼体共8层，物流实训基地建筑面积0.49万平方米，楼体共5层，2个单体建筑通过连廊进行连接。

成人（社区）教育

【概况】 2023年，全区共有区“教育三中心”1所、街道成人文化技术学校（社区教育中心）10所、市民学校84所、村民学校142所、企业职工学校96所、假日学校68所。全区共有省现代化社区学校4所、市双高成校4所、市标准化老年大学7所。大榭街道社区老年大学获评浙江省优质老年学校。

2023年，北仑区集中力量建设新时代“高水平成校、高效益项目”。7月，在市终身教育“双高”建设工程项目中，北仑区获评高水平成校、新兴特色成校、标准化老年大学、能人工作室、成人教育服务乡村产业振兴创新项目和终身学习品牌项目各1个。12月，在市终身教育技能比赛中累计获一等奖2项、三等奖3项。社区教育学习品牌项目中，获评省社区教育品牌项目3个，获评省终身学习品牌项目1个，获评市社区教育品牌项目2个，获评市终身学习品牌项目2个，3门课程被教育部确定为社区教育"能者为师"系列特色课程。

【统筹老年教育资源】 2023年，北仑区通过整合区、街道、村（社区）三级老年教育学习阵地资源、办学场所，统筹街道、社区涉老教育资源，为老年学员就近学习创造条件。全区社区老年大学共开设140个实体长班，招收注册学员3138名。利用北仑区老年教育网络报名系统，实施定时线上抢课报名，有2662位老年学员通过网络报名。

【全民终身学习活动周】 11月24日，"2023年北仑区全民终身学习活动周启动仪式"在戚家山街道成人学校举行。副区长张海航出席启动仪式并讲话。各街道、各社区负责人，社区教育工作者代表，各成人学校教师以及获奖代表，戚家山街道居民代表等260人参加启动仪式。本次全民终身学习活动周的主题是"让学习成为一种生活方式"，活动周期间，各成人学校举办了非遗传承、技能培训、线下学习讲座和沙龙等丰富多彩的全民学习活动。

师资队伍建设

【概况】 2023年，全区有在编教职工5259人，其中高中1095人，初中1364人，小学2254人，幼儿园421人，成校61人，特殊学校33人，机关事业31人。全区教职工中有省特级教师13人，正高级教师16人，市名师、名校长32人，市骨干教师、骨干校长58人。2023年，新增正高级教师6人、浙派名师名校长培养对象6人、省教坛新秀5人、市名师9人、市教坛新秀12人、市名班主任5人、市初任教师基本功大赛获奖教师8人。

【引进优秀教育人才】 2023年，区教育局等7个部门联合出台《北仑区加快引进培育优秀教育人才若干意见实施细则（试行）》，加强人才吸引力，优化教师队伍结构。全年经公开招聘，引进省特级教师1名、地市级名教师2名、市骨干班主任1名。

【新招录教师289人】 2023年，完成招录事业编制教师289人。其中，研究生78人，占比达3成。来自北京大学、浙江大学、人民大学、华东师范大学等名校的毕业生，招聘数量和质量继续保持高位。招聘新教师中通过建立联络机制，为新教师前置培养时间，配备"家乡导师"，定向培养紧缺学科教师。

【"组团式"帮扶经验入教育部论坛】 7月24日，由教育部召开的"国家乡村振兴重点帮扶县被帮扶高中校领导专题培训暨专家顾问委员会工作会"在中国人民大学举行，北仑援派四川省凉山州美姑县中学校长刘信态在该专题培训论坛上作交流发言，介绍北仑区援派教师以"组团式"的形式帮扶美姑县中学全面提升教育质量的相关经验。

【王越出席联合国青年大会】 8月11日，第28届联合国青年大会在美国纽约举行，有来自全球100多个国家和地区的青年领袖及教育工作者参加。宁波滨海国际合作学校的青年教师王越，作为联合国青年大会与全球教育工作者论坛部分奖学金获得者，代表中国优秀青年教育工作者参加了本次活动。王越也是中国参加本次论坛的代表中唯一从事基础教育工作的青年教师。在大会分组讨论中，王越结合学校的教育实践，交流了国际教育与本土教育融合创新的相关理念。

【首届教职工才艺大赛】 8月22日，北仑教育系统首届教职工才艺大赛在北仑职高举行。比赛以"展我才艺 和美育人"为主题，来自全区各级各类学校（幼儿园）的252名教职工分声乐、舞蹈、器乐、综合等四个组别参赛，比拼才艺，展示全区教师昂扬积极的精神面貌和多才多艺的青春风采。

【最美教育人】 9月，为树立起一批北仑区"和美教育人"先进典型，在广泛的基层推荐和评选的基础上，表彰了北仑区最美教育人10人、提名奖12人；为74名退休教师制作纪念册。全年全区教职工中新增"北仑好人"8人、"宁波好人"1人、浙江省"三育人"先进个人1人。获评市"王宽诚"育才奖6人，获评宁波市"四有"好老师32人。

教育教学研究

【概况】 2023年，深化区域教科研工作。优化与中国教科院、浙江师范大学、宁波大学等高等院校的合作项目。揭榜挂帅市中小学"教学研评"一体化改革实验项目，承办宁波市教科所调研与服务活动，在市教育科研工作会议作经验交流。坚持"PDCAI"集体智慧调研模式，下基层学校指导听课673节次，为43所学校开具教学的"智慧处方"；顾国和外国语学校数学教研组、华山小学数学教研组、宁波东海实验学校小学美术教研组、蔚斗小学综合实践教研组4校教研组获评省先进教研组；顾国和外国语学校英语教研组、小浃江中学社会教研组2校教研组获评市先进教研组。全区获省级课堂教学评比一等奖2项、市一等奖10项，省论文评比一等奖4项、二等奖4项、市一等奖20项。在市教育科研优秀成果奖评比中，获一等奖6项、二等奖1项。

【"心立方"中小学心理辅导中心】 10月14日，北仑区"心立方"中小学心理辅导中心启动仪式暨"Xin然有约·走进心立方"亲子辅导公益活动在霞浦学校举行，副区长张海航出席启动仪式并讲话；辅导中心聘任了首批中心督导师和心理咨询志愿者；区教育局与宁波市康宁医院举行了医教

图为“心立方”中小学心理辅导中心工作室

结合签约仪式。辅导中心选址霞浦学校，建筑面积300平方米，设置科普宣传、热线接听、个体咨询、亲子咨询、团体辅导、心理放松等功能区域，为全区师生、家长提供各类心理支持服务，并通过省级验收，已服务200人次。辅导中心按1∶15比例配备“成长导师”，实现中小学生100%覆盖。

【未来学校课程建设现场会】 12月22日，“学在山海之间·北仑区2023年未来学校课程建设现场会”在九峰小学举行。区内外相关领域专家，全区各中小学校长、分管课程与教学副校长、主任和骨干教师，区外24所学校教师代表共200人参加活动。未来学校课程建设着眼于实现教学与学习方式的深度变革，推动未来社区生态体系下的未来学校样态构建，为学生打造个性化、多元化、综合化的学习方式。与会专家通过论坛沙龙、参观体验、公开课等形式，探讨未来学校和未来课堂建设的改革。

【全国诗意教育论坛】 12月22日，“第二届全国诗意教育论坛”在北仑区实验小学举行。来自河北、山东、四川等省级和浙江省的台州、温岭、嵊州和宁波市及区内的140位教育同仁参加，累计超6000名教育同仁线上参与。论坛以“诗润童心 诗意成长”为主题，对中小学开展诗意教育的相关议题作了深层次的探讨。论坛由宁波大学教师教育学院、北仑区教育局主办，成都市龙泉驿区教育科学研究院协办，《语文教学通讯》《小学语文教师》《诗意教育探索》杂志社共同参与，区实验小学多年来在校园开展少年诗意教育的经验在论坛作了交流。

【区第二届学校美术教育成果展】 12月29日起，由区教育局主办，区教研室、区文化馆、区友直小学（新碶小学）、区美术家协会承办的“美遇·未来——北仑区中小学艺术节第二届学校美术教育成果展”在区文化馆艺术空间（百姓艺术馆）开幕。活动展出了全区48所中小学超过3000名同学创作的主题突出、形式新颖、风格鲜明、稚趣盎然的美术作品，吸引了大量师生、市民观展，线上活动点击量超3万人次。

教育经费和校舍建设

【概况】 2023年，北仑区一般公共预算教育经费安排24.82亿元。义务教育段生均公用经费总支出12864.83万元，职高生均公用经费总支出2203.77万元，普高生均公用经费总支出1836.59万元，新疆班生均公用经费总支出616.8万元。继续实施义务教育免费、中职教育免学费，中职学生国家助学金、困难学生资助等政策，免除课本、作业本费用2225.15万元。发放寒窗基金14.4万元，资助18名学生。精准资助经济困难学生，全年资助3448人次，资助金额668.9万元，实现应助尽助。

【完成9个学校新改扩建项目】 2023年，完成青墩幼儿园、芦江书院二期、

完成改扩建项目后的北仑职高校园新貌

中心幼儿园星中路分园、大榭豪都幼儿园、北仑职高扩建、新碶小学扩建、大榭中学维修改造、青年教师公寓、泰河学校风雨廊等9个新(改、扩)建项目,新增学位4000个。开工建设镇海中学甬江校区、临港经济示范区配套学校、滨江新城第一学校、大碶小学扩建等4个项目。推进城湾幼儿园、人亚学校、淮河小学东校区、新碶小学扩建、柴桥中学扩建、大碶成校等6个续建项目。

【教室智能护眼灯光改造】 2023年,北仑区将更换智能护眼照明设备工程列入2023年十大民生实事项目。2月29日,作为试点先行的华山小学、宁波东海实验学校、育英小学、育才小学等4所学校教室智能护眼灯光投用后,通过落实加速推进学校智能护眼灯光改造的相关措施,全年累计改造45所学校1700间教室的智能护眼灯光。

【午休躺睡课桌椅】 2023年秋季开学,全区新一批"午休躺睡"课桌椅正式投用,累计覆盖18所学校,更换可躺课桌椅5600套(张)。实施对象为小学一年级,实现教室条件达标的一年级改造基本全覆盖,全区一年级学生实现能"午休躺睡"的达70%。计划将再投入10000套课桌椅,对教室条件达标的二、三年级及符合条件的教室实施课桌椅改造,推进学校环境的升级改善。

【柴桥中学扩建工程结顶】 8月,柴桥中学扩建工程项目的最后一幢单体建筑结顶。柴桥中学扩建工程位于学校西南侧地块,总投资6.75亿元,总用地面积11.61万平方米,其中新增用地4.1万平方米。项目拆除学校原教学楼一栋、实验楼、报告厅,新建高二教学楼、风雨操场、报告厅、食堂、宿舍楼等10幢单体。

社会力量办学

【概况】 2023年,全区有成人文化教育助学类民办教育培训学校12家,其中成人文化教育助学类培训机构11所、特殊教育机构1所。

【加强校外教育培训监管】 2023年,区教育局加强"双减"专班建设,协同区文广局、区科技局完成555家校外培训相关企业数据稽核,实现非学科类培训机构100%纳管、支付渠道100%开通。通过定期发布学科类培训机构"白名单"、告家长书、在全区各级各类学校公示监督举报电话等途径,引导家长积极配合"双减"政策,营造区域健康的教育生态环境。

【查处非法办学行为】 2023年,对校外培训机构实行"监管一件事"模式,推行执法线索"线上划转"。全年向区综合执法部门移交17起案件,撤销立案2件,案件终止2件,立案13件,结案12件,处罚金额共21.20万元。与区市场监管局、区文广局、区科技局以"双随机"形式联合抽查34家校外培训机构,回收原65家学科类培训机构校牌、机构荣誉等,督促并落实机构原门头改换。

招生考试

【概况】 2023年,全区高考报名人数2167人,新疆班报名参加高考人数153人。录取2106人(不包括新疆班,新疆班单独录取),其中62人被高职提前自主招生录取。全区各高中1749名实际参加普通高考学生全部上线,上线率连续4年达100%。其中特殊类型招生控制线上线人数508人,上线率29.05%,人数较上年增加31人。全区一段总上线率85.15%,与上年持平。全区本科录取率72.13%,总录取率97.19%。

【高考成绩稳中有升】 2023年,北仑区高考的高校总录取率97.19%;211以上高校录取率、本科录取率均列宁波市前茅。全国知名高校录取50人、一流大学建设高校录取97人,较上年分别增加11人与14人。北仑中学特殊类型招生控制线上线率84%,上线328人,较上年增加5人。北仑职高高职预科班313人参加高职(单考单招)招生考试,考生全部上线,上线率达100%,其中本科上线160人,上线率51.12%,较上年增加11.7个百分点,3人获全省专业考试第1,16人获各专业考试全省前10名。

【致2023届北仑籍高三毕业生的一封信】 7月23日,区教育局与区委人才办、区人社局、区文广旅体局、团区委、区传媒中心等多部门联合推出"致2023届北仑籍高三毕业生的一封信及毕业学子特别活动"。活动通过北仑发布、北仑教育微信公众号,发布"致2023届北仑籍高三毕业生的一封信",封面有北仑籍中国连环画泰斗贺友直亲笔书写的"向下扎根、向上生长",表达对高三毕业学子的美好祝福。同时推出"定制贺卡",联动邮政部门,将"定制贺卡"与全区超3000名高考生的大学"录取通知书"一并送达。同时,毕业生、市民可通过留言祝愿等途径,赢取万博鱼游会帆船体验票。

(撰稿人:杨 阳)

文化旅游

综 述

【概况】 2023年，全区开展文艺演出、戏剧下乡、展览、培训、讲座等各类文化惠民活动878场，线上线下参与群众830万余人次。加快公共文化设施建设：区文化中心项目在建，郭巨街道文化中心项目启动，新碶街道城市会客厅完成设计招标，白峰街道文化中心和大碶街道文化站立项；新建4家城市书房，2家文化驿站，3家新空间参与“天一书房”和“一人一艺新空间”评选；新建5家乡村博物馆，其中3家参加全省首批星级乡村博物馆评选；全区124个“15分钟品质文化生活圈”建设日趋完善。大碶街道入选浙江省第三批文艺创作采风基地名单，岩河社区获2023年全国“书香社区”称号。公共文化服务精准惠民。原创交响音乐套曲《港通天下》首次在国家大剧院成功演出；承办浙江省第二十二届群众音乐大赛，《向海而歌》《海风吹过了小镇》获声乐组两项金奖；《桥吊班的新司机》获省二十三届群众舞蹈大赛金奖；广场舞《潮涌东方》入选文化和旅游部公共服务司举办的2023“广场舞之夜”；广场舞《潮看北仑》《黎明》获“艺起来·迎亚运”——2023“一人一艺杯”宁波市广场舞展演（县、市）组金奖和乡镇（街道）组银奖；参加“艺起来，迎亚运”宁波市第二届“曙你最有戏”配音大赛的北仑选手孙凯获一等奖；《旺旺学院之神秘的彩蛋》获“浙艺少年”首届浙江省青少年艺术普及系列活动之语言类决赛小学低段组金奖。全面推进合唱、器乐、舞蹈、朗诵、美术等艺术普及，大榭史前制盐遗址、张人亚衣冠冢被认定为第八批省级文物保护单位；梅山盐场旧址与16件可移动革命文物入选浙江省第二批革命文物名录；宁波中国港口博物馆获2023年“浙江省最具创新力博物馆”“浙江省智慧景区”称号；“银光溢彩系列文创、花鸟纹铜镜系列文创”获评第二届全国文化创意产品推介活动“终评推荐文创产品”；在参加“讲好浙江故事——全省博物馆讲解员大赛”中，北仑区分别获职业组金奖、乡博组金奖和乡博组优秀奖；《家国情怀 海防史迹港城游》参加浙江省文物主题游径评选；《讲好人亚故事，传承红色基因》入选省文化基因解码20大案例。

【仑传客户端】 2023年，区传媒中心的“仑传客户端”总装机人数达到55.7万人，共发布稿件32002条，其中原创稿件16793条，网信转发指令15209条。“看北仑”的总阅读量达900万，共计发布推文1200余条，总分享次数11万+，累计拥有读者31.8万人，阅读量环比上升110%。作为区域移动端主流媒体平台，以“新闻+政务+服务”为特点，及时发布热点资讯、权威信息，提供便捷的在线服务，满足了广大市民的实际需求。

【非物质文化遗产保护】 2023年，郭巨街道入选第三批宁波市市级文化传承生态保护区（实验）；《上元流光·感受大碶头的美好》获2023浙江非遗年俗段视频大赛二等奖；农民画作品《中国杜鹃花之乡——柴桥》《郭巨晒鲞》和《舞狮》入选中国农民歌会组委会主办“新生活、年风尚、新年画”长三角农民画优秀作品展；文创书签《喜事》受邀在上海奉贤区（上海）未来艺术中心举办的第22届“江南之春”美术作品展。

文化设施建设

【概况】 2023年，新建省民生实事工程城市书房4个，文化驿站2个，乡村博物馆5个，完成“15分钟品质文化生活圈”建设49个。全区人均接受文化场馆服务次数6.9次。入选浙江省2023年文化和旅游重大政策措施真抓实干成效明显中“15分钟品质文化生活圈”建设成效好、“浙里文化圈”推广力度大的县（市、区）文化旅游局。

【漆画艺术“人才培养基地”与“非遗传承保护共建单位”】 7月4日，由宁波职业技术学院、市文化馆、市美术家协会、区文广旅体局主办“漆彩飞扬 共谱华章——浙江省高校师生漆画作品展”在区文化馆艺术空间举行开幕式。邀请了中国美术学院、宁波大学、杭州师范大学、宁波职业技术学院等共11所高校师生选送的优秀漆艺作品参展，助推浙江省高校漆艺人才培养高质量发展。授牌仪式上，市文化馆授予宁波职业技术学院为漆画艺术“人才培养基地”；区文化馆授予宁波职业技术学院建筑与艺术学院为“非遗传承保护共建单位”；以此成为北仑区域非遗文化设施建设的两张名片。

【友好博物馆共建协议】 7月12日，宁波中国港口博物馆与意大利热那亚海洋和移民博物馆中心，通过线下与线上相结合的方式召开首次会议，并签订友好博物馆共建协议。双方表示将进一步在陈列展览、藏品管理、学术研究、文创开发等领域开展深入交流和合作。热那亚，位于意大利的西北部，已经发展成为意大利最大的港口城市，也是一座兼具中世纪特色、现代化的美丽城市。

【青少年管弦乐团】 于8月18日成立并揭牌。乐团确定40人为北仑区青少年管弦乐团首批团员。聘请15名区内外优秀专业教师担任乐团专业艺术指导，聘请宁波大学副教授俞笛、宁波交响乐团各声部首席及北仑区教研室音乐教研员鲁明华等担任乐团艺术顾问。

【宁波市农民画教育传承基地】 9月10日，宁波市“多彩亚运 农画心声”主题农民画作品展暨宁波市第三批剪纸、农民画教育传承基地授牌仪式在象山县墙头镇溪里方美术馆举行。柴桥实验小学获“宁波市农民画教育传承基地”称号。该校美术教师丁月琴、袁芷吟创作的农民画作品《非遗美食喜迎亚运》入展。

【潜艇展示园】 12月15日，宁波潜艇展示园开启试运营。展示园位于梅山岛，包括码头潜艇区和陈列展示区。码头潜艇区展示“长城189号”退役潜艇，真实还原指战员官兵海下作业的工作场景，观众可入艇参观。陈列展示区域设置“潜行大洋砺剑锋——世界与中国海军潜艇史话”专题展，为爱国主义教育、国防教育、科普教育和红色旅游项目提供新亮点。

群众文化

【概况】 2023年，举办“港通天下”2023北仑新春交响音乐会；原创交响音乐套曲《港通天下》在国家大剧院首秀成功；推进合唱、器乐、舞蹈、朗诵、美术等艺术的全面普及。全年开展文艺演出、戏剧下乡、展览、培训、讲座等各类文化惠民活动878场，线上线下参与群众830万余人次。

【诺瑞·穆罕默德到访】 2月4日，“来自大西洋彼岸的信使——诺瑞·穆罕默德油画展”的创作艺术家诺瑞·穆罕默德到访宁波，并在宁波中国港口博物馆开展了一系列相关活动。诺瑞·穆罕默德出生于摩洛哥首都拉巴特，1992年毕业于摩洛哥得土安国立美术学院，他的作品获得过诸多艺术奖项，很早就受到国际的广泛关注。本次展览共展出诺瑞创作的油画作品37件。作品从摩洛哥的港城生活与自然风光切入，以带有神话色彩的跨洋旅行者视角展开，为公众带来充满异国风情的文化体验，展期18天。其间，诺瑞·穆罕默德为参观者讲解作品创作的过程及感悟，与本地艺术家们进行艺术交流，并现场指导少年儿童临摹作品的再创作。

【北仑史迹陈列】 于3月25日在宁波中国港口博物馆开展。史迹陈列以“北仑历史就是不同时期北仑·博纳兼容、开拓进取的历史”这一主题思想，来表现各个历史阶段北仑发生的重要史实、典型事件和重要人物，诠释“北仑精神”。展览围绕北仑区在各个不同的历史阶段所发生的具有时代性、标志性、里程碑意义的重要史实、典型事件、重要人物，分为文明肇启（史前时期）、区域初兴（夏—南朝）、拓殖滨海（隋—元朝）、物阜民丰（明清时期）、坎坷百年（1840—1949年）、筑梦港城（现代）六个篇章。

【“海濡之声 情动港城”图书馆之夜】 于4月23日在北仑图书馆广场举行。活动由区委宣传部、区文广旅体局主办，区图书馆、区朗读联合会承办，活动旨在深入推进“书香北仑”“朗读之城”全民阅读品牌建设，以书香见证城市的日新月异，用阅读阐明城市的品质内涵。本次活动吸引了近千名读者现场观看，线上直播关注量达1.2万人次。

【当代中国画名家书法展】 于4月23日至5月28日在区文化馆艺术空间开展。本次书法展以“书为心画”为主题，在全国范围内征集了114位当代中国画名家的书法作品，涵盖篆、隶、楷、行、草等各种书体，较为全面地展现了当代中国画名家昂扬向上的精神面貌，以书法作品反观中国画创作表现力。在展示书画界的文化之韵期间，也为展现北仑这座海滨城市的文化魅力搭建了一个平台。

【水墨邀请展】 5月10日，“风雅有致——五人水墨邀请展”在艺碶文化空间开幕。本次展览由浙江省美术家协会和浙江省文化馆主办，受邀的画家是5位在省内任职或曾经任职的群文美术干部，共展出40余件国画作品。

【观涌2023海上音乐会】 8月15日，区文广旅体局在梅山湾0号营地举办了观涌2023海上音乐会。此次活动是第五届北仑青年文化节的重头戏，在梅山湾打造“海上生”自然剧场，原创全新的舞蹈《世界之间》，呈现出海上丝绸之路的内涵。观涌2023海上音乐会图片直播线上浏览量达37万人次。

【大型海洋文化探索系列直播】 8月25日，由国家广播电视总局宣传司指导，自然资源部宣教中心、团中央新媒体中心、中国文物报、三沙卫视共同主办的大型海洋文化探索系列直播《博物馆里的海洋》，走进宁波中国港口博物馆。该活动直播团队在馆藏内寻找众多特色展品，通过解密展品背后的故事，让线上观众全方位感受博物馆背后的文化与传承、责任与温度。本场活动线上观看量逾一百万人次，微博话题阅读量七百万人次。

文艺创作

【概况】 2023年，北仑区借助非遗活

化传承持续发力助港城文化复兴。郭巨街道入选第三批宁波市市级文化传承生态保护区（实验）;《上元流光·感受大碶头的美好》获得2023浙江非遗年俗段视频大赛二等奖;农民画作品《中国杜鹃花之乡——柴桥》《郭巨晒鲞》和《舞狮》入选中国农民歌会组委会主办“新生活、年风尚、新年画”长三角农民画优秀作品展;文创书签《喜事》受邀入展第22届“江南之春”美术作品展。

【年度百强海报】 1月21日，由中国文物交流中心指导支持，博物馆头条主办的“2022年中国博物馆美术馆海报设计年度推介活动”公布年度百强及十佳海报名单，宁波中国港口博物馆“明州问陶”展览系列海报、“河流大调查”社教活动系列海报入选年度百强海报，其中“明州问陶”展览系列海报被评为年度十佳海报，“节气社教”系列海报被评为十佳“节气节日主题日”海报。

【交响套曲《港通天下》】 4月26日，交响套曲《港通天下》在国家大剧院上演。《港通天下》由北仑区政府和宁波交响乐团联合出品，名作曲家、中央音乐学院作曲系教授徐之彤作曲，北仑籍作家凌晓军作词。这是该作品在国家大剧院的首演。整个曲子由《先民农耕竞渡忙》《九衢三市通三江》《秀水泱泱百业兴》《蛟腾凤起显其能》《和衷共济向海洋》5个乐章，现场观众在气势磅礴的乐声中，感受宁波的历史文化。

【第八届“悦读童年”绘本剧创意表演大赛】 6月29日，由宁波市文化广电旅游局、市妇联主办，宁波图书馆、北仑区文广局承办的第八届“悦读童年”绘本剧创意表演大赛在北仑影剧院落下帷幕。北仑区图书馆选送的《我选我自己》《农夫与禾苗》分别获二等奖和三等奖。北仑区图书馆获优秀组织奖。

【北仑原创音乐作品在省赛中获金牌】 9月12日，浙江省第二十二届群众音乐大赛和浙江省第二十三届群众舞蹈大赛获奖名单揭晓，北仑区文化馆原创音乐作品男声演唱《向海而歌》、阿卡贝拉《海风吹过了小镇》，以及原创舞蹈作品群舞《桥吊班的新司机》在省赛中获3枚金牌，区文广旅体局获优秀组织奖。

【金钩玉带入梦来——中国古代带钩展】 9月26日，由中华文物交流协会、山西省文物局主办，山西博物院承办的首届（2023年度）“扬帆出海：中华文明国际展示推介活动”终评会在山西青铜博物馆召开。经评审，共有20个展览获评中华文明国际展示推介项目。其中，宁波中国港口博物馆选送的“金钩玉带入梦来——中国古代带钩展”获评优秀推介项目。

【2023浙江省群众广场舞大赛获金奖】 12月17日，北仑区选送的原创广场舞《潮涌东方》获2023浙江省群众广场舞大赛金奖。作品以“浪潮”为情感载体，采用虚实相结合的编舞手法，借助绚丽的彩旗作为道具，通过40名青年男女舞蹈演员的倾情演出，展现了东方大港一群年轻奋斗者敢为人先的青春形象，展现了浙江群众奋力谱写中国式现代化浙江新篇章的昂扬干劲和“干在实处、走在前列、勇立潮头”的精神风貌。

北仑区2023年度文艺创作与表演获奖情况一览表

表40

类别	作品名称	获奖单位（个人）	赛事名称	奖级	主办单位
表演艺术	《站在草原望北京》	冯蕾 周游	“舞出中国红”全国广场舞作品创编征集	社会组优秀广场舞作品及示范编导	文化和旅游部全国公共文化发展中心
	《我是高大勇》	张晓红	“招宝山杯”宁波市第九届故事会征文	二等奖	市曲艺家协会
	《性本善》	董伟扬	“招宝山杯”宁波市第九届故事会征文	优秀奖	市曲艺家协会
	《旺旺学院之神秘彩蛋》	聂伊宸	“招宝山杯”宁波市第九届故事会演讲比赛（少儿组）	一等奖	市曲艺家协会
	《来了钟点工》	乐静	“招宝山杯”宁波市第九届故事会演讲比赛（成人组）	二等奖	市曲艺家协会
	《镇海的传说》	孙凯	“招宝山杯”宁波市第九届故事会演讲比赛（成人组）	二等奖	市曲艺家协会
	《发致爱》	潘美伊	“招宝山杯”宁波市第九届故事会演讲比赛获奖（成人组）	三等奖	市曲艺家协会
	《观音像》	贺丹明	“招宝山杯”宁波市第九届故事会演讲比赛（成人组）	三等奖	市曲艺家协会
	广场舞作品《黎明》	冯蕾 付群杰 唐静	“艺起来·迎亚运”——2023“一人一艺杯”宁波市广场舞展演	乡镇（街道）组银奖	市文化广电旅游局
	《红毛狮子退敌》	聂伊宸	第十届宁波市青少年中华才艺“未来之星”（曲艺）评选活动暨第五届少儿曲艺大赛	优秀奖	市文学艺术界联合会

续表 40

类别	作品名称	获奖单位（个人）	赛事名称	奖级	主办单位
表演艺术	《姥说》	周珂羽 姜越	第十届宁波市青少年中华才艺“未来之星”（曲艺）评选活动暨第五届少儿曲艺大赛	优秀奖	市文学艺术界联合会
	《来了钟点工》	乐静	浙江省第十二届故事会	十佳故事员	省曲艺家协会
	《旺旺学院之神秘彩蛋》	聂伊宸	浙江省第十二届故事会	小故事大王	省曲艺家协会
	《影》	孙凯	宁波市第二届“曙你最有戏”配音大赛	冠军	市文化广电旅游局
	广场舞《潮涌东方 礼迎亚运》	冯蕾 周游	“舞动浙里·礼迎亚运”全民健身主题广场舞展演活动	最佳风采奖	省委宣传部、省精神文明建设委员会办公室 省文学艺术界联合会
	故事《旺旺学院之神秘彩蛋》	区文化馆郑琳辅导	“浙艺少年”首届浙江省青少年艺术普及系列活动之语言类决赛专场	金奖	省文化和旅游厅
	广场舞《潮涌东方》	冯蕾 周游	2023年全国广场舞展演一广场舞大会（山东威海片区）	优秀广场舞团队	文化和旅游部公共服务司
	演唱《向海而歌》	区文化馆	浙江省第二十二届群众音乐大赛	金奖	省文化和旅游厅
	阿卡贝拉《海风吹过了小镇》	区文化馆	浙江省第二十二届群众音乐大赛	金奖	省文化和旅游厅
	群舞《桥吊班的新司机》	区文化馆	浙江省第三十三届群众舞蹈大赛	金奖	省文化和旅游厅
	广场舞《潮看北仑》	区文化馆、新碶街道文化站	“艺起来·迎亚运”2023“一人一艺”杯宁波市广场舞展演活动	区（县、市）组金奖	市文化广电旅游局
	广场舞《黎明》	区文化馆、小港街道文化站	“艺起来·迎亚运”2023“一人一艺”杯宁波市广场舞展演活动	乡镇（街道）组银奖	市文化广电旅游局
	阿卡贝拉《海风吹过了小镇》	区文化馆	“艺起来·迎亚运”2023“一人一艺”杯宁波市原创音乐舞蹈大赛	音乐类银奖	市文化广电旅游局
	群舞《桥吊班的新司机》	区文化馆	“艺起来·迎亚运”2023“一人一艺”杯宁波市原创音乐舞蹈大赛	舞蹈类金奖	市文化广电旅游局
	双人舞《摇篮》	区文化馆	“艺起来·迎亚运”2023“一人一艺”杯宁波市原创音乐舞蹈大赛	舞蹈类银奖	市文化广电旅游局
	戏剧小品《学戏》	区文化馆	“艺起来·迎亚运”2023“一人一艺”杯宁波市原创戏剧小品比赛	创作类银奖	市文化广电旅游局
	戏剧小品《学戏》	区文化馆	“艺起来·迎亚运”2023“一人一艺”杯宁波市原创戏剧小品比赛	表演类银奖	市文化广电旅游局
	街舞《我型》	区文化馆	2023“未来艺术家”校外艺术类培训机构青少年街舞大赛、中国舞（芭蕾）大赛	街舞独舞银奖	市文化馆
	街舞《飒》	区文化馆	2023“未来艺术家”校外艺术类培训机构青少年街舞大赛、中国舞（芭蕾）大赛	街舞独舞银奖	市文化馆
	街舞《炸裂军团》	区文化馆	2023“未来艺术家”校外艺术类培训机构青少年街舞大赛、中国舞（芭蕾）大赛	街舞群舞银奖	市文化馆
	街舞《可甜可飒可柔情》	区文化馆	2023“未来艺术家”校外艺术类培训机构青少年街舞大赛、中国舞（芭蕾）大赛	街舞群舞银奖	市文化馆
	芭蕾舞《若鲲若鹏》	区文化馆	2023“未来艺术家”校外艺术类培训机构青少年街舞大赛、中国舞（芭蕾）大赛	芭蕾舞独舞银奖	市文化馆

续表40

类别	作品名称	获奖单位（个人）	赛事名称	奖　级	主办单位
表演艺术	芭蕾舞《丽人行》	区文化馆	2023“未来艺术家”校外艺术类培训机构青少年街舞大赛、中国舞（芭蕾）大赛	芭蕾舞群舞银奖	市文化馆
	群舞《桥吊班的新司机》	区文化馆	第四届“浙江风格　江南舞韵”舞蹈新作品展演	十佳作品	省舞蹈家协会
	广场舞《潮涌东方》	冯　蕾 周　游	2023浙江省群众广场舞大赛	金奖	省文化和旅游厅
视觉艺术	《假期》	廖淑欣	浙江省第二届群星少年儿童美术大赛宁波地区选拔赛	铜奖	市文化馆
	《是谁横着走》	徐晟皓	浙江省第二届群星少年儿童美术大赛宁波地区选拔赛	优秀奖	市文化馆
	《我与宁波这座城》	何孟谦	浙江省第二届群星少年儿童美术大赛宁波地区选拔赛	优秀奖	市文化馆
	《放风筝的女孩》	俞紫梦	浙江省第二届群星少年儿童美术大赛宁波地区选拔赛	银奖	市文化馆
	书法作品《录宋汤文赏训勉子侄联》	罗超阳	“鹤溪诗路——浙江省书法研究会首届会员作品展暨浙江省群文书法精品展	入展	省文化馆
	书法作品《常建提破山寺后禅院诗》	罗超阳	“艺起来·迎亚运”——宁波市第八届群星视觉艺术优秀作品展	书法类银奖	市文化广电旅游局
	美术作品《樊笼》	王炳杰	“艺起来·迎亚运”——宁波市第八届群星视觉艺术优秀作品展	美术类金奖	市文化广电旅游局
	美术作品《星赏》	严　欣	“艺起来·迎亚运”——宁波市第八届群星视觉艺术优秀作品展	美术类铜奖	市文化广电旅游局
	摄影作品《拼搏》	管光金	“艺起来·迎亚运”——宁波市第八届群星视觉艺术优秀作品展	摄影类铜奖	市文化广电旅游局
	《樊笼》	王炳杰	第八届群星视觉艺术综合大展	金奖	省文化馆
	《跑酷少年》	郑胜男	第八届群星视觉艺术综合大展	入展作品	省文化馆
非遗	《绿色生态，喜迎亚运》	李高厅	2023宁波市“多彩亚运　农画心声”主题农民画作品展	优秀作品奖	市民间文艺家协会、市农民画艺术专业委员会
	《非遗美食喜迎亚运》	丁月琴 袁芷吟	2023宁波市“多彩亚运　农画心声”主题农民画作品展	入展作品	市民间文艺家协会、市农民画艺术专业委员会
	《龙迎亚运》	张思琛	2023宁波市“多彩亚运　农画心声”主题农民画作品展	入展作品	市民间文艺家协会、市农民画艺术专业委员会
	《遇龙呈祥，喜迎亚运》	周　勇	2023宁波市“多彩亚运　农画心声”主题农民画作品展	入展作品	市民间文艺家协会、市农民画艺术专业委员会
	《赛龙舟、迎亚运》	赵伟东	2023宁波市“多彩亚运　农画心声”主题农民画作品展	入展作品	市民间文艺家协会、市农民画艺术专业委员会
	《丰收的季节》	林静怡	“同心迎亚运，同行共富路”2023宁波市第二届青少年农民画创作大赛	金奖	市民间文艺家协会、市农民画艺术专业委员会
	《运动大港》	李铠伽	“同心迎亚运，同行共富路”2023宁波市第二届青少年农民画创作大赛	金奖	宁波市民间文艺家协会、市农民画艺术专业委员会
	《造跌》	林　晨	“同心迎亚运，同行共富路”2023宁波市第二届青少年农民画创作大赛	银奖	市民间文艺家协会、市农民画艺术专业委员会
	《柴桥岭下村杜鹃花的动人传说》	谢诗晴等16位学生	“同心迎亚运，同行共富路”2023宁波市第二届青少年农民画创作大赛	银奖	市民间文艺家协会、市农民画艺术专业委员会
	《放风筝》	林泽贤	“同心迎亚运，同行共富路”2023宁波市第二届青少年农民画创作大赛	铜奖	市民间文艺家协会、市农民画艺术专业委员会
	茗香茶语·北仑十礼	北仑孟君茶业有限公司	2023浙江“非遗茶生活”传统工艺联创大赛	银奖	浙江“非遗茶生活”传统工艺联创大赛组委会
	《如意》	王　宁	第十五届浙江·中国非物质文化遗产博览会	金奖	浙江·中国非物质文化遗产博览会组委会

续表40

类别	作品名称	获奖单位（个人）	赛事名称	奖级	主办单位
非遗	《家乡的故事》	顾常春	第十五届浙江·中国非物质文化遗产博览会	铜奖	浙江·中国非物质文化遗产博览会组委会
	《喜事》	顾常春	第二十二届江南之春——美术作品展	入选	上海市群众艺术馆 上海市美术家协会
	《运动·润泽·生命》	张其培	2023“迎亚运·展宋韵”首届最美守艺人作品展暨喜迎亚运全国剪纸艺术精品展	优秀奖	杭州市文学艺术界联合会、民革杭州市委会、杭州市上城区委宣传部、杭州市民间文艺家协会
	《我家住在花园里》	张其培	长三角剪纸艺术家作品展	入选	上海民间文艺家协会 华师大民俗学研究所
	《赛》	赵伟东	庆亚运 传薪火 向未来——全国农民书画精品展	入选	中国农民书画研究会
	《喜事》	顾常春	“锦绣华章”2022长三角民间艺术文创大展	入选	文化和旅游部全国公共文化发展中心、省文化和旅游厅
	《前途似锦》	胡维波	宁波市癸卯（兔）年迎新春生肖剪纸创作大赛	成年组二等奖	市民间文艺家协会、市剪纸艺术专业委员会
	《衣食无忧》	胡维波	宁波市癸卯（兔）年迎新春生肖剪纸创作大赛	成年组优秀奖	市民间文艺家协会、市剪纸艺术专业委员会
	《兔年吉祥》	胡维波	慈城抱珠楼兔年剪纸展	入选	市民间文艺家协会、市剪纸艺术专业委员会
	《兔年有福》	胡维波	慈城抱珠楼兔年剪纸展	入选	市民间文艺家协会、市剪纸艺术专业委员会
	《多子多福》	胡维波	慈城抱珠楼兔年剪纸展	入选	市民间文艺家协会、市剪纸艺术专业委员会
	《前途似锦》	胡维波	2023宁波市首届民间生肖剪纸新春展“优秀入展作品”	入选	市民间文艺家协会、市剪纸艺术专业委员会
	《全力以赴 护航亚运》	胡维波	“你我共同参与 平安护航亚运”主题剪纸邀请展	入选	省民协剪纸艺术专业委员会、省非遗保护协会、杭州日报报业集团、杭州网、杭州市委平安办、杭州市园林文物局、杭州工艺美术博物馆

文化市场

【概况】 2023年，在对全区文化市场行政执法中共立案调查45件，办结案件45件，案件办理总数比上年增加73%。处行政罚款7.31万元，没收非法所得1595元，没收违法物品190件（册），案件类型包含文化、旅游、新闻出版、版权、广电等门类。

【文化市场法治宣传】 6月13日，区“安全生产月”咨询体验日暨文化市场法治宣传活动在富邦广场举行，活动以宣传党和国家事关安全生产的方针、政策和法律法规和公民安全常识、安全生产应急知识为重点，结合在文化旅游业中开展扫黑除恶、扫黄打非等维护社会稳定和保障民生的相关案例，从国家法律法规的高度予以解读，为市民送上了一份夏日普法“大礼包”。活动由区文广旅体局主办。

【专项执法检查】 6月16日，区文化市场行政执法队对辖区内的网吧、歌舞娱乐场所开展专项执法检查行动，严格规范文化市场经营秩序，全力护航平安亚运。专项执法检查主要采用线上线下相结合的方式，线上通过文化市场监控平台对辖区网吧进行监管，线下采取现场检查的方式，对全区网吧、KTV等文化娱乐场所进行抽检，重点打击无证无照、接纳未成年人、安全生产措施不落实等违法违规行为。本次专项执法检查行动共出动执法人员104人次，检查网吧37家次、歌舞娱乐场所15家次，发现6家网吧存在违规现象，执法人员对其中4家涉嫌未建立场内巡查制度的网吧进行立案调查。对个别存在吸烟现象的网吧，执法人员现场对抽烟者和网吧负责人进行了批评教育，并责令整改。

文物保护

【概况】 2023年，启动北仑区不可移动文物安全巡查评估，开展城市更新中不可移动文物迁移保护工程停滞督查和协调。继续实施市、区、街道、责任文保员“四级”文物巡查制度，开展防汛防台、安全隐患大排查，全年共派出工作组30组次、350人次，对全区范围内300多家各等级文物保护单位（点）及博物馆单位进行安全隐患排查。全区全年文物完善率保持在95%以上，无文物安全事故。

【文保单位执法大检查】 1月3日至5日，区文化市场行政执法队共出动20人次，对辖区徐舫艇故居、林宅门楼、四份头、鲤鱼山碉堡群、备碶等文物保护单位（点）开展专项执法检查。主要检查各文保单位（点）保护范围内是否存在违章建筑、是否存在私自修缮行为、是否有安全隐患等方面。

【陈彩凤到北仑调研】 2月22日，宁波市文化广电旅游局（文物局）副局长陈彩凤到北仑，对宁波中国港口博物馆暨国家水下文化遗产保护宁波基地开展调研。陈彩凤一行实地察看了“港通天下——中国港口历史陈列”和“水下考古在中国”专题陈列，详细询问了陈列展览、藏品征集、学术研究、科技保护等方面情况。随后又实地考察了全国重点文物保护单位镇海口海防遗址（江南部分），现场了解正在开展的文物保护工程启动情况。在随后召开的座谈会上，又听取了北仑区文物保护及水下基地、港口博物馆的情况介绍，同时就当前文物保护中亟待解决的难点和下一步工作重点与在场的区文广旅体局负责人进行了探讨与交流。

【文物安全执法检查】 3月至4月，为加强辖区不可移动文物安全管理，落实好文物执法巡查制度，区文化市场行政执法队以常态化在全区范围内开展不可移动文物安全“双随机”检查，确保文物安全责任不缺位，工作不断档，安全保稳定。

【非遗文化展示展演】 6月11日，2023北仑区“文化和自然遗产日”非遗宣传展示展演活动暨癸卯芦江庙会在柴桥影剧院文化广场举行。活动集中展示展演了50多项非遗项目，公布了北仑区非遗体验基地、非遗传承教学基地、非遗民宿和北仑区第二批非遗工坊名单，并进行现场授牌。在随后举行的“薪火计划”中青年传承人收徒拜师仪式上，柴桥街道文化站负责人与柴桥小学、柴桥实验小学、浙江师范大学附属芦江书院等签订了非遗进校园协议。

文化管理

【概况】 2023年，北仑区注重做好“海丝”“港口”“中国排球主场”“党章守护地”等城市文化标识和文化基因等相关工作。《讲好人亚故事 传承红色基因》入选全省文化基因解码20大案例。通过加强文化交流与普惠工作，扩大北仑文化基因影响力、传播力。

【文化走亲】 2月23日，“富美长兴·潮起北仑”2023年长兴·北仑“文化走亲”文艺演出专场在柴桥影院举行。本次演出由区文广旅体局、湖州市长兴县文广局联合主办，区文化馆、长兴县文化馆、柴桥街道文化站承办。通过与长兴县的文化走亲，促进两区的文化交流，丰富基层群众文化生活。

【长三角文化走亲诗歌朗诵专场】 于4月8日在上海市长宁区520剧场举行。整个演出分为“我送春天一首诗”“顺着运河来看海”“共富文化新征程”三个篇章组成，以“诗”串文、以“文”点睛。与上海市民观众一起欣赏集诗歌朗诵、水墨画表演、情景歌舞、丝竹弦乐等于一体的别具大港风范又兼具都市时尚的长三角文化走亲诗歌朗诵专场活动。北仑朗诵团队带着原创诗歌《北仑古诗里的茶》《朗读北仑》《时代北仑正青春》及经典诗歌《你是人间的四月天》和《面朝大海，春暖花开》参加演出。上海文化云同步进行线上直播，云上浏览量突破100万人次。

【图书捐赠】 4月18日，在“4·23”世界读书日到来之际，“仑美同心共沐书香”北仑图书馆图书捐赠仪式在四川省凉山州美姑县城关小学举行。北仑区派出的文旅体对口协作工作团代表北仑区图书馆将3000册图书捐赠给美姑县城关小学，以此推进两地读书活动的全面开展。

【摄影艺术展】 4月26日，“潮涌东方看北仑”摄影艺术展在北京市西城区文化馆展厅开幕。反映北仑港城建设风貌的60余摄影作品，吸引了众多北京市民驻足观赏。本次摄影艺术展也是北仑区与西城区的一次文化走亲活动，以此加强两区间的馆际联系，扩大文化交流的广度与深度，形成文化宣传的良好社会效应。

【两地博物馆交流展】 5月18日，位于北仑的宁波中国港口博物馆与宝鸡青铜器博物院开展两地展览交流活动。宁波中国港口博物馆的特展《白银芳华——从外销银器看晚清民初社会和商贸变迁展》在宝鸡青铜器博物院展出。展览以该馆馆藏的300余件（套）银器精品为主，向观众再现了晚清至民国时期中国外销银器的发展历程和制作工艺，让观众了解了中国外销银器的发展历史和近代中国社会与商贸的变迁。

【《潮涌东方》亮相全国广场舞大会】 11月7日，由区文化馆、新碶街道文化站群文花开艺术团表演的广场舞《潮涌东方》表演团队，代表浙江省在贵阳举办的全国广场舞大会“广场舞之夜”亮相，与全国24个省（区）的25个广场舞代表队同台竞艺，向全国各族群众展示浙江文化特色、广场舞团队风采及群众文化发展成果。

【共建合作】 12月8日，宁波大学与宁波中国港口博物馆共建合作仪式在港口博物馆举行，按照共建合作协议，港口博物馆挂牌为宁波大学"大学生思想政治课"教学实践基地。宁波大学党委宣传部与港口博物馆负责人代表共建合作的双方共同为基地揭牌并签署馆校共建合作协议。

（撰稿人：李丹丹）

传媒中心

【概况】 2023年，区传媒中心推动"主力军挺进主战场"，以"双子星+"新媒体矩阵塑造主流舆论新格局，年度融媒指数位居省第16、市第2，获浙江日报报业集团授予的"省域媒体融合技术一体化全省应用示范单位"称号。仑传客户端用户数突破60万，获评"浙江县级融媒体中心闪光潮鸣号"；"北仑发布"微信公众号融媒指数位居省第十、市第一。守牢意识形态主阵地，安全保障坚实有效，全年未发生意识形态安全、广播电视和网络视听播出安全、网络安全责任事故。加快机构深度融合，完成5个分中心21个事业部的组织架构，并于年底启动升级优化"进阶版"。

2023年，聚焦区委、区政府中心工作、重点工作，研究制定主题宣传工作机制。区内90多个部门、街道达成宣传合作。全媒体平台全年开设重大重要专题专栏40个。完成全区经济高质量发展大会、女排奥运资格赛、杭州亚运会火炬传递等区域性重大事项的宣传报道工作。年度各类创优作品获省新闻奖、政府奖三等奖及以上奖项13个，市新闻奖、政府奖一等奖5个。外宣工作有新突破：《人民日报》录用外宣稿100条；《新闻联播》关注北仑23次；《新闻和报纸摘要》录用广播稿6篇。实施"仑传"形象焕新、融媒品牌建设工程。策划并承办"'八八战略领航发展 用新闻标注蝶变'——'六促六优'专项行动主题展"，受到区领导肯定，并接待来访的120多支团队、3000多人次。探索"媒体助力家校社协同共育"的新生态，打造的仑传小记者品牌取得阶段性成效，全区有40所中小学校开设仑传小记者站，小记者人数超过2000人。成立"仑语""仑传主播说""仑传直播"三大融媒品牌工作室，推出"仑语"作品30篇、"仑传主播说"189期，完成"仑传直播"210场。建成"仑传·视觉北仑数字化图库"，签约入驻摄影师145名，已上传图片6000张。

2023年，继续实施"北仑区60周岁及以上居民用户免缴数字电视基本收视维护费"等惠民政策，减免费用1600万元。倾心运营北仑民生在线网络服务平台，全年共收到网友发帖6701件，办结6623件，办结率达99%。推出"仑传冰工厂 清凉一座城"和"仑传暖阳屋"大型公益活动，吸引全区各部门、街道和商家共同参与，300多个"爱心点""暖阳屋"遍布全区11个街道。

推进产业开拓步伐，传媒中心本级全年结案创收项目合同金额超1700万元，大幅度缩小赤字规模。以"新闻+"撬动媒体跨界联动，与区总工会、团区委联合的"好声音"项目，招商总额达到84万元，实现抖音直播观看人次首次超过100万，增强北仑人民群众的自豪感和认可度。推动传媒中心下属国企加快转型，全区公共视频监控一体化项目全面启动，区应急广播系统升级改造项目（一期）前端建设顺利完成，总投资2700万元的区教育数字化改革技术设施项目顺利开工；稳步推进全区公共户外广告建设一体化改革；仑传商务有限公司前期筹备运作顺利，集工农文旅于一体的综合展销平台——仑传商城开局已初见成效。

【实施内部融媒改革】 2023年，区传媒中心完成内部融媒改革。按照中共二十大报告提出的"加强全媒体传播体系建设，塑造主流舆论新格局"的要求，区传媒中心聚焦提升支撑力、传播力、服务力、聚合力、持续力，以"大部制""团队化"理念，进行系统重塑、流程再造，完成五大中心、21个事业部的组织架构的重建。区传媒中心编辑委员会同步更名为融媒体指挥中心，指导和管理职能覆盖宣传、技术、产业三大方面。

【仑语工作室成立】 3月14日，北仑区传媒中心仑语工作室成立。这是传媒中心为践行党的二十大报告提出的加强全媒体传播体系建设，塑造主流舆论新格局理念的最新举措。工作室坚持守正创新、做强主责主业，切实传播好党的声音、讲述好港城故事、回应好群众关切、展示好北仑形象，为北仑谱写"双一流、双示范"建设新篇章贡献传媒力量。

【仑传小记者团成立】 6月4日，守好"红色根脉"与北仑"童"成长暨仑传小记者团成立仪式在张人亚党章学堂举行，本次活动由区委宣传部指导，区传媒中心主办，区教育局、团区委、区妇联、区关工委、霞浦街道党工委等联合承办。来自全区各所学校的11名少先队员，作为首批仑传小记者参加了成立仪式。小记者团将在区传媒中心指导下开展一系列采风、研学、实践活动，为小记者搭建一个观察社会、开阔视野、提高技能、参与社会活动的平台。

【宁波首届区（县市）融媒体技能比武大赛】 于10月29日在鄞州区融媒体中心开赛。参赛的9支代表队、39名选手分别参加"新闻现场说""消息改网络推文""短视频现场拍摄制作"3个项目的比赛。参赛作品须现场创作，由专家评委组评比打分，决出单项个人奖和团体优胜奖。经最后评审，北仑区传媒中心获比武大赛团体优胜奖第一名、技能比武大赛优秀组织奖，项秋冰、沈焰焰、刘唯分别获"短视频现场拍摄制作"一等奖、"消息改网络推文"二等奖以及"新闻现场说"三等奖。本次活动由宁波市新闻工作者协会主办。

【北仑区新闻工作者协会】 11月8日，北仑区庆祝第24个中国记者节暨北仑区新闻工作者协会成立仪式在区传媒中心举行。区优秀新闻工作者代表、区新闻工作者协会会员等100余人参加成立仪式。宁波市新闻工作者协会主席徐正，北仑区委常委、宣传部部长宋林权出席仪式并讲话。成立仪式上还表彰了2023年度北仑区优秀记者、优秀通讯员、拍客联盟优秀作品创作者和宁波市首届区县市融媒体技能比武大赛北仑新闻界获奖选手。

【区教育数字化改革基础设施建设项目】 12月5日，北仑区教育数字化改革基础设施建设项目成功纳入区公共视频监控建设一体化体系，建设单位由区教育发展公司调整为区广电网络公司，标志着北仑区教育数字化改革基础设施建设项目已经在广电网络公司平稳落地，也为传媒中心下属的广电网络公司参与区重点项目建设和公司转型发展蹚出一条便捷路径。

（撰稿人：沈芳芳）

旅游业

【概况】 2023年，全区共接待国内外游客535.04万人次，同比增长74.66%，其中接待国内游客534.02万人次，同比增长74.6%。全区实现国内外旅游总收入81.70亿元，同比增长61.74%，其中国内旅游收入81.40亿元，同比增长61.4%。住宿设施接待入境过夜游客1.02万人次，同比增长131.07%，住宿设施实现外汇收入432.32万美元，同比增长261.01%。2023全年限上住宿业营业额累计4.45亿元，同比增长4.28%。优化出台旅游产业扶持政策，兑付市级旅游产业扶持资金80万元、区级扶持资金281.83万元，惠及旅游企业35家，发放文旅消费券1045万元。2023年旅游产业增加值118.8亿元，同比下降3.9%。

【浙江省智慧景区】 1月9日，根据《浙江省文化和旅游厅关于开展浙江省智慧景区认定工作的通知》和《宁波市文化广电旅游局关于开展宁波市智慧景区评定工作的通知》，宁波中国港口博物馆被认定为2022年度"浙江省智慧景区"。宁波中国港口博物馆坚持以游客需求为导向，智慧服务、智慧运营、智慧管理"三驾马车"齐发力。通过数字导览、自助讲解器等智慧服务手段，不断提升智慧化服务水平；开设云展览、云直播、云演出、云课堂等服务，塑造"港博讲坛""小集云课堂""析物塑文"等直播品牌，创新智慧运营方式；建有集中控制中心、推进档案管理数字化建设、配套上线"智慧云巡"小程序，实现景区真正意义上的智慧化管理，开创了智慧景区新变革。

【银光溢彩、花鸟纹铜镜系列文创产品】 1月13日，第二届全国文化创意产品推介活动初评会议在北京召开，经评审，宁波中国港口博物馆选送的银光溢彩和花鸟纹铜镜两个系列文创产品获得佳绩，入选"第二届全国文博百强文创产品单位"。

【港口生活节】 3月25日，由区文广电局（文物局）主办的首届港口生活节在宁波中国港口博物馆举行。生活节以"寻海·造梦·博物馆"为主题，分为港口漫行、万物春生、海上剧场、博物解谜、艺术充能等五大板块，涵盖先锋戏、音乐、剧本杀、市集、展览、夜宿、亲子、潮玩等26项不同类型的文化艺术互动体验，共接待游客11884人次。

【"浙派好礼"文创产品】 9月5日，根据浙江省文化和旅游厅通报，北仑区的挪客Mini Hiby宠物帐篷、牧高笛假日星空300帐篷分别获"浙派好礼"（第二批）科技生活板块铜奖和2023中国特色旅游商品大赛铜奖。花鸟纹咖啡对杯、贺友直自画像牛皮纸笔记本（A6）分别获得"浙派好礼"文创产品评选暨全国旅游商品大赛的银奖、铜奖。

【省文化和旅游志愿服务最美（最佳）典型】 9月11日，浙江省文化和旅游厅组织开展全省文化和旅游志愿服务最美（最佳）典型推选活动。经各市文化和旅游志愿者支队、省总队各直属支队推荐、省级专家评议，北仑区获得的最美（最佳）典型有"十佳"文化和旅游志愿服务村（社区）、"十佳"文化和旅游志愿者、优秀文化和旅游志愿者、优秀文化和旅游志愿服务工作者。

北仑区2023年限额以上文旅体企业一览表

表41

序号	单位	备注
1	宁波石浦豪生大酒店有限公司	限上住宿业
2	宁波市北仑区格朗宁商务宾馆有限公司	限上住宿业
3	宁波海港东方酒店有限公司	限上住宿业
4	宁波经济技术开发区黄山酒店管理有限公司	限上住宿业
5	宁波市北仑泊非五环酒店管理有限公司（漫非）	限上住宿业
6	宁波北仑惠易酒店管理服务有限公司（文华逸致）	限上住宿业

续表41

序　号	单　位	备　注
7	宁波市北仑港工业区北电宾馆	限上住宿业
8	宁波市北仑曼哈顿天港大酒店有限公司（北仑天港禧悦酒店）	限上住宿业
9	宁波东泰酒店有限公司（泊宁银泰店）	限上住宿业
10	宁波影秀城酒店管理有限公司	限上住宿业
11	宁波春晓苑后勤管理有限公司	限上住宿业
12	宁波森隆酒店管理有限公司（四季青藤店）	限上住宿业
13	宁波舒乡酒店管理有限公司	限上住宿业
14	宁波卡美丽亚酒店管理有限公司	限上住宿业
15	宁波市北仑区名轩宾馆有限公司（维也纳酒店）	限上住宿业
16	宁波北仑盛道康桥酒店有限公司（康桥小镇店）	限上住宿业
17	宁波中营大酒店管理有限公司	限上住宿业
18	宁波大榭国际大酒店有限公司	限上住宿业
19	宁波华亿酒店管理有限公司（宁波港城华邑酒店）	限上住宿业
20	宁波北仑碧秀体育宾馆有限公司	限上住宿业
21	宁波富苑城市酒店有限公司（如家商旅宁波北仑小港戚家山店）	限上住宿业
22	宁波经济技术开发区健安酒店有限公司（全季酒店银泰店）	限上住宿业
23	宁波海瑞酒店管理有限公司（格林豪泰万人沙滩店）	限上住宿业
24	康泊廷（宁波）酒店管理有限责任公司	限上住宿业
25	宁波北仑品悟酒店管理有限公司（青藤艺宿北仑银泰店）	限上住宿业
26	宁波安苒酒店管理有限公司（安览酒店）	限上住宿业
27	宁波奈美酒店管理有限公司（莫兰酒店北仑春晓店）	限上住宿业
28	宁波北仑真浮酒店有限公司（开元颐居店）	限上住宿业
29	宁波沙滩大酒店有限公司（汉庭酒店万人沙滩店）	限上住宿业
30	宁波甬仑酒店管理有限公司（青藤艺宿北仑宁职院店）	限上住宿业
31	宁波北仑圆圆旅行社有限责任公司	限上营利性服务业
32	宁波海运旅游有限公司	限上营利性服务业
33	宁波经济技术开发区十环体育文化发展有限公司	限上营利性服务业
34	东方（宁波开发区）体育俱乐部有限公司	限上营利性服务业
35	铭泰赛道管理（宁波）有限公司	限上营利性服务业
36	浙江恒荣文化发展有限公司	限上营利性服务业
37	博地（宁波）影视文化有限公司	限上营利性服务业
38	中文奇艺（宁波）文化科技有限公司	限上营利性服务业
39	宁波匠元影视文化有限公司	限上营利性服务业
40	宁波莱禧影视文化有限公司	限上营利性服务业
41	宁波华畅影视传媒有限公司	限上营利性服务业
42	宁波华娱文化传媒有限公司	限上营利性服务业
43	宁波阿拉网络科技有限公司	限上营利性服务业
44	宁波艾柠网络科技有限公司	限上营利性服务业

（撰稿人：李丹丹）

卫　生

综　述

【概况】 2023年，全区共有医疗机构396家，其中公立医疗机构56家，民营医疗机构218家，村卫生室102家，其他20家。公立医疗机构中，三级乙等综合医院1家，二级综合（中医）医院3家，二级规模建设综合医院2家，妇幼保健院1家，社区卫生服务中心12家，公立社区卫生服务站36家；民营医疗机构中，综合医院5家，专科医院8家，医学检验所2家，民营社区卫生服务站24家，各类门诊部56家，各类诊所123家。全区实际开放床位3133张。系统内注册的执业（助理）医师2498人，注册护士2500人。2023年，全区公立医疗机构门急诊服务总人次507.13万，同比增长12.41%；其中9家基层医疗机构2023年门急诊人数178.29万人次，同比增长19.26%；5家医院2023年门急诊人数328.84万人次，同比增长9.01%。2023年度全区公立医疗机构出院人数81364人，较上年增加17452人次，同比增长27.31%；出院者实际占用总床日为490291床日，同比增长30.23%，平均住院日6.03天，比上年增加0.14天。

【生育与人口】 2023年，北仑区域出生3195人，其中管理地户籍人口出生1074人、医疗机构流动人口出生2121人。60周岁以上户籍人口119872人，占全区户籍人口的26.48%，有百岁以上老人40人（其中女性31人）。持续做好奖特扶工作，共计兑现奖励扶助资金6225.204万元，受益人数达52096人，兑现特扶资金1006.68万元，受益人数1130人。

【健康北仑行动实施】 2023年，制定健康北仑行动实施方案及建设机制，在健康浙江考核中全省进位23名。公共卫生防线持续巩固，稳妥推进疾病预防控制体系改革，成立区疾病预防控制局。医疗服务能级持续提升，区人民医院“三甲”创建指标稳步向好。基层医疗机构绩效考核全省进位29名。推进“医学高峰”建设，区人民医院感染科纳入省重点专科扶持计划。优化“一老一小”服务，出台《北仑区3岁以下婴幼儿照护服务补助资金管理办法（试行）》，成功创建全国示范性老年友好型社区1个。推进卫生健康体制改革，公立医院综合改革评价各项改革指标总体平稳。法治建设持续加强，落实意识形态、保密及安全生产等工作责任制，相关工作被国家卫健委作为工作交流内容。

卫生健康体制改革

【概况】 2023年，北仑区以医共体建设为抓手，推进牵头医院能力提升。区人民医院深化与浙江大学医学院附属第一医院托管合作，签订新一轮合作协议，明确创建高水平三级甲等综合医院目标，医院多个学科达到三甲医院水平。区二院、区三院深化与市一医院、李惠利医院托管合作，完成二乙综合医院复评，开展二甲创建有关工作。高标准打造胸痛、创伤、卒中等急诊急救“五大中心”，区人民医院集团总院卒中和创伤中心通过国家级验收。提升基层医疗服务能力，推动“一院一品”“全+专”科联合门诊建设，深化各集团“两员一中心一团队”建设，各集团全年下沉基层院区专家资源5000人次。完成区域共享中心建设，重点推进区域检验检查结果互认，累计10万人次，节省费用529万元。深化公立医院综合改革，门急诊均次费用、住院均次费用在全市处较低水平，减轻群众就医负担。

【卫生健康数字化改革】 2023年，“幸福驿站”项目入选国家卫生健康委统计信息中心主办、中国卫生信息管理杂志社承办的2023年度中国卫生信息技术大会（CHITEC）数字医疗健康创新服务案例，同时获浙江省健康县（区）建设优秀特色案例。“重大传染病精准溯源系统”北仑模式升级为宁波模式，获评第四轮全国艾滋病综合防治示范区优秀经验。区智能流调系统获评浙江省卫生信息学会数字健康“提名案例”（区域类）。

【审批制度改革】 2023年，全区所有卫生服务事项实现“一网通办”，进驻窗口事项实现实质上的全流程网办，即办率为100%。推出区卫生健康局窗口“零材料”办理公共场所卫生许可补证和非营利性医疗机构变更“一事联办”等便捷服务。落实诊所备案、社会办医疗机构乙类大型医用设备配置许可事项改革。加强医疗卫生行业诚信建设，深化“信用+审批服务”等信用惠企便民场景应用，落实医疗机构信誉等级评分和不良行为记分管理等制度，开展涉企信用修复工作。全年共完成各类审批事项8198件。

基层卫生

【概况】 2023年，出台《北仑区进一步推进基层医疗卫生服务高质量发展三年实施意见》，为基层医疗卫生服务能力提升做好政策保障。完成社区卫生服务站规范化改造4家，完成参保居民体检16.25万人，全年建立居民健康电子档案728908份，建档率85.75%，档案开放率85.72%，实时应用率72.51%。深化家庭医生服务内涵，扩大家庭医生签约服务覆盖面，居民付费签约148498人，其中重点人群签约136436人，10类重点人群签约率87.06%；签约居民到期续签90706例，续签率81.14%；浙江省重点人群结直肠癌筛查完成22670例，开展结肠镜检查1139例。城市癌症早诊早治完成问卷初筛3059例，各类癌症筛查完成1002例；完成对916名困难人群中的白内障患者筛查工作；完成慢阻肺筛查1325人，A级率85%，年复核率91.92%，区域内获国家基层呼吸规建优秀单位5家。全区家庭医生累计为签约居民提供诊疗服务73.07万人次，减免一般诊疗费515.26万元，提供预约就诊23.41万人次，出诊服务0.23万人次，开设家庭病床394张，转诊签约居民到其他医院就诊1.35万人次，预约签约居民到其他医院检查0.31万人次，提供互联网+医疗服务1.64万人次，为签约居民提供健康评估报告9.89万份。获市基层优秀会员单位1家、基层好院长1名、基层好医生1名、基层好护士1名。

【提升基层医疗服务能力】 2023年，大榭街道社区卫生服务中心成功创建社区医院；大榭、新碶、梅山街道服务中心通过“国家优质服务基层行”基本标准回头看评审；小港街道服务中心耳鼻咽喉科、大碶街道服务中心妇科和霞浦街道服务中心针灸科成功创建市基层特色科室；新碶街道服务中心中西医结合儿科和柴桥街道服务中心眼科通过市基层特色专科复评；小港街道服务中心成功创建宁波市五星级急诊室（科），大碶、柴桥、霞浦街道服务中心成功创建宁波市四星级急诊室（科），大榭、戚家山、梅山、春晓、郭巨街道服务中心成功创建宁波市三星级急诊室（科）；小港、梅山街道服务中心慢性病一体化门诊建成并投入使用。

【深化公共卫生项目内涵】 2023年，全面推广居民电子健康档案应用；推进基层慢病融合、老年人防跌倒管理，组建区级心理健康干预队伍，提升重点人群项目服务质量，完成各项基本公共卫生服务项目工作，开展的各项重点工作指标均达到评价要求。全区获市公共卫生之星2名、公共卫生管理之星2名、公共卫生单位之星1家。

【智慧云医疗】 在九峰山、下邵、瑞岩、王榭服务站项目建设中增加智慧云诊室及云药房建设，居民可随时在家门口进行自助健康监测，并实现线上慢性病随访、配药、健康咨询、慢病续方等服务；在岩河、玉兰社区的公共服务空间，建设自助微诊室、智慧云药房、自助健康检测点、体质监测站、便民服务点等多种满足社区居民健康服务的供给平台，居民不出社区就可实现基本就医购药、基本健康状况自助检测评估和自我健康管理。

疾病预防控制

【概况】 2023年，全区完成免疫规划疫苗接种14.63万剂次（包含非免疫规划替代疫苗2.96万剂次）、非免疫规划疫苗17.81万剂次，接种重点人群流感疫苗5.23万针次，流动儿童国家免疫规划疫苗报告接种率95%以上；做好社会心理服务体系建设和精神分裂症患者应用长效针剂项目及同伴支持、失智老人筛查等工作，全区重症精神疾病登记在册患者4279人，报告患病率5.03‰，规范管理率99.95%，稳定率99.98%；完善慢性病防控体系，巩固国家级慢性病综合防控示范区，全年新增4种确诊慢性病7030例，累计发现登记高血压患者56553例，糖尿病患者17098例；加强居民健康素养教育，完善一体化健康教育云平台，现有布点536个；综合开展艾滋病阳性病例及密接人员分析评估和精准溯源，新发现HIV/AIDS共65例，2023年7月，北仑区被国务院防治艾滋病工作委员会办公室评定为第四轮示范区优秀经验模式。建设结核病早期筛查监测系统，加强重点人群可疑症状早期筛查，新登活动性肺结核病人285例，启动“无结核街道”创建工作。

【重点传染病防控】 2023年，全区实施形式多样、范围广泛的新冠疫情动态监测，完成384名港航登陆作业人员、10097名学生每周监测，强化病毒变异株监测，实施专项疫情分析研判51次。强化重点传染病监测，完成登革热抗原抗体检测2913份、核酸检测192份。开展培训演练和督导、提升基层防控能力，组织开展全区重点传染病防控业务培训5次、全面督查7次。及时启动应急响应，成功处置2例输入性登革热疫情，未发现后续病例。探索疫情防控数字化赋能、开发北仑区学生健康系统（校园疫情防控监测云平台）二期，完善学校疫情数据融合预警和系统化流程化处置。

【全区实验室一体化智能管理】 2023年，完成全区实验室智能管理一体化平台建设，通过优化检验管理，实现全区实验室业务全程数字化、业务规范化、统计自动化，数据可追溯；开发艾滋病信息上报系统，成功连接宁波数字疾控信息平台，中心艾滋病检测确证实验室顺利通过验收，被市卫生健康委认定为艾滋病检测确证实验室；顺利通过实验室资质认定复评审，经省市场监督管理局审查，批准授予检验检测机构资质认定证书，可以确定生活饮用水、食品、公共场所、学校卫生等62个领域391项参数。

【职业卫生监测】 2023年，加强职业卫生监测，全区职业健康体检网络直报率99.11%。完成40家企业职业病危害因素监测、6家企业风险评估、600家企业职业健康宣传贯彻和1272人的职业健康素养调查，管理人员知识知晓率从77.32%提升到92.51%。区卫生监督所走访企业20家，按照“一企一策”订单式服务模式，为企业高质量发展构建职业健康防护网。完成对19家企业的职业病危害专项治理，对其中2家予以停产处理。

爱国卫生

【概况】 2023年，全区有21个村获评省级卫生村，32个村接受省级卫生村复评。按照统一部署，做好病媒生物防制工作。全区投入用于购置药物经费12万元，开展以灭蚊、灭蝇为重点的除四害村建设，成功创建省级除四害样板村1个，除四害村5个；完善街道四害密度控制水平监测制度，巩固各街道1A-5B-5C的病媒生物控制等级水平。开展健康促进和教育工作，灵山书院、博平小学2所学校被评为省健康促进学校（金牌），顾国和中学等9所学校被评为省健康促进学校（银牌）。2所学校被评为市级无烟学校，3家单位被评为市级无烟单位，29所学校通过市级无烟学校复评，3家单位通过市级无烟单位复评，4家医院通过市级无烟医院复评。全年新增健康步道1个、健康社区3个、健康小屋1个、健康食堂6个，新增区级示范健康家庭1814户。

【全国爱国卫生月活动】 2023年4月是第35个全国爱国卫生月。区爱卫办印发了《开展第35个爱国卫生月活动的通知》，全区各街道、各单位深入开展以“宜居靓家园 健康新生活 喜迎亚运会”为主题的爱国卫生运动，全面营造一个美好、宜居的健康环境。区疾控中心、大碶街道社区卫生服务中心与坝头社区联合在大碶文化广场开展第35个爱国卫生月广场宣传活动。工作人员通过发放宣传手册、面对面开展健康咨询等形式，向广大群众宣传传染病及慢性疾病预防控制、“四害”防治、垃圾分类等卫生常识。医护人员为群众提供免费搭脉诊疗及疑难解答等服务。活动现场当天共发放宣传单500份，接受免费义诊、健康咨询200人次。

【“世界无烟日”宣传活动】 5月31日，区爱卫办、区疾控中心、大碶街道办事处和社区卫生服务中心等单位联合在大碶街道大千公园开展以“无烟，为成长护航”为主题的宣传活动，响应“无烟亚运，绿色亚运”号召，倡导文明健康绿色环保生活方式，努力为青少年构建控烟防护网，有效提升居民烟草危害健康素养水平。

妇幼保健

【概况】 2023年，全区户籍孕产妇早建率99.08%，无孕产妇死亡案例。户籍7岁以下儿童健康管理率98.7%，户籍婴儿死亡率3.02‰，户籍5岁以下儿童死亡率3.52‰；全年婚前医学检查2166人，免费孕前优生检查2192人，孕前优生覆盖率96.65%。新增托育机构50家，新增社区婴幼儿照护驿站20个，增加托位1831个，完成五星级公共场所母婴室改建1家。全年组织全民营养周、母乳喂养日与出生缺陷防治等主题活动20场，以诊间宣教、线下讲座、线上直播、亲子活动等形式，开展各类课程讲授101场，遍及全区校园、企业、街道，受益10万人次；自制婴幼儿营养与喂养、保护女性生育力等主题科普项目，获国家、省、市级等多项荣誉。落实妇幼健康惠民政策，全年宫颈癌筛查13572人、乳腺癌筛查13886人，筛查出乳腺癌13例、宫颈癌2例，筛查率达99.94%。

【“仑有善育”智慧平台】 2023年，北仑区推出自主开发的一站式智慧婴育服务平台——北仑区智慧婴育数字化系统。该系统以“治理端+业务端+服务端”3端架构为核心，结合4个子场景，利用跨部门基础信息数据作为底层数据支撑，为全区的婴幼儿、育儿家长、托育机构、成长驿站、妇幼保健医生以及各级监管部门提供全方位的业务管理和照护服务。平台已覆盖全区93家备案托育机构，36家社区服务驿站，监管3758个托位，实现智慧托育机构全覆盖。

【婴幼儿照护】 2023年，建立北仑区3岁以下婴幼儿照护服务联席会议制度，规范开展普惠托育及3岁以下婴幼儿照护服务相关工作。新建（改建）婴幼儿照护服务驿站20个，培训家庭养育员97名，托育服务行业人员能力提升1215人。培养托育相关从业人员1312人。全区社区平均拥有托位数达52个，11个街道普惠托育服务全覆盖，形成城镇社区15分钟托育服务圈。组建100人的养育入户团队，开展“百名”养育指导员入户、“百场”活动派送的婴幼儿照护服务能力提升“双百进千家”行动。全年累计开展小组活动426场，入户指导4636次。9月，顺利通过省级普惠托育基本公共服务试点验收。

医政管理

【概况】 2023年，全区公立医疗机构门急诊507.13万人次，出院8万人次。推进区域急诊急救融合发展，全区急救站点增至9个，二级及以上公立医院部署“上车即入院”信息系统，区医疗急救中心新址开始功能规划。制定区域肾脏病诊疗中远期规划布局，推动区域血透中心建设提质扩容。新增肿瘤、脑卒中、重症医学、肾脏病、骨科5个质控中心，提升相关疾病规范化质量管理水平。新建ICU床位20张（全区增至100张），提升区域重症医疗救治能力。全年医疗安全形势平稳，医疗纠纷结案处置73起，无重大恶性医疗纠纷发生。推进无偿献血，区血液管理中心获“2023年度宁波市血液管理工作先进单位”荣誉称号；全区22家单位（团体）被评为2023年度宁波市无偿献血爱心单位（团体）。

【高水平县级医院建设】 2023年，推进“双下沉两提升”纵深合作，区人民医院与浙江大学医学院附属第一医院签署新一轮为期10年的合作协议；区第二人民医院与宁波大学附属一院、区第三人民医院与宁波李惠利医院继续深化“市县联动”紧密型医联体建设。区中医院成功获评浙江省二级甲等中医院；区第二人民医院、区第三人民医院顺利通过二级乙等综合医院复评；宁波开发区医院成功获评二级乙等综合医院。成立北仑区等级医院创建领导小组，区人民医院从人才队伍、学科建设、医疗质量、品质管理等方面入手，制定阶段性目标和业务指标数据，确定目标为5年内进入浙江省三甲医院行列。

【医学重点学科建设】 2023年，拟订《北仑区“医学高峰”实施方案》，确保医学学科发展取得实效。推进宁波市第四轮医学重点学科建设，区中医院中西医结合肝病科、区人民医院神经内科和皮肤科学科发展取得显著成效。区人民医院传染科成功入选浙江省和宁波市两级临床重点专科建设培育项目；区人民医院骨科、麻醉科、泌尿外科、普外科、肾病学、心血管内科、重症医学科、神经外科8个学科入选宁波市县级临床重点专科建设培育项目。

【医用多人高压氧舱舱群】 于3月在滨海新城医院启用，该高压氧舱可容纳27人同时接受治疗，对急性一氧化碳中毒、厌氧菌感染、气栓症、减压病等有特殊疗效，对缺血缺氧性脑病病程早期、颅脑及脊髓外伤、严重软组织损伤、断肢再植术或植皮术后循环障碍、周围神经损伤等有显著疗效，可进一步助力区域医学康复中心建设。

【国家级创伤中心】 7月，区人民医院通过国家级“创伤中心”创建验收，为宁波市首个通过中国创伤救治联盟评审的区县级医院。该院已通过国家示范防治卒中中心评审、胸痛中心省级预评审。

【参与东西部协作、山海协作】 2023年，区卫健局向四川省凉山州美姑县人民医院选派2~3个月短期帮扶专家6人，选派第二轮组团式18个月帮扶专家4人进行交接轮换。两地疾控中心签署合作协议，一站式服务中心、“强基培训计划”项目被评为“四川省对口工作典型案例”。区卫健局与吉林省延边州汪清县、浙江省丽水市云和县、青田县签署医疗合作协议，组织开展医疗帮扶交流活动4次，接受三地共4批次9名医务人员到北仑进修学习3~6个月。

【表彰医护人员先进典型】 5月，举办北仑区庆祝“5·12”国际护士节暨优秀护理工作者表彰大会。表彰经评选产生的北仑区第四届“优秀青年护士”15人、第四届“优秀护士”15人、首届“新锐护士”10人、首届“南丁格尔式”护理工作者10人。

【医学科研教学】 2023年，全区新增各级医学科研立项17项，其中省厅级项目8项、省医学会项目9项。获北仑区科技进步奖二等奖1项、三等奖2项。在各级各类刊物发表论文63篇，其中SCI论文19篇、一级杂志4篇。参与主编著作29篇，获专利33项，其中发明专利1项、实用专利32项。全区举办各类继续教育项目29项，其中，主承办国家级医学继续教育项目8项、主承办省级继续教育项目17项、市级继续教育项目4项。与宁波大学医学部签订《北仑区公共卫生项目绩效评估与健康医疗大数据研究》协议，完成10篇科研论文的撰写。

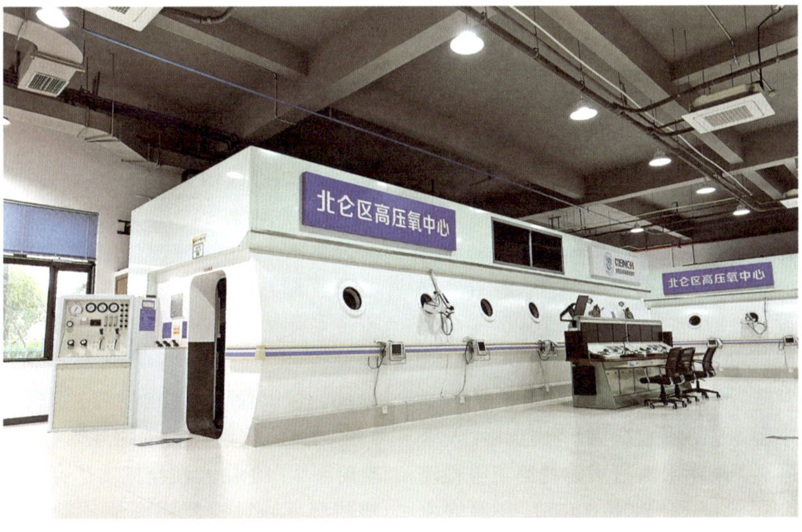

滨海新城医院高压氧舱舱群

中医中药

【概况】 2023年，调整了北仑区中医药事业发展领导小组成员，印发《关于促进中医药传承创新发展的实施意见》。加强中医药人才队伍建设，全区中医类别执业医师数534人，千人口中医师比例达到0.61‰，较上年大幅增长。深化区中医院“两专科一中心”建设，推进中医肝病和中医肾病2个特色学科建设，成立区中医药适宜技术推广中心。组织开展社区常见慢性病、地区常见传染病的中医药预防保健和重点人群的中医药保健服务，做好中医药知识的普及，弘扬中医药文化，营造信中医、爱中医、用中医的良好氛围，让中医药惠及千家万户。

【全国基层中医药工作示范区】 11月20—21日，北仑区顺利完成全国基层中医药工作示范区创建现场评审。评审专家组对北仑中医药示范区创建工作给予充分肯定。通过创建发现问题、解决问题，全面提升北仑区中医药服务水平，全力推进中医药事业振兴发展。

【深化中医药内涵建设】 2023年，区域推进共享中药房建设，逐步实现中药同质化管理。建设旗舰中医馆1个，有11个社区卫生服务中心实现中医馆全覆盖，社区卫生服务站、村卫生室共建设中医阁17个。大碶、郭巨街道分别新增设洪波、许兴国市级名中医工作室2个，使全区省、市名中医工作室增至7个。

人才学科

【概况】 2023年，区卫健局制定出台《北仑区医疗卫生人才培养五年行动实施方案（2023—2027年）》。全年共组织实施各类招聘6批次，其中大型招聘2批次、高层次人才招聘4批次。预录各类人才229名（其中硕士研究生41名），引进高层次人才3名（博士1名、正高1名，副高1名）。

【高层次人才申报】 2023年，全区申报宁波市甬江人才工程城市经济领域创新人才4名，通过资格审核2名；入选第四期宁波市卫生健康青年技术骨干人才培养专项人选2名；获评浙江省医师协会优秀医师1人、浙江省“优秀家庭医生”1名、浙江省“优秀社区护士”1名；宁波市高层次人才分类认定高级人才5名。

【基层社区医生定向培养项目】 2023年，北仑区卫健局委托温州医科大学、杭州医学院、湖州师范学院、浙江中医药大学、杭州师范大学为区基层社区定向培养医生共30名，其中临床医学25名，预防医学5名。7月，30名报考上述高校的委培生与区卫健局签订委培信用承诺书，并纳入省卫生健康信用体系。

卫生监督

【概况】 2023年，履行卫生行政执法职能，作出行政处罚决定289起，在浙江省卫健行政执法效能监测中，结果以满分达标。推进“数智卫监”省级应用平台建设，完成区内三级医疗机构100%接入省“医疗机构院内感染重点环节风险智控”，区内新建游泳场所100%接入“游泳场所三色分级智能监管”，区内职业健康体检机构100%接入省“职业健康在线”，省大数据风险预警平台预警风险处置率100%，区内接入省“住宿卫生在线”的住宿场所100%完成客房马桶、台盆和对应分色清洁抹布芯片的安装使用。实施医疗机构依法执业监管，开展民营医疗机构乱象整治、抗抑菌制剂专项检查、医疗美容专项整治等多个专项工作，维护行业秩序稳定。加强职业卫生监管，推进职业卫生普法宣传工作，全年开展各类宣传活动17次，指导完成2046家企业分类自查，完成风险化解6000项。优化营商氛围，引导企业主动守法，采取处罚和教育相结合的处理方式，发挥企业在职业卫生管理中的主体作用。推行初次轻微违法行为不予处罚机制，全年作出初次轻微违法行为不予处罚案件54起。保持打击“两非”高压态势，累计查处案件10起，移送司法机关1起，罚没款20万元。开展校园卫生安全健康行动、中高考卫生监督专项工作，对集中式供水单位的源水、出厂水、末梢水、10家二次供水小区用水及全区7个末梢水监测点委托第三方检测公司检测，合格率100%。开展涉水产品专项检查，深化卫生健康法治建设，规范执法流程，探索非接触式执法办案模式。

【“院内感染重点环节风险智控”试点项目】 于7月18日在北仑区人民医院（浙一医院分院）正式实施。该项目建设的平台是为解决基层医疗机构传染病防治监管难点、痛点和盲点，提高医疗机构疾病预防控制工作能力。平台聚焦医疗机构院内感染重点环节，实时抓取医疗机构传染病防治关键场景监测信息，动态掌握医疗机构传染病防控职责落实情况，通过数据规范化采集、主要指标监测、多触点预警等非现场监督新模式，实现对医疗机构风险感知、预警处置、隐患消除等全过程智能监管。区人民医院围绕试点项目，完成第一阶段医疗机构院内感染重点环节风险质控在线子应用，为全省全面推广项目应用提供经验。

【医疗机构疾控监督员制度】 2023年，区卫生系统在区第二人民医院、区中医院、新碶街道社区卫生服务中心、宁波开发区医院4家医疗机构先行开展疾控监督员制度试点工作。全区设专职疾控监督员4名，兼职疾控监督员17名。在医疗机构开展日常巡查，重点检查医疗机构传染病报告、疫苗管理、消毒隔离、消毒产品管理、医疗废物管理、病原微生物实验室管理等情况，实时录入监督检查结果，发现问题及时下发督导单，督促医疗机构整改落实。全年共开展现场巡查33次，形成工作日志152条。

【职业病防治监督指导】 2023年，全区全面开展职业卫生分级分类监督工作。需分类企业数1630家，接害人数≥3人的企业547家，累计审核完成528家，审核完成率96.53%；开展职业病危害关键因素“画像”和风险化解工作，累计完成画像企业数868家，完成率97.86%，已化解风险企业数802家，化解率90.42%，各项指标均达省级考核指标要求。按照用人单位职业病危害综合风险类别开展差异化监督执法，探索开展包容审慎监管。在守住法律法规底线基础上，全年共检查、指导企业86家，立案28起，罚没款36万元。

【打击非法行医】 2023年，区卫健局在日常巡查、有奖举报的基础上，与各街道办事处、区公安分局等部门建立网格化排查、联动化处置、信息化共享、专题式上报的长效监管机制，对非法行医行为一经发现，即时查处，并通过在公交车上视频播放、媒体报道宣传等多种形式加强线上线下宣传力度。全年共查处案件10起，一般程序10起，作出行政处罚6起，移送司法机关案件1起，罚没款20万元。

（撰稿人：张婷婷）

医疗保障

【概况】 2023年，全区基本医疗保险参保人数达77.83万人，户籍参保率达99.76%。医疗救助覆盖7.22万人次，涉及金额1170万元。联合区民政局、区残联等部门化解6名困难群众高额医疗费用44.8万元；全区困难群众医疗费用综合保障率达90.79%。推动“天一甬宁保”参保，全区参保人数39万人，参保率达50.2%。做好“天一甬宁保”赔付及政策宣传工作，全年累计赔付4101人、总赔付金额1899.6万元，其中赔付金额10万元以上的27人，共赔付453万元，最高赔付金额100万元。推进医保种植牙项目，实施口腔种植医疗服务提质降费专项治理，平均控费6500元，完成种植牙4000余颗，减轻群众就医负担2000万元。平稳有序推进长期护理保险试点，全区基本医疗保险参保人员均纳入长期护理保险范围，全年累计享受待遇1487人，使用长期护理保险基金865万元。开通门诊慢特病跨省直接结算医疗机构44家，全区定点医药机构异地直接结算开通率达100%。开展定点医药机构服务协议电子化工作，推进政务服务便利化。推动医保业务“网上办”“掌上办”，5个“一地创新、全省共享”创新工单优化建议被省采纳。完成医保零星报销、生育津贴支付等医保经办工作，日均办件量400余件。平稳、有序落实医保业务职能划转，原宁波保税区、宁波大榭开发区两地定点医药机构全部纳入区域统一管理，实现两定机构协议管理、行政执法管理主体相统一。2023年，区医保局被评为省、市医保工作先进单位，同时获户籍人口参保、长护保险、医保基金监管、口腔种植治理4项市级医保专项工作先进单位荣誉称号。

【规范违规违法处罚程序】 2023年，区医保局制定《关于进一步规范违规违法处罚程序的规定》，根据医保机构与个人的违规违法行为，按其性质实行分层级审批处理。建立医保网上费用审核制度，对两定机构联网费用分级审核，审核人员每三个月轮换一次，有效防范廉政风险。出台信用等级评价管理办法，对全区350家定点药店实行四级分类管理。严把日常检查关，全年累计检查定点医药机构133家次，其中，暂停协议7家、限期改正41家、约谈34家，涉嫌骗保案件移交公安机关1例，行政处罚4例，行政罚款43.8万元，追回违规资金158.9万元。

【北仑区第一届长期护理保险护理能力大赛】 于4月21日在区宗瑞医院举行。本次大赛由区医疗保障局主办，区宗瑞医院、区滨海医院协办。大赛的主题为“以赛促学、以赛促训、以赛促健”，旨在有效激发长期护理保险护理员学本领、强技能的热情，增强护理员职业荣誉感，促进长护险护理队伍建设和发展，更好地为失能人员服务。全区13家长期护理保险定点护理机构共26名护理员参赛。

【原保税区、大榭开发区医保事项实现全区通办】 自5月1日起，原宁波保税区、大榭开发区医保管理职能划入北仑区后的智慧医保系统开始运行，两地参保群众医保事项实现全区通办。原两地的医保经办机构撤销，企业、个人办理医保业务可至区医保中心或新碶、大碶、大榭等街道便民服务中心就近办理，原大榭开发区的各医保定点医疗机构、定点零售药店的区划统一改为北仑区，妥善处理好跨省异地住院病人在5月1日之前发生的医疗费结算与报销事项，确保医保系统切换平稳过渡。

【微电影展播获奖】 2月，北仑区发生一起持伪造证明材料骗取生育保险津补贴的案件。区医保局以此案例为背景，联合区司法局等部门制作一部《火眼金睛辨真伪 守住百姓医保金》微电影，并在北仑区“看北仑”及区相关部门的微信公众号展播，浏览次数超3万人次。该视频以身边案释法，丰富了医保基金的宣传内容与形式，提高社会对医保的关注程度。同时，《火眼金睛辨真伪 守住百姓医保金》在参加首届平安宁波“三微”比赛中获“微电影”三等奖。

（撰稿人：胡 迷）

体　育

综　述

【概况】 2023年，围绕“迎亚运 享健康”主题，开展丰富多彩的全民健身活动；依托国际、国内重大体育赛事，扩大“赛事之城”“运动之城”的城市影响力。办好2024巴黎奥运会女排资格赛。A组赛事于9月16—24日在北仑区举行，中国、塞尔维亚、多米尼加、荷兰、加拿大、捷克、墨西哥和乌克兰等8支国家队参加。比赛采用单循环的赛制，每天4场比赛，共28场比赛。有10万球迷现场观赛。据专业赛事评估机构统计，该项赛事为宁波市各行业带来直接经济效益1.60亿元，间接经济效益中，赛事产出效益3.46亿元。其中，赛事为旅游带来共计1.59亿元的拉动作用，相关国内外各级媒体报道共计152500余篇，包含“宁波北仑”关键词的相关报道91000余篇，媒体传播价值高达13.61亿元，赛事实际投入产出比达到1∶8.6。

发展群众体育。全年完成省民生实事工程项目13个，完成率100%。新增公共体育场地面积41万平方米，使全区体育场地总面积达281万平方米，人均体育场地面积达到3.2平方米（按2022年常住人口计算）。全年全区共开展各级各类全民健身赛事活动730场，参与人数达到68万人次。全年开展全民健身大讲堂14期，“一人一技”体育技能公益培训160期，受益人群1.2万人次。北仑区文化和广电旅游体育局获2023年度浙江省公共体育场馆综合开放使用优秀奖。

提升竞技体育水平。在宁波市第二届全民运动会（青少年部）比赛中，北仑区共获得252枚奖牌（其中金牌90枚），团体总分1599.75分，列全市奖牌榜第四名、金牌榜第五名。2023年，北仑籍运动员在各级各类大赛中获世界冠军2项、亚洲冠军1项、全国冠军2项、省赛冠军10项；全年向上一级体校输送体育后备人才40名。做好国家运动队在北仑区的集训保障工作，区体艺中心完成中国女排2次、中国男排1次的集训服务保障任务。

【刘国永慰问国家女排】 3月27日，国家体育总局副局长、党组成员刘国永一行到北仑看望并慰问国家女排，同时，为国家女排的全体教练员、运动员上党课。市委常委、区委书记潘银浩，区委副书记、区长王程等领导陪同并一起参加了相关活动。

【张家胜考察国家队的集训服务工作】 4月26日，省政府副省长张家胜一行到国家宁波北仑体育训练基地对国家队集训服务保障工作进行全面考察调研。省体育局副局长胡国平、市政府副市长朱欢等相关省、市、区领导陪同参加考察调研。张家胜一行在实地了解、考察中，查看了国家队住宿、餐饮保障等相关情况，并现场观摩了中国男排的训练。

承办赛事

【概况】 2023年，北仑区承办了2024巴黎奥运会女排资格赛、宁波国际赛道节、中国汽车耐力赛（CEC）、中国家庭帆船赛等国内外大型体育赛事，持续打响北仑“赛事之城”的品牌。

【浙江省第十三届中学生乒乓球联赛宁波市级赛】 2月18—19日，浙江省第十三届中学生乒乓球联赛宁波市级赛暨宁波市体育传统项目学校乒乓球比赛在北仑区举行。比赛吸引了海曙中心小学、余姚市泗门镇中心小学、北仑区华山小学等16所宁波市体育传统项目学校的286名运动员参赛，比赛设置传统项目学校组和俱乐部组两个组别。竞赛项目包括男子单打、女子单打、男子团体和女子团体4个比赛项目。北仑区华山小学分别夺得男子甲组团体、乙组团体和女子乙组团体循环赛冠军。

【浙江省第七届冰雪运动嘉年华】 3月25日，浙江省第七届冰雪运动嘉年华暨第九届全国大众冰雪季在北仑梅山湾冰雪大世界举办。活动由省体育局、省体育总会主办，体坛报社、区文广旅体局协办。活动吸引了全省各地130名冰雪运动爱好者参加。比赛包括冰壶比拼、雪地迷宫、冰上骑行等6个项目。举办本次活动旨在推进群众性冰雪运动“南展西扩东进”战略，丰富人民群众冰雪赛事活动，巩固和扩大“带动3亿人参与冰雪运动”的成果。

【中国职工乒乓球联赛总决赛】 4月4日至16日，“董酒·劳动者杯”2022中国职工乒乓球联赛总决赛在北仑艺体中心举行。国际乒联原主席、国家体育总局原副局长、中国企业体协名誉主席徐寅生，乒坛名宿张燮林、陆元盛等领导嘉宾出席赛事。有来自铁路、公安、电子、电力、航空、金融、教育、煤矿、林业的行业体协和企事业单位40支代表队、400名选手参加比赛。比赛设行业组、社会组男女团体及男女单打青年组、中年组和嘉宾组共11个组别。比赛由中国乒乓球协会、中国教科文卫体工会全国委员会支持指导，中国企业体育协会主办，中国企业体育协会乒羽专业委员会、宁波市乒乓球协会、区文广旅体局、北仑区总工会联合承办。

6月17日，举办中国家庭帆船赛宁波梅山湾站比赛

【中国小篮球系列活动】 6月18日至19日，2022中国小篮球系列活动·北仑赛区的比赛在海天文体中心篮球馆举行。比赛吸引了60支代表队400余名小运动员参赛。小篮球运动是中国篮球协会打造的更适合少年儿童的篮球运动，比赛分为U8、U10、U10混合组、U12男子和U12女子5个组别。赛区比赛后各组别成绩优异的队将参加下一阶段更高级别的小篮球赛事。

【中国足球协会沙滩足球巡回赛】 于5月26—28日在北仑区梅山湾沙滩足球训练中心举行。比赛吸引了浙江宁波全讯足球俱乐部、中山大学、扬州市邗江区足协代表队等6支足球队的近百名运动员参赛。赛事分为分站赛和总决赛两个阶段，分站赛首站于5月19日至5月21日在福建福州举行，浙江宁波全讯足球俱乐部已获首站比赛冠军。根据分站赛积分，全年总积分排名前11名与1支直邀球队进入年终总决赛。巡回赛由中国足球协会主办。

【中国家庭帆船赛宁波梅山湾站比赛】 6月17—18日，2023中国家庭帆船赛宁波梅山湾站比赛在万博鱼体育旅游度假区启航。这是中国家庭帆船赛连续第五年扬帆梅山湾。本次赛事为期两天，设霍比T1和霍比T2两个组别，共有40组家庭、上百名选手参加比赛，参赛队员年龄最大的60岁，年龄最小的才6岁。比赛结果，两个组别冠军分别被珠江之友队和常春滕联盟队夺得。本次赛事由中国帆船帆板运动协会主办，宁波市第19届亚运会工作领导小组办公室、北仑区政府等协办，万博鱼（宁波）滨水休闲运动有限公司执行。

【中国沙滩飞盘公开赛】 7月1—2日，2023年中国沙滩飞盘公开赛（宁波北仑站）在梅山湾公园举行。本次比赛共吸引来自上海、温州、宁波等地的16支队伍260余名运动员参赛。经过两天的比赛，星火飞盘俱乐部、沙滩筷子飞盘队、上海之翼飞盘队分获本次比赛冠亚季军。本次公开赛由国家体育总局社会体育指导中心主办、北仑区政府协办。飞盘运动已经列入了2025年成都世界运动会正式比赛项目。

【第十届"春晖杯"体育舞蹈国标舞国际公开赛】 于8月12日在北仑体艺中心举行。比赛吸引了国内外近千名运动员同台竞技，其中北仑区有22名运动员参赛，为观众献上了一场精彩绝伦的"舞林盛宴"。本次公开赛由宁波市体育舞蹈协会主办，宁波郁春晖文化发展有限公司承办。比赛设国际公开职业组、国际公开业余组、国际公开少年组、全明星组、少儿精英组、名次组、淘汰组、等级组、艺考生组、大学生组和成人展演组等多个组别。

【中国汽车耐力锦标赛】 9月14—15日，2023CEC中国汽车耐力锦标赛携手CEC菲罗多接力赛、领克汽车挑战赛再次来到宁波国际赛道，本站共有30支车队、60台赛车及100多位车手参赛，包括程丛夫、吕威、韩坜潮、凌康、吴怡帆等车手。CEC赛事是一项国家级赛事，经国家体育总局和中国汽车摩托车运动联合会批准的涵盖全类型汽车的场地类长时间或长距离的耐力类锦标赛，列入全国体育竞赛计划及中汽摩联赛历，并注册到FIA国际汽车运动联合会的赛事。本次比赛将继续按成绩把积分带入年底在成都举行的总决赛。

群众体育

【概况】 2023年，以"一人一技"体育技能公益培训为抓手，全面推进体育健身指导工作，共开展162期培训，项目包括武术、羽毛球、国际象棋、瑜伽、青少年培训等，培训超万人次。通过"浙里办"开展线下技能培训场次超百次，线上视频学习人数超十万余人次。

组织开展运动促进健康科学健身大讲堂10场，全区共有激活社会体育指导员2100余人，完成20次履职人数超640人。完成杭州第19届亚运会火炬传递宁波站活动。9月12日，传递活动在春晓启动，传递路线总长12.7千米，以宁波中国港口博物馆为起点，经170位火炬手的接力，最终抵达宁波舟山港梅山港区集装箱码头。

【全国新年登高大会宁波分会场活动】 1月1日，以“迎新登高促健康 踔厉奋发向未来”为主题的2023年全国新年登高健身大会宁波北仑分会场活动在北仑九峰山举行，活动吸引了北仑区300多名登山爱好者参加。该活动由国家体育总局指导，市体育局、区政府主办，区文广旅体局、大碶街道办事处承办。

【区第七届“迎春杯”羽毛球团体赛】 3月12日，由区文广旅体局、区体育总会主办的2023年北仑区域第七届“迎春杯”羽毛球团体赛暨首届“元老杯”羽毛球团体邀请赛在北仑体艺中心十环羽毛球馆举行。来自全区各企事业单位以及俱乐部的18支代表队参赛。经过一天的激烈比拼，羽动体育代表队、白峰街道永泰运代表队、新动力代表队分获“迎春杯”团体赛前三名；机关队、车羽元老一队、羽乐元老队分获“元老杯”团体赛前三名。

【区卫健系统乒乓球比赛】 3月28日，以“全民健身、共迎亚运”为主题的北仑区卫生健康系统乒乓球比赛暨第五届职工运动会在区乒乓球协会活动中心举行。比赛吸引了全区共18支卫健系统代表队、130多名运动员参加，本届比赛共设置了男子单打、女子单打、男子双打、女子双打、混合双打等5个项目。比赛结果：何无畏、沈志峰分获男、女组别单打冠军；周剑峰/姚宏伟、贺薇颖/袁素燕分获男、女组别双打冠军；张君华/柴惠琴获男女混合双打冠军。

【北仑区全民健身大联赛启动仪式】 于4月8日在位于小港街道的海天文体中心拉开帷幕。本次以“全民健身迎亚运 信心满怀奔共富”为主题的2023北仑区全民健身大联赛由区文广旅体局、区体育总会、小港街道办事处共同主办。以热烈的氛围共迎亚运，用健康的体魄共奔富裕。

9月17日，2023北仑（春晓）文旅嘉年华启动仪式暨蓝湾欢乐跑举行

【环浙步道·登甬十峰活动】 5月28日，2023中国体育彩票“迎亚运”环浙步道·登甬十峰北仑站暨宁波市全民运动会（群众体育部）登山选拔赛分别在北仑九峰山旅游区瑞岩景区和太白山举行，吸引600名户外运动爱好者参加。本次登山选拔赛从瑞岩景区游客中心出发至返回，线路全程4千米，累计爬升250米。环浙步道北仑段全长约35.6千米，起于大碶街道共同村，与鄞州区东吴镇接壤，北部延伸至大碶街道和鸽村，南部延伸至春晓街道洋沙山。根据活动规则，“环浙步道·登甬十峰”参加者每成功登顶一座最高峰将获得一枚纪念奖牌，完成十峰登顶可获得“环浙步道登甬十峰”全套纪念奖牌，并被授予“宁波十峰登顶达人”称号，还可加入“全国户外安全教育计划”宁波站，成长为户外运动专业人才。

【2023北仑（春晓）文旅嘉年华启动仪式暨蓝湾欢乐跑】 于9月17日在春晓街道举行。开幕式上，发布了本次嘉年华活动有关北仑景旅合作项目签约内容，颁授北仑区首批“优选露营基地”目录。250多名运动员按组参加环明月湖欢乐跑。活动期间，北仑各文旅企业推介许多惠民措施。本次活动由北仑区文广旅体局和梅山经济发展中心指导，春晓街道办事处主办，宁波中国港口博物馆、梅山湾沙滩公园、梅山湾冰雪大世界等景区共同协办。

【宁波市美丽乡村健身行北仑站】 10月15日，2023宁波市美丽乡村健身行北仑站暨北仑区全民健身大联赛登山比赛在瑞岩景区举行。报名成绩团体赛200人、个人赛200人。比赛全程4.5千米，累计爬升150米。比赛结果，大碶街道代表队获团体组冠军，柴桥街道和新碶街道代表队分获团体组第二名和第三名。马兴富以21分13秒的成绩获男子个人组冠军，张桂群获女子组冠军。本次活动由区文广旅体局、区体育总会、柴桥街道办事处共同主办。

竞技体育

【概况】 2023年，北仑区新设市级体育传统项目学校点2个，新增体育传统项目3项，项目布局逐步增多并趋向合理。新注册运动员300人，向上输送体育后备人才33人。12月，区文广旅体局与上海东华大学体育部就双方开展全日制专业学位研究生联合培养工作签订合作协议并揭牌。组队参加宁波市第二届全民运动会（青少年部）比赛，成绩显著。

【射击项目在市运会获金牌】 4月4日，宁波市第二届全民运动会（青少年部）射击比赛在宁波体育运动学校射击馆顺利完赛。参加射击比赛的北仑小将们表现出色，共获得该项目的16枚金牌，并获团体总分第一名。

【跆拳道项目在市运会比赛中得8金】 7月9日，宁波市第二届全民运动会（青少年部）跆拳道比赛在鄞州区学士小学落下帷幕。北仑区代表队一举拿下8枚金牌，所有参赛选手均收获奖牌并获团体总分第一名。。

【空手道项目在市运会比赛中获团体第一名】 7月10日，宁波市第二届全民运动会（青少年部）空手道比赛在宁海县技工学校落下帷幕。本项赛事共有9支代表队、109名运动员参加，共产生10枚金牌。北仑区代表队以2金2银5铜的成绩获团体第一名。

【获市第二届全民运动会足球赛（青少年部）亚军】 8月28日，宁波市第二届全民运动会（青少年部）足球比赛（男子甲组）在北仑体育训练基地二期足球场落下帷幕。来自全市各区（县、市）的9支队伍、140名运动员参加本次比赛。经过4个比赛日、21场比赛，最终鄞州区代表队、北仑区代表队、余姚市代表队分别获得冠、亚、季军。

健身设施　场馆建设

【概况】 2023年，全区体育场地设施建设呈现多样化。完成新建1个村级全民健身广场、2个多功能运动场、2个体育公园（体育设施进公园）、8个百姓健身房。制定出台《北仑区“全民健身”设施运营维护资金“钱随人走”补助办法》，落实新建小区体育设施的配建工作目标。履行部门职责，全年参加相关新建小区规划会审会议12次，督促小区“全民健身”设施建设项目的落实，验收4个小区配置的室内体育用房。1月10日，全省体育局局长会议上，北仑区文广旅体局获评“浙江省公共体育场馆服务大提升优秀单位”。

【曹敏杰到北仑调研体育民生实事工程】 2月22日，宁波市体育局副局长曹敏杰率群体处、市全民健身中心等部门负责人到北仑，专项调研体育民生实事工程、数字化改革、新建小区配套体育室内用房和基层场地建设等相关工作，区文广旅体局及相关科室负责人陪同调研，并就如何做好体育民生实事工程项目的相关话题展开研讨。

【张平率市检查组在北仑开展执法检查】 4月17日，宁波市人大常委会主任张平率市执法检查组在北仑开展全民健身“两条例”的专项执法检查。张平一行实地查看了北仑海天文体中心、国家宁波北仑体育训练基地。他强调，要通过多措施并举的办法来解决“场地设施”问题，要采用多管齐下的办法解决“健身意识”问题，不断满足人民群众对美好生活的追求和向往。

体育产业

【概况】 2023年，北仑区（开发区）加大对发展体育产业的扶持力度，推进竞赛表演，建设省级运动休闲乡镇、国家体育产业示范单位，打造体育综合体、促进体育消费、扶持服务业体育企业招商引资等重点工作深入开展，挪客户外申报国家体育产业示范单位，宁波国际赛道成立浙江首个汽车运动孵化园，吸引领克体验中心、路虎公园等20余家俱乐部企业入驻。1家服务业体育企业浙江威天体育有限公司成功入库，全区现有规上服务业体育企业4家；全年体育彩票销售突破3.5亿元以上。

【汽车运动孵化园揭牌】 4月15日，由铭泰集团投资建设作为浙江省首个汽车运动孵化园在春晓街道的宁波国际赛道揭牌。打造高水平、高性能的汽车运动孵化园，是以体育制造业为引领、以品牌赛事为抓手，精耕赛事经济、培育汽车文化的具体举措，为拓展赛事、培训、旅游、文创等“文旅体+”新经济提供平台，为赛事引进、赛道经营、赛车产业、赛事文化发展提供立体融合式路径。2023年底，孵化园已有领克体验中心、路虎公园等20余家俱乐部企业入驻。

【赵学平到北仑调研】 7月19日，浙江省体育局政策法规处处长赵学平一行到北仑调研体育工作。宁波市体育局党组成员、二级巡视员李国辉，北仑区文广旅体局副局长姚波及相关科室负责人一起参加调研。在海天文体中心，赵学平一行实地了解和参观文体中心的场地设置，并对海天集团投资兴建体育场馆，助力全民健身等做法表示赞许；在宁波国际赛道和万博鱼航海中心，赵学平详细了解了场馆的投资、运营以及效益情况，并在现场就如何发挥北仑体育资源优势，发展具有北仑特色的体育产业等相关议题开展了深层次的探讨。

【体育消费节】 8月8日，由区文广旅体局主办的以“迎亚运 享健康”为主题的2023“热力宁波”体育消费节北仑站暨“全民健身日”主题活动开幕式在北仑青年体育公园启动。活动现场，有区20家体育企业以集市的方式予以集中展示，分别推出了露营、篮球、游泳等多项体育消费产品。有氧操、“一人一技”青少年篮球公益培训、区青少年街舞队选拔等体育活动精彩纷呈。

（撰稿人：李丹丹）

街　道

新碶街道

【概况】 新碶街道位于北仑区境西北部，东接霞浦街道，西与小港街道、戚家山街道毗邻，南连大碶街道，北与舟山市金塘岛隔海相望。区域陆域面积46.3平方千米，海域面积25平方千米，街道办事处设在新建路2号。2023年，街道完成财政总收入58.05亿元，同比增长21.5%，其中正常税收53.37亿元、完成引进三产及新增三产3.31亿元、完成教育费附加1.37亿元。财政总支出3.81亿元（含上级补助1.15亿元），剔除上级补助同比增长11.5%。农村集体经济总收入9211万元，同比增长1.2%。2023年，街道增设香堇、港兴、迎宾3个社区，现下辖共25个社区（其中22个居民社区、3个工业社区）、14个村。街道居民总户数5.05万户，实有人口超30万人。有户籍人口12.87万人，其中城镇居民12.44万人，农村居民4245人。有流动人口17.69万人。区域内有学校20所，在校学生31790人（按2023年9月开学统计），幼儿园15所，卫生机构18所，敬老院2所。

2023年，完成规上工业总产值累计1331.5亿元，同比下降5.6%；现代服务业持续增长，限上商品批发额、零售额分别同比增长21.5%、86.8%；通过优化投资环境，完成固定资产投资73.1亿元，同比增长18.8%。将招商引资与招才引智相结合，以大港片区转型升级为引领，赴北京、杭州、江西等地开展"敲门招商"，累计招引企业1277家。全年新增47家国家级高新企业，218家国家级、省级科技型中小企业，引进腾未科技、问光科技、利宇盟光电等一批数字经济领军企业。发挥企业引才、用才的主体作用，全年入选国家级引才计划3人、博士后专项1人、市甬江人才工程7个，1家企业获全国创新创业大赛一等奖。

2023年，持续聚焦城中村改造，部署重点区块征地拆迁。完成向家片区全面拆迁和沿海、永丰、算山片区民房的整体拆除。通过实施"四个100%"制度创新，滕家塆成功实现"10天排摸、4天丈量、5天签约、15天腾空"的工作进程。扛起重大工程护航使命，全面实现杭甬复线三期工程红线内3.2万平方米的民房整体腾空、797座关联墓地的顺利签约。推进"九类空间整治行动"，推进算山北片区"两场"综合整治征迁工作，改造提升低散乱污用地33.07公顷，集中收回违规用地14.67公顷，盘活存量闲置土地33.33公顷。深化"千万工程"整治提升，高标准完成93.07公顷"千亩方"建设，有效破解区域农村发展难题。高标准做好"五水共治"长效治理，依托河岸整治、雨污分流、小区污水零直排等措施，助推岩河顺利通过省级"美丽河湖"创建验收，街道获2023年度宁波市"水美乡镇"称号。

2023年，聚焦社会发展和民生的双向促进，提升城市品质内涵。完成宁波开发区行政管理体制变革后的宁波保税区社会事务全面移交任务。细化现代社区建设5个方面48项关键指标，红梅、凌霄社区被评为省级首批现代社区，杜鹃、香堇等4个社区步入未来社区建设快车道。推进6个老旧小区、安置小区改造更新，推动口袋公园、5A级居家养老服务中心、桥下文化空间等功能性项目实施。落实信访积案领导包案制度，稳妥处置化解各类重大风险隐患25起。深化大综合一体化改革，推动"一支队伍管执法"，开展安全领域大排查、大整治，完成区域内7000家沿街店铺、434户城中村出租房、77处"厂中厂、园中园"的拉网式排查、闭环式整治。

2023年，深化党建引领，增强基层治理效能。着眼"物居业"协同治理，探索小区事务党员业主先知先议先决制度，实现22个城市社区全面推广覆盖。加强干部队伍建设，实施"新苗成长计划"，在导师帮带、集中夜学、组团攻坚中推动街道年轻干部成长成才。办好村社书记"领雁班"、社工"优专班"，选优训强村社后备力量。做强"红领"党建工作品牌，推出"红领集市""红领课堂""红领研学""红领精品线"等"红领"系列，通过"上班在职、下班在线"的方式，打造"不打烊、有人气"的党群服务矩阵，红领之家获评全国学雷锋志愿服务"四个100"最佳志愿服务组织。

街道现下辖22个居民社区：芙蓉、牡丹、杜鹃、红梅、海棠、芝兰、紫荆、百合、银杏、玉兰、迎春、米兰、凌霄、高塘、玫瑰、向阳、雪莲、月季、塘湾、茉莉、福泉、香堇；3个工业社区：大港社区、港兴社区、迎宾社区。

2023年新碶街道各村经济情况一览表

表42

村　名	常住户数（户）	常住人口（人）	耕田面积（公顷）	集体经济总收入（万元）
合　计	10113	23485	200.7	9211
隆　顺	630	1753	0	812
高　塘	430	1074	9.9	940
高　潮	1052	2590	1.7	653
星　阳	1029	2635	0	423
大　路	892	2105	0.7	800
永　久	300	775	57.1	310
永　丰	375	870	7.5	375
沿　海	870	1860	10.7	1250
许　胡	550	1230	24.1	410
贝　碶	965	2243	0	755
向　家	667	1566	1.6	920
备　碶	960	1895	6.1	721
算　山	581	1485	30.1	524
岭　南	402	843	51.2	252

【“滨海宁波，文艺唱响”宣讲活动】 3月4日，由宁波市委宣传部主办、宁波市演艺集团承办、北仑区委宣传部与新碶街道协办的“滨海宁波　文艺唱响——市第十四次党代会精神文艺宣讲活动走进北仑”奔赴新碶，以“短平快”的形式在热闹的银泰城内举办。

【扶贫攻坚，新碶班子赴四川考察调研】 5月15—19日，街道党工委副书记施盛义率街道部分党政班子成员组成考察组到四川省凉山州美姑县牛牛坝镇，就巩固与牛牛坝镇开展结对帮扶成果、持续推进乡村振兴开展相关考察调研工作。

5月15日，新碶街道党工委副书记施盛义（左二）等在美姑县考察

【新碶“逐光”好人获评浙江孝贤】 12月15日，由中共浙江省委宣传部指导，浙江省民政厅、浙江省慈善联合总会等联合主办的第十二届“浙江孝贤”选树活动结果揭晓。北仑区新碶街道凤洋村村民、众孝慈爱志愿服务队负责人王忠安获评“孝贤人物”，这也是年内宁波市唯一获此殊荣者。

【全民共舞，潮涌东方】 12月21日，据《浙江省文化和旅游厅关于公布第五届浙江省合唱节等省级示范性公共文化活动获奖名单的通知》中表彰，由宁波市北仑区文化馆、北仑区新碶街道文化站倾力出演的原创广场舞《潮涌东方》获2023浙江省群众广场舞大赛金奖。

【“漆彩飞扬　材质之美”绘画展举行】 12月4日，以“漆彩飞扬　材质之美”

12月4日，“漆彩飞扬材质之美”绘画展开幕仪式场景

为主题的漆画与综合材料绘画探索研究展在北仑区新碶街道艺碶文化空间开幕，同时还举行了第十四届全国美展重点作者研讨会。此次展览汇集了福州大学厦门工艺美术学院、宁波职业技术学院和宁波地方漆艺骨干力量的50余幅漆艺术优秀作品。

（撰稿人：陈浩杰）

小港街道

【概况】 小港街道位于北仑区西域，地处甬江出海口南岸，东以太白山脉中心线为界，与戚家山、新碶、大碶街道接壤，西与鄞州区梅墟街道相邻，南与鄞州区五乡镇相接，北与镇海城区隔江相望。辖区面积63.9平方千米。街道办事处设在江南公路788号。街道下辖12个社区、31个村，居民总户数22621户，有户籍人口7.7万人，流动人口9.4万人。2023年，街道完成财政总收入29.33亿元，同比增长2.1%；一般公共预算收入15.23亿元，同比增长11.4%；一般公共预算支出1.90亿元，同比增长10.2%。村级集体经济总收入1.25亿元（含7个撤村后的经济合作社），同比增长2.9%。2023年，区域内有中小学校6所，在校学生9456人；幼儿园15所；卫生机构26所；敬老院1所。

2023年，聚焦开发建设的要素保障和土地出让，全力抓好征地拆迁工作。完成各类签订征迁协议178户，其中农拆158户，国拆20户，拆迁总面积240323平方米，确保甬江科创区的核心区块征迁工作稳步推进。保障重大项目建设，着力破解轨道交通6号线项目中处理违章建筑的难题，通过司法途径强制执行拆除、协议拆除等多种方式予以解决；全面完成坝头路西延项目红线内房屋拆迁签约工作，完成甬舟铁路项目红线内185户农拆房的全部签约工作。宁波第二水厂项目完成全部净地交地。坚持司法程序与协商谈判并行、拆迁和拆违同步的方式，完成对江家山、轨道交通2号线、核心区一期的37户拆迁房的征迁任务。完成区域内规上工业产值476亿元，同比增长7.5%；完成限上贸易企业销售额404亿元，同比增长10.7%；完成固定资产投资50亿元，同比增长24.32%。助推企业转型升级。推动浙江挪客户外打造集研发、展示、电商一体的户外用品产业园；引导盛威国际发挥行业龙头优势，打造市级优质电商产业园；推动贝发集团打造“三大平台”，建设省级文创综合体；帮助华美达、欣威、挪客等企业解决土地资源制约难题。推进稳商扩资聚才。以海天和东方等龙头企业为依托，打造“小港版”总部集群；以建设人才集聚高地为载体，形成浙江电驱动、海天智能制造、蓝圣人才、生物医药等创新研发基地。全年引进企业247家，其中注册资金1000万元以上企业14家。

2023年，统筹谋划城乡建设。分别被列入省第五批、第六批“未来社区”的高河塘社区、竺山社区已完成市级验收；完成总投资3500万元的“2022年度美丽城镇创建项目”共13个打包项目和20个子项目建设，打造“浃江涟韵”精品线和“风情浃江·多彩田野”市级乡村振兴示范带，深入开展“千万工程”。推进粮功区整治，全年累计完成596.33公顷粮功区流转，晚稻种植面积达566.67公顷。创建市级标准型街道便民服务中心，获评宁波市新就业形态劳动者温暖行动试点单位，入选省第二批低（零）碳乡镇（街道）村（社区）及减污降碳协同试点创建单位名单。推广小港龙舟文化，成功举办第九届端午龙舟大赛，情系两岸、风情浃江美誉度进一步提升；培育优质数字文化企业，长三角独立设计师联谊中心成功在小港街道落户；创建工业旅游线，“挪客—盛威—贝发—海天工业旅游线”成为北仑区“智创未来”精品线。筑牢护航亚运会的维稳防线。以“七张问题清单”为引领，做实最小作战单元，持续降低电信诈骗发案率。开展安全消防大排查、大整治，对辖区内工商注册的5800家企业进行核查，完成对电气焊全链条专项整治，累计对195台电焊机“赋码加芯”，在厂中厂、园中园安全消防专项整治中发现的114条重大安全隐患，已全部完成闭环整改。

2023年，以党建为引领，扎实开展主题教育。通过精心组织、深入调研、认真整改，推动党的各级基层组织和全体党员强党性、重实践、建新功，实现主题教育全程提质增效。实施年轻干部“浃江红苗·青廉成长”计划，以集中学习、导师帮带、专题调研、专班攻坚等方式帮助25名年轻干部成长成才。落实市委、区委巡察反馈意见整改工作，对市委巡察反馈44条意见、区委巡察反馈23条意见进行集中整改并召开巡察整改专题民主生活会，制作督查清单40条等工具书，发现问题67个，整改问题63个，整改率为95%。

街道现下辖红联、竺山、高河塘、陈山、山下、枫林、青墩、长山、下邵、谢墅、渡头董、小浃江共12个社区。

2023年小港街道各村经济情况一览表

表43

村名	常住户数(户)	常住人口(人)	耕田面积(公顷)	集体经济总收入(万元)
合计	14814	36141	886.82	11104.93
红联	668	1335	2.33	447.94
衙前	2063	2858	44.67	480.23
前进	450	1148	0	252.99
建设	503	1229	25	426.86
孔墅	644	1877	23.73	608.45
依山	458	1250	38	261.17
东岗碶	658	1474	14.3	435.4
刘岙	220	546	36.2	147.54
顾家桥	704	1541	4.4	447.53
下倪桥	471	976	0	541.15
鲍家洋	294	862	29.6	256.68
姚张	185	531	36.4	192.89
新建	381	1019	14.67	321.48
新模	356	1062	54.67	269.19
朱田	297	809	0	207.95
山下	420	1043	0	639.3
新政	219	662	53.93	373
新权	319	884	37.13	620.76
新棉	463	1409	54.67	694.03
大石门	423	1192	72.33	306.73
湖芳	173	507	40.40	135.36
合兴	213	657	44.46	454.43
下邵	396	1100	38.00	308.17
五盟	244	680	26.93	255.76
姚墅	222	615	20.87	241.38
下周隘	224	560	39.27	158.36
江桥头	235	676	42.40	394.83
桥头严	287	802	38.00	364.06
渡头董	341	875	35.60	318.44
丁家山	475	1221	51.73	337.92
钟家桥	327	950	66.27	204.95

【消费品展销会】3月18—19日，街道与区商务局联手在华生国际家居广场举办2023北仑区消费品展销会暨春季人才招聘会、汽车展览会，有近300家企业参展，涉及服装、家纺、日用品、运动户外产品、农特产品、进口

3月18日，消费品展销会交易现场

消费品等百余种优惠商品。为促进消费、激发市场主体活力，区政府专门拨款1700万元用于本次展销会消费券补贴。展销会期间销售额突破1亿元。

【宁波市全民龙舟联赛】 6月22日，由宁波市体育总会、区广局、小港街道办事处主办的“迎亚运 享健康”2023年宁波市全民龙舟联赛暨“情系两岸 风情渎江”第九届端午龙舟大赛在小浃江水系开幕。2023年的赛事与“迎亚运 享健康”2023年宁波市全民龙舟联赛相结合，吸引了各区（市、县）共25支龙舟队、500余名选手参赛。比赛采用12人龙舟，每艘龙舟上有1名鼓手、1名舵手和10名划手。竞赛项目为国标小龙舟100米、200米男子组12人直道竞速和国标小龙舟200米女子组12人直道竞速。最终，宁波锡青龙舟队、台塑企业龙舟队、郭州云龙甲村队夺得男子组总成绩前三名，浙大宁波理工学院龙舟队、斯波特龙舟队、戚家山街道朝阳龙舟队分获女子组前三名。

【3家企业在甬股交挂牌】 6月，豫越（宁波）新材料科技有限公司、宁波大艾激光科技有限公司、宁波超胜商用厨房设备有限公司3家企业完成在甬股交挂牌。这是街道立足为企业发展服务，着力将成长性好、有较大发展前景的企业向宁波股权交易中心推荐挂牌，进一步增强企业融资能力、增强市场竞争力的重要举措，以此促进企业发展。

【区中小学体育节排球比赛】 7月4日，2023年北仑区中小学体育节排球比赛在海天文体中心开幕，本次比赛由区教育局、小港街道办事处主办，区排球协会承办，比赛为期4天。比赛分为小学组、初中组、高中组，共有来自北仑各学校的26支参赛队伍。

【夏度岙进士第修缮工程竣工】 7月20日，位于新权村夏度岙的进士第（俗称旗杆墙门）修缮工程竣工。这座民居始建于清代早期，坐西南朝东北，建筑面积共1537平方米，属典型的江南民居中砖木结构九架夹厢楼，2003年7月被确定为区级文物保护点。因风雨侵蚀、年久失修，进士第的建筑外观、屋面、墙体、装饰构件存在不同程度的破损亟需修缮。经区文保部门牵头协商和修缮款测算，由进士第所有人之一的夏明良出资100万元（定向用于进士第修缮），市、区两级文保部门分别资助30万元和75万元，三项合计共205万元用于工程修缮。

【下邵老街改造工程】 8月10日，下邵老街改造工程动工。下邵老街是小港街道下邵村的重要通道，现状为混凝土板块，破损较为严重，部分路段由于绿化带的存在，行车宽度明显不够，存在交通安全隐患。道路改造范围从兴邵公路口至小港福利院门口，路线全长415米，工程造价190万元，主要为下邵村居民生产生活服务，方便附近村民出行。工程于12月底竣工。

【修缮鄞镇江桥】 12月，位于江桥头村的区级文保点——鄞镇江桥修缮及周边环境整治工程竣工，工程投资55万元，包括修缮桥梁一座、景观亭一座及更换桥梁护栏134米、驳岸修复及美化等。鄞镇江桥，始建年代不详，原为五孔石平桥，因地处原鄞县和镇海县交界处故得名。现存桥梁建于1933年，由当时在沪经商的鄞县、镇海籍商人出资建造，是中国建造较早的仿欧

7月4日，区中小学体育节排球比赛正在进行中

式钢砼结构拱桥。

（撰稿人：黄　海）

大碶街道

【概况】 大碶街道位于北仑区西南部，东与霞浦街道接壤，西与鄞州区五乡镇相连，南与春晓街道和鄞州区东吴镇相邻，北与新碶街道相接。区域面积105.5平方千米。2023年，街道下辖15个社区，33个村，居民总户数26213户，总人口66734人；外来暂住人口登记119932人。街道财政总收入2.86亿元，同比增长34.91%，财政总支出2.86亿元，同比增长34.91%，村级集体经济总收入1.43亿元，同比增长1.96%。区域内有学校7所，在校学生11155人；幼儿园12所，卫生机构65所，敬老院4所。

2023年，全年实现规上工业总产值593.95亿元，同比增长2.61%，正常性企业税收26.87亿元。新招引落地产业项目45个，总投资52.2亿元；入库稳商扩资项目58个，总投资21亿元。强化优质企业梯度培育，新增专精特新“小巨人”企业2家。加快18家企业上市筹备，华朔进入上市辅导期。落实企业R&D（研究与开发）提升奖励机制，全年研发投入26.01亿元，同比增长15.87%。申报高新技术企业48家、国科小企业140家、省科小企业112家，在宁波市乡镇（街道）科技创新能力评价30强中位居榜首。做优人才项目引进，申报国家级引才工程13人、省级引才工程1人。推进灵峰现代产业园建设，一期新沔机械即将竣工投产，域想智行的自动化驾驶项目进入施工阶段，敏华新能源汽车项目待开工建设。完成二期新安、柴楼、嘉溪红线内地块腾空，加快推进企业落户进程。

推进城乡风貌整治提升。完成“庐南城市更新项目”芦山村A1地块、“汽配园区（镇西）”老贺村、“246工程项目”徐洋村、烟墩楼下徐地块4个项目的遗留33户的征地拆迁，完成329国道改造项目26户协议签订。全年累计完成拆迁202户、征地52.2公顷。拆除各类违法建筑面积208751.9平方米，占地面积97646.2平方米，拆后利用率100%。排摸、整治“两路两侧”问题点位368处，处置国土卫星遥感图斑80余处，规划卫片图斑2处，面积约5.2公顷。深化新时代“千万工程”，建设新时代美丽乡村，完成青山村美丽宜居示范村申报。推进“非农化”“非粮化”整治，清理完成粮功区64.18公顷、耕地功能恢复区67.56公顷，种植粮油作物336.6公顷。

推进现代社区建设。以“一老一少”、产业工人等为重点，强化公共服务供给，打造一批标志性成果。岩河社区获评浙江省首批现代社区；学苑社区、岩河社区获评浙江省第三批“一老一小”服务场景。实施区政府投资建设、污水零直排及农污处理、街道民生实事、小区品质提升等新建及续建项目97个。打造10个“十五分钟品质生活圈”。推进庐南九年一贯制学校、城湾幼儿园新建工程建设与大碶小学扩建改造，加快5A级社区居家养老服务中心建设，完成大碶敬老院提升改造，灵山社区卫生服务中心投入运行。开展民政“善居工程”和残联“无障碍设施进家庭”工作，发放各类救助资金1329万余元。家庭养育、社会托育增点扩面，新增托育机构3家、托位数220个。

升级“基层治理四平台”。新增“智治大屏”“掌上指挥”“村社智管家”等新模块，形成“上下联动、左右协同”数字化治理体系。将“村民说事”更新为“网格说事”，打造乡村善治社会“共同体”。城湾村入选第三批全国乡村治理示范村。加强对一厂多租、厂房改公寓、农村出租房等重点领域的排查整治，狠抓除险保安“省工业企业安全生产在线”企业安全隐患的政府检查和企业自查，闭环整改各类隐患。打造“底数清晰、多跨融合、强调实战、高效治理”应急消防数字化指挥平台，10月底投入试运行。街道获评市平安创建基层标杆街道，周隘陈村及岩河社区分别获评平安标杆村及社区。

推进学习贯彻习近平新时代中国特色社会主义思想主题教育，深化“车间党课”“总书记之行”红色精品线等，推进“红色根脉强基工程”，选优配强村、社干部队伍。灵峰工业社区获评浙江省首批学习贯彻习近平新时代中国特色社会主义思想现场教学示范点和研究中心调研基地。

街道现下辖学苑、太白、坝头、高田王、金泉、灵岩、横杨、富春、岩河、清泰、丁山、镇定12个居民社区，灵峰、横河、玉山3个工业社区。

2023年大碶街道各村经济情况一览表

表44

村　名	常住户数（户）	常住人口（人）	耕田面积（公顷）	集体经济总收入（万元）
合　计	12778	33389	438.37	14260.35
烟　墩	380	1124	5.39	540.68
塆　头	696	1567	2.99	804.03
芦　山	618	1319	0.00	647.52
周隘陈	461	1067	0.00	651.20
前　宋	403	1031	0.00	625.52

续表44

村　名	常住户数（户）	常住人口（人）	耕田面积（公顷）	集体经济总收入（万元）
老　贺	456	1105	0.00	258.94
东岙山	591	1330	17.32	295.24
青　林	626	1501	38.09	230.15
西岙山	413	793	21.30	356.91
吕　鉴	276	772	3.38	131.17
杜　家	233	718	0.36	224.96
青　山	303	845	5.49	401.11
清　水	302	747	0.00	321.78
城　东	171	495	0.00	468.24
城　联	178	555	0.00	314.68
和　鸽	245	702	1.67	381.92
城　湾	631	1475	3.33	530.28
新　路	305	841	31.04	379.75
共　同	259	700	20.70	221.13
杨　岙	173	481	11.91	240.65
新　和	223	743	18.01	446.84
石　湫	563	1319	11.77	416.33
俞　王	305	753	0.00	362.04
徐　洋	374	1068	29.71	755.08
邬　隘	565	1534	15.25	460.69
湖　塘	708	2061	0.00	786.58
新　安	387	1152	28.68	281.48
柴　楼	431	1322	71.75	288.90
嘉　溪	440	1276	59.61	472.29
璎　珞	168	469	0.00	346.52
莘　岙	335	967	24.71	350.49
林头方	278	783	10.91	638.65
先　锋	281	774	5.01	628.62

【北仑区压铸模具产业集群】 1月，工业和信息化部公布了2022年度中小企业特色产业集群名单，全国共确定100家特色产业集群，其中北仑区大碶街道压铸模具产业集群榜上有名。该产业集群以培育模具细分行业“隐形冠军”为目标，建立优势企业服务绿色通道，加大科技支撑、资金扶持、土地资源等要素倾斜，帮助优势企业积蓄动能、突破瓶颈，加速朝“高、精、尖、新”领域发展。

【翟炜一行到北仑调研】 3月30日，全国人大常委会办公厅研究室副主任翟炜，在省人大常委会研究室副主任邹绍平、市人大常委会副主任胡军、区人大常委会主任贺威平等陪同下到北仑调研。翟炜一行走进大碶街道灵峰工业社区，了解社区基本情况和工作机制，询问社区人大代表联络站在“零距离”民意收集、“点对点”建议督办、

"全链条"数字赋能等方面的具体举措，围绕社区打造践行全过程人民民主基层单元的"灵峰模式"，对其在实际运行情况过程的相关情况作了深层次的研讨。

【佟桂莉考察高端汽配模具园区】 6月16日，省科技厅党组书记佟桂莉一行在宁波市政府党组成员、宁波开发区管委会主任奚明等陪同下，到北仑调研科技创新工作。在大碶高端汽配模具园区，佟桂莉一行听取了园区负责人关于北仑模具企业发展史以及园区企业发展情况的介绍，并与基层科技工作者代表就项目管理、平台建设、科研成果转化、人才政策等方面进行广泛的交流。

【省级未来工厂试点企业】 7月，浙江省经信厅公布了2023年省级未来工厂试点企业名单，宁波市有4家企业入选。宁波旭升集团股份有限公司作为北仑唯一的企业名列其中，这也是继宁波中集物流装备有限公司之后，北仑入选的浙江省第二家未来工厂试点企业。

【灵峰工业社区"红旗书屋"】 7月20日，由红旗出版社、北仑区委组织部、北仑区委"两新"工委主办，大碶街道党工委承办的灵峰工业社区"红旗书屋"落成暨《破局：工业园区里的社区建设实践》新书首发仪式举行。红旗出版社副总经理王晓宇、大碶街道党工委书记孙旭辉共同为"红旗书屋"揭牌。"红旗书屋"是红旗出版社在全国范围内启动的基层党建阵地建设工程，旨在用红色书籍、党建智慧屏、党史学习教育系列讲座等方式营造浓郁"红色书香"，赋能基层党建。揭牌仪式上，由市委"两新"工委专职副书记金燕，区委常委、组织部部长周成钢向北仑区委党校、区图书馆等相关单位负责人赠送了刚由红旗出版社出版的《破局：工业园区里的社区建设实践》一书。

【大碶高档模具小微企业园】 10月，浙江省经济和信息化厅公布了第一批浙江省专精特新产业园（创建）名单，北仑区大碶高档模具小微企业园成功入围。专精特新产业园聚焦产业定位，培育优质中小企业入园发展，通过建立专精特新企业梯度培育库、组建专业服务团队等举措整合优质服务资源，为入库企业开展对标诊断、精准服务和申报辅导等优质服务，为培育引导中小企业"专精特新"发展提供载体支撑。

【灵峰现代产业园企业产品亮相会】 11月28日，在中国国际展览中心（北京顺义馆）举行的中国国际供应链促进博览会正式开幕。大碶街道灵峰现代产业园企业产品首次登上链博会展台。链博会以"链接世界，共创未来"为主题，是全球首个以供应链为主题的国家级展会，共设立智能汽车链、绿色农业链、清洁能源链、数字科技链以及健康生活链五大链条。其中，智能汽车链作为链博会重点项目。此次登上链博会展台的是浙江华期科技股份有限公司自主研发的新能源汽车"三合一"完体模具。

12月17日，"塔峙大阿哥"拔河队获奖后集体合影

【"塔峙大阿哥"拔河队】 12月17日，大碶街道的"塔峙大阿哥"拔河队参加了"力拔山兮"第二届中国拔河运动文化交流大会暨全国拔河精英赛。本次全国级赛事吸引了来自体育界的专家学者和16支代表队的300余名运动员、教练员、裁判员参加。"塔峙大阿哥"拔河队获男女混合580公斤项目第四名。

（撰稿人：吴　瑶）

柴桥街道

【概况】 柴桥街道地处穿山半岛中部，东临白峰街道，以双石人山、福泉山、小门村为界；西靠九峰山界别大碶、霞浦两个街道；南有昆亭山、菖蒲山、狮子山与春晓街道接壤；北毗新碶街道与大榭开发区，辖区总面积65.2平方千米。街道办事处驻万景山路213号。2023年，街道辖8个社区、22个村。常住人口总户数16319户，总人口37039人，有流动人口28722人。街道全年财政总收入3.42亿元，同比下降24.21%；一般公共预算收入1.63亿元，同比下降20.14%；一般公共预算支出1.70亿元，同比增长4.2%。22个村的村级集体经济总收入3483.85万元，同比增长3.82%。区域内有学校4所，在校学生4755人；幼儿园7所，卫生机构34家，敬老院3所。

2023年，街道以实干、实绩、实效推动基层提能、产业提级、美丽提质、治理提效。累计引进、新落户多类型企业128家；完成杭甬复线三期、白云山路、临港一路南延土地调查及稳评工作，梅山铁路全线12个村勘测钻孔、六横高速12基铁塔基础建设、涉铁便道报批，六横高速主线38.06公顷土地干净交地、旭升35千伏、镇东变110千伏全线土地政策处理。推进创建现代化美丽城镇，全年安排民生项目33个，其中已竣工的银杏公园、花农客厅等17个项目共投资2700万元，16个城镇提质项目均已陆续开工。完成农村环境整改3572处、田园整改点位1503个，推进实施农村综合改革项目5个、“一环十线”子项目6个。完成粮食作物种植48.57公顷，耕地功能恢复面积13.07公顷。

2023年，完成后所村供水户网改造施工，实现同网、同质、同价、同管理、同服务的城乡供水一体化。举办首届杜鹃花Xiang生态旅游节。旅游节设置了迷你马拉松、杜鹃花王评比、杜鹃盆景展销、柴桥美食品尝、非遗文化展示等项目，丰富了人民群众的文化生活。宁波紫恒建材科技有限公司坚持“绿水青山就是金山银山”的理念，投产的冶金渣综合利用生产线助力宁波钢铁成为业内首家实现固废零排放的钢铁企业。其处置固废物的做法被拍摄成纪录片《双城记》在CCTV-4《发现之旅》频道播出。

2023年，结合美丽城镇建设，按照原貌设计重建文昌阁；精选胡焦琴、李志坚等11位柴桥名人绘制“芦江群贤图”，在文教区打造观澜客厅，形成居民5分钟阅读圈和沉浸式非遗体验空间。6月，文昌阁、观澜客厅双馆同时启用。完成浙师大附属芦江书院改建工程，9月份已投入使用。该项目在拆除原有小学部宿舍楼和食堂基础上，原地新建教学楼、综合楼等建筑，新建部分的总建筑面积为6579.36平方米。

5月，市妇联命名宁波市首批巾帼爱国主义教育基地，柴桥街道红色景山爱国主义教育基地（胡焦琴烈士纪念碑）入选。该基地建筑面积5000平方米，由公园广场、宣誓平台、胡焦琴烈士纪念亭等景观小品组成。钟观光故居成功创建首批省三星级乡村博物馆和省科学家精神教育基地；9月，宁波市人民政府新公布第四批市级文物保护单位，钟观光故居入选，与文昌阁、开放观澜客厅等一并成为柴桥古镇3个文化新地标。

街道现下设芦北、芦南、穿山、养志、万景山、紫石、后所、瑞岩8个社区。

2023年柴桥街道各村经济情况一览表

表45

村 名	常住户数（户）	常住人口（人）	耕田面积（公顷）	集体经济总收入（万元）
合 计	10365	24273	853.97	3483.85
同 盟	976	2263	59.00	762.55
沃 家	271	615	5.51	528.31
后 所	991	2552	78.93	307.98
红 光	778	1516	25.33	412.94
东山门	752	1508	29.40	408.12
河 头	878	2051	62.93	132.33
岭 下	849	2160	60.00	103.77
穿 山	606	1244	10.67	61.55
芦 江	255	612	13.87	104.93
田 洋	217	474	11.00	57.49
沙 溪	493	1247	47.73	57.99
洪 溪	255	658	47.00	53.02
前 郑	221	538	29.62	51.02
水 芹	200	499	9.04	55.02
洪 岙	340	806	47.17	54.28
高 村	293	709	33.60	59.09
久 勤	315	746	39.67	43.32

续表45

村　名	常住户数(户)	常住人口(人)	耕田面积(公顷)	集体经济总收入(万元)
四　合	552	1328	91.00	44.84
上　史	238	566	28.53	50.5
东六房	228	598	30.03	44.18
后　郑	283	690	35.07	50.34
大　溪	374	893	58.87	40.28

【“红色根脉”强基示范村】 6月，浙江省公布“红色根脉”强基示范县(市、区)、示范乡镇(街道)、示范村(社区)名单，柴桥街道芦江村上榜浙江省“红色根脉”强基示范村。芦江村位于街道城区东南面，依傍芦江河，有村民255户，612人。自开展创建示范村活动以来，芦江村围绕“共同富裕”主题，抓住“高质量发展”关键，巩固党支部标准化、规范化建设成果，不断壮大集体经济，提升人居环境，增进民生福祉，全村已呈现一派新的风貌。

万景山社区的夜景图

【镇海棘螈入选省生物多样性保护案例】 5月19日，由生态环境部宣传教育中心指导，浙江省生态环境厅、省林业局和宁波市人民政府主办的“2023年国际生物多样性日浙江主场活动”在宁波举办。本次活动中，浙江省发布全省生物多样性保护十大案例，柴桥街道的“北仑，国家一级野生保护动物‘镇海棘螈’保护之路”入选。

【花农客厅暨王明康共富楼】 10月17日，柴桥街道花农客厅暨王明康共富楼启用仪式举行。宁波甬港联谊会副会长沈海宏，香港宁波同乡会会长范久祥，区委副书记、政法委书记方飞龙等出席仪式。柴桥街道被誉为“中国杜鹃花之乡”，从20世纪70年代末种植花木至今已有近50年历史。街道34个村社，有33个以种植花木为主，超95%的农民种植花木，从业人员2万余人。建设花农客厅暨王明康共富楼，旨在联络更多花农，在项目帮富、技术创新、产业升级等方面多向发力，为柴桥花农共富花提供广阔的平台。香港同胞王明康的女儿王慧飞为项目捐资200万元设立共富基金，表示对家乡人民走共富之路的关心与支持。

【柴桥儿童公园】 11月4日，街道“薪少年”家校社协同共育联盟启动仪式暨银杏儿童友好公园开园活动在银杏公园举行。银杏公园总用地面积4600平方米，是街道2023年“微改造、精提升”重点项目之一，包括以银杏为主题的健身休闲广场、户外及户内青少年、儿童游乐活动区及沿河周边的绿化提升等内容。

【万景山社区入选省第四批未来社区】 12月，浙江省第四批未来社区名单公布，柴桥街道万景山社区入选。该社区位于街道主城区北侧的万景山下、芦江河畔，实施单元占地56公顷，含7个居民小区，5所学校、1家医院、12家企事业单位，现有常住人口5650人，其中户籍人口892余人。社区曾获浙江省高标准生活垃圾分类示范小区、省民主法治社区、省节水型小区等多项荣誉。

【“北仑区花田共富工坊”入选省级示范名单】 12月，省委组织部、省委两新工委公布第一批省级示范“共富工坊”名单，其中柴桥街道的“北仑区花田共富工坊”榜上有名。“北仑区花田共富工坊”是街道根据区域花木发展需求而搭建的产业平台，为辖区8200余户花农提供育种、种植、销售、转型升级的花木全生命周期产业服务。工坊设立“花享晚年”“花匠赋能”“花香青创”“花乡研学”“花亦有情”五大共富项目，带领全年龄段花农，蹚出了一条“大户带小户、联建促共富”的特色产业集聚区共富之路。

【星级侨胞之家】 12月，省侨联公布2023年度浙江省侨联系统“星级侨胞之家”上榜名单，柴桥街道芦南社区获五星级“侨胞之家”称号；穿山社区、芦源社区、芦北社区获四星级“侨胞之家”称号。

（撰稿人：郭　翀）

霞浦街道

【概况】 霞浦街道位于北仑区域中部，东毗邻柴桥街道，西与新碶、大碶街道接壤，南与柴桥、大碶街道相连，北濒金塘水道，是北仑港区重要的陆域腹地，行政区域总面积34.2平方千米。办事处设在陈华村关毛陈60号，距宁波市区32千米。街道下辖7个社区、15个村。2023年，户籍人口13543户、29536人，有流动人口38293人。境内有中小学学校2所，幼儿园7所；设社区卫生服务中心1家、社区卫生服务站5家、农村卫生室6家、敬老院1所。

2023年，完成财政总收入9.07亿元，同比增长61.7%；完成一般公共预算支出1.26亿元，同比下降8.2%。村集体经济收入4000万元，同比增长6.7%。完成规上工业企业总产值720.5亿元，同比下降4.11%；其中街道本级70家规上工业企业产值76.1亿元，同比下降0.22%；宁钢、宝新、台塑等8家临港大企业完成工业产值644.4亿元，同比下降4.55%。25家限上批发企业销售额完成293.67亿元，同比增长67%。完成街道本级综合税收8.84亿元，同比增长55.9%，其中存量企业税收8.43亿元，5年内新增三产税收0.41亿元。全年有效投资64.88亿元，同比下降29.7%；工业投资30.17亿元，同比下降36.58%。科技创新能力评价入围宁波市乡镇（街道）30强。新增项目15个，总投资21.48亿元。完成台化年新增25万吨ABS树脂等竣工投产项目6个。招引各类企业114家，申报国家级、省级人才9人，入选市甬江人才工程资本引才项目1个，精准引进专业技术人才10名。召开临港大工业企业座谈会，优化调整“一企一策”机制，帮促企业释放发展活力；强化申报指导，遵航汽车等5家企业入选宁波市专精特新中小企业，德马格等4家企业入选绿色工厂项目。聚焦转型升级，推进企业“腾笼换鸟”，全年11家规上企业获得亩均评级A级，13家低效企业整改提升，淘汰落后产能企业4家。

2023年，完成31.73公顷粮食生产功能区整治任务。街道粮食生产功能区总面积达93.37公顷，另有21.32公顷土地列入省粮食生产功能区储备区图库。全年粮食种植面积为220.35公顷，超额完成粮食种植172.27公顷。投入资金140万元，以高标准农田的建设标准，配套实施多个农田水利工程项目。

2023年，落实城市“品质、治理、文明”三大提升行动，投入1900万元创建新浦省级引领型未来社区；加大G329等主干道路沿线环境治理力度，建成1个“席地而坐”示范区。投入860万元实施“一环十线”等8个美丽乡村工程；推进“洁美田园片区”整治，提升农田美化与环境亮化。完成区域内3个村115户居民拆迁、8个村10.21公顷土地的征地任务，为杭甬复线三期等6个重大项目顺利推进提供保障；通过部门联动推进仓储整治，启动4块共63.53公顷仓储用地的腾退工作。专班化运作落实空间整治专项行动，完成国土变更调查整改图斑54个、永农整改图斑10块，共计整改土地11.11公顷。

2023年，部署维稳安保工作，及时解决苗头性倾向问题、群体性矛盾问题5起。以“大数据+大脚板”推动矛盾排查落实落细，升级“网格+村民说事”的基层治理模式。重视初信初访，推行“首问负责制”，全年共受理、解决来访452件；联系区领导到街道下访接待，办结重复信访事项4件。深化“顶层责任落实—包片责任覆盖—重点防范补缺”三级安全体系，完成群租房底数等排查工作，开展6类专项整治主题月活动，以案为鉴推动5类专项整治工作，承办3次区域性应急处置演练；全面排查安全隐患4267条，重点隐患416条。采用多种形式开展法治宣传活动，加快法治文化阵地建设，张人亚党章学堂成功创建为第一批浙江省法治文化传承教育基地和第四批全国法治宣传教育基地。

2023年，投入2600余万元实施8个民生实事项目。新建600平方米文化驿站1个，新增“15分钟品质文化生活圈”4个；谋划完成26个“微改造、精提升”项目，全年党章景区人流达6万人次。承办“亚运四进”体育赛事活动、第十八届“霞浦杯”三人制篮球赛、“霞浦杯”北仑区第四届街道机关篮球联赛、北仑区全民健身大联赛中部分比赛等群众性文体活动。新浦老屋升级为市级文物保护单位，张人亚衣冠冢升级为省级文物保护单位，张人亚党章学堂获评浙江省四星级乡村博物馆。人亚学校工程有序推进，完成霞浦学校、九峰小学、九峰幼儿园基建设施改造。上傅村慢病“六师共管”和家庭医生工作室授牌成立。北仑智慧健康服务仓霞浦街道分仓落户物流工业社区。沙湾社区完成创建省级无障碍社区工程验收。新浦爱心食堂被评为市“优秀老年食堂”，儿童友好街区入选市级儿童友好城市现场会参观点位。完成小额冠名慈善基金4家。上傅村退役军人服务站被评为2023年度浙江省枫桥式退役军人服务站。

2023年，开展党建引领全面赋能，持续放大“1（学堂）+2（医地共建、村企联建）+N（村社）”党建品牌效应。“卡嫂”共富工坊获评市级“巾帼共富工坊”；“医地融合”助推优质医疗资源下沉基层；实施社工跨域岗位调整，优化调整村级干部4名，推动年轻干部提能。扛起从严治党主体责任，推进“四责协同”，全覆盖开展廉政风险排查，推进基层公权力线上平台工作，处理预警问题。推出《伟大建党精神》专题展，张人亚主题电影《力量秘密》全国上映，党章学堂获省级“习近平新时代中国特色社会主义思想现场教学示范点”等荣誉5项，市、区级荣誉4项。

街道现辖黄鹂、凤凰、新浦、陈华浦、百灵、物流园区、沙湾7个社区。

2023年霞浦街道各村经济情况一览表

表46

村　名	常住户数(户)	常住人口(人)	耕田面积(公顷)	集体经济总收入(万元)
合　计	5009	12282	165.89	4000
山　前	419	944	162.00	717.76
陈　华	487	1287	235.00	473.26
上　傅	526	1408	420.00	241.93
河　西	258	518	120.67	373.88
方　戴	0	0	0.00	94.71
河　东	305	525	83.39	176
霞　西	198	459	310.00	320.14
书　院	837	1900	0.00	400.81
霞　南	502	1122	500.00	219.58
通　山	236	556	0.00	182.72
水　俞	833	2500	42.92	243.46
朱　塘	0	0	0.00	148.57
宝　山	96	260	380.00	178
胜　利	198	523	145.00	135.4
宝　前	114	280	89.00	93.78

【千名老外、百个社区(村)迎亚运接力跑】 4月23日，由宁波市新闻办、宁波日报报业集团、区新闻办、区文广旅体局主办，霞浦街道办事处承办的宁波市“千名老外、百个社区(村)迎亚运接力跑”北仑站启动仪式在霞浦街道新浦社区的张人亚党章学堂初心广场上举行。街道党工委书记林峰为活动致辞。本次接力跑北仑站共设置7个接力站点，张人亚党章学堂为首发点位。活动现场共有8个助跑方阵，200多人参与活动。

4月23日，“千名老外、百个社区(村)迎亚运接力跑”北仑站启动仪式举行

【张氏宗祠】 6月2日，宁波市住建局负责城市历史建筑保护的张文革一行到霞浦街道考察已列入宁波市首批历史建筑推荐名单的霞南村张氏宗祠。推荐名单共涉及宁波市7个区域424处历史建筑，其中张氏宗祠等11处已属于濒危，亟待保护。张文革一行针对建筑物保护和修缮过程中出现的问题和下一步的有效利用提出了建议和意见。

【习近平新时代中国特色社会主义思想现场教学示范点】 9月，霞浦街道张人亚党章学堂现场教学点成功入选浙江省首批学习贯彻习近平新时代中国特色社会主义思想现场教学示范点。建党初期，共产党人张人亚冒着生命危险守护中国共产党首部党章，被誉为“党章守护者”。近年来，北仑区深入挖掘张人亚红色资源，精心打造张人亚党章学堂。开馆6年来，张人亚党章学堂已吸引超35万人次参观，成为浙江省党员教育基地和党史学习教育重要阵地。

【宁波市儿童友好现场会】 11月24日，宁波市儿童友好现场会暨北仑儿童友好实践研讨会在霞浦街道举行，北仑区委副书记方飞龙、区妇联主席费淑娟等在街道党工委书记林峰陪同下，与出席会议的来宾100余人实地参观了街道的文化客厅、最美上学路、人亚儿童友好馆和霞浦学校等儿童友好示范点位。在随后召开的现场座谈会上，共同就儿童友好的相关议题作了深层次的探讨。

【“张人亚的力量密码与伟大建党精神”专题研讨会】 于12月1日在张人亚党章学堂召开。这是在张人亚党章学堂开馆6周年之际，由北仑区委、开发区党工委学习贯彻习近平新时代中国特色社会主义思想主题教育领导小组办公室与人民日报海外版新媒体“学习小组”共同策划的专题研讨会。中共中央党校、中国浦东干部学院、复旦大学、中共“一大”纪念馆等一批知名的党史及党建理论专家参加了本次研讨会，围绕张人亚事迹的时代价值、伟大的建党精神其丰富内涵开展深入研讨，并与在场青年干部进行热烈交流与互动。

（撰稿人：陈晓东）

图为张人亚党章学堂入口处

12月1日，在张人亚党章学堂召开专题研讨会现场

戚家山街道

【概况】 戚家山街道位于北仑区西北隅，因民族英雄戚继光曾在此地抗击倭寇入侵而得名。东与新碶街道接壤，西和南连小港街道，北接甬江和金塘港。区域面积18.6平方千米。街道办事处位于小港东海路16号，辖东升、渡头、蔚斗、鹰山4个居民社区和青峙、联合2个工业社区。2023年，街道总户籍人口18627人，均为城镇居民；有流动人口25004人。街道全年财政总收入14.95亿元，同比下降10.2%；完成正常性税收13.94亿元；一般公共预算支出1.54亿元，同比下降4.5%，完成预算的94.1%，其中上级补助支出724万元。区域内有学校2所，初中在校学生1079人、小学在校学生1739人；幼儿园5所，在园幼儿1458人；卫生机构13所。

2023年，街道实现规上工业总产值626亿元，同比下降0.5%；限上商品销售额536亿元，同比下降2.05%；全社会固定资产投资38.84亿元，同比增长24.7%；实现正常性企业税收13.94亿元。完成规上工业企业管理创新评价全覆盖，申报“龙腾”企业4家，获评国家专精特新“小巨人”企业1家。完成亩均评价系统核定企业10家，整治低效用地规下工业企业17家，为三星腾退地块，招引环洋和巴德富2家优质企业。推动宁波金发二期大项目落地。全年吸引新注册企业182家，引进年销售10亿元以上贸易批发企业3家，进入甬股交培育孵化企业10家，列入宁波市拟上市企业培育库2家。

2023年，签订杭甬复线三期线位内拆迁协议共16个，并全部腾空，完成沿线住宅拆迁任务；迁移坟墓283座，测绘评估沿线15家企业，完成所有企业土地报批签约；完成亚浆、永祥试桩项目。签订甬舟铁路项目线位涉及区域的拆迁协议共11个，完成沿线企业的全面搬迁；完成征收李隘区域共3.80公顷土地，确保重大项目前期保障有序。

城市更新扩面提质。联合工业社区邻里中心、浃江涟韵精品线景观提升、蔚斗小学体育场改造等17个项目全部竣工。15分钟生活圈建设持续深化，公园路南段“六小行业”餐饮污水改造和长江经济带涉及街道的5个涉水问题整改已显实效。推进市容整治常态化，蛟山公园成功创建宁波市“席地而坐”城市客厅示范区域。深耕红色资源，开发开放展览馆获评浙江省第一批乡村博物馆，蔚斗小学旧址获评宁波市第四批市级文物保护单位和第二批保密教育基地，蛟山公园获评宁波市红色旅游教育基地。

组织“法助共富 法护平安”等主题普法宣传活动5次、“反诈大讲堂”126场。化解社会矛盾，增配专职调解员1人，受理调解案件249件，涉及金额超300万元。稳妥开展接访工作，落实领导带班制度、信访值班值守制度，完成各级“两会”及亚运期间安保工作。推进社会综合治理，调整网格、微网格，充实网格力量，确保社会稳定。深入开展安全隐患大排查大整治，消除厂中厂、群租房、沿街店铺在燃气安全、消防安全中的大批量安全隐患，采取“有效业主平均分摊+失联业主无因管理+政府适当补助”模式，完成金融贸易大厦消防安全隐患的整治。

关注民生，开展主题教育。通过干部下基层，形成17份调研报告，破题攻坚老旧小区整治等重难点问题4个。发布“筑宁家”社区治理子品牌，形成居民社区“一社区一特色”，实现基层治理精准增效。推进共同富裕。以品牌带动创新，成立7个共富工坊，帮助百余名低收入群体实现增收，戚家山社会工作站获评省五星级乡镇（街道）社会工作站，“蔚聚力共富工坊”获评市巾帼共富工坊。

从严治党。完成35项区委巡察整改任务，建立街道层面制度7项；开展廉政教育，通过廉政谈话，处置相关问题线索，确保廉政教育不走过场。

【居民议事会】 2月24日，戚家山街道召开第一次居民议事会会议，区党代表，市、区的人大代表、政协委员，街道居民议事员，街道党政班子成员与各科室及驻街道行政机构负责人参加会议。会议听取了街道办事处2022年工作报告、民生实事项目完成情况；2023年街道办事处民生实事项目安排计划、预算编制和区人大戚家山街道工委2022年工作报告。与会人员还对2023年民生实事项目进行票决。

【《戚家山街道志》发行】 4月20日，《戚家山街道志》发行仪式在浃江书院举行。《戚家山街道志》共15篇约90万字，内容涵盖人文、地理、政治、军事、经济、文化诸多方面。它如实记载了千余年来戚家山街道境内自然与社会的历史变迁，把握详今略古、侧重经济人文、尽力反映时代特点和地方特色，以发挥地方志经世致用的作用。

【安全生产月活动】 6月9日，街道“安全生产月”活动启动仪式暨消防火灾疏散逃生演练在北仑橡胶产业园宁波安东新材料有限公司举行。辖区7家厂中厂企业员工及各单位相关人员参加演练。本次活动中，街道根据上级统一部署要求，结合开展安全生产隐患大排查、大整治行动和“园中园”“厂中厂”及电、气焊作业等重点整治任务，围绕安全生产这条主线，集中开展系列宣传教育活动。

【无结核街道】 7月26日，北仑区“无结核街道”建设启动仪式在北仑区公共卫生中心举行。戚家山街道成为北仑区首个“无结核街道”创建单位。“无结核街道”是指街道常住人口中肺结核年发病率低于10例/10万人。国家通过建设和实施“无结核街道”项目，将能在街道范围内获得成本效果的综合防控措施予以推广应用，从而将点状分布的“无结核街道”，逐步扩展到点、线、面一体的无结核地区和城市，从而使实现终结结核病流行的目标成为可能。

【徐纪祥到街道调研】 8月25日，宁波市退役军人事务局副局长徐纪祥率调研组到街道调研人民武装与退役军人事务融合发展情况。徐纪祥一行实地参观了街道人武部与退役军人服务站的共同办公场所，听取了街道人民武装与退役军人事务融合情况汇报。街道通过整合人民武装与退役军人事务资源，实现优势互补、信息互通、资源共享，为应征入伍青年、现役军人家属、退役军人、民兵及其他优抚对象提供规范、精细、精准和常态化服务的做法得到了徐纪祥一行的肯定。

【区民族团结进步促进会戚家山分会第二次代表大会】 于10月12日在街道会议室召开。会议听取了戚家山分会第一届理事会工作报告，审议通过《北仑区民族团结进步促进会戚家山分会章程修正案》《北仑区民族团结进步促进会戚家山分会第二届理事会选举办法》，选举产生戚家山分会第二届理事会理事、理事会会长、副会长、秘书长和副秘书长。

【街道文联第二次代表大会】 于10月31日召开。大会听取了《北仑区戚家山街道文联第一届委员会工作报告》，审议通过《北仑区戚家山街道文联章程修正案》《北仑区戚家山街道文联第二届委员会委员选举办法》，选举产生戚家山街道文联第二届委员会，谢翠丰当选为新一届街道文联主席。

【与美姑县开展协作结对帮扶】11月，街道人大工委主任邱益君率考察组到四川省凉山州美姑县候古莫镇。该镇于2021年与戚家山街道签订结对共建协议，街道每年资助该镇30万元，时间为3年。本次考察主要任务是交流脱贫攻坚成果、为美姑县“儿童之家”和牛牛坝镇小学校上门送教，实地考察“岩鹰鸡”结对帮扶项目进展情况。2023年，街道还发挥商会作用，通过公益助学、村企结对等项目，助力对候古莫镇的帮扶。辖区12家企业为候古莫镇捐款共计26万元，8家企业通过“荞麦花开”支教助学的方式向候古莫镇捐款18万元，4家企业分别与候古莫镇下辖村开展结对共建。

（撰稿人：李明瑞）

春晓街道

【概况】春晓街道位于北仑区南端。街道全域三面环山，一面临海，东北连接白峰街道，东南濒临东海，西接鄞州区瞻岐镇，北界柴桥与大碶街道，区域面积75.81平方千米。街道办事处设在滨海新城听海路566号。2023年，街道下辖6个村、3个社区，总户数11585户，总人口20265人，其中城镇居民17686人，农村居民10586人。街道财政总收入7.77亿元，同比增长53.4%；财政总支出1.85亿元，同比增长131.9%；村集体经济总收入3427万元，同比增长1.7%。

区域内有学校4所，在校生6362人；幼儿园5所，卫生机构2所，敬老院1所。

2023年，街道完成区域税收7.54亿元，同比增长55%；新增三产税收7541.5万元，同比增长129.39%。规上工业产值197.52亿元，其中32家高增长企业，完成产值53.03亿元，同比增长5%。全社会投资累计12.3亿元，同比增长121%，其中工业投资完成10.3亿元，同比增长125%。服务业限上批发销售额182.2亿元，基本稳定在去年同期水平。街道力推米驰厨房等21家C、D类企业腾退转型，完成20公顷工业低效用地整治。培育壮大企业主体，全年新增高新技术企业16家，区级绿色工厂8家，省级专精特新中小企业4家，创新型中小企业1家，区级企业工程技术中心1家，市级B类实验室2家。

推进重大项目建设。完成省级“大碶—春晓通山达海中轴风景带”县域风貌样板区建设；实时解决象山湾疏港高速等各大工程项目涉及用地的相关问题16个；推动六横高速项目涉及的19.42公顷土地100%完成交地；完成甬绍东段液化天然气联络线工程0.133公顷狮子岩隧道进口用地的交付；为杭州亚运会火炬传递在宁波站顺利进行提供保障，整改各类非正规垃圾点位43处约25000平方米，清理田园各类乱堆黄土、农业废弃物等8批次560余处。

2023年，街道成功创建省5A级景区街道，三山村入选省首批“百村争鸣”文化艺术村，并获评省级未来乡村优秀等次；慈岙村获评省级文明村；干岙村、民丰村获评北仑首届最美村庄综合奖，进一步擦亮春晓全域旅游特色品牌。露营文化旅游、集市文化旅游、“春咖”乡村休闲品牌等旅游新业态催生春晓湖露营基地、双狮农场、周野农场、东山书屋等网红打卡点。村社集体经济参与登山、康养、户外拓展等微度假地打造，将茶叶、金桔、土豆等本地特色农产品的包装推介及传统美食制作技艺的体验与文旅相结合，形成以海和森、孟君茶叶等农业龙头企业为带动，九天岙等综合性家庭农庄为拓展，双狮农场咖吧等新业态为爆点的共富工坊集群，提升区域核心竞争力。成功举办第四届春晓乡村文旅嘉年华、北仑（春晓）首届露营文化节、国际茶日暨春晓首届“茶文化”诗词大赛、蓝湾欢乐跑活动、第十二届春晓乡村风情文化节等10项具备市域影响力的文旅活动，增强春晓文旅“黏性”。全年共接待游客200万人次，同比增长3%，其中节庆活动20万人次，同比增长10%，旅游综合收入超2亿元，同期增长5%。

推进民生实事项目。春晓实验学校风雨廊、乡村美化亮化提升、水利设施改造提升、春晓菜场公交候车亭设施改造提升、幼儿园维修改造提升等5个民生实事项目全部落地完成。千万工程持续走实，村级优秀达标率50%，洁美田园优秀片区数量占全区50%。做深“爱心食堂”金色招牌，打造“15分钟居家养老服务圈”。托实“善居工程”安居梦想，帮助13户困难家庭开展“一户一策”住房改造。开启“零工市场”“24小时不打烊”，让就业更有温度。

推进党建与社会治理相融合。选优配强党组织负责人、网格员、党建联络员，探索建立小区党组织实体化运行机制。在重点区域，提升打造多功能、智慧型“甬爱E家”户外劳动者服务驿站，建设吉利春晓大道数字化综合服务场景、星悦荟快递小哥综合服务场景。落实“春锋龙虎榜”党建亮显行动，通过民生项目揭榜挂帅、导师一对一帮带、社会课题认领等形式，健全年轻干部全周期培育机制。持续加大食品安全力度，街道获评省五星级食安办。打造“春风拂晓 法润山海”法治文化品牌，创建市级法治建设示范街道，获评省“八五”普法中期成绩突出集体。三山村、干岙村成功创建省级、市级民主法治村，实现民主法治村全域覆盖。探索开展“无诈村社”创建试点。发挥“全国模范人民调解员”和全省金牌调解工作室“双模”示范引领作用，全年调处各类纠纷600余起，调解成功率99.6%以上。肃纪清风，推动整改拆除，完成世茂海滨花园违建整改“销号清零”目标；紧盯企业安全生产，接收企业员工相关建议问题30余条，打通基层监督的“最后一千米”，相关工作经验被省纪委反腐败导刊等新闻媒体推广。

街道现下设3个社区：洋沙山、明月湖、春晓湖。

2023年春晓街道各村经济情况一览表

表47

村 名	常住户数(户)	常住人口(人)	耕田面积(公顷)	集体经济总收入(万元)
合 计	9054	20265	402	3427
三 山	3091	7826	169	918
昆 亭	2200	4000	75	881
慈 岙	2103	5217	67	1071
成 昶	1015	2760	50	257
千 岙	492	187	18	172
民 丰	153	275	23	128

3月4日，街道首届春季职工趣味运动会的颁奖仪式

【老裘调解工作室】 于2月获评省级金牌人民调解工作室。该工作室是以调解员个人名字命名的品牌调解室。老裘即裘尧伟，春晓街道人民调解委员会专职人民调解员、工作室负责人。自2019年下半年工作室挂牌并投入使用以来，裘尧伟发挥和利用调解员的人脉和优势，倾力打造人民群众心中“做得好、信得过、叫得响”的人民调解工作室品牌。他坚持“熟”“专”“全”“传”“钻”五字诀，入手打造品牌化、规范化、实用型、辐射型、创新型的人民调解工作室，获当地人民群众一致好评。

【街道首届春季职工趣味运动会】 于3月4日在春晓实验学校操场举行。运动会由街道办事处主办，并以“迎亚运展风采 争进位谱新篇”为主题，设置拔河、无敌风火轮、毛毛虫竞技、背靠背心连心、4×50米男女混合接力赛、团队跳绳等6个趣味比赛项目。有来自街道机关、村（社区）、基层站所、春晓区域企业的干部职工共10支队伍、200余名运动员踊跃参加。参赛运动员团结协作，比赛趣味横生，最后分别决出比赛项目的一、二、三名。

【铭泰汽车运动孵化园】 4月15日，铭泰汽车运动孵化园在位于春晓的宁波国际赛道正式揭牌。打造汽车运动孵化园是吉利铭泰集团顺应汽车产业发展潮流的重大举措，孵化园可以依托宁波国际赛道，立足现有的运营模式，打造赛道产业平台，推进汽车文化产业化，拓展更多赛事、培训、旅游、文创等“文旅体+”新经济，助力北仑“双一流双示范”建设。

【庆祝“5·21”国际茶日暨春晓首届“茶文化”诗词大赛】 于5月14日在春晓街道明月湖畔举行。市、区相关部门领导与茶艺、书法、诗词等专业人士齐聚春晓，旨在共享“茶”盛会，推介“茶”品牌。春晓绿茶制作技艺于2014年成功通过宁波市非物质文化遗产项目申报。绿茶产品“三山玉叶”于2007年被评为“宁波市八大名茶”之一，在国内外多项名优茶评比中数次获金奖。本次活动将茶文化和诗词文化相融合，促进文化与经济的融合发展。现场还举行了“春生晓梦诗画共富”美丽春晓首届诗词大赛颁奖仪式。大赛自2022年7月启动，以春晓辖区内的自然风光、户外运动、人文历史等内容为诗词创作主题，最后评选出一等奖2名、二等奖3名、三等奖15名、优秀奖60名。本次活动由区政府主办，区农业农村局、春晓街道办事处等单位共同承办。

【春晓菜场】 于8月18日举行开业典

春晓菜场开业外景图

礼。街道党工委、办事处、人大工委及街道商会等主要领导出席典礼。春晓菜场北临严玉德幼儿园，南望泰河中学，西临山海丽景小区和咸昶村，东朝花海。菜场按照四星级标准建设，营业面积达3500平方米，内设各类摊位80个，外有停车位80个。便民的微公交已开通，为在春晓城区的居民提供了良好的生活环境。

【街道首届全民运动会】于11月5日在位于春晓的北仑区泰河中学开幕。运动会以“全民健身享健康 团结奋进促发展”为主题，以“全民参与全民运动”为宗旨。全部比赛为期7天，包括拔河、篮球、象棋、武术、乒乓球5个比赛项目，其中乒乓球项目设泰河中学、昆亭村桂池文化礼堂、三山村合宅文化礼堂、慈岙村上横乒乓球场4个分赛场。来自街道各科室（站所）、村（社区）、企事业单位共80支代表队、计800名运动员参加比赛。

（撰稿人：刘海燕）

梅山街道

【概况】梅山街道地处北仑区东南部穿山半岛，东临峙头洋，西贯象山港口，南濒汀嘴港与舟山市佛渡岛、六横岛隔海相望，北与白峰、春晓街道相连。街道区域总面积32.8平方千米，距北仑城区19.5千米。办事处驻梅中村士杰路266号，现辖5个村、2个社区。街道居民总户数8495户，总人口26359人，其中有户籍人口18650人，外来人口7709人。有少数民族人口79人。2023年，街道财政总收入1.67亿元，同比增长12.1%；财政总支出1.67亿元，其中农业支出2296万元，补助村级支出1176万元，同比增长12.1%；村级集体经济总收入2833.33万元，同比下降39%。区域内有九年一贯制学校1所，在校中小学生1071人，有幼儿园1所，卫生机构9所，敬老院1所。

2023年，街道累计完成规上工业产值35.61亿元，同比下降33.4%；完成工业投资5.8亿元；完成限上商品销售额221.04亿元，同比增长56.3%；限上消费品零售额6.7亿元，同比增长66.1%；完成企业税收4.47亿元，同比下降29.1%；新增三产税收完成9291.68万元，同比增长14%。全年招引落地企业42家，注册资本9.3亿元。完成粮食保供种植任务，种植早稻29.8公顷，晚稻80公顷，钟家塘灌区入选宁波市优秀典型改革灌区（片区）。完成重大项目征地2.85公顷、拆迁4000多平方米。梅山码头道路二期工程全部通过竣工验收，使港口基础设施重点项目配套道路按时通车；按时完成为梅山铁路提供专线保障的全部勘探作业，“930项目”、白峰煤气站项目等用地进入前期谋划和勘察阶段。投资2.9亿元的吉利SEA平台成功落地梅山，完成总投资10.1亿元的CS1E、CX1E技改项目。围绕产智融合，组织开展“青年创想论坛”等活动36场，累计为岛上科研院所输送高层次人才简历176份，为9个国家级人才项目“牵线搭桥”；助力申报10个省级人才项目，推动北京航空航天大学、北京大学宁波海洋药物研究院等辖区内科研院所与拓普、燎原、玉健等82家企业开展实质性产智融合。完成宁波市北仑区梅山商会换届。

2023年，注重关注民生。抓住在梅山举行“亚运火炬传递”的机遇，开展全域环境提升行动，实施重点提升项目11类33个、水环境综合整治提升项目9个，有序推进梅中非遗街区项目，完成“三改一拆”项目4.5平方千米。完成历史遗留“裁而未执”全部案件的执行，街道整体面貌得到显著改变，获评杭州亚运会火炬传递和女排奥运资格赛保障工作先进集体。打造“巷清、景美、人和、居安”的美丽乡村，全年整改存在问题1294个。梅港村“百花香百村”项目开工建设，低（零）碳乡镇（街道）省级试点获得阶段性成果。文旅工作呈现亮点。亲子度假、滨海运动、露营研学等领域的旅游基础设施不断完善，推进市第6批“精特亮”创建项目“薪火相传线”；一批“小而精”的景点显露民宿实力，“0号营地”成功举办“观涌2023海上音乐会”，超50万名观众在线聆听；梅山湾粉黛乱子草成为新晋生态景观网红打卡地，带动周边民宿成为游客必住点；梅中村、梅港村获评最美村庄单项奖；梅中村上榜宁波市首批50个艺术赋能村。扩大非遗文化影响，成功举办第六届海洋民俗文化节，承办第二届“甬镇兴”宁波市大学生乡村振兴创新实践大赛集中调研活动，“狮王工坊”订单月均突破40个。累计接待全市研学学子逾

4000人，梅山学校、宁波大学（梅山校区）获区级非遗传承教学基地。跟进并对接美的片区邻里中心等民生实事项目，成立“咏梅社区”健全美的片区的管理服务。全周期服务“一老一小”，新建婴幼儿照护驿站1个、四星级母婴室1个，新增标准化爱心食堂2家。完成农村生活污水处理终端、社区卫生服务中心辅助用房改造提升工程。设立街道集卡司机慈善公益基金，提升梅东集卡服务中心“甬爱E家”服务水平。保障青年就业，邀请全区108家企业为宁波大学毕业生提供岗位1300个。完成梅山绿岛巴士转制划转，纳入区公交公司统一管理。

2023年，开展基层基础大排查和安全生产大排查、大整治，创造平安、和谐、稳定的社会环境。推进大综合一体化改革试点，累计化解信访积案3起、办结信访件290个，处理信访投诉43件，回复率和满意率均达到100%。处置各类纠纷156件，帮助181名员工追讨薪资201.4万元。收集到重点村情民意50条，有效化解梅东村、碶塔村出现的社会矛盾。对安全隐患治理实现闭环管理，在完成全部在册企业联系排查全覆盖基础上，将全岛2家涉氨企业、省库36家工业企业纳入安全动态管理网络，累计上门巡查165次，上报隐患线索129条，督促整改问题410个，实现风险动态清零。推进普法与执法，保持街道级法律明白人实践站1个、村级法律明白人实践站1个，街道法律明白人队伍增至30名。

2023年，加强党的建设。调整重点村书记2人，培养后备干部7人，其中有4人进入村班子参与村里工作。开展对街道52个基层党组织的指导，1394名党员参加学习贯彻习近平新时代中国特色社会主义思想主题教育活动。完成对5个村、2个社区的巡察与整改，通过推进共富“一村（社）一品”建设，建成共富工坊8家。加强干部能力磨炼，出台中层干部入村（社）担任第一书记管理办法。升级“蓝湾干部成长营”、迭代“365”培养方案，组织召开年轻干部交流汇报会3次。落实区委巡察及整改意见，精准运用监督执纪“四种形态”，共受理问题线索23人次，转立案7人次，给予党纪处分3人次，运用第一种形态处置15人次，下发纪检监察建议书2份，为经查失实的检举控告开展澄清正名工作1人次。

街道现下辖2个社区：江梅居民社区、金创工业社区。

2023年梅山街道各村经济情况一览表

表48

村 名	常住户数（户）	常住人口（人）	耕田面积（公顷）	集体经济总收入（万元）
合 计	8058	18917	410.93	2833.33
梅东村	1869	4309	126.20	586.66
碶塔村	1231	2740	38.67	275.22
梅中村	2175	5036	183.73	750.98
梅港村	1469	3580	44.80	607.25
梅西村	1314	3252	17.53	612.72

1月13日，金创社区的志愿者在领克食堂为员工包饺子

【暖心关怀进企业】 1月13日，正是腊月季节，金创工业社区的党群先锋队志愿者到中国吉利汽车集团有限公司的领克汽车梅山工厂食堂内，为前来用餐的企业员工送上一碗志愿者们亲手制作、热气腾腾的饺子。本次活动旨在让企业员工感受到当地社区和企业的暖心关怀，增加职工对企业和社区的归属感。

【《梅山风韵——海岛民间文化田野调查》首发仪式】 于2月15日在梅山学校举行。市政协副主席叶剑鸣，市文联原副主席、市民间文艺家协会名誉主席周静书，区政协主席王建波等与梅山街道相关部门负责人、受赠单位

梅山岛金创工业社区鸟瞰图

代表等参加首发式。这是一部全面反映梅山海岛民间文化的专著，全书共计29万字、119张图片，由周静书和编撰团队多次深入梅山岛，探访文化古迹，走访非遗传承人，取得大量第一手素材后，经精心梳理、编撰而成，全面展示了梅山海岛民间文化的深厚内涵和独特魅力。

【海岛民俗文化主题读书日】 4月17日，街道党工委在城市书房·梅香书院举行世界读书日全民阅读系列活动暨民生议事堂活动。活动以“释放民俗文化活力做大港城文化'朋友圈”为主题，设民俗大咖思享会、民生议事聚共识两个部分来展开。与会人员有来自区内的政协委员、区民间文艺家协会会员、宁波大学、北京航空航天大学梅山校区的大学生代表，还有来自北京大学、浙江大学、南京大学等全国各大知名高校的优秀选调生代表。活动重点推介《梅山风韵——海岛民间文化田野调查》一书的阅读，并以此为延伸，希望青年一代能将优秀传统文化贯穿于工作、生活等领域，加强新老北仑人和广大海内外北仑籍人士对家乡的文化认同。

【第19届亚运会火炬传递路线】 9月12日，杭州第19届亚运会火炬传递宁波站活动在北仑梅山湾举行，有170名火炬手参加接力传跑。传递行程从位于春晓街道的宁波中国港口博物馆启程，终点为宁波舟山港梅山港区的集装箱码头，路线全长10.8千米。火炬传递路线定名薪火相传线，以“潮起蓝湾薪火共传”为主题，展现东海岸一条“人文+自然”的最美精品线，勾画出梅山湾两岸欣欣向荣的新气象。

【海洋民俗文化节】 5月19日，“潮涌东方蓝湾开游”2023年北仑区“5·19”中国旅游日系列活动暨梅山街道第六届海洋民俗文化节启动。启动仪式上，特色非遗节目《非常未来》把梅山非遗狮王舞狮队与儿童非遗创意时尚秀相结合，融合传统文化和少儿T台秀，将时尚和海洋结合，以创新式的传承为民间文化注入新的活力。

【梅山舞狮促共富】 2023年，梅山街道的“狮王”共富工坊围绕梅山舞狮，做好共富文章。在北仑区域承接越来越多舞狮表演的同时，还注重发展相关文创产品，拓展梅山舞狮文化的内涵与外延，推出研学等项目，并以此带动周边农旅文化产业的发展。这样也为当地待业青年、赋闲妇女，甚至残疾人等提供了就业机会，以产学研结合带富一方。

【打造“智创岛”】 2023年，梅山岛在拥有自贸试验区、综合保税区等基础上，随着引进的北航宁波创新研究院、北京大学宁波海洋药物研究院、宁波海洋研究院、宁波（中国）供应链创新学院、宁波大学梅山校区5家科研院所的发展壮大，梅山岛正加速向“智创岛”转变。全年科研院所引进市级及以上人才32名、科创等团队5个；申报国家级人才项目11个、省级人才项目8个、市级“甬江人才工程”项目19个。有4家科研院所设立博士后工作站，65名博士专家团队，与北仑区82家企业进行合作，共建联合实验室2家，成功申报宁波市重点研发计划暨“揭榜挂帅”项目2个。“智创岛”已经为北仑制造业的高速发展提供了强大的科技与人才的支撑。

（撰稿人：王利明）

白峰街道

【概况】 白峰街道位于北仑区陆域东部，北纬29°48′48.09″~29°53′5.71″，东经121°58′6.12″~122°0′59.30″。距北仑区人民政府所在地约15.5千米。东与郭巨街道接壤，西与春晓街道、柴桥街道相连，南与梅山保税港区隔港相望，北濒穿山港与大榭开发区为邻。全境总面积49.06平方千米，海岸线长22.67千米，有岛礁9座。街道办事处驻龙口路43号，现下辖3个社区、12个村，共有居民7573户、18653人。2023年，街道财政总收入2.28亿元，同比增长48.9%；财政总支出1.23亿元，同比下降16.7%；村集体经济总收入3631万元，同比增长58%。区域内有学校2所，在校学生1091人（其中中学生308人、小学生783人）；幼儿园3所；卫生机构1所；敬老院1所。

2023年，完成规上工业总产值9.42亿元，同比增长5.3%；完成限上批发业企业销售额为55.36亿元，同比增长153.08%；完成固定投资完成3.17亿元，其中工业投资3085万元，同比增长582%。完成综合税收22816.13万元，同比增长49%；新增三产企业税收696.98万元，同比增长86%。做好新奥、永泰运、盛威、环海重工等企业税源培育和入库工作，永泰运跨境电商项目完成海关批复，新奥物流、北海燃料改造等建设项目有新进展。万洋众创城一期80%企业入驻投产，二期实现100%招商落位。投资1.92亿元的白峰沿线海塘提标加固工程成功入库。成功举办街道乡贤联谊会。峰发招商专班全年完成辖区内重点企业（园区）相关联产业（企业）招引、迁入、注册共198家，新增三产企业57家。升级“农旅+文旅”新业态，启动全域旅游规划。小门山地生态农业观光园一期项目完成土地验收，阳东田园综合体项目顺利建成并试运营。啤酒小镇项目完成设计方案并顺利开工，云顶雅境休闲露营中心项目完成招商签约。

2023年，深化区域社会综合治理，探索平安白峰治理新途径。让网格员参与文明城市创建、危房排查、三实排查、燃气安全检查等工作，87个微网格对问题实现“发现—流转—解决”的闭环管理，全年共处理各类事件26478件，获市“平安街道”称号。加大对企业的常态化联合检查力度，落实安全生产主体责任，深化“除险保安”专项行动，全年共排查企业（场所）1138家次，累计发现并整改安全生产隐患1648个，立案查处企业13家。区消防救援大队白峰站正式入驻启用。以“四色图”动态掌握矛盾化解全过程，确保社会稳定。发挥司法行政工作职能，打响“和峰”法制品牌建设，推进人民调解工作，全年共受理纠纷案件250余件，调解率实现100%。

2023年，聚焦民生，解难题、补短板、优服务。统筹做好困难群众帮扶、关爱等工作，全周期服务“一老一小”，城乡居民医保参保率达到99.5%以上。九如城白峰康养中心正式开业运营，目前已入住老人75名。共开设九如城爱心食堂5家，实现区域内老年人送餐全覆盖。以“便民、高效、廉洁、规范”为目标，推动基层政务服务平台标准化建设，深化“最多跑一次”改革，完善“无差别全科受理”机制。推进“一校一品”建设，成功举办白峰小学百年办学成果展，白峰中学改扩建项目顺利落地。

2023年，以项目建设推动城乡面貌的改变。完成半山堆场、华峙物流配套道路征地协议签订和干岙水库引水工程政策处理，完成白峰煤气站搬迁、白峰沿线海塘提标加固工程、甬绍干线天然气管道工程、四号精品线（阳东段）等相关政策处理工作，推进进港公路扩宽、半山堆场上山道路、瑞信猪厂等项目前期工作，累计完成拆迁23户，征地借地22.79公顷。完成轮仰物流地块、进港公路扩宽、万洋二期地块、安置房项目等相关政策处理、协调配合工作，配合做好门浦互通、铁路梅山支线等区级重大项目相关工作。下阳、虾蜡等污水设施提升及维修工程顺利完工。滨河景观游步道建设、海峰路沿线环境提升、虾蜡龙潭绿道维修等工程顺利完成，于家岭隧道提升改造工程已竣工通车。小门村获评省乡村振兴示范村、省“红色根脉”强基示范村、省和美乡村特色精品村、省未来乡村创建成效良好村；门浦村、太平村、新峰村、外峙村获评省级高标准农村垃圾分类示范村；司沿村、下阳村、阳东村、小门村获评省星级公厕示范村；下阳村、轮仰社获评省“一村万树”示范村；白峰村获评省级引领型农村社区；怡峰社区获省高标准生活垃圾分类示范小区等荣誉称号。街道各村、社区全年共获得省、市、区美丽宜居创建相关荣誉40余项。

街道现辖峰城、怡峰2个居民社区和小门工业社区。

2023年白峰街道各村经济情况一览表

表49

村名	常住户数（户）	常住人口（人）	耕田面积（公顷）	集体经济总收入（万元）
合计	6315	16597	741.47	3631
官庄	2	4	—	232
门浦	350	908	21.00	193
小门	902	2890	54.00	502
太平	78	142	20.07	143
下阳	957	2478	143.33	324
阳东	638	1625	164.67	295
勤山	363	820	76.80	184
上阳	677	1350	100.00	235
司沿	685	1737	24.47	219
新峰	593	1786	46.53	434
外峙	101	298	20.07	143
白峰	969	2559	70.53	534

【惠风红领集市春季招聘会】 2月7日，由白峰街道人才办主办，小门工业社区党群服务中心、白峰街道社会组织服务中心承办开展惠风红领集市春季招聘会。此次招聘会有小门工业园区内的16家企业参会，提供数控操作工、装配工、仓管员、跟单员等150余个工作岗位，吸引了500余名来自区内外的求职者参加，现场初步达成岗位意向50人。招聘会期间，街道综治办还通过设立摊位、摆放展板、发放宣传单等形式，同步向应聘者及群众普及抵制毒品、邪教和防网络诈骗等知识，发放宣传资料200份，为群众安装国家反诈App 186个。

【流动党员驿站】 3月，小门工业社区在服务中心设立流动党员驿站，通过建立流动党员功能型党支部，已纳管分布在社区各企业的100名流动党员。该社区有180余家大小企业、4000余名产业工人。新组建的流动党员党支部在街道党工委领导下，联系社区、居住地的党组织及两新党支部开展结对活动，让流动党员感受到党组织每时每刻就在身边，教育党员“不忘初心、牢记使命”，主动融入街道的红色根脉强基工程。

【白峰街道总工会第二次代表大会】 于4月20日召开，出席大会的会员代表47名。区总工会主要负责人与各街道工会主席受邀出席大会。会议审议通过了街道总工会第一届委员会工作报告、财务与经费审查工作报告。大会采取无记名投票的方式，经过现场审议和投票，选举产生出新一届工会委员会、经费审查委员会及女职工委员会的组成人员。

【白峰街道新乡贤联谊会第一次会员大会】 于4月29日在位于新碶街道的华邑酒店召开。40余名乡贤代表欢聚一堂，共叙桑梓情怀、共看家乡变化、共谋白峰新发展。区政府副区长、开发区管委会副主任程展出席会议并讲话。会议经选举产生了白峰街道新乡贤联谊会会长、名誉会长。成立新乡贤联谊会，旨在挖掘乡贤这一资源，吸引乡贤回乡创业，促进家乡经济和社会各项事业发展。

4月29日，白峰街道新乡贤联谊会第一次会员大会现场

【健康义诊活动】 8月18日，白峰街道社区卫生服务中心派出医疗服务队到九如城白峰康养中心开展以“勇担健康使命铸就时代新功”为主题的健康义诊活动。此次义诊活动共为居住在康养中心的58位老人提供基础体检和健康咨询，发放健康宣传资料50余份。

【开展防汛防台应急演练】 9月1日，怡峰社区联合东部物业开展防汛防台应急演练。社区针对防汛防台提前制定详细方案，把人员分成防汛工作组、监测预警组、人员转移组、抢险救援组和后勤保障组等5个小组。演练模拟因短时暴雨造成排水沟堵塞的突发事件，工作人员重点对辖区排水管道、露天阳台、楼道阳台和全部监控进行排查，保证台风期间排水设施的疏通。

【“宁波大学心理学专业实习实践基地”签约授牌仪式】 于11月3日在白峰中学举行。建立“实习基地”不仅可以在一定程度上帮助解决白峰中学青少年学生成长中的烦恼，也可以为宁波大学心理学专业学生提供成长和发展机会，满足向社会输送高素质、优秀人才的行业需求。宁波大学教师教育学院、北仑区教育局、白峰街道等专家学者和负责人出席了本次仪式。

【交付安置房544套】 12月1日，白峰新建小区“翠枫和苑”竣工，交付安置房544套。该项目于2021年11月开工，位于白峰街道清泰路300号，东至龙口路、南至规划道路、西至枫江路、北至清泰路，总用地面积33922平方米，总建筑面积93546平方米，住宅建筑面积58341平方米，建有16幢高层住宅楼及4幢公建配套用房，绿化率达到31.76%。

（撰稿人：蒋欢国）

郭巨街道

【概况】 郭巨街道位于北仑区东部，三面环海，东、南、北面分别与舟山市定海区、普陀区六横镇隔海相望，西与白峰街道相连，区域面积63平方千米。街道办事处设在福民路77号。现下辖3个社区、16个村。街道总户数8604户，总人口21831人。2023年街道完成财政总收入1.13亿元，同比增长17.8%；完成一般公共预算支出6845万元，代管资金支出4456万元，合计支出1.13亿元，同比增长13.4%。

村集体经济总收入3199.50万元，同比增长10.53%。区域内有学校1所，在校学生432人，幼儿园1所，卫生机构9所，敬老院1所。

2023年，街道规上工业产值16.56亿元，除中海油天然气战略性减产外，其他企业均实现正增长；全社会固定资产投资18.97亿元，同比增长97.24%；完成正常性企业税收1.05亿元，同比增长26.83%；新增三产累计完成162.82万元；累计注册企业36家，其中工业企业3家，三产企业33家。

2023年，液化天然气三期项目、528配套系列工程、甬绍天然气管道工程、"两场一仓"综合整治系列项目、峙头矿地开发利用等项目进展顺利。超额完成洋涨地块项目前期任务，兴巨路改造、南门临时停车场、港鑫东方等拆迁工作稳步推进。郭巨综合文化活动中心、残疾人康复中心等一批项目进场开工，郭巨敬老院等一批民生项目有序推进。深入实施绿色制造工程，建设绿色制造示范体系，并组织辖区内企业开展申报，助推中海油工业气体（宁波）有限公司获评北仑区三星级绿色工厂。开展企业管理创新提升星级评价工作，规上企业星级评价整体覆盖率达到62.5%；强化入企指导，全面完成水下生产系统水密光、电、液飞线研发和产业化等一批项目投产入库上规。

2023年，完成官山头区域环境综合整治专项行动，完成峙北新苑、尖岭岙、大岭下农污改造、峰南社区管网改造、半塘停车场、白岙线农村公路维修工程和垃圾中转站房建等重点工程项目，兴巨路拓宽和横一横二道路工程、双岙农村公路提升工程等新开工项目实现良好开局。坚持以农带旅，成功举办青年欢乐跑、香水莲花旅游文化节、稻田丰收节等文旅活动。统筹志愿者、老干部、党员群众等多方力量，持续开展"巨美星期天""洁美8号""绿色净滩"等清洁家园行动，街道实现了从"点上美"到"全域美"。

2023年，关注民生，持续加大教育经费投入力度，安排专项资金251万元为郭巨学校、郭巨幼儿园的设施设备、校园文化、骨干教师培育等提供经费保障。推进"青蓝"工程，有序开展学校招生工作。以峰南社区老年人聚居住区域为核心，做实做强"幸福丰养"养老品牌，成功举办峰南社区全区慈善现场会。峰南社区居家养老服务成功入选浙江省"农村社区聚集式养老综合标准化试点"创建行列。

2023年，探索农居混合型社区基层治理模式。以东港社区为试点社区，通过社工兼任村兼职副书记，重新调整划分网格7个，开展"社工进村网格行动"，大幅提升网格灵敏度，真正实现"一张网"兜底。全面推进村与社区相融合，加大社区服务的下沉力度，让"烽火红领集市"进入村文化礼堂。

2023年，筑牢街道安全稳定底线。以"亚运安保"为重点，严格落实相关制度，加强领导班子成员入矛调中心的接访工作。通过多方协商、领导接访、干部入户等行之有效的工作措施，化解中宅矿石码头扬尘引起的社会矛盾。持续加大综合执法巡查力度，推进"三改一拆""垃圾分类""两路两侧"等重大专项工作，营造和谐、平安、稳定的经济和社会发展环境。

街道现下辖3个社区：东港、峰南、峙东。

2023年郭巨街道各村经济情况一览表

表50

村　名	常住户数（户）	常住人口（人）	耕田面积（公顷）	集体经济总收入（万元）
合　计	5900	15288	249.4	3199.50
大涂塘	322	838	24.27	130.92
西　门	434	1078	17.89	187.9
东　门	482	1181	29.61	159.34
北　门	374	920	18.4	159.12
南　门	753	1895	35.73	275.15
尖岭岙	327	863	12.13	425.35
路　亭	248	613	18.67	132.89
双　岙	346	963	24.93	184.91
谢家岙	217	499	8.4	158.79
华　峙	819	2084	0	559.78
福　民	308	804	11.89	170.24
大岭下	147	352	14.82	99.03
盛　岙	456	1328	31.53	169.69

续表50

村　名	常住户数（户）	常住人口（人）	耕田面积（公顷）	集体经济总收入（万元）
联　合	282	814	0	240.53
洋　涨	293	841	1.13	89.16
长　浦	92	215	0	56.7

【年轻干部成长营】 4月20日，由街道党工委主办的以“烽火雏鹰”命名的年轻干部成长营第二期正式开班。成长营围绕理论武装、团队建设、能力提升和跨岗锻炼四大主题设计课程，发布2023年“烽火雏鹰”年轻干部成长营第二期6大类共11个项目，通过“导师结对、项目认领、进度PK”等方式，推动年轻干部在成长营中互学互鉴、比学赶超，实现预期的学习目标。

【半山堆场郭巨地块的土地交付】 7月20日，街道区域内的半山堆场项目土地全部完成交付。半山堆场地块是危险货物集装箱场站项目选地，用地17.69公顷，总投资10.80亿元，涉及街道尖岭岙村1.69公顷土地的报批与征收工作。完成土地交付，为项目的开工建设提供保障，进而缓解港口危险品堆存能力不足问题，提升宁波舟山港危险品应急处置能力，确保港口安全生产。

【彭佳学到郭巨调研】 9月2日，省委常委、市委书记彭佳学到郭巨街道调研港口文化和旅游工作。彭佳学一行实地到总台山、炮台岗考察，在高处俯瞰宁波舟山港穿山港区，并就相关问题与陪同前往的区、街道党政领导干部作了深层次的探讨。

【郭巨农耕文旅节】 11月4日，“印象郭巨”稻田非遗秀暨第二届农耕文旅节开幕。活动现场设置了稻田迷宫、创意走秀、非遗展演、国风音乐、农耕体验、特色集市六大场景，将非遗文化与农业产业相结合，为推动区域的一、二、三产业融合式发展注入新的动力。活动现场成立了“山海郭巨共富助农联盟”，旨在联合更多力量，开展农业技术研发、农旅资源互动、创业交流等多维度扶持，在区域内打造更多的共富基地和共富工坊。

【华峙物流中心配套道路工程】 12月8日，宁波—舟山港穿山港区华峙物流中心配套道路工程前期项目全部完成，顺利进入施工阶段。本工程位于穿山港区南侧，主体工程含5条道路，路线全长约2.376千米。全线共设置桥梁1座，钢筋混凝土箱涵2道，圆管涵3道，排水设施2.376千米，综合管线2.077千米，交通安全设施2.376千米，工程新建泄洪渠1680米。道路主体工程用地7.88公顷，泄洪渠用地2.87公顷，总用地10.75公顷。建成后将解决穿山港区后方配套设施不足、集卡空跑严重的问题，提升港口集疏运网络的效率。

（撰稿人：穆　钰）

大榭街道

【概况】 大榭街道由北仑区东北部一组岛屿组成，东临峙头洋，西与北仑港隔海相望，南侧和西南侧分别有大榭一桥、二桥跨横峙江与柴桥街道相接，北与舟山海域相连。距大陆最近处约450米，区域东西最长直线距离约12千米，南北最长直线距离约8千米，海岸线总长44.52千米，辖区陆域面积35.22平方千米。街道下设8个社区、21家经济合作社；户籍在册人口10599户、26358人。区域内有中学1所、小学2所、幼儿园2所，在校学生4000人；医疗卫生机构2所，颐养院1所。

2023年，深化重大项目综合保障制度，完成大榭公卫楼地块28套住宅、店铺的拆迁；完成金家湾隧道工程12万吨石料拍卖、大榭石化五期电力线路改造，协调中海油300万立方米的地下洞库项目完成勘察、用地等事宜。推进街道“五经普”工作；支持由岛内100家保险箱、灯具、缸套等行业的企业组建大榭商会，并牵线商会与银行合作建立品牌服务站；举办2023年春风行动暨就业援助月人力资源供需洽谈会，为企业推荐高端技术人才20人，协助申报甬江创新人才1人。开展“亲清健康指数”综合评价，回访辖区3家企业，召开非公有制经济人士座谈会，听取和研判、解决辖区民营经济运行中遇到的难题。

注重化解地方各种矛盾纠纷、消防安全、治安隐患等事件，实行网格化管理，全年累计处置各类事件33869起，使街道基层治理平台运行绩效在市、区考核中名列前茅。有针对性地做好宗教领域薄弱环节治理转化，实现人民调解组织和“一社一法律顾问”社区层面全覆盖，全年1063件调解案件受理和调处成功率达100%。强化燃气安全、“一厂多租”、重大事故隐患防控等专项整治，累计检查企业和场所1250家次，排查整治企业安全生产隐患3580个、燃气安全隐患501个、消防安全隐患746个、群租房风险隐患70个，挂牌督办重大火灾隐患单位10家并至摘牌销案，立案查处安全生产违法行为7起，工业企业安全在线基础线考核排位列区、市、省前列。

关注民生工程建设。完成300套安置房的权益收购和1800套安置房分配，统筹推进林地抚育、林相美化、城市绿化等工作，使辖区人均公园绿地面积达14.95平方米。开展6条河道清淤和截污纳管，完成水利标准化建设3项。推进省级高标准垃圾分类示范小区创建工作，统筹抓好市政维护与管理，辖区市政灯光亮灯率保持在98%以上。组建街道文联，完成打造"水榭明珠"精品线建设，组织开展东部片区街道文化嘉年华活动等各类主题群众文化文体活动150场次，一批优质群众文化节目在市级活动中得奖摘牌。推进人大"军属驿站"、生态环境议事点和政协社区协商驿站建设，建立"海上共享法庭"。组建街道红十字会、社区发展基金会等机构，通过住房保障、临时救助等渠道累计惠及1000人（户）次，为高龄、特殊老人免费投保1414人，开展居家养老上门服务3136人次。成立辖区新业态劳动者联合工会，建立"睦邻少年+"家校社协同共育联盟，组织"七彩童梦行"、"书香三八"、青年联谊等群团活动，开展贫困妇女爱心捐款、特殊儿童专项救助、适龄妇女"两癌"筛查、妇儿法律培训等工作。承办新老建设项目52个，处理35条涉及教育、卫健、民政、救济等领域政策的地区差异性问题。

扛起全面从严治党主体责任，实施"制度建设年"行动。完成基层党组织的隶属关系调整、新设社区组织的选举等工作；金海丰社区的社区治理经验在省级会议上作典型介绍；开展对近三年原大榭文教事业发展中心、21家经济合作社的财务收支情况及新划入街道的19家企业党组织党建经费使用情况审计；以"以案说法"形式组织党员干部集中开展廉政教育活动。

7月，根据北仑区人民政府批复，调整金海丰社区规模、设立金海晏社区居民委员会，撤销海韵社区居民委员会，原海韵社区管理服务的居民并入海信社区；设立榭北工业社区。调整后，大榭街道现下设海湾、海城、海信、海文、金海岸、金海丰、金海晏和榭北工业8个社区。

【北仑区大榭商会第一届会员（成立）大会】 于2月10日召开。会员来自大榭涉保险箱、灯具、缸套、医药医疗、建材等行业的129家企业代表。会议听取并审议通过了《宁波市北仑区大榭商会筹备组工作报告》《宁波市北仑区大榭商会章程》《宁波市北仑区大榭商会会费及财务管理规定》，大会审议通过了《宁波市北仑区大榭商会第一届代表大会选举办法》，经选举，宁波市斯贝科技有限公司总裁张波杰当选大榭商会首届会长。

【人民日报社派员来大榭采访】 4月10日，《人民日报》军事采访室主编徐隽、记者李龙伊在市、区退役军人事务局相关负责人陪同下，专程到大榭岛，对大榭中学师生和南海赤瓜礁守礁官兵千里传书，用300多封书信架起了一条军爱民、民拥军的桥梁之感人故事作详细的专题采访。5月14日，人民日报第6版整版以《跨越35年的通信（国防视线·新时代双拥工作故事）》为题作了报道，大榭中学师生与赤瓜礁守礁官兵通过35年接力，延续着军民鱼水之情，为新时代双拥工作开创了新篇。

【钱锋到大榭岛调研】 4月18日，全国双拥工作领导小组副组长兼办公室主任、退役军人事务部党组成员、副部长钱锋率全国双拥工作调研组到北仑区大榭街道调研全国双拥模范城（县）创建工作。市委常委、常务副市长华伟，市委常委、北仑区委书记潘银浩等各级领导陪同参加调研。钱锋一行参观了大榭岛海军92858部队家属技能培训和实践中心、军嫂协会党支部、大榭双拥展览馆等，详细了解了大榭岛社会化拥军的具体开展情况，并对大榭岛军地双方73年来开展双拥工作中取得的成绩表示肯定。

【大榭岛双拥展览馆】 于4月18日正式对外开放。大榭岛双拥展览馆于2022年底建成，占地面积820平方米，建筑面积350平方米。展览馆汇集了1949年以来大榭岛军民在双拥工作中积淀的大量珍贵素材，设置渡海首战启大幕、拥政爱民赤子情、拥军支前固海防、军民融合共发展、热血青春同筑梦5个篇章，利用三维实景、人工智能数字技术展现了大榭岛军民之间深厚的双拥历史底蕴。

【大榭街道生态环境议事点】 于6月30日在大榭人大联络站举行揭牌仪式。大榭街道生态环境议事点将依托大榭人大代表联络站，广泛联系各级人大代表、人民群众及专业人员，围绕生态环境保护主题，开展多样化的主题议事活动，发挥人大代表和人民群众在生态环境保护中的作用。揭牌仪式上，由街道相关负责人介绍了生态环境议事点功能及主要工作开展情况和下一步活动安排，并向现场8位议事员和21位观察员颁发聘书。

【社区发展基金会】 9月26日，"臻美夕阳 大善北仑"2023年慈善主题巡回演出走进大榭暨社区发展基金会揭牌仪式在大榭文艺馆举行，区民政局、区慈善总会、大榭街道负责人出席仪式并揭牌。该基金会由大榭8个社区共同发起、北仑区慈善总会捐资200万元而设立，这是街道为促进社会组织、社会工作、社会慈善、志愿服务在社区协同发展，打通居民服务的"最后一千米"而构建的社会治理创新平台。该基金会的成立，有利于推动社区共同体建设和治理中心下移，促进社区和谐发展、走上共同富裕之路。

【大榭街道文联第一次代表大会】 于12月29日召开。会议审议通过了《北仑区大榭街道文联章程（草案）》《北仑区大榭街道文联第一次代表大会选举办法（草案）》。会议选举产生了大榭街道文联第一届委员会委员、大榭街道文联主席、副主席、秘书长。街道党工委委员车岱波当选为街道文联主席。

（撰稿人：胡屹珈宁）

人物

浙江好人

【贺素菲】 女，1957年9月出生，中共党员，籍贯浙江宁波，白峰街道下阳村虾·社老年协会会长。她孝老爱亲，在嫁入邵家的40年里，对公婆嘘寒问暖、照顾有加。1981年，当时月薪仅18元的她，得知夫家无力偿还600元外债时，便二话不说将自己婚前存下的钱尽数取出还债。2002年，贺素菲的丈夫偶遇歹徒意外身亡，她凭着一己之力照顾儿女的同时，对公婆也始终不离不弃，深受村民好评。她乐善好施，孝敬的不只是公婆，还有村里一个个特困、病残、孤寡老人，重建爱心食堂、为老人免费理发、疫情期间捐款捐口罩、自掏腰包为老年协会举办文艺演出、为同村白血病患者筹集药费四处奔走……贺素菲用几十年如一日的爱心和坚持诠释着孝和爱，个人累计捐款达10万元以上。曾获"北仑好人""北仑区奉献之星""北仑区优秀妇女代表"等荣誉称号，其事迹入选北仑区妇联巾帼红书册。

2023年，同时入选"宁波好人"。

【谢晓曼】 女，1967年12月出生，籍贯浙江湖州，北仑区百灵鸟公益联合会志愿者。谢晓曼自小患有先天性白内障，虽然眼前只有微弱光感，但心中却有无限光明。她刻苦学习琵琶弹唱、民歌、戏曲，希望通过音乐实现人生价值。1989年，她在海宁加入"自强文工团"，与团里来自北仑区的患小儿麻痹症的竺盛祥相识相爱，结为夫妻。他们作为浙江省残疾人艺术团的首批演员，用坚强乐观的歌声打动了许多人，两次获全国残疾人艺术汇演声乐类金奖。谢晓曼30岁那年，儿子竺子健出生，却不幸因遗传患有先天性白内障与小儿过敏性哮喘。她承诺决不放弃，一边守护着因患重度肝硬化长期住院、多次命悬一线的丈夫屡度生命难关；一边坚持把儿子抚养成人。在父母的影响下，竺子健品学兼优，2015年以691分的高分被浙江大学录取。2020年底，丈夫离世，她遵照与丈夫生前约定，把"恩人"捐给丈夫看病的近20万元余款悉数退还、转赠，并将他的遗体捐献给浙大医学院。2021年，她履行对丈夫的承诺带儿子回到北仑区，并加入百灵鸟公益联合会，积极投身文艺服务、垃圾分类等公益事业，为家乡的发展出一份力。2023年4月，新碶街道成立"晓曼善缘"工作室，她用自己的歌声和顽强的精神向人们传递着积极乐观的生活信念。其事迹被"学习强国"学习平台、《浙江日报》、甬上等媒体报道。曾获全国最美家庭、浙江省残疾人自强模范等荣誉称号。

2023年，同时入选"宁波好人"。

【李圭昊】 男，1988年11月出生，中共党员，宁波北仑第一集装箱码头有限公司工程部副主任工程师、团委副书记，共青团十七大、十八大代表，共青团浙江省第十五届委员会委员。近年来，他牵头实施龙门吊远程信息管理系统、海铁全流程自动化等多项创新项目，获中国港口科技进步奖二等奖、三等奖等荣誉。他紧盯科技前沿领域，研发了轨道吊快速扫描系统，并推广应用到大车防撞、集卡车机协同、火车首节车皮定位等领域，起到行业示范引领效应。他通过创新智慧化应用场景，成立"李圭昊工作室"，并以此探索青年人才发展模式，建立了集技术培训、技术比武、导师带徒、项目练兵为一体的运作机制，培育了一批技术精湛、管理能力突出的青年人才，工作室完成创新项目30项，获2项软件著作权、7项实用新型专利、8项发明专利，创造经济效益700万元，已入选全国"首批交通建设产业劳模和工匠人才创新工作室""首批浙江省青工创新创效工作室"。曾获全国向上向善好青年、全国青年岗位能手、全国优秀共青团员、浙江省劳模、浙江省优秀共产党员、"宁波好人"等荣誉称号。

【周天伦】 男，1980年5月生，民革党员，北仑区政协常委、民革北仑区基层委委员、北仑区慈善义工大队大队长、"同心向党·善行北仑"委员工作室负责人。2003年的中秋节，是周天伦第一次参加慈善公益活动。那天周天伦和伙伴们拿着100多盒月饼和水果去看望慰问霞浦福利院的老人，心底的那份爱心自此迸发。从此以后，福利院就成了他和伙伴们志愿服务的定点，经常过去为老人们剪指甲、理头发、洗澡擦身，陪老人们聊聊天。同时，他把目光瞄准那些需要社会关心爱护的群体。对区内残障儿童，周天伦会经常去看望，为孩子们添置新衣和玩具，并为他们讲故事、做游戏，让孩子们能够在充满爱的世界里茁壮成长。为了渐冻症患者生命不再无力，在周天伦和社会各界爱心人士的推动下，北仑区慈善总会联合多家单位共同启动了“关爱渐冻人”项目，成立慈善义工关爱“渐冻人”爱心队伍，周天伦自然成为爱心队伍中的骨干。在被称为“中国女排第一主场”的北仑中国女排集训基地比赛现场，周天伦和他的团队身穿红马甲，为运动员和球迷们做专业的志愿服务，受到社会各界的高度赞誉。20多年来，他累计志愿服务时长超8000个小时，个人累计捐款捐物超300万元，曾获“宁波好人”“宁波市优秀志愿者”等荣誉称号，其事迹被《人民政协报》《浙江日报》《宁波日报》等媒体广泛报道。

宁波好人

【史孟艳】 女，1982年8月出生，中共党员，籍贯浙江宁波，大碶街道灵峰社区党委书记。她是园区“大管家”，建立“锋领企服”队，参与制定《工业集聚区社区化管理与服务规范》省级地方标准，推出企业全生命周期服务，每年惠及员工5万人、扫除隐患超200起。2020年3月，习近平总书记到园区调研，她作为代表汇报了复工复产情况。在当选二十大党代表后，她化身宣讲员，累计宣讲125场，带领产业工人感悟真理力量。曾获浙江省优秀共产党员、浙江省担当作为好支书、“宁波好人”等荣誉称号。

【陈爱飞】 女，1956年3月出生，北仑区霞浦街道居民。早在2013年，年过五旬的陈爱飞夫妇不顾家人的反对和周边的非议，毅然完成人体器官捐献登记，勾选了所有器官，并在“其他”一栏填写了“角膜”。2022年2月24日，其丈夫汪赛年因病去世，弥留之际，妻子陈爱飞遵照其生前捐献器官、角膜的心愿，在北仑区红十字会的联系下，成功将他角膜捐献，使2名眼疾患者重见光明。夫妻俩的感人事迹被澎湃新闻、《宁波晚报》等媒体报道，并获第三十五批“北仑好人”称号。

【周家旺】 男，1985年8月出生，籍贯湖北随州，北仑区尖锋救援队队员，红十字志愿者队伍的积极分子。自参与红十字志愿服务以来，周家旺在繁忙的工作之余，将大部分时间投入北仑公益事业中。他积极投身各项志愿服务：赛事安全保障、安全教育宣讲等。为提高应急救护能力，他不定期参与救援队队列操练、绳索救援、水上救援、心肺复苏等救助技能的训练，考取了“应急救护证书”。他主动担任社区红十字宣讲员，向企业、职工、居民推广应急救护知识。他还走进社区假日学校，向青少年讲解防溺水、中暑的预防及简要处理方法，累计宣讲200余场。曾获“北仑好人”“北仑区红十字一星级志愿者”“北仑区红十字二星级志愿者”“宁波市红十字应急救护大赛二等奖”等荣誉称号。

【张华良】 男，1984年7月出生，籍贯安徽阜阳，宁波长生出租汽车有限公司员工。张华良在北仑定居已有13年之久，是一位忠厚老实、热心的“的哥”。2022年10月31日深夜，张华良正驾驶着出租车行驶至红联渡口，猛然听到有人在江边求助，于是他当机立断，赶紧靠边停车。他一边拨打救援电话，一边通过喊话确定落水者位置。当时水流很急，一转眼，求助的女子被漂出去三四百米外，声音越来越轻，张华良一踩油门加速将车开到落水者前方，并赶忙到海警学院舰艇大队门口寻求帮助。很快与一名执勤的战士一起快速跑到江边。看到落水女子即将失去意识，张华良没有丝毫犹豫，果断脱掉衣服，拿起救生圈跳入江中。他在施救的途中被灌了五六口江水，但仍拼尽全力向溺水者游去，将救生圈套在溺水者身上并拽回到岸边。救上岸后溺水者十分虚弱，张华良不太放心，直至陪伴女子随救护车送往医院后，才默默离开。事后，他才发现自己在救援的途中被岩石撞到，留下了好几处伤口。消息传开后，经推荐，张华良因此获“北仑区见义勇为先进个人三等功”。

【邵麒麟】 男，1988年9月出生，中共党员，籍贯浙江宁波，国网宁波市北仑区供电公司新碶供电所副所长。他先后参与G20保供电、国家级绿色石化基地——渔山石化用电安全专项服务、抗台抢险供电保障等重大急难险重任务，参加编写中国电力出版社出版的《电力营销一线员工作业一本通》丛书，参与宁波泛梅山多元融合高弹性电网建设，为把梅山打造成全国可复制、可推广的城市级能源互联网积极贡献力量。他参与北仑灵峰现代产业园“零碳”演进建设，帮助企业下降用电成本18%，单位产品能耗远低于行业平均水平，园区企业宁波旭升集团成功评选为国家级绿色工厂。他聚焦工业企业节能降碳难题，首创工业社区能源联络站，为企业提供多元化的节能降碳方案。他通过区人大代表议案，联合区发改局，2023年2月，牵头组建宁波市首个绿色电力协会，涵盖相关企业31家。作为红船共产党员服务队队长，他深入基层社区，参与防疫隔离点、道路卡口紧急供电、应急维修任务，时间最长的一次连续17天奋战在一线岗位。曾获浙江省电力有限公司劳动模范、宁波市五一劳动奖章、宁波市技术能手、北仑好人等荣誉称号。

【丁君尧】 男，1973年11月出生，籍贯浙江宁波，春晓街道三山村凤山社工作人员。他尽心尽力为群众解决难事，在群众生命受到威胁的生死关头，不顾个人安危，全力救助。2022年12月28日下午，他正在办公，忽然听到窗外有人在喊叫，走近窗边发现一位老人落水。危急时刻，他以百米冲刺的速度，从二楼连跑带跳，直奔百米开外的溪坑。正值寒冬，室外气温不过5℃，溪坑水冰凉。此时，他正发着烧，连外套都没脱，直接跳入水中。溪坑虽不宽，但水深，底部还有淤泥。他抱住水里的老人，将其头部仰起，双手抱住其腹部，用尽全力往岸边拖。救上岸后，他迅速实施急救措施，直到老人恢复意识，无大碍后，他才把老人托付给热心村民护送老人回家。此时，早已冻得浑身发抖的他才安心回家。丁君尧奋力救人的行为，后被区有关部门认定为“见义勇为”。其实这不是丁君尧第一次救人。2022年夏天，丁君尧在村里巡逻时发现一位老人晕倒在田埂旁，当时老人已大小便失禁，他顾不了那么多，马上送老人去医院，让这名老人及时转危为安。其事迹被《宁波晚报》、仑传等媒体多次报道。

【叶　飞】 男，1986年7月出生，中共党员，籍贯四川宜宾，宁波出入境边防检查站综合执勤八队三级警长。他曾在西藏阿里地区、日喀则地区等藏区工作12年，三次荣获三等功。2020年，他调入浙江出入境边防检查总站梅山边防检查站后，主动报名带队前往云南腾冲口岸参与支援。在云南的3个月期间，他带领小队查获非法携带超额现金240万元、毒品240克、非法出入境人员107人、违禁药物47盒、走私手机12部等。2021年5月结束云南支援，回到单位马上就投入浙江边检总站组织的全警实战大比武。其个人获浙江省人像快速鉴别第一名。2023年4月，获国家移民局首次颁发的铜质戍守边疆纪念章。其事迹被学习强国，《宁波日报》等媒体广泛报道。

【张忠志】 男，1989年12月出生，籍贯河南商丘，浙江吉润汽车有限公司总装厂新品试制班长。他扎根生产一线，主导了博瑞、博越等11个项目的试制工作，累计组织900人次参与整车电器知识培训。他成立“张忠志技能大师工作室”，培养了90多名试装人员，为各班组输送技术骨干、技能人才8名，并培养10名高技能人才到白俄罗斯参与技术支持，他自制DVVT γ发动机拆卸皮带工具减少返修工时，工时效率提升200%；他带领团队制作4套车门检测设备，为公司节约资金1000万元；解决生产线体节拍瓶颈问题，保障工厂每小时多下线10辆车，每年为公司增产30多亿元。曾获全国技术能手、浙江工匠等荣誉称号。

【纪光哉】 男，1960年1月出生，籍贯浙江宁波，北仑育才小学食堂厨师。纪光哉在北仑区华山小学工作了13年，是名副其实的校食堂首席大厨。2022年8月，北仑育才小学从民办学校转制成公办学校，并与华山小学组成了教学共同体，纪光哉从华山小学调到育才小学工作。育才小学师生大多来自外地，吃不惯本地清淡的饮食，纪光哉肩负着让孩子们吃得健康安全的使命，在上任前便做足了功课，时刻关注师生们的餐饮喜好，将自己的手艺融合外乡特色，功夫不负有心人，终于成为育才的“宝藏”大厨，以实际行动兑现了他自己的承诺。

【陈　孟】 男，1985年9月出生，籍贯山东宁阳，宁波市公安局北仑分局交警大队春晓中队辅警。他为辖区居民的出行安全保驾护航，深入农村、学校、企业开展安全讲座100次，惠及群众20000人，他采编制作的交通事故警示案例多次出现在各级媒体。2023年3月17日，他下班回家路上发现小区7号楼浓烟滚滚，一间储藏室内的电动车和杂物着火，这是老年人居多的小区，一旦火势蔓延很可能造成严重的后果。他立即冲入滚滚浓烟，将整幢楼的电闸关闭，呼喊疏散居民。消防队员赶到后，他在事故现场周围拉起警戒带、劝离疏散围观群众，大火很快扑灭，无人员伤亡。他多次助人为乐的事迹被《人民日报》《浙江交通之声》等媒体广泛报道。

【李友娣】 女，1959年12月出生，籍贯浙江宁波，退休教师，霞浦街道陈华浦社区老年协会总会长、陈华浦社区假日学校“五老”志愿者。退休后，她一直活跃在关爱“一老一小”的岗位上。她统筹镇东、董王、礁硖、林大、杨木、戴家、蒋吴七个老年分会。为破解为老服务难题，给老人们提供生活便利，她牵头推进落实“我为老者办一事”主题实践活动，为辖区2000多名老人提供居家助老服务，打开了为老服务的新局面。“一月一主题、一月行一事”，她的“为老服务”记录本里罗列了老年居民大大小小的需求。为确保孩子们度过快乐充实、安全健康的暑期，她带头组建了一支“五老”志愿者队伍，为假日学校“保驾护航”。曾获北仑好人等荣誉称号。

【雒海强】 男，1980年11月出生，中共党员，籍贯陕西凤翔，北仑区妇幼保健院医务部部长。自大学毕业至今20年间，他从每年参加1~2次义务献血，到每月参加1~2次，累计献血112次，总献血量达24800毫升，相当于成年男性全身血量的4~5倍。他说“只要身体允许，我会将无偿献血进行到底！”2007年，他申请造血干细胞捐献，加入中华骨髓库。作为红十字应急救护师，15年来，他进校园、进企业、进社区……开展救护培训宣讲500场，超10000人受益。2022年一个晚上，他乘坐地铁途中，遇一老人乘坐扶梯上站台时不慎摔倒，头破血流。听到工作人员呼救后，他立即下车，表明身份、戴上手套，对老人止血包扎，获现场群众的高度评价。曾获全国无偿献血金、银、铜奖等十余项市级及以上荣誉称号。

【曹存良】 男，1962年11月出生，中共党员，籍贯浙江宁波，北仑区春晓街道三山村党委委员、村委会副主任、双狮党总支书记。他自担任党总支书记以来，推动“千万工程”在双狮落地开花，让“脏乱差”的小山村变身“网红”打卡地。通过严抓乡村环境整治，打造好山好水好风光，走出了乡村振兴第一步；带领村民搞发展，开办民宿农家乐，促成乡村产业转型；组织举办土豆文化节，吸引青年返乡创业，带动村民增收致富。在他的带领下，三山村（双狮社）获评中国美丽休闲乡村、省首批休闲旅游示范村等荣誉。他曾获“北仑好人”、北仑区优秀村（社区）主要负责人等荣誉称号。双狮乡村振兴实践案例多次被《宁波日报》等媒体报道。

【沈　琼】 女，1989年12月出生，民革党员，籍贯浙江宁波，北仑区农业农村局社会事业促进科科长。2012年以来，她扎根一线，把画卷描绘在村庄里，通过推进"百花香百村"等行动，使北仑50%以上的街道创建成省级"美丽乡村"示范街道，33%以上村创建成省级精品村。她深耕"为民"，推动"千万工程"再深化，牵头规划了北仑区"一轴两翼三线"6条美丽乡村风景带，并建立起北仑三农智库、联村"三师"和乡土人才库，推动北仑美丽乡村实现从"盆景"到"风景"的跨越。她心系三农，促进和美乡村新启航，通过孜孜不倦的努力，北仑区农村环境绩效考核在宁波市名列前茅，并连续3年获评省级农村生活垃圾分类处理工作优胜区，在工业区域中创建了都市里的洁美村庄。曾获平安北仑建设突出贡献个人、"精特亮"工作成绩先进个人等荣誉称号。

【钱叶文】 男，1967年12月出生，中共党员，籍贯安徽铜陵，国家税务总局宁波市北仑区税务局保税税务所一级主办。入伍21年，从税17年，他坚持在税收科研理论研究岗位上践行"国之大者"，以"专精特新"的科研精神，助力税收现代化建设。他以求真务实的态度调研走访企业近300家，足迹遍布北仑整个区域。在收集科研数据的同时，解答纳税人、缴费人疑难问题200余条。他带头执笔撰写税收调研文章35篇，其中获优秀学术成果奖32篇，优秀学术成果率超91%。已连续多年荣获省、市级国际税收研究会和宁波市税务学会特等奖，多篇文章刊载《中国经济发展与行业学术论坛》《中国开发区》等刊。曾获"北仑好人"荣誉称号。

【贺伯达】 男，1956年9月出生，籍贯浙江宁波，新碶街道居民。贺伯达以孝道为荣，以奉献为荣，用自己的行动践行着"百善孝为先"的高贵品质。他精心服侍年已九旬的父母，几十年如一日，毫无怨言。同时，他积极参加社区居家养老志愿服务，十几年来先后结对了12位高龄老人，陪伴老人并满足老人的需求，服务次数高达千次。除此之外，他加入社区"守望"志愿服务队，每月开展平安巡逻服务，对辖区内的环境卫生、消防安全等进行安全隐患巡查，发现问题及时处理。在每年台风来临期间，他总是提着工具箱，用自己的专长为辖区内的老旧房屋进行"体检"，对松动的门窗进行加固，对水电使用的安全开展检查，为左邻右舍筑起安全防护之墙。

（撰稿人：陈　昭）

百岁寿星

2023年，北仑区有100周岁以上寿星40人，其中女性31人。

2023年北仑区百岁以上寿星一览表

表51

姓　名	性　别	出生年月	年　龄	住　址
贺财根	男	1917年10月	106	新碶街道东方港城
郑兰青	女	1920年8月	103	柴桥街道后所村
徐菊英	女	1920年10月	103	白峰街道小门村
梅生才	男	1920年11月	103	郭巨街道谢家岙村
林美玉	女	1920年11月	103	小港街道孔墅村
张似琴	女	1921年3月	102	大碶街道坝头社区
李阿英	女	1921年4月	102	小港街道新民村
曹金香	女	1921年9月	102	柴桥街道东六房村
陆月意	女	1921年11月	102	大碶街道隆顺家园
徐秀莲	女	1921年11月	102	大碶街道灵岩瓶壶南苑
张桂凤	女	1921年11月	102	新碶街道滨海锦苑
徐孝凤	女	1921年12月	102	新碶街道大路村
陆林德	女	1921年12月	102	大碶街道青林村

续表51

姓　名	性　别	出生年月	年　龄	住　址
史忻一	女	1921年12月	102	柴桥街道芦南社区
李玉香	女	1922年1月	101	白峰街道上阳村
乐瑞兰	女	1922年3月	101	白峰街道小门村
贺骙英	女	1922年3月	101	大碶街道西岙村
胡爱琴	女	1922年4月	101	新碶街道太平洋名苑
郑文兰	女	1922年4月	101	柴桥街道河头村
胡碧华	女	1922年8月	101	柴桥街道大溟村
邱美英	女	1922年10月	101	大碶街道坝头社区
汪宝来	男	1922年10月	101	郭巨街道双岙村
杨爱文	女	1922年10月	101	霞浦街道胜利村
刘菊香	女	1922年11月	101	柴桥街道村洪岙村
郑德明	男	1923年1月	100	柴桥街道久勤村
谢小兰	女	1923年6月	100	大碶街道灵岩社区
沈信梅	女	1923年6月	100	小港街道红联村
顾阿毛	女	1923年7月	100	大碶街道芦山村
刘宝来	男	2023年8月	100	春晓街道昆亭村
张梅云	女	2023年8月	100	白峰街道新峰百丈
黄昌仙	男	1923年9月	100	柴桥街道大溟村
赵杏娣	女	1923年9月	100	小港街道下邵村
梅生炳	男	1923年9月	100	柴桥街道东山门
汪宝华	男	2023年9月	100	郭巨街道南门村
唐才宝	男	1923年10月	100	小港街道长山社区
汪秀清	女	2023年11月	100	霞浦街道上傅村
张阿菊	女	1923年11月	100	霞浦街道河东村
邬金娣	女	2023年12月	100	春晓街道三山村
俞梅菊	女	2023年12月	100	柴桥街道芦北社区
沈玉利	女	2023年12月	100	春晓街道慈岙村

（撰稿人：张婷婷）

荣 誉

先进集体

2023 年北仑区获评国家级先进集体单位一览表

表 52

单位名称	荣誉称号	授予单位	授予时间
北仑区卫生健康局	全国五一巾帼标兵岗	中华全国总工会	2023 年 3 月
北仑区“百姓CHA话汇”志愿服务助力公益诉讼项目	第十四届中国青年志愿者优秀项目奖	共青团中央中国青年志愿者协会	2023 年 12 月
北仑区人民检察院	全国优秀检察新媒体年度贡献奖	最高人民检察院	2023 年 1 月
小港街道办事处	全国模范人民调解委员会	司法部	2023 年 10 月
北仑区卫生健康局	传染病智慧监测预警评估指标体系试点	中国疾病预防控制局	2023 年 6 月
北仑区卫生健康局	报刊宣传先进集体三等奖	中国红十字总会	2023 年 9 月
北仑区计划生育协会	第五次中国城乡老年人生活状况抽样调查工作表现突出单位	中国老龄协会综合部、国家卫生健康委员会办公厅、民政部办公厅、财政部办公厅、中国计划生育协会办公室	2023 年 12 月
大碶街道岩河社区	2023 年全国“书香社区”	中国图书馆学会	2023 年 9 月
柴桥街道集运基地司机之家	全国 100 家暖心服务“司机之家”	交通运输部办公厅、中华全国总工会办公厅	2024 年 1 月
北仑区红十字会	节约型机关	国家机关事务管理局	2023 年 9 月
北仑区人力资源和社会保障局	《中国劳动保障报》宣传成绩优秀单位	国家人力资源和社会保障部	2023 年 8 月
北仑区工商联	2022—2023 年度全国“五好”县级工商联	全国工商业联合会	2023 年 12 月
北仑区人民检察院涉案款e缴通	2023 政法智能化建设智慧检务创新案例	法制日报社	2023 年 7 月
北仑区气象局	全国气象部门创建模范机关优秀单位	中国气象局党组	2023 年 5 月
梅山海事处	2023 年中国家庭帆船赛卓越贡献奖	中国帆船帆板协会	2023 年 6 月

2023年北仑区获评省级先进集体单位一览表

表53

单位名称	荣誉称号	授予单位	授予时间
北仑区大碶街道	浙江省“红色根脉”强基示范乡镇（街道）	中共浙江省委	2023年6月
白峰街道小门村	浙江省“红色根脉”强基示范村	中共浙江省委	2023年6月
北仑区农业农村局	2023年度浙江省“五水共治”工作先进集体	中共浙江省委浙江省人民政府	2023年12月
北仑区科技局	科技创新鼎	中共浙江省委浙江省人民政府	2023年5月
北仑区科技局	2022年度市县党政领导科技进步目标责任制考核优秀	中共浙江省委浙江省人民政府	2023年5月
北仑区卫生健康局	全省征兵工作成绩突出单位	浙江省人民政府	2024年1月
柴桥街道	2023年度浙江省农村文化礼堂建设示范乡镇（街道）	中共浙江省委宣传部办公室	2023年11月
北仑区花田共富工坊	浙江省示范“共富工坊”	省委组织部省委“两新”工委	2023年12月
贝发集团股份有限公司	浙江省五一劳动奖状	浙江省总工会	2024年4月
宁波申洲针织有限公司纱线车间经编织带班组	浙江省工人先锋号	浙江省总工会	2024年4月
宁波继峰汽车零部件股份有限公司装配车间头枕四线	浙江省工人先锋号	浙江省总工会	2024年4月
万华化学（宁波）有限公司造气装置	浙江省工人先锋号	浙江省总工会	2024年4月
海天塑机集团有限公司海天路事业部生产保障科	浙江省工人先锋号	浙江省总工会	2024年4月
北仑团区委	2023年浙江省志愿服务工作突出贡献集体	共青团浙江省委浙江省志愿者协会	2024年2月
霞浦街道物流园区社会组织服务中心（“车轮上的守护者”——红蚂蚁集卡司机关爱志愿服务项目）	2023年浙江省青年志愿服务项目大赛金奖	共青团浙江省委浙江省志愿者协会	2023年12月
春晓街道干岙村	浙江省善治村	中共浙江省委农村工作领导小组办公室	2023年4月
新碶街道星阳村	浙江省善治村	中共浙江省委农村工作领导小组办公室	2023年4月
郭巨街道北门村	浙江省善治村	中共浙江省委农村工作领导小组办公室	2023年4月
白峰街道上阳村	浙江省善治村	中共浙江省委农村工作领导小组办公室	2023年4月
白峰街道外峙村	浙江省善治村	中共浙江省委农村工作领导小组办公室	2023年4月
郭巨街道双岙村	浙江省善治村	中共浙江省委农村工作领导小组办公室	2023年4月
大碶街道东岙山村	浙江省善治村	中共浙江省委农村工作领导小组办公室	2023年4月
大碶街道先锋村	浙江省善治村	中共浙江省委农村工作领导小组办公室	2023年4月
大碶街道芦山村	浙江省善治村	中共浙江省委农村工作领导小组办公室	2023年4月
大碶街道新安村	浙江省善治村	中共浙江省委农村工作领导小组办公室	2023年4月
郭巨街道东门村	浙江省善治村	中共浙江省委农村工作领导小组办公室	2023年4月
柴桥街道洪溪村	浙江省善治村	中共浙江省委农村工作领导小组办公室	2023年4月
白峰街道下阳村	浙江省善治示范村	中共浙江省委农村工作领导小组办公室	2023年4月

续表53

单位名称	荣誉称号	授予单位	授予时间
霞浦街道霞西村	浙江省善治示范村	中共浙江省委农村工作领导小组办公室	2023年4月
柴桥街道四合村	浙江省善治示范村	中共浙江省委农村工作领导小组办公室	2023年4月
柴桥街道岭下村	浙江省善治示范村	中共浙江省委农村工作领导小组办公室	2023年4月
霞浦街道水俞村	浙江省善治示范村	中共浙江省委农村工作领导小组办公室	2023年4月
霞浦街道宝山村	浙江省善治示范村	中共浙江省委农村工作领导小组办公室	2023年4月
小港街道江桥头村	浙江省善治示范村	中共浙江省委农村工作领导小组办公室	2023年4月
小港街道姚墅村	浙江省善治示范村	中共浙江省委农村工作领导小组办公室	2023年4月
北仑区农业农村局	2023年度浙江省集体经济巩固提升工作成绩突出集体	浙江省农业农村厅	2023年12月
北仑区农业农村局	2023年度浙江省水旱灾害防御工作成绩突出集体	浙江省水利厅	2023年12月
北仑区农业农村局	2023年度浙江省涉海涉渔安全生产暨渔业高质量发展成绩突出集体	浙江省农业农村厅	2024年1月
北仑区卫生健康局	2023年度浙江省红十字应急救护工作成绩突出集体	浙江省红十字会	2023年12月
北仑区卫生健康局	健康浙江行动省级样板	省委、省政府健康浙江建设领导小组办公室	2024年1月
北仑区卫生健康局	浙江省健康县（区）建设优秀特色案例	浙江省卫健委办公室	2023年8月
北仑区住房资金管理中心	省级优秀档案室	浙江省档案局	2023年3月
北仑区政协北仑港航委员会客厅	浙江省五星级委员会客厅	浙江省政协办公厅	2023年12月
小港街道办事处	2022年度“枫桥式”综合行政执法中队	浙江省司法厅浙江省综合行政执法指导办公室	2023年6月
白峰街道司法所	浙江省“枫桥式”司法所	浙江省司法厅	2023年1月
春晓街道司法所	浙江省“枫桥式”司法所	浙江省司法厅	2023年12月
白峰街道小门村	浙江省乡村振兴示范村	浙江省农业农村厅浙江省乡村振兴局	2023年1月
柴桥街道河头村	浙江省乡村振兴示范村	浙江省农业农村厅浙江省乡村振兴局	2023年1月
柴桥街道河头村	2023年度浙江省和美乡村特色精品村	浙江省农业农村厅办公室	2023年12月
白峰街道小门村	省级示范党群服务中心	中共浙江省委组织部	2024年1月
大碶街道周隘陈村	第六批省级引领型农村社区	浙江省民政厅	2023年12月
郭巨街道大岭下村	第六批省级引领型农村社区	浙江省民政厅	2023年12月
小港街道鲍家洋村	第六批省级引领型农村社区	浙江省民政厅	2023年12月
大碶街道嘉溪村	第六批省级引领型农村社区	浙江省民政厅	2023年12月
大碶街道杨岙村	第六批省级引领型农村社区	浙江省民政厅	2023年12月
白峰街道白峰村	第六批省级引领型农村社区	浙江省民政厅	2023年12月
柴桥街道大溟村	第六批省级引领型农村社区	浙江省民政厅	2023年12月
柴桥街道河头村	第六批省级引领型农村社区	浙江省民政厅	2023年12月

续表53

单位名称	荣誉称号	授予单位	授予时间
北仑区广播电视台	2023年度浙江省有线广播电视运营服务工作成绩突出集体	浙江省广播电视局	2023年12月
北仑区传媒中心	2023年度全省有线广播电视运营服务质量省级优秀单位	浙江省广播电视局	2023年12月
北仑区传媒中心	2022年度全省广播电视新闻协作县级广播一等奖	浙江广播电视集团	2023年6月
北仑区传媒中心	2022年度全省广播电视新闻协作县级新媒体一等奖	浙江广播电视集团	2023年6月
北仑区传媒中心	2022年度全省广播电视新闻协作县级电视二等奖	浙江广播电视集团	2023年6月
北仑区传媒中心	浙江日报报业集团（宁波）2023年度融媒发展卓越创新奖	浙江日报报业集团宁波分社	2023年12月
北仑区传媒中心	2022年度上送中央人民广播电台十强单位	浙江广播电视集团	2023年6月
戚家山街道办事处	第六批省级民族团结进步创建重点培育单位	浙江省民族宗教事务委员会	2023年12月
梅山街道江梅社区	第六批省级民族团结进步创建重点培育单位	浙江省民族宗教事务委员会	2023年12月
柴桥街道瑞岩寺	2023年省级宗教法治宣传教育基地	浙江省民族宗教事务委员会办公室	2023年12月
北仑区退役军人事务局	浙江省退役军人建档立卡及优待证发放工作成绩突出集体	浙江省退役军人事务厅	2023年10月
宁波中国港口博物馆	浙江省国际人文交流基地	中共浙江省委宣传部浙江省文化和旅游厅	2023年12月
宁波中国港口博物馆	浙江省最具创新力博物馆	浙江省文物局	2023年5月
郭巨街道退役军人服务站	2022年全省新时代“枫桥式”退役军人服务中心（站）	浙江省委退役军人事务工作领导小组办公室	2023年1月
柴桥街道	浙江省生活垃圾分类示范片区	浙江省生活垃圾分类工作领导小组办公室	2023年1月
郭巨街道东香茗园	浙江省高标准生活垃圾分类示范小区	浙江省生活垃圾分类工作领导小组办公室	2023年1月
柴桥街道格林春天	浙江省高标准生活垃圾分类示范小区	浙江省生活垃圾分类工作领导小组办公室	2023年1月
郭巨街道路亭村	2023年浙江省卫生村样板	浙江省爱国卫生运动委员会办公室	2023年8月
郭巨街道福民村	省级美丽宜居示范村	省建设厅、省美丽宜居办	2023年9月
梅山街道	浙江省第一批低（零）碳乡镇（街道）试点赛马评估等级B类	浙江省生态环境厅	2023年12月
梅山街道梅港村	浙江省2023年度乡村数智生活馆	浙江省农业农村厅	2023年12月
宁波中国港口博物馆	浙江省最具创新力博物馆	浙江省文物局	2023年5月
张人亚党章学堂	浙江省第一批乡村博物馆	浙江省文物局	2023年5月
钟观光纪念馆	浙江省第一批乡村博物馆	浙江省文物局	2023年5月
北仑开发开放展览馆	浙江省第一批乡村博物馆	浙江省文物局	2023年5月
梅山盐场纪念馆	浙江省第一批乡村博物馆	浙江省文物局	2023年5月
梅山街道梅中村	浙江省和美乡村达标村	浙江省农业农村厅	2023年7月
钟观光纪念馆	浙江省科学家精神教育基地	浙江省科协、省教育厅、省科技厅、省文化和旅游厅、团省委	2023年5月
柴桥街道人民调解委员会	全省优秀人民调解委员会	浙江省司法厅	2024年1月

续表53

单位名称	荣誉称号	授予单位	授予时间
北仑区科协	省级科普创新示范试点	浙江省科学技术协会	2023年7月
柴桥街道养志村	2022年气象防灾减灾标准化村（社区）	浙江省气象局	2023年1月
柴桥街道洪溪村	2022年气象防灾减灾标准化村（社区）	浙江省气象局	2023年1月
柴桥街道上史村	2022年气象防灾减灾标准化村（社区）	浙江省气象局	2023年1月
柴桥街道前郑村	2022年气象防灾减灾标准化村（社区）	浙江省气象局	2023年1月
霞浦街道办事处	浙江省四星级食安办街道	浙江省食品安全委员会办公室	2023年12月
霞浦街道办事处	浙江省妇联系统先进集体	浙江省妇女联合会	2023年6月
霞浦街道办事处	浙江省学习贯彻习近平新时代中国特色社会主义思想现场教学示范点	中共浙江省委组织部中共浙江省委党校	2023年8月
宁波开发区港口事务管理局	2023年浙江省打击治理涉海走私和海南岛离岛免税“套代购”走私专项行动中成绩突出集体	浙江省人民政府反走私办公室	2024年3月
张人亚党章学堂	第一批浙江省法治文化传承教育基地	浙江省法学会	2023年6月
北仑区法律援助中心	浙江省司法行政系统公共法律服务工作成绩突出集体	浙江省司法厅	2024年1月
新碶街道玫瑰社区	2023年度省级民主法治村（社区）	浙江省司法厅	2024年1月
春晓街道三山村	2023年度省级民主法治村（社区）	浙江省司法厅	2024年1月
大榭街道金海岸社区	2023年度省级民主法治村（社区）	浙江省司法厅	2024年1月
郭巨街道东港社区	2023年度省级民主法治村（社区）	浙江省司法厅	2024年1月
北仑区市场监督管理局	2022年度市场监管安全保障工作（餐饮食品安全保障、特种设备安全监察）成绩突出集体	浙江省市场监督管理局	2023年1月
北仑区市场监督管理局	2022年度地方市场监管工作评价结果良好等次	浙江省市场监督管理局	2023年1月
北仑区市场监督管理局	2022年全省市场监管系统“五新月赛、五星月晒”竞赛二等奖	浙江省市场监督管理局	2023年1月
北仑区市场监督管理局审批科	2022年度浙江省优化营商环境工作成绩突出集体	省市场监督管理局	2023年2月
北仑区市场监督管理局	疫苗国家监管体系评估工作集体嘉奖	浙江省药品监督管理局	2023年3月
小港市场监督管理所	2022年度市场监管所“双百”行动示范所	浙江省市场监督管理局	2023年7月
白峰市场监督管理所	四星级规范市场监管所	浙江省市场监督管理局	2023年7月
北仑区	浙江省标准化创新发展试点	浙江省全面实施标准化战略领导小组（国家标准化综合改革试点领导小组）	2023年7月
大碶市场监督管理所	全省清廉市场监管单元建设成绩突出单位	浙江省市场监督管理局	2023年10月
北仑区市场监督管理局	2023年浙江自贸试验区第二批省级制度创新案例《基于全球二维码迁移计划实施的进口商品质量安全追溯管理服务平台创新应用》	中国（浙江）自由贸易试验区工作领导小组办公室	2023年11月
北仑区市场监督管理局	2023年药品安全创新治理成绩突出集体	浙江省药品监督管理局	2023年12月

续表53

单位名称	荣誉称号	授予单位	授予时间
北仑区人力资源和社会保障局	省人社系统先进集体（仲裁院）	浙江省人力资源和社会保障厅	2023年1月
北仑区人力资源与社会保障局	2022年全省劳动人事争议案件处理优秀等次单位	浙江省人力资源和社会保障厅	2023年4月
民革北仑区二支部	民革全省社会服务工作先进集体	民革浙江省委会	2024年1月
北仑区	2022年度省十佳存量违建处置示范县（市、区）	浙江省“三改一拆”行动领导小组办公室	2023年9月
北仑区综合行政执法局	2023浙江省生活垃圾分类工作成绩突出集体	浙江省住房和城乡建设厅	2024年1月
北仑区环卫中心（外包企业中环洁）	浙江省城市市容环境卫生工作成绩突出集体	浙江省住房和城乡建设厅、浙江省总工会	2023年10月
北仑区人民法院执行局	集体二等功	浙江省高级人民法院	2024年2月
北仑区人民法院退休干部党支部	浙江省首批离退休干部“三强六好”示范党支部	中共浙江省委老干部局	2023年6月
北仑区消防救援大队	全省消防安全集中除患攻坚大排查大整治行动“攻坚先锋团队”	浙江省消防救援总队	2024年2月
北仑区人民检察院605专案联合办案组	2022年度法律监督成绩突出的集体（未成年人检察）	浙江省人民检察院	2023年3月
梅山街道金创社区	第五批浙江省侨联侨界创新创业基地	浙江省归国华侨联合会	2024年1月
小港街道、小港街道装备产业园区、霞浦街道、新碶街道塘湾社区、新碶街道玉兰社区“侨胞之家”	2022年浙江省五星级“侨胞之家”	浙江省归国华侨联合会	2023年3月
柴桥街道芦南社区、大碶街道横河工业社区、新碶街道芝兰社区“侨胞之家”	2023年浙江省五星级“侨胞之家”	浙江省归国华侨联合会	2023年12月
白峰街道、小港街道竺山社区、大碶街道坝头社区、太白社区“侨胞之家”	2022年浙江省四星级“侨胞之家”	浙江省归国华侨联合会	2023年3月
柴桥街道穿山社区、芦源社区、大碶街道岩河社区、新碶街道凌霄社区“侨胞之家”	2023年浙江省四星级“侨胞之家”	浙江省归国华侨联合会	2023年12月
北仑区气象局	全省气象部门杭州亚运会、亚残运会气象服务保障先进集体	浙江省气象局	2024年2月
北仑区气象局	全省气象部门创建模范机关先进单位	浙江省气象局党组	2023年5月

2023年北仑区获评市级先进集体单位一览表

表54

单位名称	荣誉称号	授予单位	授予时间
北仑区综合行政执法局	城乡建设管理（生活垃圾分类工作）成绩突出集体	中共宁波市委、宁波市人民政府	2023年9月
北仑区人民法院	2016—2020年全市普法工作成绩突出集体	中共宁波市委、宁波市人民政府	2023年9月
北仑区人民法院民三庭	“奋进宁波·争先进位”知识产权保护工作先进集体	中共宁波市委、宁波市人民政府	2023年8月
大碶市场监管所	“奋进宁波·争先进位”知识产权保护工作先进集体	中共宁波市委	2023年8月
北仑区工商联	宁波市服务“两个健康”工作成绩突出集体	宁波市人民政府	2023年9月

2023年北仑区获评区级先进集体单位一览表

表55

单位名称	荣誉称号	授予单位	授予时间
宁波海伯集团有限公司	2019—2023年度北仑区模范集体	中共北仑区委北仑区人民政府	2024年4月
宁波华美达机械制造有限公司	2019—2023年度北仑区模范集体	中共北仑区委北仑区人民政府	2024年4月
宁波隆源股份有限公司	2019—2023年度北仑区模范集体	中共北仑区委北仑区人民政府	2024年4月
宁波斯贝科技股份有限公司	2019—2023年度北仑区模范集体	中共北仑区委北仑区人民政府	2024年4月
台化兴业（宁波）有限公司	2019—2023年度北仑区模范集体	中共北仑区委北仑区人民政府	2024年4月
宁波长鸿高分子科技股份有限公司	2019—2023年度北仑区模范集体	中共北仑区委北仑区人民政府	2024年4月
浙江吉润汽车有限公司	2019—2023年度北仑区模范集体	中共北仑区委北仑区人民政府	2024年4月
浙江信宇建设集团有限公司	2019—2023年度北仑区模范集体	中共北仑区委北仑区人民政府	2024年4月
永泰运化工物流股份有限公司	2019—2023年度北仑区模范集体	中共北仑区委北仑区人民政府	2024年4月
梅山保税港区梅味轩餐饮管理有限公司	2019—2023年度北仑区模范集体	中共北仑区委北仑区人民政府	2024年4月
北仑职业高级中学	2019—2023年度北仑区模范集体	中共北仑区委北仑区人民政府	2024年4月
北仑区第二人民医院	2019—2023年度北仑区模范集体	中共北仑区委北仑区人民政府	2024年4月

先进个人

2023年北仑区获评国家级先进个人名录

表56

姓　名	单　位	荣誉称号	授予单位
华林江	宁波舟山港股份有限公司北仑矿石码头分公司	全国五一劳动奖章	中华全国总工会
王华峰	新碶街道博爱志愿服务中心	全国红十字志愿服务先进典型	中国红十字会总会
李　娟	北仑区红十字会	中国红十字会会员之星	中国红十字会总会
马建荣	申洲集团	第十二届“中华慈善奖”（个人捐赠）	全国慈善总会
陈雪波	新碶街道凌霄社区	全国优秀城乡社区工作者	民政部
刘乔蕾	北仑区退役军人事务局	2023年退役军人宣传工作先进个人	退役军人事务部办公厅
姚　波	北仑区文化和广电旅游体育局	“红色领杭 奉献亚运”大考大赛暨“六大行动”“每周之星”	杭州第19届亚运会组委会办公室
虞旭涛	北仑区新碶街道侨联	全国归侨侨眷先进个人	中国侨联国务院侨务办公室

2023年北仑区获评省级先进个人名录

表57

姓　名	单　位	荣誉称号	授予单位
周绍华	小港街道办事处	浙江省担当作为好干部	中共浙江省委
陈原益	大碶街道周隘陈村	浙江省担当作为好支书	中共浙江省委
孙少文	万华化学（宁波）有限公司	浙江省担当作为好支书	中共浙江省委
陈雪波	新碶街道大港社区	浙江省担当作为好支书	中共浙江省委
顾　靖	霞浦街道发展服务办公室	2021—2022年浙江省耕地保护工作先进个人	浙江省人民政府
曾国亮	北仑区退役军人事务局	浙江省退役军人建档立卡及优待证发放工作成绩突出先进个人	浙江省退役军人事务厅
黄　宇	北仑区政协办公室	浙江省政协《联谊报》宣传工作星级通讯员	浙江省政协《联谊报》社
王苾薇	北仑区传媒中心	2023年度浙江省有线广播电视运营服务工作成绩突出个人	浙江省广播电视局
王元君	北仑区农业农村局	浙江省农业“双强”行动成绩突出个人	浙江省农业农村厅
周纪明	北仑区农业农村局	浙江省强村富民乡村集成改革工作成绩突出个人	浙江省农业农村厅
王　强	北仑区住房和城乡建设局	浙江省城乡风貌整治提升、未来社区、未来乡村和美丽城镇建设成绩突出个人	浙江省住房和城乡建设厅
全彩峰	北仑区气象局	全省优秀县气象局局长	浙江省气象局
冯　毅	北仑区文化和广电旅游体育局	浙江省文物工作成绩突出个人	浙江省人民政府办公厅
何颂英	北仑区图书馆	浙江省图书馆学会2019—2023年度优秀会员	浙江省图书馆学会
冯　蕾	北仑区文化馆	2023年度全民艺术普及五星级文化使者	浙江省文化馆
林尔康	梅山街道办事处	全省优秀人民调解员	浙江省司法厅
蒋丽萍	小港街道妇联	浙江省“最美执委”	浙江省妇女联合会
顾蓉蓉	小港街道办事处	2023年度全省单位内部经济体检先进工作者	浙江省审计厅
张　亮	北仑区科技局	2019—2021年度全省科技工作成绩突出个人	浙江省科学技术厅
徐　群	宁波开发区港口事务管理局	浙江省推动现代服务业高质量发展成绩突出个人	浙江省发展改革委办公室
张水萍	北仑区司法局	浙江省社区矫正公益大使	浙江省司法厅
侍　念	北仑区人社局	浙江省人社系统先进个人	浙江省人力资源与社会保障厅
齐敏敏	北仑区人社局	2023年全省人社系统窗口单位业务技能练兵比武先进个人	浙江省人力资源与社会保障厅
贺蔚军	北仑区人社局劳动人事争议仲裁院	2022年度全省劳动人事争议案件处理优秀等次仲裁员	浙江省人力资源与社会保障厅
潘　越	北仑区综合行政执法局	2022年度优秀社员	九三学社浙江省委员会
王海星	北仑区综合行政执法局	全省综合行政执法工作先进个人	浙江省综合行政执法指导办公室
刘　飞	北仑区综合行政执法局	全省综合行政执法工作先进个人	浙江省综合行政执法指导办公室
毛祥云	北仑区综合行政执法局	全省综合行政执法系统队伍规范化建设工作成绩突出个人	浙江省综合行政执法指导办公室

续表57

姓 名	单 位	荣誉称号	授予单位
潘 越	北仑区综合行政执法局	2023年全省社会服务先进个人	九三学社浙江省委员会
彭晓晓	北仑区人民法院	2019—2023年度全省政法系统先进个人	中共浙江省委政法委员会浙江省人力资源和社会保障厅
刘叶思	北仑区人民法院	2023年第3季度浙江“最美家庭”	中共浙江省委宣传部浙江省妇女联合会
刘叶思	北仑区人民法院	全省“八五”普法中期成绩突出个人	中共浙江省委全面依法治省委员会守法普法协调小组
姚炽青	北仑区人民法院	宣传通联工作先进个人	浙江省高级人民法院新闻宣传处人民法院报浙江记者站
陆荣良	浙江吉润汽车有限公司	浙江省五一劳动奖章	浙江省总工会
张华军	宁波海伯集团有限公司	浙江省五一劳动奖章	浙江省总工会
娄奇袭	宁波宝新不锈钢有限公司	浙江省五一劳动奖章	浙江省总工会

2023年北仑区获评市级先进个人名录

表58

姓 名	单 位	荣誉称号	授予单位
丁朝晖	北仑区（宁波开发区）国有资产管理中心	宁波市担当作为好干部	中共宁波市委
邬剑侠	宁波市自然资源和规划局北仑分局	宁波市担当作为好干部	中共宁波市委
刘 琛	宁波开发区自贸区综合协调局	宁波市担当作为好干部	中共宁波市委
沈冬梅	北仑区市场监督管理局	宁波市担当作为好干部	中共宁波市委
张海航	北仑区人民政府宁波开发区管委会	宁波市担当作为好干部	中共宁波市委
胡 琼	北仑区梅山街道党工委	宁波市担当作为好干部	中共宁波市委
袁 波	北仑区农业农村局	宁波市担当作为好干部	中共宁波市委
潘俊喜	戚家山街道办事处	宁波市担当作为好干部	中共宁波市委
李 斌	新碶街道向家村	宁波市担当作为好支书	中共宁波市委
张国辉	霞浦街道山前村	宁波市担当作为好支书	中共宁波市委
姚小东	小港街道新模村	宁波市担当作为好支书	中共宁波市委
邢巧燕	新碶街道红梅社区	宁波市担当作为好支书	中共宁波市委
顾赟赟	梅山街道金创工业社区	宁波市担当作为好支书	中共宁波市委
金胜男	小港街道枫林社区	宁波市担当作为好支书	中共宁波市委
沈 庆	大碶街道洛可社会工作服务中心	宁波市担当作为好支书	中共宁波市委
王海星	北仑区综合行政执法局机关第一支部	宁波市担当作为好支书	中共宁波市委

2023年北仑区获评区级先进个人名录

表59

姓　名	单　位	荣誉称号	授予单位
贺小云	申洲集团大千纺织品有限公司	2019—2023年度北仑区劳动模范	中共北仑区委北仑区人民政府
柯智雄	台晶（宁波）电子有限公司	2019—2023年度北仑区劳动模范	中共北仑区委北仑区人民政府
林益军	中环洁集团宁波分公司	2019—2023年度北仑区劳动模范	中共北仑区委北仑区人民政府
肖建国	伯乐智能装备股份有限公司宁波分公司	2019—2023年度北仑区劳动模范	中共北仑区委北仑区人民政府
王龙起	贝发集团股份有限公司	2019—2023年度北仑区劳动模范	中共北仑区委北仑区人民政府
张　波	宁波盛威卓越安全设备有限公司	2019—2023年度北仑区劳动模范	中共北仑区委北仑区人民政府
蒋娜芬	浙江华朔科技股份有限公司	2019—2023年度北仑区劳动模范	中共北仑区委北仑区人民政府
赵吉峰	宁波胜克换向器有限公司	2019—2023年度北仑区劳动模范	中共北仑区委北仑区人民政府
张　斌	宁波博贤国际物流有限公司	2019—2023年度北仑区劳动模范	中共北仑区委北仑区人民政府
石国金	宁波宏协股份有限公司	2019—2023年度北仑区劳动模范	中共北仑区委北仑区人民政府
史银乔	台朔重工（宁波）有限公司	2019—2023年度北仑区劳动模范	中共北仑区委北仑区人民政府
丁慈英	霞浦街道物流工业社区	2019—2023年度北仑区劳动模范	中共北仑区委北仑区人民政府
华献春	宁波赛龙文具有限公司	2019—2023年度北仑区劳动模范	中共北仑区委北仑区人民政府
杨雪光	宁波上中下自动变速器有限公司	2019—2023年度北仑区劳动模范	中共北仑区委北仑区人民政府
陈　盼	宁波泰甬汽车零部件有限公司	2019—2023年度北仑区劳动模范	中共北仑区委北仑区人民政府
张吉虎	浙江吉润梅山汽车部件有限公司	2019—2023年度北仑区劳动模范	中共北仑区委北仑区人民政府
梁　立	宁波大榭集装箱码头有限公司	2019—2023年度北仑区劳动模范	中共北仑区委北仑区人民政府
樊　雷	北仑区供电公司运检部	2019—2023年度北仑区劳动模范	中共北仑区委北仑区人民政府
杨　勇	万华化学（宁波）有限公司	2019—2023年度北仑区劳动模范	中共北仑区委北仑区人民政府
张剑霞	北仑区霞浦学校	2019—2023年度北仑区劳动模范	中共北仑区委北仑区人民政府
吴　琪	北仑区人民医院	2019—2023年度北仑区劳动模范	中共北仑区委北仑区人民政府
聂　瑞	北京航空航天大学宁波创新研究院	2019—2023年度北仑区劳动模范	中共北仑区委北仑区人民政府
罗献东	宁波东方电缆股份有限公司	2019—2023年度北仑区劳动模范	中共北仑区委北仑区人民政府
唐彦春	宁波甬强科技有限公司	2019—2023年度北仑区劳动模范	中共北仑区委北仑区人民政府
刘永红	宁波北仑农村商业银行股份有限公司	2019—2023年度北仑区劳动模范	中共北仑区委北仑区人民政府
曹　君	宁波艾谱实业有限公司	2019—2023年度北仑区劳动模范	中共北仑区委北仑区人民政府
王　蕾	宁波保税区迅诚物流有限公司	2019—2023年度北仑区劳动模范	中共北仑区委北仑区人民政府
顾传甬	宁波市北仑传甬茶业有限公司	2019—2023年度北仑区劳动模范	中共北仑区委北仑区人民政府
吴志达	小港街道鲍家洋村	2019—2023年度北仑区劳动模范	中共北仑区委北仑区人民政府
黄燕波	宁波丽盛生态农业有限公司	2019—2023年度北仑区劳动模范	中共北仑区委北仑区人民政府

附 录

组织机构及其负责人名录

中国共产党宁波市北仑区委员会

书　记　潘银浩
副书记　王　程
　　方飞龙
常　委　金　昕
　　吴艳芳（女，2023.12免）
　　周成钢
　　王恩胜
　　潘卫华
　　宋林权
　　冯伟业
　　屠斌斌
　　张海航（2023.12任）
委　员　丁　丁
　　丁俊杰
　　王　程
　　王明良
　　王建波
　　王恩胜
　　王海军
　　方飞龙
　　付忠杏
　　冯伟业
　　吕益军
　　朱红明（女）
　　孙　婕
　　孙旭辉
　　孙建荣
　　李海达
　　吴艳芳（女，2023.12免）
　　沈冬梅（女）
　　沈建亚（女）
　　宋林权
　　张志龙
　　张海航
　　陆　坚
　　陆亚芬（女）
　　陆浩杰
　　陈佩青
　　林静芬（女）
　　金　昕
　　金　艳（女）
　　周　凌（女）
　　周成钢
　　郑航捷
　　胡　军
　　胡　琼（女）
　　胡峰印
　　胡敏波
　　俞宏侃
　　姚晓峰
　　贺红燕（女）
　　贺威平
　　袁　波
　　顾红麟（女）
　　柴善华
　　郭志昂
　　屠斌斌
　　程　展（女）
　　鲍志荣
　　蔡建萍（女）
　　蔡南耀
　　管海旻
　　潘卫华
　　潘银浩
　　潘群威
候补委员　张友均
　　江增辉
　　赵明鹤
　　匡新泉
　　任建威
　　费淑娟（女）
　　陈建平
　　汪越海
　　徐宏杰
　　史海辉

区委工作部门

办公室
主　任　张朝辉
台办主任、办公会议成员
　　顾朝晖（2023.3任）
正处长级　付忠杏（2023.6任）
党史研究室（方志办）主任、办公会议成员　方义强
办公室副主任
　　李孟龙（2023.11免）
　　陈　超
　　施盛义（2023.11任）
　　丁　亢（2023.6免）
　　廖宏军
　　邹斌军（2023.11任）
　　汪越海（兼，2023.6免）
　　卢国杰（兼，2023.6任）

沃国东（兼）
贺　瑛（女，兼，2023.11任）
办公会议成员　彭　波（2023.11免）
吴胜强（2023.11任）
俞晋瑾（女，兼）
党史研究室（方志办）副主任
贺海波

组织部
部　长　周成钢
常务副部长　陆　坚（2023.6免）
江智灵（2023.8任）
副部长　邵志能
江智灵（2023.8免）
李孟龙（2023.11任）
陈伟邦
吴锦标（兼）
付忠杏（兼，2023.6免）
李振基（兼）
孙　伟（兼）
孙开用（兼，2023.6任）
部务会议成员　张海芳（女）
周一杰
王君斐（女）

宣传部
部　长　宋林权
常务副部长　李海达（2023.6免）
沈建亚（女，2023.11任）
副部长　江增辉（2023.6任）
张信萍（女）
王　立
李飞红（女，2023.3任）
文明办副主任　董　娟（女）
政府新闻办副主任　金旭孟

统战部
部　长　吴艳芳（女）
常务副部长　柴善华（2023.6免）
马　鹰（2023.6任）
副部长、侨办主任（兼）、侨联主席（兼）　王能良
副部长　高　辉（2023.3任）
方正云（女）
章文夫（兼）
副部长、民宗局局长（兼）
邬世雄（2023.11免）
丁芬玲（女，2023.11任）
民宗局副局长　干雪敏（女）
部务会议成员　张立涛
侨联副主席　林晓峰
康　燕（女）

政法委员会
书　记　方飞龙
常务副书记　胡敏波
徐东朋（2023.6免）
副书记　孙　冲（2023.3任）
朱宏海
王贻锋
龚建波（兼）
委　员　崔　宁
罗君杰（兼，2023.3任）
吕益军（兼）
郑航捷（兼）
卢国杰（2023.6任）
李亚光（兼）

机构编制委员会办公室
主　任　吴锦标
副主任　金　芬（女，2023.3免）
朱海江
邬钱伟（2023.6任）

党　校
校　长　周成钢
常务副校长　林静芬（女）
副校长　黄世楚
丁　秉
社会主义学院专职副院长
尚学忠（2023.6免）
邵海芬（女，2023.6任）

政策研究室
主　任　匡新泉（2023.6免）
孙　捷（2023.6任）
副主任　姜建明（2023.6免）
袁云峰
任　强（2023.06任）
凌　晨
池林刚（2023.03任）

老干部局
局　长　李振基
副局长　林雪娟（女）

区老年大学
校　长　周成钢（兼）
信访局
局　长　沃国东
副局长　赵幼良
胡海行（2023.3任）
范金平
施　豪
信访督查专员　胡海行（2023.3免）

档案馆
馆　长　贺　瑛（女，2023.11任）
副馆长　张幼芬（女）
徐幸召

北仑区人民代表大会常务委员会

主　任　贺威平
副主任　陆亚芬（女）
刘文科
朱晓雄
金　艳（女）
张如平（2023.11免）
朱斌荣
党组成员　沈东梅（女，2023.11任）
委　员　王善祥
水科磊
叶园平（2023.11免）
成维庆
邬安银
江增辉
许振良（2023.11免）
李建民
汪红波（女，2023.11免）
张勤勇
陈进元（2023.11免）
陈雪波（女）
林新法
周庆海（2023.11免）
周建成
胡　斌（2023.2任）
郑旭波（2023.11免）
柯爱国
费淑娟（女）
姚　云
贺迪娜（女）
贺频艳（女）
柴建军（2023.11免）

钱宏儿（2023.11免）
徐春霞（女）
黄铭月（女，2023.2任）
童金辉
虞建军
穆大平

办公室
主　任　叶园平（2023.7免）
穆大平（2023.7任）
副主任　赵印中
孙朝霞（女）

监察和司法工委
主　任　郑旭波（2023.3免）
罗姬娜（女，2023.3任）
副主任　黄素琴（女，2023.3免）
顾海萍（女，2023.3任）

代表工委
主　任　钱宏儿（2023.7免）
王明良（2023.7任）
副主任　王宁山（2023.3免）
顾海萍（女，2023.3免）
黄素琴（女，2023.3任）
项　群（2023.11任）

财经工委
主　任　成维庆
副主任　黄　炜（女）
漆　琦（女）

教科文卫民宗侨外工委
主　任　张勤勇
副主任　陈　浪

城建环保工委
主　任　许振良（2023.3免）
张　伟（2022.3任）
副主任　谢仁安（2023.1免）
周雨虹（女，2023.7免）
杨先大（2022.7任）

农业和农村工委
主　任　汪红波（女，2023.3免）
王国芳（2023.3任）
副主任　石补立（2023.1免）
应霞玲（女）

社会建设工委
主　任　穆大平（2023.7免）
张友均（2022.7任）
副主任　陈　忠
张红霞（女，2023.1任）

北仑区人民政府

区　长　王　程
常务副区长　屠斌斌
副区长　冯伟业
张海航
程　展（女）
丁俊杰
龚建波
任锦群
曾建祥（挂职，2023.11任）
副区长级　李声波（2023.6任）
党组成员　陆浩杰

区人民政府组成部门和机构

办公室
主　任　陆浩杰
副主任　胡志勇
钟　磊
沈　健（2023.7免）
刘丹华（2023.1免）
胡海辉
顾晓明（2023.1任）
徐健钢
何菊花（女）
段华超（2023.7任）
党组成员　徐孟杰（2023.3免）
郑　玮（女）
应琪超（2023.3免）

发展和改革局（粮食和物资储备局、对口支援和区域合作局）
局　长　鲍志荣
副局长　张继胜（2023.1任）
童振捷
鲍晓峰
顾江峰（2023.1免）
张五星
陈明波
董晓明（女，2023.1任）
总经济师　张继胜（2023.1免）

教育局
局　长　王明良（2023.7免）
李海达（2023.7任）
副局长　贺　瑛（女，2023.12免）
董灿华
邬磊磊（2023.12任）
党委委员　张　军
刘景豪
王　挺

经济和信息化局
局　长　陈佩青
副局长　廖忠铃（兼）
葛　琳（女）
裴伯良（2023.5任）
黄少杰（2023.12免）
蒋凯努
段华超（2023.7免）
石惠新（2023.12任）
敖　朋（2023.7任）

科学技术局
局　长　张盛杰（2023.1任）
副局长　徐海红（女）
姚劲忠
邱志刚
杨　娜（女）
刘润华（挂职）

交通运输局
局　长　俞宏侃
副局长　俞科龙
吴　展（2023.5任）
叶伟胜
孟金水（2023.5免）
张　雷
蔡建伟
顾春波（2023.1任）
总工程师　林　滨

民政局
局　长　周　凌（女，2023.3免）
徐宏杰（2023.3任）
副局长　石旭兆
袁恩明
徐　琪
柯海峰
莫曙光

司法局
局　长　汪越海（2023.7免）
　　　　卢国杰（2023.7任）
副局长　张　宠（2023.7任）
　　　　张晓华
　　　　罗姬娜（女，2023.3免）
　　　　李　彬（2023.7免）

财政局
局　长　叶奇丹（女）
副局长　何旭培（女）
　　　　应荣与（2023.7任）
　　　　袁　波
总会计师　王海珍（女）

人力资源和社会保障局
局　长　付忠杏（2023.6免）
　　　　孙开用（2023.7任）
副局长　韩　峰
　　　　宋　荣
　　　　陈剑君（女）
　　　　施海宁（女，2023.4任）
　　　　杨宏伟（2023.4免）

住房和城乡建设局
局　长　唐兴林
副局长　王　威
　　　　孙小腾
　　　　林　军（女）
　　　　赵　海
　　　　卢　青（2023.5任）
党委委员　陈国平
总工程师　胡文波

区人民防空办公室
主　任　唐兴林
副主任　林　军（女）

住房资金管理中心
主　任　陈国平
副主任　余剑英（女，2023.3免）
　　　　顾　南（2023.2任）
　　　　孙燕波（女，2023.11任）

综合行政执法局
局　长　张友均（2023.7免）
　　　　汪越海（2023.7任）
副局长　胡茂平
　　　　孟林海
　　　　袁立群
　　　　陈开勇
　　　　袁　龙（2023.12任）

政务服务办公室
主　任　孙敏列
副主任　葛卫忠
　　　　邬承红（女）
　　　　满华峰
　　　　黄灵月（女，2023.1任）

农业农村局
局　长　袁　波
副局长　史晨明
　　　　朱吉建（2023.5任）
　　　　程知信（2023.11免）
　　　　贺忠洲
　　　　王　斌
　　　　张传标
　　　　张昌恩
　　　　李洪华
总农艺师　胡伟松
区水利管理服务中心主任
　　　　吴小军（2023.12任）

市场监督管理局
局　长　沈冬梅（女，2023.11免）
副局长　徐善君（2023.11任）
　　　　李洪涛
　　　　王耀耀
　　　　杨益君
　　　　李小龙
　　　　丁力军
　　　　章银军
　　　　贺琪凯
总工程师　方妙国

文化和广电旅游体育局
局　长　蔡建萍（女）
副局长　赵拉结（女，兼，2023.11免）
　　　　虞　伟
　　　　周晓春（女，2023.7免）
　　　　姚　波
　　　　尹宝伟
　　　　吴文华
党委委员　何　鸣（女，兼）
　　　　　冯　毅（2023.4任）

区文物局
局　长　蔡建萍（女，兼，2023.5任）
副局长　冯　毅（兼，2023.5任）

卫生健康局
局　长　张旭波
副局长　沈志峰（女，2023.1免）
　　　　李　莉（女，2023.5免）
　　　　朱长勇（2023.10任）
　　　　胡高波
　　　　胡群雄
　　　　傅旭东（2023.1任）
党委委员　王　波
　　　　　陈昌岳
　　　　　徐春霞（女）

医疗保障局
局　长　孙建荣（2023.11免）
　　　　赵拉结（女，2023.11任）
副局长　袁继明
　　　　康春飞（女）

审计局
局　长　陈建平
副局长　任宝贵（2023.9免）
　　　　孙惠群（女，2023.11任）
　　　　王红燕（女）
总审计师　谢雪松（2023.7任）
区经济责任审计工作联席会议办公室
主任　王红燕（女，2023.7免）
　　　朱奇波（2023.7任）

应急管理局
局　长　徐宏杰（2023.3免）
　　　　张　忠（2023.3任）
副局长　林旭朝
　　　　梅良君（2023.5任）
　　　　胡际敏
　　　　俞海滨
　　　　周幼娟（女，2023.5任）
　　　　张　颢
　　　　陈九根（2023.10任）
总工程师　王叶琴（女）

统计局
党组书记　黄少杰（2023.11任）
局　长　王海荣
副局长　史庆玖

李蓓莉（女）
李 珊（女）
经济社会调查中心主任 阮维奎

公共项目建设管理中心
主 任 王裕定（兼，2023.1任）
副书记 忻海骏（兼，2023.3任）
副主任 王信义（兼）
苏孝波
邱卓敏
江钱军（2023.5任）
总工程师 何国军

大数据发展管理中心
主 任 沈静义
副主任 张 敏

地方金融监督管理局
局 长 史海辉
副局长 伊海江
厉键锋
苏白红（2023.5任）

机关事务管理局
局 长 盛光杰
副局长 杨先大（2023.7免）
苏向红（2023.5免）
凌东刚（2023.1任）

退役军人事务局
局 长 林广亮
副局长 杨旭东
费常波（女）
李志照
赖舟水（2023.6任）

房屋征收管理服务中心
主 任 顾红麟（女，兼，2023.5免）
史碧辉（2023.5任）
副主任 孟雪丛（女，兼，2023.11免）
顾元骥（2023.12任）
王锡明
史海伟（2023.3免）
韩罗杰（兼，2023.12任）

政府投资项目评审中心
主 任 叶奇丹（女，兼，2023.10任）
党组书记、副主任
李 军（兼，2023.3免）
任宝贵（2023.10任）
副主任 裴伯良（兼，2023.5免）
贺 峰（2023.1任）
顾旭峰（2023.1免）
总评审师 叶剑锋

传媒中心
主 任 楼维娜（女）
总编辑 乐 峰
副主任 李志烽（2023.11免）
甘 泉（2023.3任）
王力涛
张 秧（女，2023.3任）
总工程师 郑科球

供销合作联社
理事会主任 郑德华
副主任 吴飞龙
监事会主任 陈锡余

芯港小镇建设管理中心
主 任 王国芳（兼，2023.4免）
胡 鹏（2023.5任）
副主任 吴 展（2023.5免）
王海达（2023.12免）
王晓萍（女，2023.1任）
黄石磊（2023.12任）

北仑区生态湿地建设管理办公室
主 任 皮浪波（2023.5任）
黎旭东（2023.5免）
副主任 吴技能
胡 刚（2023.7任）
潘维生
周忠定（2023.7免）

中国人民政治协商会议宁波市北仑区委员会

主 席 王建波
副主席 胡 军
汤黎明
胡立辉
贺 波
郭志昂
张 阳
秘书长 邱海国
常 委 王 皓（2023.1免）
王张敏（女）
王英平（2023.1免）
王能良
王赛平（女）
王黎明
方士良
石小俊
刘智荣（2023.9免）
李 敏（女）
李 斌
李莹琦（女）
杨丽霞（女）
吴克汀
吴鸿珠（女）
何 翔
余 清（女）
张 静（女）
张丽萍（女）
陆静静（女）
陈文汉
陈彩虹（女）
林雪凤（女）
周 瑾（2023.2任）
周天伦
周敏英（女）
单坚平
柯秋红（女）
顾添春（女）
柴善华（2023.9免）
倪 宾
徐行芬（女，2023.2任）
翁雪峰
高彦鹏
章文夫
蒋君齐
释门一
谢警盈（女）
戴 翔

办公室
主 任 王黎明（副秘书长）
副主任 张文河
李成君

提案委员会
主 任 王英平（2023.1免）
周 瑾（2023.1任）

副主任　周燕国
　　　　刘宏武

城建资源环境委员会
主　任　王　皓（2023.1免）
　　　　徐行芬（女，2023.1任）
副主任　陆　琦

经济委员会
主　任　蒋君齐
副主任　邱雪飞（女）
　　　　姚　芳（女，2023.4任）

教科卫体文化文史和学习委员会
主　任　柯秋红（女）
副主任　曾　艳（女）
　　　　朱秋梅（女）

社会法制和港澳台侨委员会
主　任　陈文汉
副主任　丁芬玲（女，2023.12免）
　　　　许红琴（女）

委员工作委员会
主　任　刘智荣（2023.4免）
　　　　费震宇（2023.4任）
副主任　王婉洁（女）
　　　　甘永芳（女，2023.4任）

中国共产党宁波市北仑区纪律检查委员会

书　记　王恩胜
副书记　胡峰印
　　　　张建勇
常　委　许海芳（女）
　　　　卢国杰（2023.6免）
　　　　贺军辉
　　　　陈燕君
　　　　王潇雅（2023.11任）
区委巡察办主任　许海芳（女）

宁波市北仑区监察委员会
主　任　王恩胜
副主任　胡峰印
　　　　张建勇
委　员　陈燕君
　　　　王曙辉（2023.1免）
　　　　王潇雅（2023.11任）
　　　　方红霞（2023.3任）
　　　　周　静（2023.7任）

区人民法院

院　长　郑航捷
副院长　杜　宇
　　　　胡颖芳（女）
　　　　陈旗民
　　　　陈广秀（女）
纪检监察组组长　郑继东（2023.1免）
　　　　郑明达（2023.1任）
执行局局长　李　瑛（女，2023.4免）
　　　　吴希松（2023.4任）
政治部主任　汪静艳（女）
审判委员会　方指挥
　　　　贾旭辉（2023.8免）
　　　　卞　杰（女，2023.8免）
　　　　胡　波（2023.8任）

区人民检察院

检察长　吕益军
副检察长　倪联辉
　　　　魏　兴
　　　　张　静（女）
　　　　涂学华（2023.9任）
政治部主任　林高明
纪检监察组组长　李佩霖（2023.1免）
　　　　刘继宏（2023.1任）
检察委员会专职委员
　　　　涂学华（2023.8免）
　　　　卞　杰（女，2023.8任）
　　　　虞振威

区人武部

部　长　陈　锋（2023.7免）
　　　　石　锋（2023.7任）
政　委　潘卫华
副部长　吴绍平

民主党派

民革北仑区基层委员会
主　委　胡立辉

民革北仑区一支部
主　委　薄纪康

民革北仑区二支部
主　委　贺建良

民革北仑区三支部
主　委　刘德方

民革北仑区四支部
主　委　陶春风

民盟北仑区基层委员会
主　委　张　阳

民盟北仑教育一支部
主　委　谢蕾盈（女）

民盟北仑教育二支部
主　委　陈　波

民盟北仑教育三支部
主　委　王　岩

民盟北仑科技机关支部
主　委　董　波（2023.9免）
　　　　陈启美（2023.9任）

民盟北仑经济支部
主　委　卢青法

民建北仑区基层委员会
主　委　李　斌

民建北仑一支部
主　委　杨　鹊（女）

民建北仑二支部
主　委　周民海

民建北仑三支部
主　委　吕薇娜（女）

民建北仑四支部
主　委　赵燕儿（女）

民建北仑五支部
主　委　徐　娜（女）

民建北仑六支部
主　委　陈奇科

民进北仑区支部
主　委　汤黎明

农工党北仑区基层委员会
主　委　张勤勇

农工党北仑区支部
主　委　石小俊

农工党北仑区人民医院支部
主　委　刘卫怀

农工党北仑区第二人民医院支部
主　委　李铁红（女）

致公党北仑区综合支部
主　委　许红琴（女）

九三学社北仑区基层委员会
主　委　周　瑾

九三学社北仑一支社
主　委　张兴赟

九三学社北仑二支社
主　委　倪　宾

九三学社北仑三支社
主　委　王民权

群众团体

区总工会
主　席　金　艳（女，兼）
常务副主席　胡　斌
副主席　张加登
　　　　陈文静（女）
　　　　方向华
　　　　王赛平（女，2023.3免）

共青团北仑区委
书　记　黄铭月（女，2023.6任）
副书记　李莹琦（女）
　　　　干敏敏
　　　　石麒琳（女，挂职，2023.6免）
　　　　郑行捷（挂职）
　　　　高　乐（挂职，2023.6免）

区妇女联合会
主　席　费淑娟（女）
副主席　林雪凤（女）
　　　　张　勇（女）
　　　　余　丹（女，2023.3任）
　　　　黄伟君（女，挂职）
　　　　王　蕾（女，兼）
　　　　梅佩红（女，兼）

区科学技术协会
副主席　张志明
　　　　俞群芳（女）

区工商业联合会
主　席　马建荣
常务副主席　章文夫
副主席　祁大桃
　　　　俞晋瑾（女）
　　　　徐　迎（女，挂职）

区文学艺术界联合会
主　席　胡　军（兼）
专职副主席　何　鸣（女）
副主席　邬莹莹（女，挂职）

区残疾人联合会
理事长　单坚平
副理事长　陈碧华（女）
　　　　　陈　统（挂职，2023.4任）

区慈善总会
会　长　蒋素春（女，2023.8免）
　　　　张如平（2023.8任）

区关工委
主　任　颜　力（兼）
专职副主任　贺友谊

区红十字会
会　长　张海航（兼）
常务副会长　沈志峰（女）
副会长　谢雪萍（女）
　　　　陈　盛（挂职）

市驻区机构

公安分局
局　长　龚建波
政　委　王　东（2023.12免）
　　　　王维荣（2023.12任）
副局长　林宏来
　　　　方若晗
　　　　王维荣（2023.12免）
　　　　刘浩俊
　　　　胡朝霞（女）
　　　　瞿　波（2023.4任）
纪检监察组组长　王　彬
党委委员、区委政法委委员（兼）、社会秩序保障大队大队长
　　　　罗君杰（2023.4任）
政治处主任　胡朝霞（女，2023.8免）
　　　　　　杨春雨（2023.8任）

自然资源和规划分局
局　长　顾红麟（女）
副局长　戴猛追
　　　　曹康平
　　　　忻洪巨
　　　　柳　勇
　　　　韩舜尧
　　　　庞振刚
土地储备中心主任　林锋杰
不动产登记服务中心主任　沈天旭

生态环境分局
局　长　王　涛
副局长　林良宽
　　　　李昌耀
　　　　周　航（2023.11任）
总工程师　陆雪峰

烟草专卖局（烟草公司北仑分公司）
局　长　周　亮（2023.12任）
副局长　邓柏杨
副经理　王　翔（2023.12免）
　　　　陈　瑜（2023.12任）

气象局
局　长　全彩峰（女）
副局长　袁登峰
　　　　张晨晖

北仑税务局
局　长　冯军工
副局长　金　松（2023.2免）
谭　超
杨忠勇
马　哲
魏学军
纪检组组长　陈　舜
总经济师　朱婷婷（女）

供电公司
总经理　凌　健（2023.11免）
钟良亮（2023.11任）
副总经理　高颂九
周　峰
石科明
张振龙
纪委书记、工会主席　周　嵘
永耀集团北仑分部主任　周　俊

水务环境集团北仑分公司
经　理　徐　程
副经理　周　瑜
张　誉（2023.12任）
总经理助理　张　誉（2023.12免）

中国邮政北仑分公司
总经理　卢作明
工会主席、副总经理
贺赛明（女，2023.3免）
纪委书记、副总经理　徐　磊
副总经理　王建勇（2023.2免）
施程剑（2023.3任）

中国电信北仑分公司
总经理　金育人
副总经理　黄亚丽（女）
谢翠波（女）
总经理助理　梅华颖

中国移动北仑分公司
总经理　顾优势
副总经理　高　波
杨伟伟（2023.2免）
叶燕华
袁博能（2023.2任）

中国联通北仑分公司
总经理　董　杰
副总经理　吴红彪（2023.2免）
潘春鑫（2023.6免）
许建峰（2023.6任）
朱方栋（2023.2任）
总经理助理　过　玮

消防救援大队
大队长　熊华靖（2023.4免）
胡　晨（2023.4任）
教导员　汪上升
副大队长　林　伟
童伟星（2023.6免）

人民银行北仑支行
行　长：王春晓
副行长：张美婷（女）
沃　野
纪检组组长：梅庆昌

北仑海关
关　长　张春芳（2023.9免）
潘　锋（2023.9任）
缉私分局局长　李争飚
纪检组组长　杜宝柱
副关长　朱朝阳
莫　勤（2023.10任）
许丹利
沈　啸（2023.9免）
洪　远
驻甬城办事处主任　徐　颎（女）
驻临港办事处主任　谢　芳（女）
驻穿山办事处主任　钟信国

宁波保税区海关
关　长　吴勇敏
纪检组组长　童存康（2023.1免）
余佩勇（2023.1任）
副关长　王国华
王玲玲（女，2023.4免）
朱敏敏（女）

大榭海关
关　长　沈　骊
缉私分局局长　姚　平
纪检组长　曹　霞（女，2023.9免）
黄　颖（女，2023.9任）

副关长　王　远（2023.1免）
徐　啸（2023.1任）
张秋波（2023.10免）
施　军
龙建成

梅山海关
关　长　彭雄武（2023.8免）
乐　会（2023.8任）
纪检组组长　周　升（2023.1任）
副关长　陶文军
陈育人
王立红（2023.10免）
李　骏
谭泽生（2023.12任）

北仑海事处
处　长　周　驰
副处长　王继荣
黄全进

大榭海事处
处　长　戴林伟
政　委　胡铁军
副处长　高　玮

穿山海事处
处　长　胡钢辉
政　委　沈忠平
副处长　方志新
陈庆郴

梅山海事处
处　长　胡海涛
政　委　张钧浩
副处长　庞宪良

驻北仑出入境边防检查机关
宁波边检站海上监管处处长　胡　奎
政　委　汪　峰
北仑边检（综合执勤三队）站长
胡勇林
政　委　赵太平
北仑边检（综合执勤四队）站长
屠晓锋
政　委　李宁峰
大榭边检站长　洪建军
政　委　吴水斌

穿山边检站长　赵常松
　　政　委　金　诚
梅山边检站长　沈贝贝
　　政　委　李进雄

中共宁波经济技术开发区工作委员会

书　记　潘银浩（兼）
副书记　奚　明（2023.12免）
　　　　王　程（兼）
委　员　潘群威
　　　　刘黎勇
　　　　叶万档
　　　　张学军
　　　　应优辉
　　　　周成钢
　　　　王恩胜
　　　　朱朝寅
　　　　胡　琼（女，2023.10任）
　　　　李金平
　　　　冷国琪
　　　　王裕定

宁波经济技术开发区管理委员会

主　任　奚　明（2023.12免）
副主任　王　程（兼）
　　　　潘群威
副主任（副局长级）
　　　　刘黎勇
　　　　叶万档
　　　　张学军
　　　　应优辉
　　　　朱朝寅
　　　　胡　琼（女，2023.10任）
　　　　张海航（兼）
　　　　程　展（女，兼）
　　　　丁俊杰（兼）
　　　　龚建波（兼）
　　　　任锦群（兼）
　　　　曾建祥（挂职，兼，2023.11任）

党工委管委会办公室
副主任　张志龙
　　　　沈益红（女，2023.6任）
　　　　胡侠参
　　　　邹斌军（2023.11免）
　　　　彭　波（2023.11任）

投资促进局
局　长　贺红燕（女）
副局长　邹　杰（2023.3任）
　　　　杨世业
　　　　周　波
　　　　甘永芳（女，2023.3免）
　　　　张　丹（女，2023.3任）
　　　　章永乐

营商环境改革局
局　长　黄秦波（2023.6免）
　　　　沈　健（2023.6任）
副局长　程军勇
　　　　范　鲲
　　　　徐航程
　　　　王　祯（女，2023.3免）

商务局
党组书记、局长　马　鹰（2023.6免）
党组书记　史海辉（2023.6任）
副局长　汪　涛（2023.3免）
　　　　童节军
　　　　周　杰
　　　　龚晓晖
　　　　朱建军
贸促会会长　毛竹发
副会长　胡浩峰
　　　　陈姣姣（女）
　　　　季　音（女）

数字经济发展局
局　长　廖忠铃
副局长　邹　杰（2023.3免）
　　　　陈晓辉
　　　　任　强（2023.6免）
　　　　严发文（2023.6任）
　　　　邹鹏军（2023.6任）

金融创新发展局
局　长　陈　峰
副局长　徐复阳（女）
　　　　何培勇（2023.3免）
　　　　应荣与（2023.6免）

港口事务管理局
局　长　徐善君（2023.11免）
　　　　江　寅（2023.12任）
副局长　徐　群（女）
　　　　叶家华
港口事务服务中心主任
　　　　任　璟（2023.3任）

开发建设综合局
局　长　章方苗（2023.6免）
　　　　李国东（2023.6任）
副局长　方伟明
　　　　刘严聪（2023.3任）
　　　　杨增强
　　　　林宏伟

自贸区综合协调局
局　长　汪　涛（2023.3任）
副局长　徐志杰
　　　　张　丹（女，2023.3免）
　　　　张钧乐

自贸区政策法规局
局　长　吴　斌
副局长　裘锡军
　　　　姜建明（2023.6任）
　　　　李　宇
　　　　虞　雁（女）

甬保经济发展中心
主　任　郑世盈（女）
副主任　江钱军（2023.3免）
　　　　沈　杰
　　　　冯慧志（2023.3任）
　　　　李　珂（2023.3任）

象保合作管理服务中心
主　任　程　峰（2023.3免）
　　　　戴军富（2023.3任）
副主任　董保华（兼）
　　　　郑光皓

梅山经济发展中心
主　任　孙军泽（兼）
副主任　黄文通（2023.3任）
　　　　袁小兰（女，2023.3任）
　　　　魏建鹏（兼，2023.3任）
　　　　李　颖（女，兼，2023.3免）

大榭经济发展中心
主　任　吕赟朝（兼）
副主任　沈益红（女，2023.6免）
　　　　郑宇蓉（女，兼）
　　　　陆万利（2023.3任）
　　　　黄　姚（2023.6任）

开发区临港经济产业管理服务中心
主　任　朱洪波（兼）
副主任　殷光亮
　　　　陈学明
　　　　朱红明（2023.11任）

开发区化工产业安全生产管理服务中心
主　任　楼卫法
副主任　丁柏兵

服务业发展中心
主　任　裘　翎（女，兼，2023.3任）
副主任　温少壮（2023.3任）
　　　　王　祯（女，2023.3任）

街　道

新碶街道
党工委书记　金　昕
副书记　张丽辉（女）
　　　　张其波
　　　　施盛义（2023.11免）
　　　　王承春（2023.11任）
委　员　郑明达（2023.1免）
　　　　刘世明（2023.1任）
　　　　何乔柱（2023.5因病去世）
　　　　陆文中（2023.6任）
　　　　谢　隽（女）
　　　　刘浩俊（兼，2023.3免）
　　　　徐　伟（2023.6免）
　　　　蒋　鸿（2023.6任）
　　　　郑静辉（兼，2023.11任）
　　　　胡贤波（2023.11任）
人大工委主任　林新法
副主任　吴　维（2023.12免）
办事处主任　张丽辉（女）
副主任　陆文中（2023.6免）
　　　　周永刚
　　　　陈晓峰
　　　　贺宏永
　　　　吴　维（2023.12任）
　　　　吴　侃（2023.7任）
政协联络委主任　谢　隽（女）

小港街道
党工委书记　沈建亚（女，2023.11免）
　　　　　　沈冬梅（女，2023.11任）
副书记　周绍华
　　　　皮浪波（2023.3免）
　　　　邬钱伟（2023.6免）
　　　　尉　涛（2023.6任）
　　　　徐　伟（2023.6任）
委　员　周福华（2023.11免）
　　　　翁展展（女）
　　　　胡　波
　　　　虞建国（兼，2023.11免）
　　　　乐海斌
　　　　邵　晨（2023.11任）
　　　　董建挺（兼）
人大工委主任　虞建军
副主任　邵　晨（2023.11免）
办事处主任　周绍华
副主任　郭立平
　　　　郑凯伟
　　　　龚仕东
　　　　史海伟
　　　　贺加贝
政协联络委主任　周福华

大碶街道
党工委书记　孙旭辉
副书记　郑　勇
　　　　江增辉（2023.6免）
　　　　郭　凌（2023.6任）
　　　　丁　亢（2023.6任）
委　员　胡旭明（2023.5免）
　　　　何先光
　　　　乐嵩杰
　　　　王宁宁（2023.6任）
　　　　顾霄扬
　　　　李凯松（兼）
　　　　瞿　波（兼，2023.3免）
　　　　吴一峰（兼，2023.3任）
人大工委主任　陈进元（2023.11免）
　　　　　　　程知信（2023.11任）
副主任　乐松毅（2023.1任）
办事处主任　郑　勇
副主任　明　星
　　　　傅雷飞
　　　　乐松毅（2023.1免）
　　　　张　获
　　　　李文渊（2023.1任）
政协联络委主任　胡旭明（2023.9免）
　　　　　　　　乐嵩杰（2023.9任）

柴桥街道
党工委书记　孙　捷（2023.6免）
　　　　　　张　盛（2023.6任）
副书记　张　盛（2023.6免）
　　　　顾艳艳（女，2023.6任）
　　　　王潇雅（2023.11免）
　　　　唐聪丽（女，2023.11任）
委　员　龚彬彬（2023.11任）
　　　　柴之罡
　　　　贺玉燕（女）
　　　　薛亚周
　　　　郑昌权（2023.11任）
　　　　薛　明
　　　　裘尧南（兼，2023.3任）
人大工委主任　柯爱国
副主任　柯克善
办事处主任　张　盛（2023.7免）
　　　　　　顾艳艳（女，2023.7任）
副主任　贺　东
　　　　张　侃
　　　　龚彬彬（2023.12免）
　　　　刘　韵（2023.4免）
　　　　叶　丹（2023.5任）
政协联络委主任　贺玉燕（女）

霞浦街道
党工委书记　林　峰
副书记　刘丹华
　　　　李　波（女）
委　员　刘世明（2023.1免）
　　　　严玲玲（女）
　　　　张华伟
　　　　吴海翔（女，2023.3任）
　　　　王科元（2023.6免）
　　　　贺静丹（女，2023.6任）
　　　　刘　杰
　　　　倪佳达（兼，2023.11免）
人大工委主任　乐国伟（2023.4免）
　　　　　　　徐东明（2023.7任）
副主任　陈　伟
办事处主任　刘丹华（2023.1任）
副主任　张雷浩

赵爱群（女）
曾小宇
肖　磊
政协联络委主任　严玲玲（女，2023.9免）
贺静丹（女，2023.9任）

宁波开发区临港工业与国际物流园区管理服务中心
副主任　严发文（兼任党组成员，2023.7免）
王　瑾
邬剑侠（2023.7任）

戚家山街道
党工委书记　姚晓峰
副书记　李国东（2023.6免）
潘俊喜（2023.6任）
叶　跃
委　员　谢翠丰（女）
那彦鹏（2023.11任）
谢　芳（女）
韩润哲
朱献飞（兼）
王宁宁（2023.6免）
人大工委主任　邱益君
副主任　陈子非
办事处主任　李国东（2023.7免）
潘俊喜（2023.7任）
副主任　江　寅（2023.3免）
杨　军
丁占斌
王四海
江小涛
王　鹏（2023.5任）
政协联络委主任　谢翠丰（女）

春晓街道
党工委书记　严文龙
副书记　郑建伟
柯儿波
委　员　张佳誉（女）
傅　林
董博文
陈世颖（女）
邱　正（兼）
罗君杰（兼，2023.11免）
郑　海（兼，2023.11任）
人大工委主任　周庆海（2023.11免）
邬世雄（2023.11任）
副主任　张思迪（2023.1任）
办事处主任　郑建伟
副主任　虞哲华（2023.1免）
庄国忠
董彦辰（2023.7免）
史声铮
方翡翠（女，2023.1任）
政协联络委主任　张佳誉（女）

梅山街道
党工委书记　胡　琼（女，2023.11免）
郑维杰（2023.11任）
副书记　郑维杰（2023.11免）
李国标
李志烽（2023.11任）
委　员　李旭东
那彦鹏（2023.11免）
刘建江（兼，2023.9意外去世）
顾宏辉
卞玉洁（女）
郑　浩（2023.11任）
邬杨波（兼）
人大工委主任　郑永武
副主任　费钢杰
办事处主任　郑维杰（2023.12免）
李国标（2023.12任）
副主任　周剑波（2023.4免）
王科元（2023.7任）
石惠新（2023.12免）
贺陈红（女）
邬豪波（2023.1任）
许允彬（2023.12任）
政协联络委主任
董　娟（女，2023.1免）
卞玉洁（女，2023.1任）

白峰街道
党工委书记　蔡南耀
副书记　王　群
毛峻林
委　员　刘继宏（2023.01免）
张於明（2023.01任）
徐智富（2023.11免）
仇成章（2023.11任）
陶　刚
张哲鹏
吴先明（兼）
林　磊（兼，2023.11免）
人大工委主任　徐　炯（女）
副主任　韩罗杰（2023.11免）
办事处主任　王　群
副主任　仇成章（2023.12免）
余　清
陈　彦（女，2023.07任）
政协联络委主任　徐智富

郭巨街道
党工委书记　乐　伟
副书记　顾艳艳（女，2023.6免）
董彦辰（2023.6任）
乐耀光
尉　涛（2023.6免）
委　员　张　方
黄经纬
王　锐（2023.11任）
张凌云（2023.11任）
孙平波
甘　露（2023.3任）
胡海翔（女，2023.3免）
人大工委主任　柴建军（2023.3免）
王宁山（2023.3任）
副主任　袁兆良
办事处主任　顾艳艳（女，2023.7免）
董彦辰（2023.7任）
副主任　郑德华（2023.1免）
胡　刚（2023.7免）
张　正
石麒琳（女，2023.7任）
政协联络委主任　黄经纬

大榭街道
党工委书记　张　忠（2023.3免）
董　海（2023.3任）
副书记　董　海（2023.3免）
陈水明（2023.3任）
施　红（女）
委　员　杨春雷
项　群（2023.11免）
虞海波
车岱波
徐立淞（2023.11任）
刘　韵（兼，2023.3任）
舍　东（兼，2023.3任）
人大工委主任　邬安银
副主任　应志平

办事处主任 董　海（2023.4免）
陈水明（2023.4任）
副主任 虞海波
舒红兵（2023.5任）
徐　明
吴旭明
潘俊喜（2023.7免）
张国忠（2023.7免）
高　乐（2023.7任）
政协联络委主任 车岱波

重要文件选目

中共北仑区委文件

仑委〔2023〕3号	关于区委九届三次全体（扩大）会议召开情况的报告
仑委〔2023〕6号	关于落实彭佳学书记对大榭国家级开发区考评批示精神有关情况的报告
仑委〔2023〕7号	关于2022年度区委常委会民主生活会暨省委巡视整改专题民主生活会的情况报告
仑委〔2023〕14号	关于2022年北仑区优化生育政策促进人口长期均衡发展工作情况的报告
仑委〔2023〕31号	关于学习贯彻习近平总书记重要指示精神情况的报告
仑委〔2023〕39号	关于区委九届四次全体（扩大）会议召开情况的报告
仑委〔2023〕46号	关于学习宣传贯彻习近平总书记考察浙江重要讲话精神情况的报告
仑委〔2023〕53号	关于区委九届五次全体（扩大）会议召开情况的报告
仑委〔2023〕55号	关于北仑区2023年食品安全工作情况的报告
仑委发〔2023〕2号	批转区人大党组《关于召开宁波市北仑区第十届人民代表大会第二次会议的请示》的通知
仑委发〔2023〕3号	批转区政协党组《关于召开政协第十届宁波市北仑区委员会第二次会议的请示》的通知
仑委发〔2023〕5号	关于印发《2023年深化“六促六优”专项行动方案》的通知
仑委发〔2023〕7号	关于印发《北仑区国有企业整合提升实施方案》的通知
仑委发〔2023〕8号	关于印发《中共宁波市北仑区委常委会2023年工作要点》的通知
仑委发〔2023〕9号	关于表彰2022年度北仑区（开发区）经济高质量发展突出贡献企业、企业家和先进集体的决定
仑委发〔2023〕14号	中国共产党宁波市北仑区第九届委员会第四次全体会议关于认真学习贯彻习近平总书记重要指示精神坚定不移推动“八八战略”持续走深走实以领跑状态领先姿态推进“双一流双示范”建设的决议
仑委发〔2023〕15号	关于印发《北仑共青团城市基层组织改革试点方案》的通知
仑委发〔2023〕17号	关于印发《关于高质量做好2023年全面推进乡村振兴重点工作的实施意见》的通知
仑委发〔2023〕24号	批转区人大党组《关于召开宁波市北仑区第十届人民代表大会第三次会议的请示》的通知
仑委发〔2023〕25号	批转区政协党组《关于召开政协第十届宁波市北仑区委员会第三次会议的请示》的通知
仑委发〔2023〕27号	关于印发《宁波经济技术开发区争先进位三年攻坚行动方案（2023—2025）》的通知

中共北仑区委办公室文件

仑委办〔2023〕5号	关于印发《北仑区（开发区）“全力拼经济勇夺开门红”攻坚行动方案》的通知
仑委办〔2023〕7号	关于加快推进2023年重点民生实事项目的通知
仑委办〔2023〕10号	关于印发2023年人大代表建议、政协提案办理工作责任分解的通知

仑委办〔2023〕11号　印发《关于建立大招商工作机制的若干意见》的通知
仑委办〔2023〕12号　印发《关于进一步规范招商引资工作决策流程的办法》的通知
仑委办〔2023〕16号　关于印发《北仑打造文化强区“1485”行动方案》的通知
仑委办〔2023〕17号　关于印发《2023年党风廉政建设和反腐败工作组织领导与责任分工》的通知
仑委办〔2023〕18号　关于印发《区政协2023年度协商监督调研计划》的通知
仑委办〔2023〕26号　关于加强省委巡视整改跟踪督查工作的通知
仑委办〔2023〕29号　关于印发《2023年度全区党委信息工作目标管理考核办法》《2023年度全区紧急信息工作目标管理考核办法》的通知
仑委办〔2023〕31号　关于全面开展党内规范性文件备案审查全覆盖工作的通知
仑委办〔2023〕36号　关于印发《2023年区领导重点调研课题分工方案》的通知
仑委办〔2023〕37号　关于印发《北仑区创建全国禁毒示范城市三年行动方案》的通知
仑委办〔2023〕38号　印发关于清廉公安清廉社会组织清廉财政清廉医保建设等实施方案的通知
仑委办〔2023〕40号　关于印发《北仑区（开发区）服务企业服务项目服务人才专项行动方案》的通知
仑委办〔2023〕41号　关于印发《2023年督查检查考核年度计划》的通知
仑委办〔2023〕42号　关于印发《关于进一步加强区领导联系基层工作的实施方案》的通知
仑委办〔2023〕44号　关于印发《宁波市北仑区（开发区）区属企业领导人员管理暂行办法》的通知
仑委办〔2023〕45号　关于印发《关于进一步明确宁波市北仑区（开发区）区属企业领导人员管理体制的若干意见》的通知
仑委办〔2023〕46号　关于印发《全面开展“联街道入村社解难题”活动实施方案》的通知
仑委办〔2023〕52号　关于印发《北仑区村级集体经济持续提升行动计划（2023—2027年）》的通知
仑委办〔2023〕60号　印发《全区公车使用以及街道、村（社）资金管理若干突出问题专项治理工作方案》的通知
仑委办〔2023〕61号　关于印发《深入实施自贸试验区提升战略创新发展示范引领行动方案》的通知
仑委办〔2023〕62号　关于印发《北仑区“千万工程”再深化和美共富新启航三年行动实施方案》的通知

北仑区人民政府文件

仑政〔2023〕3号　关于印发《北仑区（开发区）促进数字产业高质量发展扶持办法（试行）》的通知
仑政〔2023〕32号　关于修订或废止部分文件条款的通知
仑政〔2023〕40号　关于加快推进气象高质量发展的实施意见
仑政〔2023〕41号　关于印发《宁波市北仑区气象探测环境保护专项规划（2023—2035年）》的通知
仑政〔2023〕50号　关于印发森林禁火令的通知
仑政〔2023〕54号　关于实施购房补贴优化房地产市场平稳健康发展的通知
仑政〔2023〕62号　关于修订部分文件条款的通知
仑政〔2023〕70号　关于表彰奖励见义勇为先进个人的决定
仑政〔2023〕72号　关于重新公布北仑区征地区片综合地价的通知
仑政〔2023〕79号　关于公布行政规范性文件清理结果的通知
仑政告〔2023〕1号　关于禁止露天焚烧秸秆等物质的通告

北仑区人民政府办公室文件

仑政办〔2023〕1号　关于印发支持企业稳岗优工促生产若干举措的通知
仑政办〔2023〕2号　关于调整北仑区根治欠薪工作领导小组成员的通知

仑政办〔2023〕3号	关于印发宁波市北仑区“十四五”时期“无废城市”建设实施方案（2022—2025年）的通知
仑政办〔2023〕6号	关于印发北仑区“仑有优学”教育高质量发展行动方案的通知
仑政办〔2023〕7号	关于公布北仑区2023年度政府挂牌督办重大火灾隐患单位和区域的通知
仑政办〔2023〕8号	关于印发北仑区普惠托育基本公共服务先行试点实施方案的通知
仑政办〔2023〕14号	关于印发《北仑区慈善发展模式创新试点实施方案（2023—2025年）》的通知
仑政办〔2023〕15号	关于印发2023年政府工作报告主要任务分解的通知
仑政办〔2023〕25号	印发《关于支持高质量建设宁波国家级人力资源服务出口基地的实施意见》的通知
仑政办〔2023〕31号	关于公布北仑区人民政府2023年度重大行政决策事项目录的通知
仑政办〔2023〕44号	关于印发北仑区加快淘汰老旧柴油货车实施方案的通知
仑政办〔2023〕45号	关于印发北仑区道路交通事故应急预案的通知
仑政办〔2023〕54号	关于表彰2022年度北仑区科技创新奖获奖单位的通报
仑政办〔2023〕63号	关于印发北仑区（开发区）政策供给精准落实行动工作方案的通知
仑政办〔2023〕64号	关于印发《深化全区应急广播体系建设工作实施方案》的通知
仑政办〔2023〕76号	关于明确北仑区公租房保障准入标准和有关事项的通知
仑政办〔2023〕77号	关于印发北仑区简化市场经营主体住所（经营场所）登记手续的实施办法的通知
仑政办〔2023〕86号	关于印发宁波市北仑区流动人口应急救助基金管理办法的通知
仑政办〔2023〕89号	关于印发区政府本级合法性审查事项目录清单的通知
仑政办〔2023〕92号	关于废止有关文件的通知
仑政办〔2023〕99号	关于印发北仑区大型群众性活动事故应急预案的通知

宁波经济技术开发区管委会文件

宁开政〔2023〕17号	关于印发宁波经济技术开发区化工园区总体规划的通知

宁波经济技术开发区党工委管委会办公室文件

宁开党政办〔2023〕12号	关于印发《深入实施自贸试验区提升战略创新发展示范引领行动方案》工作机制的通知
宁开党政办〔2023〕16号	关于印发宁波经济技术开发区化工产业发展规划的通知

索 引

说 明

一、本索引将年鉴正文文字采用主题分析索引方法，按主题词首字汉语拼音字母顺序排列，首字相同按第二字音序排列，以此类推。

二、索引名称后的数字表示主题所在的页码。除易产生歧义者外，冠名北仑的各企事业单位和在北仑发生的事件，其索引名称前的“北仑区”或“北仑”均予省略。

主题索引